TEXTE ZU DEN KIRCHEN-KANTATEN VON

Johann Sebastian Bach

hänssler

Texte zu den Kirchenkantaten von Johann Sebastian Bach

The Texts to Johann Sebastian Bach's Church Cantatas

– Translation by Z. Philip Ambrose –

ME: Bach

Hänssler-Verlag · Neuhausen-Stuttgart

ISBN 3-7751-0970-6
Bestell-Nr.: 24.013

Titelbild: Johann Sebastian Bach von Elias Gottlieb Haußmann

Inhaltsverzeichnis/*Table of Contents*

Seite/*Page*

Helmuth Rilling

Gedanken zur Gesamtaufnahme der Kirchenkantaten Johann Sebastian Bachs

Wir sind sehr glücklich darüber, zu J. S. Bachs 300. Geburtsjahr 1985 die erste Gesamteinspielung seiner 200 Kirchenkantaten vorlegen zu können. Als wir vor 15 Jahren im Oktober 1969 mit den Aufnahmen begannen, war es zunächst unsere Absicht gewesen, nur eine Reihe weniger verbreiteter und für die Schallplatte noch nie eingespielter Kantaten aufzunehmen, um sie dadurch bekannter zu machen. Diese ersten Aufnahmen stießen auf so viel Interesse, daß wir uns 1974 entschlossen, eine Gesamteinspielung des Kantatenwerks in Angriff zu nehmen.

Die Nummern der Bachwerkverzeichnisse (BWV) spiegeln ja, anders als Opuszahlen, keine chronologische Werkfolge wider. So ist BWV 1 „Wie schön leuchtet der Morgenstern" ein Werk aus dem Jahr 1725, und die früheste uns erhaltene Kantate „Aus der Tiefen rufe ich, Herr, zur dir" trägt die BWV-Zahl 131. Als Ordnungsprinzip der Gesamtaufnahme schien uns deshalb eine Abfolge am sinnvollsten, die der Entstehungszeit der einzelnen Kantaten folgt, so daß von den ersten 1707 in Mülhausen entstandenen Werken bis zu den Kantaten der späten Leipziger Zeit Bachs künstlerischer Werdegang sichtbar wird.

Die meisten der wohl bekanntesten Werke Bachs, etwa die Matthäus-Passion, die Johannes-Passion oder die Brandenburgischen Konzerte entstanden aus ganz bestimmten und einmaligen Anlässen. Dagegen ist die Kantate die Kompositionsform, mit der sich Bach während seines ganzen Lebens beschäftigte. Diese lebenslange Auseinandersetzung Bachs mit der immer gleichen Aufgabe zu beobachten, war für mich selbst in der Vorbereitung und Durchführung der Aufnahmen und ist wohl für jeden Musikfreund etwas ganz Außerordentliches. Nicht nur entfaltet sich Bachs schöpferische Phantasie und seine handwerkliche Meisterschaft, diesen Reichtum der Erfindung in Formen und logische Abläufe zu zwingen, hier in überwältigender Weise. Was mich am meisten beeindruckte, war, daß von den vereinzelten Kantaten der frühen Jahre über die in vierwöchigem Abstand komponierten Werke der Weimarer Zeit zu den jetzt für fast jeden Sonntag neu geschaffenen Kantaten der ersten Leipziger Amtsjahre und den schließlich wieder in größerem Abstand entstehenden Spätwerken keine Kantate der anderen gleich ist. Was läge näher, als ein erprobtes und erfolgreiches Modell mehrfach zu verwenden. Aber Bach scheint nicht so zu denken – für ihn ist die einmalige gültige Lösung einer Aufgabe genug, er wendet sich neuen Formen mit andersartigen Ausdrucksmöglichkeiten zu. Am deutlichsten wird dies in den Kantaten aus Bachs zweitem Leipziger Amtsjahr. Die selbstgewählte Aufgabe, ein ganzes Jahr lang als Grundlage der Sonntagskantate Melodie und Text eines Kirchenlieds zu verwenden, erweist sich nicht als Einengung, sondern als eine künstlerische Herausforderung, die Bach auf immer andere Weise mit immer neuen Strukturen bewältigt.

Bachs Kirchenkantaten entstanden für einen ganz bestimmten und immer gleichen Anlaß. Sie waren Teil der von ihm mitverantworteten Gottesdienste seiner Zeit. Wie der Pfarrer mit Worten, so redete Bach mit seiner Musik und äußerte sich zu den Problemstellungen der vorgegebenen Sonntagstexte. Diese kirchliche Dimension der Bach-

Kantaten ist uns heute sehr fern gerückt. Aber ähnlich den großen Kirchenbauten der Romanik und Gotik scheinen mir Bachs Kantaten ein Verständnis von Christentum und Kirche widerzuspiegeln, das über die Zeit ihrer Entstehung weit hinausreicht. Dem entgegenzustehen scheinen oft die für unser Denken und unser Sprachgefühl ungewöhnlichen, manchmal beinahe lächerlich wirkenden Kantatentexte. Kann aber menschliches Gott- und Selbstverständnis nur in der Alltagssprache unserer Zeit bedacht werden, beschreiben Texte wie „Mein Herze schwimmt im Blut" (BWV 199/1) oder „Schweig, schweig nur, taumelnde Vernunft" (BWV 178/6) nicht Probleme, die unter der Oberfläche ihrer erregten Formulierungen Notzustände meinen, die für uns heute anders, aber in ähnlicher Unmittelbarkeit und Ausweglosigkeit bestehen? Gewiß hätten diese Texte alleingelassen kaum Bestand, aber Bachs Musik nützt sie als Anlaß, entzündet sich an ihnen, verbindet sich mit ihnen und redet durch sie. Diese Rede ist vielfältig und gewaltig. Sie reicht von der ständigen Abbildung einzelner Textformulierungen mit den Mitteln barocker Rhetorik in allen Kantaten bis zur Errichtung großer Gedankengebäude, etwa im Eingangschor der Kantate BWV 77 „Du sollt Gott, deinen Herren, lieben."

In unserer Gesamteinspielung des Kantatenwerks haben wir versucht, diesen Überlegungen Rechnung zu tragen. In meinem Amt als Kirchenmusiker an der Gedächtniskirche Stuttgart, deren Kantor ich von 1957 bis heute bin, habe ich die meisten Kantaten Bachs im Gottesdienst aufgeführt. Naturgemäß waren die für die Kirchenmusik zur Verfügung stehenden Chöre, der Figuralchor der Gedächtniskirche Stuttgart und die Gächinger Kantorei Stuttgart, auch die ersten Klangkörper der Aufnahmen. Später kamen Vokalgruppen dazu, mit denen ich außerhalb Stuttgarts zusammenarbeitete, vor allem die Frankfurter Kantorei und während meiner Lehrtätigkeit in Bloomington/USA die Indiana University Chamber Singers. Den weit überwiegenden Teil aller Aufnahmen sang die Gächinger Kantorei in kleiner, zahlenmäßig und stimmlich ausgewogener Besetzung. Ihrem Engagement verdankt die Gesamteinspielung viele Höhepunkte.

Auch das Bach-Collegium Stuttgart spielte zunächst in der Besetzung, in der es für die Kirchenmusik an der Gedächtniskirche zur Verfügung stand. Daß zu den Stuttgarter Musikern viele besonders qualifizierte Instrumentalisten aus anderen Städten und Ländern stießen, empfinde ich als große Bereicherung, so auch die Beteiligung des Heilbronner Kammerorchesters in der letzten Aufnahmephase. Viele der Musiker standen über den ganzen Zeitraum der Kantateneinspielung immer wieder zur Verfügung. Hier denke ich unter vielen anderen vor allem an die Geiger Walter Forchert und Willi Lehmann, die Flötisten Peter-Lukas Graf und Sibylle Keller-Sanwald, die Oboisten Günther Passin und Hedda Rothweiler, die Cellisten Jürgen Wolff, Jakoba Hanke und Martin Ostertag, die Kontrabassisten Thomas Lom und Harro Bertz und schließlich vor allem an die Spieler der verschiedenen Tasteninstrumente, Martha Schuster und Hans-Joachim Erhard.

Die Solisten sind das Abbild einer halben Generation europäischer Oratorientradition. In den Aufnahmen der ersten Jahre sind mit Marga Hoeffgen, Ingeborg Reichelt, Kurt Equiluz und Helen Watts Künstler vertreten, die die Oratoriengeschichte der Nachkriegszeit entscheidend geprägt haben. Daneben stehen mit Aldo Baldin, Helen Donath, Walter Heldwein, Philippe Huttenlocher, Adalbert Kraus, Sigmund Nimsgern, Wolfgang Schöne, Gabriele Schreckenbach, Hanna Schwarz und Carolyn Watkinson Sänger, die damals am Beginn ihrer Karriere standen und heute zu den gesuchten und geschätzten Vertretern ihres Fachs zählen. Später kamen mit Arleen Augér, Dietrich Fischer-Dieskau, Julia Hamari und Peter Schreier Solisten dazu, die auf der Höhe ihrer künstlerischen Laufbahn mit ihrer persönlichen Ausstrahlung die Deutung der Gesamtaufnahme bereicherten. Und immer wieder, bis zum Abschluß der Aufnahmen im Sommer 1984, wurden junge Sänger – wie in diesem Jahr zum erstenmal die Altistin Mechthild Georg und der Bassist Andreas Schmidt – in die Arbeit mit einbezogen.

In meinen musikalischen Studien geprägt durch den Stuttgarter Organisten und Straube-Schüler Karl Gerok, den Stuttgarter Bach-Dirigenten Hans Grischkat, den Komponisten Johann Nepomuk David, den römischen Organisten Fernando Germani und den amerikanischen Dirigenten Leonard Bernstein, sehe ich selbst meine Aufgabe innerhalb des Spektrums heutiger Bach-Interpretation in einer Synthese zwischen „historisierenden" und „romantischen" Ansätzen. Die Kenntnis Bachscher Aufführungspraxis halte ich für selbstverständlich, ihre Rekonstruktion aber nicht für notwendig, sondern eher verfremdend, wenn es darum geht, dem Hörer unserer Zeit den Sinn einer Bachschen Kantate zu verdeutlichen. Die für die romantische Aufführungstradition typische emotionelle Aneignung eines barocken Werks finde ich wichtig, meine aber, daß zu groß besetzte Chöre und Orchester, zu bedenkenlos angewandte crescendo- und diminuendo-Dynamik und zu wenig differenzierende Artikulation der strukturellen Klarheit von Bachs Musik schaden. Diese im Verlauf der Gesamtaufnahme des Kantatenwerks gewachsenen Überzeugungen spiegeln sich in den Einspielungen wider. Ausgehend von der Überlegung, daß auf Texte bezogene Musik vor allem dem vokalen Bereich verpflichtet sei, war mir zunächst das kantable Element und die Wortatmosphäre besonders wichtig. Später trat für mich das rhythmische Moment mehr in den Vordergrund. Es wurde mir bewußter, wie oft Kantatensätze Bachs ihre Vorbilder in Konzert- und Tanzsätzen haben. Kantabilität und rhythmische Klarheit zu einem Ausgleich zu bringen, der den jeweils besonderen Affekt jedes Kantatensatzes verdeutlicht und den Sinn des Werks erhellt, war schließlich das Ziel.

Von wesentlicher Hilfe bei grundsätzlichen wie bei vielen Detailentscheidungen war mir der Rat der befreundeten, auf Bachs Schaffen spezialisierten Musikwissenschaftler Georg von Dadelsen, Tübingen, Alfred Dürr und Klaus Hofmann, Göttingen, Hans-Joachim Schulze, Leipzig, und Christoph Wolff, Boston. Auch von seiten der für die Textbeilagen verantwortlichen Musiker und Musikwissenschaftler Manfred Schreier, Stuttgart, Artur Hirsch, Paris, und Marianne Helms, Köln, kamen wesentliche Anregungen. Mit der Gründung der Sommerakademie J. S. Bach und der Internationalen Bachakademie Stuttgart intensivierten sich diese Beziehungen und führten zu regelmäßiger Zusammenarbeit zwischen Bach-Forschung und heutiger Aufführungspraxis. Viele der in diesem Gedankenaustausch gewonnenen Erkenntnisse sind für die Kantaten-Gesamtaufnahme realisiert worden, wobei umgekehrt auch Erfahrungen der Aufnahmen die Neuorientierung wissenschaftlicher Positionen, etwa in Fragen der Continuo-Praxis, beeinflußten.

Um eine Aufnahme von 200 Kantaten auf 100 Platten durchzuführen, bedarf es der Zusammenarbeit vieler Institutionen. Den Mut, das große Projekt zu beginnen, hatte der Claudius-Verlag München und sein Direktor Hans-Joachim Pfalzgraf. Den Weitblick, das begonnene Unternehmen in einer Zeit weiter- und zu Ende zu führen, in der die Schallplattenbranche insgesamt erhebliche Rückgänge hinnehmen mußte, besaß Friedrich Hänssler und sein Hänssler-Verlag. Die Planung, jedes Jahr für ungefähr 6 Wochen die Termine der verschiedenen Künstler so zu koordinieren, daß die Gesamtaufnahme tatsächlich zum Bach-Jahr 1985 fertiggestellt werden konnte, lag in den Händen der Stuttgarter Konzertvereinigung und vor allem ihres Geschäftsführers Andreas Keller, der das ganze Kantatenwerk datentechnisch erfaßte und in minuziös detaillierte Aufnahmepläne umsetzte. Dank gebührt aber vor allem dem Mann, der von der ersten bis zur letzten aufgenommenen Kantate alle Aufnahmen als Tonmeister betreute und alle Bandschnitte durchführte, Richard Hauck. Seine Zusammenarbeit mit dem Südwest-Tonstudio, Heinz Jansen und Henno Quasthoff, später mit dem Tonstudio Teije van Geest, Heidelberg, spiegelt ähnlich der sich verändernden künstlerischen Besetzung und Intention ein Stück Aufnahmegeschichte wider. Die ausnahmslos in der Gedächtniskirche Stuttgart durchgeführten Aufnahmen waren am Anfang bemüht, den Raumklang der Kirche mit einzubeziehen, wurden später direkter und damit durchhörbarer. In den letzten Jahren haben wir versucht, unter Einbeziehung neuester aufnahmetechnischer Möglichkeiten diese analytische Orientierung mit dem Raumklang so zu verbinden, daß jede einzelne Kantate ein ihrer Struktur gemäßes Klangbild besitzt.

Ein Komponist müsse mit seiner Musik delectare, docere, movere – erfreuen, lehren, bewegen können, das war einer der Leitsätze in der Kompositionslehre des 17. Jahrhunderts. Ich hatte das Glück, jeden Chor- und Instrumentalsatz, jede Arie, jedes Arioso und Rezitativ und jeden Choral aller 200 Kirchenkantaten für die Einspielung vorzubereiten und während der Aufnahmen mehrfach zu dirigieren. Ich habe dabei erfahren, in welch überwältigender Weise Bach diesem Kompositionsleitsatz gerecht wird. Ich möchte hoffen und wünschen, daß diese Gesamtaufnahme viele Menschen veranlaßt, sich von Bachs Kantatenwerk beglücken, belehren und bewegen zu lassen.

Helmuth Rilling

Reflections on the complete record collection of Johann Sebastian Bach's church cantatas

We are very pleased to be able to present the first complete recorded edition of Bach's 200 church cantatas in 1985, the year of his tricentennial. When we began this recording project 15 years ago in October 1969, we originally planned to record only a selection of cantatas, not widely known nor previously recorded, in order to make them more accessible and familiar to the musical public. These first recordings generated so much interest that in 1974 we decided to undertake the recording of a complete discography of Bach's cantatas.

The numeration of Bach's compositions (BWV number), unlike the opus numbers, does not reflect a chronological progression. As a result, the number BWV 1 is assigned to *Wie schön leuchtet der Morgenstern* (How Beauteous Beams The Morning Star), a cantata composed in 1725, while Bach's earliest surviving cantata *Aus der Tiefen rufe ich, Herr, zu dir* (From The Depths Now Do I Call, Lord, To Thee) bears the BWV number 131. In view of this we have found it most meaningful to organize this collection according to the actual time of composition of the individual cantatas; in this way making visible Bach's artistic evolution from his earliest compositions in 1707 in Mühlhausen through the cantatas completed late in his Leipzig period.

Most of Bach's best known works, for example, the St. John Passion, the St. Matthew Passion, and the Brandenburg concerti, were composed for very specific and unique occasions. In comparison, the cantata was a musical composition form that occupied Bach throughout his entire life. To be able to follow and observe Bach's lifelong confrontation with the same musical problem is a very special and extraordinary activity for myself (something I experienced with the preparation for and realization of each recording session), and for every music lover. Bach's creative fantasy and technical mastery – a richness of invention structured to follow form and logical progression – is revealed in the cantatas in an overwhelming manner. Bach's cantatas include the widely separated pieces written in his earliest period of composition, works presented every fourth week in Weimar, compositions prepared for nearly every Sunday service during his first years in Leipzig, and the once again widely separated late works of his Leipzig period. What most impressed me, however, is the fact that each individual cantata is like no other. What could have been easier than to repeatedly use a well-worked out and successful model? Bach, however, thought otherwise. For him the single appropriate solution to a musical problem was sufficient; he devoted himself to constantly finding new musical forms capable of different possibilities of expression. This can be observed best in the cantatas Bach composed during his second year of work in Leipzig. Bach's own choice to base an entire year of cantatas composed for the Sunday service on the melodies and texts of church chorales, reveals not a process of restriction but rather an artistic challenge that Bach met and mastered with constantly new methods and structures.

Bach's church cantatas were composed for a very definite and continually recurring occasion; they were a part of the Sunday church services for which he was also partially responsible. Balancing the minister's use of words, Bach spoke through his music, addressing himself to the problems presented in the prescribed texts for the Sunday service. This church related dimension of Bach's cantatas has been given little importance in our time.

However, in my opinion, Bach's cantatas, like the great church buildings of the Romanic and Gothic periods, reflect an understanding of Christianity and the church that extends far beyond the time of their creation. The cantata texts, on the other hand, often appear strange and sometimes even ridiculous according to our present way of thinking and speaking. Is it possible however, that a human understanding of God and self can only be reflected upon in the everyday language of our time? Do not texts such as *Mein Herze schwimmt im Blut* (My Heart Is Bathed In Blood) [BWV 199/1] and *Schweig, schweig nur taumelnde Vernunft* (Hush, Hush, Then Giddy Intellect) [BWV 178/6] describe problems that, beneath the surface of their agitated formulation, suggest states of distress also existing for us today, differently, but in similar immediacy and inescapability? Certainly, these texts would convey less substance seen alone; Bach's music, however, uses them as a catalyst – becomes inflamed through them, is bound together with them, and speaks through them. This speech, faceted and forceful, spans from the repeated representation of single text formulations (within the bounds of middle Baroque rhetoric), to the erection of great thought-structures found in compositions such as the opening chorus of cantata BWV 77 *Du sollt Gott, deinen Herren, lieben* (Thou Shalt Thy God And Master Cherish).

In our complete recording of the cantatas, we have attempted to take into account these thoughts. In my post as church musician at the Gedächtnis church in Stuttgart (Director of Music since 1957), I have performed most of Bach's cantatas in the framework of the Sunday church service. Naturally, the choirs then available for the church music, the Figuralchor of the Gedächtnis church in Stuttgart and the Gedächtnis Kantorei of Stuttgart, were also the first choirs used in the recordings. Later, I was able to include vocal groups that I worked with outside of the Stuttgart area, above all the Frankfurt Kantorei and during my year of guest teaching in the United States of America (Bloomington, Indiana), the Indiana University Chamber Singers. The predominant portion of recordings were sung by the Gächinger Kantorei in a small, numerically and vocally balanced setting. Many musical high points heard in the complete cantata collection are the result of their commitment and enthusiasm.

The Bach Collegium of Stuttgart originally included the same group of musicians responsible for instrumental music in the Gedächtnis church. Later, the recordings were enriched through the participation of many especially qualified instrumentalists from other cities and countries as well as the Heilbronn Chamber Orchestra in the final stage of the production. Many musicians were able to participate throughout the entire recording period of the cantatas and here I wish to especially mention the violinists Walter Forchert and Willi Lehmann, the flutists Peter-Lukas Graf and Sibylle Keller-Sanwald, the oboists Günther Passin and Hedda Rothweiler, the cellists Jürgen Wolff, Jakoba Hanke and Martin Ostertag, the double-bass players Thomas Lom and Harro Bertz, and finally, above all, Martha Schuster and Hans-Joachim Erhard, the versatile performers of the various keyboard instruments.

The vocal soloists represent a half a generation of European oratorio tradition. In the early recordings, artists are heard – Marga Hoeffgen, Ingeborg Reichelt, Kurt Equiluz, and Helen Watts – who stamped the history of oratorio in the post-war period. Soloists were also used standing then at the beginning of their careers. Aldo Baldin, Helen Donath, Walter Heldwein, Philippe Huttenlocher, Adalbert Kraus, Sigmund Nimsgern, Wolfgang Schöne, Gabriele Schreckenbach, Hanna Schwarz, and Carolyn Watkinson are now singers who today belong to the most sought after and appreciated performers in their field.

Later, the interpretation of the cantata collection was further enhanced through the participation of Arleen Augér, Dietrich Fischer-Dieskau, Julia Hamari, and Peter Schreier, soloists with tremendous personal magnetism at the zenith of their careers. Young emerging singers, such as alto Mechthild Georg and bass Andreas Schmidt in 1984, were also included up to the conclusion of the recording production in the summer of 1984.

In my music studies, shaped by the Stuttgart organist and Straube-student Karl Gerok, the Stuttgart Bach conductor Hans Grischkat, the composer Johann Nepomuk David, the Roman organist Fernando Germani, and the American conductor Leonard Bernstein, I see my role as creator of a synthesis between the "historical" and "romantic" approaches inside the spectrum of contemporary Bach interpretation. I assume a thorough knowledge of Bach performance practice, however, I do not find a reconstruction essential. Rather I feel that alternations are allowed when necessary, in order to clarify and strengthen the meaning of a Bach cantata for the contemporary listener. I find it important that a Baroque work is also approached emotionally (a typical aspect of Romantic performance practice), but I also feel that the use of too large a choir or orchestra, a thoughtless application of crescendi and decrescendi, and an undifferentiated use of articulation harms the structural clarity of Bach's music. This conviction, which grew stronger in the course of the recording process, is reflected in the complete cantata collection. Arising out of the belief that the text related music is chiefly responsible to the vocal aspect, I, at first, laid special importance on the cantabile element and related word atmosphere. At a later point, as I became more conscious of how often Bach's cantata movements reflected models in concerto and dance movement structures, the rhythmical component became more important for me. To balance rhythmical clarity with the vocal element, thereby illuminating the special Baroque Affection of each respective cantata movement and making its meaning clear, was finally the goal.

For essential help in decisions regarding basics and many details, I had the advice of the music historians and friends specializing in Bach research, Georg von Dadelsen, Tübingen, Alfred Dürr and Klaus Hofmann, Göttingen, Hans-Joachim Schulze, Leipzig and Christoph Wolff, Boston. Significant stimulation also came from the musicians and music historians responsible for the introductions and analyses accompanying the cantatas – Manfred Schreier, Stuttgart, Artur Hirsch, Paris, and Marianne Helms, Cologne. These relationships were intensified with the founding of the International Bach Academy of Stuttgart and led to more regular contact between those involved in Bach research and contemporary performance practice. Many perceptions originating in these exchanges were afterward realized in the complete cantata edition. By the same token, experiences shared in the recording process also proved influential in the new orientation of historical positions, for example, in regard to the question of bass continuo practice.

The combined work of many institutions was required in order to record 200 cantatas on 100 discs. The courage needed to begin this immense project was provided by the Claudius publishing house of Munich and its director Hans-Joachim Pfalzgraf. The far-sighted view to continue and conclude the already begun project, particularly in a depressed time for the record industry, belonged to Friedrich Hänssler and his Hänssler publishing house. The overall planning necessary to coordinate the schedules of the different musical artists for approximately six weeks each year in such a way as to insure that the complete cantata series would be ready to release in 1985, the Bach "year", lay in the hand of the Stuttgart Konzertvereinigung (concert organization) and above all its director Andreas Keller. He was responsible for transfoming the entire Bach cantatas into technical data and then translating this information into minute detailed recording schedules. I wish to also especially thank Richard Hauck, who oversaw all taping sessions, from the first to the last recorded cantata, as sound engineer and carried out the final cuttings. His work, together with the Südwest-Tonstudio, Heinz Jansen and Henno Quasthoff, and later with the sound studio Teije van Geest, Heidelberg, reflects in similar fashion the changing cast of musical artists and intentions – all a part of the story behind this complete cantata collection. At the beginning of the taping sessions in the Gedächtnis church (all cantatas were recorded there), an attempt was made to include the church's own acoustical properties. Later, however, a more direct recording process was chosen resulting in a more transparent texture. We have tried in the last years, with the use of the most recent technical recording methods, to combine this analytical orientation with the church's acoustics in such a way as to provide each individual cantata with its own structurally appropriate "sound".

A major thesis in the composition theory of the 17th century states that a composer must "delectare, docere, movere" – delight, instruct and move – with his music. I have had the good fortune to study and conduct for the cantata recordings each choral and instrumental movement, every aria, arioso, recitative and chorale. Through this experience I have learned in what overwhelming way Bach does justice to this composition axiom. I very much hope and wish that this edition of Bach's complete recorded cantatas will provide many people with the opportunity to be delighted, educated, and moved.

Translation by Linda Paula Horowitz

Redaktionelle Hinweise

Der vorliegende Band enthält sämtliche Texte der Kirchenkantaten Johann Sebastian Bachs (nach BWV geordnet), die innerhalb der Reihe DIE BACH KANTATE unter der Leitung von Helmuth Rilling eingespielt wurden. Das Weihnachtsoratorium wurde – als eigenständiges Werk – nicht mit in die Schallplatten-Kassetten-Sonderausgabe und damit auch nicht in die Textausgabe übernommen.

Abweichende Textfassungen (z. B. in Partitur, Stimmen, zeitgenössischen Textdrucken) der Kantaten konnten nicht berücksichtigt werden. Sie sind u. a. bei Werner Neumann: *Sämtliche von J. S. Bach vertonte Texte,* Leipzig 1974 oder in den entsprechenden Kritischen Berichten der Neuen Bach-Ausgabe verzeichnet.

Die Überschriften der einzelnen Kantatensätze wurden weitgehend vereinheitlicht. Wenn **Recitativo e Choral** steht, bedeutet dies, daß Rezitativ(abschnitte) und Choral(abschnitte) einander folgen; **Recitativo con Choral** beinhaltet, daß Rezitativ und Choralweise (vokal oder instrumental) zusammen erklingen.

Die Texte selbst sind in unterschiedlichen Schrifttypen wiedergegeben: freie Dichtungen in Normalschrift, Bibeltexte in Kursivschrift, Choraltexte in halbfetter Schrift.
Die unter den Texten stehenden Instrumentenangaben beziehen sich jeweils nur auf die von Helmuth Rilling eingespielte Fassung. Über jeder Kantate steht die dazugehörige Seriennummer der 10 Schallplatten-Kassetten. Dabei bezieht sich die römische Zahl auf die jeweilige Kassette (Serie), die fünfstellige Zahl auf die Plattennummer. Der Übersichtlichkeit halber sind jeweils die letzten beiden Ziffern halbfett gesetzt.

Wer ältere Platten mit den Nummern des Claudius-Verlages besitzt, kann die entsprechenden Claudius-Nummern errechnen:

Letzte 3 Ziffern der HV-Nummer + 250 $\triangleq$ letzte 3 Ziffern der CLV-Nummer
Beispiel: HV 98.**651** + 250 $\triangleq$ CLV 71.**901**

Im Anschluß an die Kantatentexte folgen zwei Übersichten:

1) „**Mit Bach durchs Jahr**" (S. 475) bietet die Möglichkeit, die Werke in ihrem (kirchen-)jahreszeitlichen Bezug zu hören. Die geistlichen Kantaten Bachs waren ja liturgischer Bestandteil des Gottesdienstes. Ihre Texte (auch diejenigen der Choralkantaten) enthalten bzw. kommentieren und interpretieren die für den jeweiligen Sonn- oder Festtag damals vorgeschriebenen Epistel- oder Evangeliumsabschnitte. Deshalb sind die entsprechenden Bibelstellen in der letzten Spalte aufgeführt.
Die 2. Spalte gibt die genauen Daten für das Bach-Jahr 1985 an. Dabei ist zu beachten, daß die halbfett gesetzten Tage in jedem Jahr gleich bleiben, die übrigen richten sich nach dem jeweiligen Ostertermin bzw. nach dem Wochentag, auf den der 25. Dezember fällt.

2) Die **chronologische Übersicht** nach Artur Hirsch (S. 479) stellt einen Versuch dar, sämtliche in diesem Band enthaltenen Kirchenkantaten – einschließlich der sechs Kantaten des Weihnachtsoratoriums – entstehungszeitlich zu ordnen. Von vielen Kantaten Bachs ist uns heute das Erstaufführungsdatum wieder bekannt. Meist konnte es nur durch sorgfältige Forschungsarbeit ermittelt werden. Es gibt aber noch etliche Kantaten, deren Entstehungsdatum nur innerhalb eines gewissen Zeitraums feststeht.

Am Schluß des Bandes steht ein alphabetisch geordnetes **Verzeichnis der Kantatentitel.** Innerhalb der Schallplatten-Kassetten-Sonderausgabe wurde die Reihenfolge beibehalten, in der die Schallplatten DIE BACH KANTATE seit dem Jahre 1970 erschienen sind. Somit hat der Besitzer die Möglichkeit, das Wachsen der Gesamteinspielung der geistlichen Kantaten Johann Sebastian Bachs nachzuvollziehen (s. a. die Inhaltsübersicht der 10 Kassetten [Serien] auf S. 16 - 21).

Editorial Remarks

This volume contains the complete texts to Johann Sebastian Bach's church cantatas, (ordered according to their BWV number), which are included in the DIE BACH KANTATE series, recorded under the direction of Helmuth Rilling. The Christmas Oratorio has been treated as an autonomous work and has not been included in the special production of the 10 record sets, thus neither appears in the text edition.

Other versions of the cantata texts (e.g. in the score, voice parts and contemporary text-prints) could not be considered. They are registered, among others, by Werner Neumann in: *Sämtliche von J. S. Bach vertonte Texte,* Leipzig, 1974, or in the corresponding critical commentaries which accompany the new Bach edition.

All the cantata texts have been translated anew by **Z. Philip Ambrose,** who remarks: "The intention behind these translations is to lead the reader, listener, or performer back both to the original text and to Bach's interpretation of it. The translations maintain the meter of the original text and, wherever possible, the placement of words which are featured with special affect in the music. This often requires abandoning normal word order and means that the translations should be followed while reading the original text or listening to the performance of the cantata."
The texts themselves are printed in different scripts types: free compositions are given in normal script, Bible texts in italics and choral texts in semi-bold script.
The instrumental specifications listed under the text refer only to the version recorded by Helmuth Rilling.
The appropriate series number of the 10 record set edition is cited above each cantata: the Roman numeral refers to the specific record set, and the 5-digit number to the specific LP. For the sake of clarity, the relevant final two digits have been printed in semi-bold script.

Those in possession of the older LPs with numbers from Claudius-Verlag, can work out the corresponding Claudius number as follows:

Last 3 digits of the HV-number + 250 ≙ last 3 digits of the CLV-number
Example: HV 98.**651**   + 250 ≙ CLV 71.**901**

In addition to the cantata texts there are two tables:
1) **"Mit Bach durchs Jahr"** *(Through the Year with Bach)* (p. 475) provides a chance to listen to the works in the context of their relevance to the (church) calendar. Bach's sacred cantatas were liturgical components of the church service. Their texts (as is also the case with the choral cantatas) include (and interpret and comment on) the Epistle or Gospel passage that was set for the particular Sunday or festive occasion. For this reason, the appropriate Bible passages are given in the final column. In the 2nd column, the exact dates for Bach-

Year, 1985 are given. It should be noted that the days which are printed in semi-bold type remain the same each year while the others are arranged according to the date of Easter, or according to the weekday on which 25th December falls.

2) The **chronological survey** (p. 479) based on Artur Hirsch's listings, represents an attempt to order all the sacred cantatas included in this volume, along with the six cantatas of the Christmas Oratorio, in the order in which they were written.

The date of the first performance of many of Bach's cantatas is now again identifiable. In the majority of cases, this has only been possible through much careful research. There are, however, several cantatas whose date of origin can only be placed within a wider time period.

At the end of this volume there is an **alphabetical index of the cantata titles.**

In the special LP-Set edition, the same order has been retained as that in the individual LP series DIE BACH KANTATE, which has been produced since 1970. This means that the owner can follow the unfolding of the complete recordings of Johann Sebastian Bach's church cantatas (see also the index of the 10 cassettes on p. 16 -21).

Translation of musical and technical terms

1) Instruments and setting specifications

Trompete	*Trumpet*
Horn	*Horn*
Posaune	*Trombone*
Pauken	*Kettledrums*
Flauto piccolo	*Piccolo flute*
Flöte	*Flute*
Blockflöte	*Recorder*
Oboe	*Oboe*
Oboe d'amore	*Oboe d'amore*
Oboe da caccia	*Oboe da caccia*
Fagott	*Bassoon*
Streicher	*Strings*
Violine	*Violin*
Viola	*Viola*
Viola d'amore	*Viola d'amore*
Viola da gamba	*Viola da gamba*
Violoncello	*Cello*
Continuocello	*Cello, playing continuo*
Kontrabaß	*Double bass*
Laute	*Lute*
Generalbaß	*Thorough bass, continuo*
Cembalo	*Harpsichord*
Orgel	*Organ*
Orgelpositiv	*Positive organ*
Gesamtinstru-mentarium	*All instruments*
obligates Instrument	*Obbligato instrument*
vierstimmiger Chor	*four-part choir*
fünfstimmiger Chor	*five-part choir*

2) Other terms

C-Dur	*C major*
Cis-Dur	*C sharp major*
c-Moll	*C minor*
cis-Moll	*C sharp minor*
Es-Dur	*E flat major*
As-Dur	*A flat major*
b-Moll	*B flat minor*
H-Dur	*B major*
h-Moll	*B minor*
10 Takte	*10 measures*
4/4 Takt	*4/4 time*
Satz 1	*1st movement*
Ausführende	*Performers*
Konzertmeister	*Concert master*
Aufnahme	*Recording*
Aufnahmeleitung	*Recording supervision*
Aufnahmeort	*Place recorded*
Aufnahmezeit	*Date recorded*
Spieldauer	*Duration of performance*

3) Sundays and Feast Days
See *"Through the Year with Bach"* p. 475

INHALTSVERZEICHNIS DER SCHALLPLATTEN-KASSETTEN-SONDERAUSGABE
LIST OF CONTENTS OF THE SPECIAL LP-SETS EDITION

Serien-Nummer *Series Number*	LP-Nummer *LP Number*	BWV-Nummer *BWV Number*	Kantatentitel *Cantata Title*
Serie 1 (I)	98.651	BWV 75	Die Elenden sollen essen
	98.652	BWV 20	O Ewigkeit, du Donnerwort I
		BWV 168	Tue Rechnung! Donnerwort
	98.653	BWV 70	Wachet! betet! betet! wachet!
		BWV 40	Dazu ist erschienen der Sohn Gottes
	98.654	BWV 150	Nach dir, Herr, verlanget mich
		BWV 88	Siehe, ich will viel Fischer aussenden
	98.655	BWV 63	Christen, ätzet diesen Tag
		BWV 151	Süßer Trost, mein Jesus kömmt
	98.656	BWV 109	Ich glaube, lieber Herr, hilf meinem Unglauben
		BWV 155	Mein Gott, wie lang, ach lange
	98.657	BWV 19	Es erhub sich ein Streit
		BWV 191	Gloria in excelsis Deo
	98.658	BWV 72	Alles nur nach Gottes Willen
		BWV 58	Ach Gott, wie manches Herzeleid II
	98.659	BWV 187	Es wartet alles auf dich
		BWV 81	Jesus schläft, was soll ich hoffen
	98.660	BWV 34	O ewiges Feuer, o Ursprung der Liebe
		BWV 74	Wer mich liebet, der wird mein Wort halten II
Serie 2 (II)	98.661	BWV 12	Weinen, Klagen, Sorgen, Zagen
	98.662	BWV 102	Herr, deine Augen sehen nach dem Glauben
		BWV 66	Erfreut euch, ihr Herzen
	98.663	BWV 77	Du sollt Gott, deinen Herren, lieben
		BWV 91	Gelobet seist du, Jesu Christ
		BWV 122	Das neugeborne Kindelein
	98.664	BWV 178	Wo Gott der Herr nicht bei uns hält
		BWV 73	Herr, wie du willt, so schick's mit mir

	98-Nr.	BWV	
	98.665	BWV 69	Lobe den Herrn, meine Seele
	98.666	BWV 120	Gott, man lobet dich in der Stille
		BWV 41	Jesu, nun sei gepreiset
		BWV 96	Herr Christ, der einge Gottessohn
	98.667	BWV 146	Wir müssen durch viel Trübsal in das Reich Gottes eingehen
	98.668	BWV 125	Mit Fried und Freud ich fahr dahin
		BWV 156	Ich steh mit einem Fuß im Grabe
	98.669	BWV 48	Ich elender Mensch, wer wird mich erlösen
		BWV 113	Herr Jesu Christ, du höchstes Gut
	98.670	BWV 61	Nun komm, der Heiden Heiland I
		BWV 110	Unser Mund sei voll Lachens
Serie 3 (III)	98.671	BWV 130	Herr Gott, dich loben alle wir
	98.672	BWV 167	Ihr Menschen, rühmet Gottes Liebe
	98.673	BWV 97	In allen meinen Taten
		BWV 192	Nun danket alle Gott
		BWV 94	Was frag ich nach der Welt
	98.674	BWV 181	Leichtgesinnte Flattergeister
		BWV 179	Siehe zu, daß deine Gottesfurcht nicht Heuchelei sei
	98.675	BWV 114	Ach, lieben Christen, seid getrost
		BWV 131	Aus der Tiefen rufe ich, Herr, zu dir
		BWV 106	Gottes Zeit ist die allerbeste Zeit
	98.676	BWV 71	Gott ist mein König
		BWV 4	Christ lag in Todesbanden
	98.677	BWV 196	Der Herr denket an uns
	98.678	BWV 18	Gleichwie der Regen und Schnee vom Himmel fällt
		BWV 143	Lobe den Herrn, meine Seele II
		BWV 182	Himmelskönig, sei willkommen
	98.679	BWV 172	Erschallet, ihr Lieder, erklinget, ihr Saiten
		BWV 54	Widerstehe doch der Sünde
	98.680	BWV 21	Ich hatte viel Bekümmernis
Serie 4 (IV)	98.681	BWV 199	Mein Herz schwimmt im Blut
	98.682	BWV 152	Tritt auf die Glaubensbahn
		BWV 80	Ein feste Burg ist unser Gott

98.682	BWV 165	O heilges Geist- und Wasserbad
98.683	BWV 31	Der Himmel lacht! die Erde jubilieret
	BWV 185	Barmherziges Herze der ewigen Liebe
98.684	BWV 161	Komm, du süße Todesstunde
98.685	BWV 162	Ach, ich sehe, itzt da ich zur Hochzeit gehe
	BWV 163	Nur jedem das Seine
98.686	BWV 132	Bereitet die Wege, bereitet die Bahn
98.687	BWV 186	Ärgre dich, o Seele, nicht
98.688	BWV 147	Herz und Mund und Tat und Leben
	BWV 173	Erhöhtes Fleisch und Blut
	BWV 184	Erwünschtes Freudenlicht
98.689	BWV 194	Höchsterwünschtes Freudenfest
98.690	BWV 59	Wer mich liebet, der wird mein Wort halten I
	BWV 134	Ein Herz, das seinen Jesum lebend weiß
Serie 5 (V)		
98.691	BWV 23	Du wahrer Gott und Davids Sohn
	BWV 22	Jesus nahm zu sich die Zwölfe
98.692	BWV 76	Die Himmel erzählen die Ehre Gottes
98.693	BWV 24	Ein ungefärbt Gemüte
98.694	BWV 136	Erforsche mich, Gott, und erfahre mein Herz
	BWV 105	Herr, gehe nicht ins Gericht mit deinem Knecht
98.695	BWV 46	Schauet doch und sehet, ob irgend ein Schmerz sei
	BWV 25	Es ist nichts Gesundes an meinem Leibe
	BWV 119	Preise, Jerusalem, den Herrn
98.696	BWV 138	Warum betrübst du dich, mein Herz
	BWV 95	Christus, der ist mein Leben
98.697	BWV 148	Bringet dem Herrn Ehre seines Namens
	BWV 89	Was soll ich aus dir machen, Ephraim
98.698	BWV 60	O Ewigkeit, du Donnerwort II
	BWV 90	Es reißet euch ein schrecklich Ende
98.699	BWV 64	Sehet, welch eine Liebe hat uns der Vater erzeiget
	BWV 190	Singet dem Herrn ein neues Lied
98.700	BWV 153	Schau, lieber Gott, wie mein Feind
	BWV 65	Sie werden aus Saba alle kommen

Serie 6 (VI)		
98.701	BWV 154	Mein liebster Jesus ist verloren
98.702	BWV 83	Erfreute Zeit im neuen Bunde
	BWV 144	Nimm, was dein ist, und gehe hin
	BWV 67	Halt im Gedächtnis Jesum Christ
98.703	BWV 104	Du Hirte Israel, höre
	BWV 166	Wo gehest du hin
98.704	BWV 86	Wahrlich, wahrlich, ich sage euch
	BWV 37	Wer da gläubet und getauft wird
98.705	BWV 44	Sie werden euch in den Bann tun I
	BWV 2	Ach Gott, vom Himmel sieh darein
	BWV 7	Christ unser Herr zum Jordan kam
98.706	BWV 135	Ach Herr, mich armen Sünder
98.707	BWV 10	Meine Seel erhebt den Herren
	BWV 93	Wer nur den lieben Gott läßt walten
98.708	BWV 107	Was willst du dich betrüben
	BWV 101	Nimm von uns, Herr, du treuer Gott
98.709	BWV 33	Allein zu dir, Herr Jesu Christ
	BWV 78	Jesu, der du meine Seele
98.710	BWV 99	Was Gott tut, das ist wohlgetan II
	BWV 8	Liebster Gott, wann werd ich sterben
Serie 7 (VII)		
98.711	BWV 5	Wo soll ich fliehen hin
98.712	BWV 180	Schmücke dich, o liebe Seele
	BWV 38	Aus tiefer Not schrei ich zu dir
98.713	BWV 115	Mache dich, mein Geist, bereit
	BWV 139	Wohl dem, der sich auf seinen Gott
98.714	BWV 26	Ach wie flüchtig, ach wie nichtig
	BWV 116	Du Friedefürst, Herr Jesu Christ
98.715	BWV 62	Nun komm, der Heiden Heiland II
	BWV 121	Christum wir sollen loben schon
98.716	BWV 133	Ich freue mich in dir
	BWV 123	Liebster Immanuel, Herzog der Frommen
	BWV 124	Meinen Jesum laß ich nicht
98.717	BWV 92	Ich hab in Gottes Herz und Sinn
	BWV 111	Was mein Gott will, das g'scheh allzeit

	BWV	
98.718	BWV 3	Ach Gott, wie manches Herzeleid I
	BWV 126	Erhalt uns, Herr, bei deinem Wort
98.719	BWV 127	Herr Jesu Christ, wahr' Mensch und Gott
	BWV 1	Wie schön leuchtet der Morgenstern
98.720	BWV 249	Kommt, eilet und laufet (Osteroratorium)
Serie 8 (VIII)		
98.721	BWV 6	Bleib bei uns, denn es will Abend werden
	BWV 85	Ich bin ein guter Hirt
98.722	BWV 42	Am Abend aber desselbigen Sabbats
	BWV 103	Ihr werdet weinen und heulen
98.723	BWV 108	Es ist euch gut, daß ich hingehe
	BWV 87	Bisher hat ihr nichts gebeten in meinem Namen
98.724	BWV 128	Auf Christi Himmelfahrt allein
	BWV 183	Sie werden euch in den Bann tun II
98.725	BWV 68	Also hat Gott die Welt geliebt
	BWV 175	Er rufet seinen Schafen mit Namen
98.726	BWV 36	Schwingt freudig euch empor
	BWV 176	Es ist ein trotzig und verzagt Ding
98.727	BWV 177	Ich ruf zu dir, Herr Jesu Christ
	BWV 137	Lobe den Herren, den mächtigen König der Ehren
98.728	BWV 164	Ihr, die ihr euch von Christo nennet
	BWV 79	Gott der Herr ist Sonn und Schild
98.729	BWV 57	Selig ist der Mann
	BWV 28	Gottlob! nun geht das Jahr zu Ende
98.730	BWV 16	Herr Gott, dich loben wir
	BWV 32	Liebster Jesu, mein Verlangen
Serie 9 (IX)		
98.731	BWV 13	Meine Seufzer, meine Tränen
	BWV 43	Gott fähret auf mit Jauchzen
98.732	BWV 129	Gelobet sei der Herr, mein Gott
	BWV 39	Brich dem Hungrigen dein Brot
98.733	BWV 170	Vergnügte Ruh, beliebte Seelenlust
	BWV 35	Geist und Seele wird verwirret
98.734	BWV 45	Es ist dir gesagt, Mensch, was gut ist
	BWV 17	Wer Dank opfert, der preiset mich

Nr.	BWV	Incipit
98.735	BWV 27	Wer weiß, wie nahe mir mein Ende
	BWV 47	Wer sich selbst erhöhet, der soll erniedriget werden
98.736	BWV 169	Gott soll allein mein Herze haben
98.737	BWV 56	Ich will den Kreuzstab gerne tragen
	BWV 49	Ich geh und suche mit Verlangen
	BWV 98	Was Gott tut, das ist wohlgetan I
98.738	BWV 55	Ich armer Mensch, ich Sündenknecht
	BWV 52	Falsche Welt, dir trau ich nicht
98.739	BWV 82	Ich habe genug
	BWV 157	Ich lasse dich nicht, du segnest mich denn
98.740	BWV 198	Laß, Fürstin, laß noch einen Strahl
	BWV 158	Der Friede sei mit dir
Serie 10 (X)		
98.741	BWV 84	Ich bin vergnügt mit meinem Glücke
	BWV 193	Ihr Tore zu Zion
98.742	BWV 149	Man singet mit Freuden vom Sieg
	BWV 188	Ich habe meine Zuversicht
98.743	BWV 171	Gott, wie dein Name, so ist auch dein Ruhm
	BWV 159	Sehet! Wir gehn hinauf gen Jerusalem
98.744	BWV 145	Ich lebe, mein Herze, zu deinem Ergötzen
	BWV 112	Der Herr ist mein getreuer Hirt
	BWV 51	Jauchzet Gott in allen Landen
98.745	BWV 174	Ich liebe den Höchsten von ganzem Gemüte
	BWV 117	Sei Lob und Ehr dem höchsten Gut
98.746	BWV 29	Wir danken dir, Gott, wir danken dir
	BWV 140	Wachet auf, ruft uns die Stimme
98.747	BWV 100	Was Gott tut, das ist wohlgetan III
	BWV 9	Es ist das Heil uns kommen her
98.748	BWV 11	Lobet Gott in seinen Reichen (Himmelfahrtsoratorium)
	BWV 14	Wär Gott nicht mit uns diese Zeit
98.749	BWV 197	Gott ist unsre Zuversicht
	BWV 195	Dem Gerechten muß das Licht immer wieder aufgehen
	BWV 50	Nun ist das Heil und die Kraft
	BWV 200	Bekennen will ich seinen Namen
98.750	BWV 30	Freue dich, erlöste Schar

Wie schön leuchtet der Morgenstern
Kantate zu Mariae Verkündigung
für Sopran, Tenor, Baß, vierstimmigen Chor,
2 Hörner, 2 Oboi da caccia, Streicher mit 2 Solo-Violinen
und Generalbaß

1. Coro (Choral)
(Gächinger Kantorei Stuttgart)

Wie schön leuchtet der Morgenstern
Voll Gnad und Wahrheit von dem Herrn,
Die süße Wurzel Jesse!
Du Sohn Davids aus Jakobs Stamm,
Mein König und mein Bräutigam,
Hast mir mein Herz besessen,
Lieblich,
Freundlich,
Schön und herrlich, groß und ehrlich, reich von
Gaben,
Hoch und sehr prächtig erhaben.

Chor, Gesamtinstrumentarium
119 Takte, F-Dur, 12/8 Takt

1. Chorus [Verse 1] (S, A, T, B)

How beauteous beams the morning star
With truth and blessing from the Lord,
The darling root of Jesse!
Thou, David's son of Jacob's stem,
My bridegroom and my royal king,
Art of my heart the master,
Lovely,
Kindly,
Bright and glorious, great and righteous,
rich in blessings,
High and most richly exalted.

2. Recitativo
(Kraus)

Du wahrer Gottes und Marien Sohn,
Du König derer Auserwählten,
Wie süß ist uns dies Lebenswort,
Nach dem die ersten Väter schon
So Jahr' als Tage zählten,
Das Gabriel mit Freuden dort
In Bethlehem verheißen!
O Süßigkeit, o Himmelsbrot,
Das weder Grab, Gefahr, noch Tod
Aus unsern Herzen reißen.

Tenor, Bc.
13 Takte, d-Moll – g-Moll, 4/4 Takt

2. Recitative (T)

O thou true Son of Mary and of God,
O thou the king of all the chosen,
How sweet to us this word of life,
By which e'en earliest patriarchs
Both years and days did number,
Which Gabriel with gladness there
In Bethlehem did promise!
O sweet delight, O heav'nly bread,
Which neither grave, nor harm, nor death
From these our hearts can sunder.

3. Aria
(Nielsen)

Erfüllet, ihr himmlischen göttlichen Flammen,
Die nach euch verlangende gläubige Brust!
  Die Seelen empfinden die kräftigsten Triebe
  Der brünstigsten Liebe
  Und schmecken auf Erden die himmlische Lust.

Sopran, Oboe da caccia, Bc.
84 Takte, B-Dur, 4/4 Takt

3. Aria (S)

O fill now, ye flames, both divine and celestial,
The breast which to thee doth in faith ever strive!
  The souls here perceive now the strongest
of feelings
  Of love most impassioned
  And savor on earth the celestial joy.

4. Recitativo
(Huttenlocher)

Ein irdscher Glanz, ein leiblich Licht
Rührt meine Seele nicht;
Ein Freudenschein ist mir von Gott entstanden,
Denn ein vollkommnes Gut,
Des Heilands Leib und Blut,
Ist zur Erquickung da.
So muß uns ja
Der überreiche Segen,
Der uns von Ewigkeit bestimmt
Und unser Glaube zu sich nimmt,
Zum Dank und Preis bewegen.

Baß, Bc.
12 Takte, g-Moll – B-Dur, 4/4 Takt

5. Aria
(Kraus)

Unser Mund und Ton der Saiten
Sollen dir
Für und für
Dank und Opfer zubereiten.
  Herz und Sinnen sind erhoben,
  Lebenslang
  Mit Gesang,
  Großer König, dich zu loben.

Tenor, 2 Violinen, Streicher, Bc.
277 Takte, F-Dur, 3/8 Takt

6. Choral
(Gächinger Kantorei Stuttgart)

Wie bin ich doch so herzlich froh,
Daß mein Schatz ist das A und O,
Der Anfang und das Ende;
Er wird mich doch zu seinem Preis
Aufnehmen in das Paradeis,
Des klopf ich in die Hände.
Amen!
Amen!
Komm, du schöne Freudenkrone, bleib nicht lange,
Deiner wart ich mit Verlangen.

Chor, Gesamtinstrumentarium
20 Takte, F-Dur, 4/4 Takt

4. Recitative (B)

No earthly gloss, no fleshly light
Could ever stir my soul;
A sign of joy to me from God has risen,
For now a perfect gift,
The Savior's flesh and blood,
Is for refreshment here.
So must, indeed,
This all-excelling blessing,
To us eternally ordained
And which our faith doth now embrace,
To thanks and praise bestir us.

5. Aria (T)

Let our voice and strings resounding
Unto thee
Evermore
Thanks and sacrifice make ready.
  Heart and spirit are uplifted,
  All life long
  And with song,
  Mighty king, to bring thee honor.

6. Chorale [Verse 7] (S, A, T, B)

I am, indeed, so truly glad
My treasure is the A and O,
Beginning and the ending;
He'll me, indeed, to his great praise
Receive into his paradise,
For this I'll clap my hands now.
Amen!
Amen!
Come, thou lovely crown of gladness, be not
                                        long now,
I await thee with great longing.

Ausführende:
Inga Nielsen, Sopran
Adalbert Kraus, Tenor
Philippe Huttenlocher, Baß
Johannes Ritzkowsky, Horn
Friedhelm Pütz, Horn
Dietmar Keller, Oboe da caccia
Hedda Rothweiler, Oboe da caccia
Kurt Etzold, Fagott
Wolfgang Rösch, Violine
Walter Forchert, Violine
Gerhard Mantel, Continuocello
Thomas Lom, Kontrabaß
Hans-Joachim Erhard, Cembalo/Orgelpositiv
Gächinger Kantorei Stuttgart
Bach-Collegium Stuttgart
Leitung: Helmuth Rilling

Aufnahme: Tonstudio Teije van Geest, Heidelberg
Aufnahmeleitung: Richard Hauck
Aufnahmeort: Gedächtniskirche Stuttgart
Aufnahmezeit: Februar/April 1980
Spieldauer: 22'55"

BWV 2

Serie **VI**, Nr. 98.705

Ach Gott, vom Himmel sieh darein
Kantate zum 2. Sonntag nach Trinitatis
für Alt, Tenor, Baß, vierstimmigen Chor,
Trompete, 3 Posaunen, Oboe, Streicher mit Solo-
Violine und Generalbaß

1. Coro (Choral)
(Gächinger Kantorei Stuttgart)

1. Chorus [Verse 1] (S, A, T, B)

Ach Gott, vom Himmel sieh darein
Und laß dich's doch erbarmen!
Wie wenig sind der Heilgen dein,
Verlassen sind wir Armen;
Dein Wort man nicht läßt haben wahr,
Der Glaub ist auch verloschen gar
Bei allen Menschenkindern.

Ah God, from heaven look on us
And grant us yet thy mercy!
How few are found thy saints to be,
Forsaken are we wretches;
Thy word is not upheld as true,
And faith is also now quite dead
Among all mankind's children.

Chor, Gesamtinstrumentarium
167 Takte, d-Moll, ₵ Takt

2. Recitativo
(Baldin)

2. Recitative (T)

Sie lehren eitel falsche List,
Was wider Gott und seine Wahrheit ist;
Und was der eigen Witz erdenket,
– O Jammer! der die Kirche schmerzlich kränket –
Das muß anstatt der Bibel stehn.

They teach a vain and false deceit,
Which is to God and all his truth opposed;
And what the wilful mind conceiveth
– O sorrow which the church so sorely vexeth –
That must usurp the Bible's place.

Der eine wählet dies, der andre das,	The one now chooseth this, the other that,
Die törichte Vernunft ist ihr Kompaß;	And reason's foolishness is their full scope.
Sie gleichen denen Totengräbern,	They are just like the tombs of dead men,
Die, ob sie zwar von außen schön,	Which, though they may be outward fair,
Nur Stank und Moder in sich fassen	Mere stench and mould contain within them
Und lauter Unflat sehen lassen.	And all uncleanness show when opened.

Tenor, Bc.
13 Takte, c-Moll – d-Moll, 4/4 Takt

3. Aria
(Watts)

3. Aria (A)

Tilg, o Gott, die Lehren,	God, blot out all teachings
So dein Wort verkehren!	Which thy word pervert now!
Wehre doch der Ketzerei	Check, indeed, all heresy
Und allen Rottengeistern;	And all the rabble spirits;
Denn sie sprechen ohne Scheu:	For they speak out free of dread
Trotz dem, der uns will meistern!	'Gainst him who seeks to rule us!

Alt, Violine, Bc.
79 Takte, B-Dur, 3/4 Takt

4. Recitativo
(Heldwein)

4. Recitative (B)

Die Armen sind verstört,	**The wretched are confused,**
Ihr seufzend Ach, ihr ängstlich Klagen	Their sighing "Ah," their anxious mourning
Bei soviel Kreuz und Not,	Amidst such cross and woe,
Wodurch die Feinde fromme Seelen plagen,	Through which the foe to godly souls deal
	torture,
Dringt in das Gnadenohr des Allerhöchsten ein.	Doth now the gracious ear of God Almighty
	reach.
Darum spricht Gott: Ich muß ihr Helfer sein!	To this saith God: I must their helper be!
Ich hab ihr Flehn erhört,	I have their weeping heard,
Der Hilfe Morgenrot,	Salvation's rosy morn,
Der reinen Wahrheit heller Sonnenschein	The purest truth's own radiant sunshine bright
Soll sie mit neuer Kraft,	Shall them with newfound strength,
Die Trost und Leben schafft,	The source of life and hope,
Erquicken und erfreun.	Refreshen and make glad.
Ich will mich ihrer Not erbarmen,	I will take pity on their suff'ring,
Mein heilsam Wort soll sein die Kraft der	My healing word shall strength be to the
Armen.	wretched.

Baß, Streicher, Bc.
18 Takte, Es-Dur – g-Moll, 4/4 Takt

5. Aria
(Baldin)

5. Aria (T)

Durchs Feuer wird das Silber rein,	The fire doth make the silver pure,
Durchs Kreuz das Wort bewährt erfunden.	The cross the word's great truth revealeth.
Drum soll ein Christ zu allen Stunden	Therefore a Christian must unceasing
Im Kreuz und Not geduldig sein.	His cross and woe with patience bear.

Tenor, Oboe, Streicher, Bc.
108 Takte, g-Moll, 4/4 Takt

6. Choral
(Gächinger Kantorei Stuttgart)

6. Choral
(Gächinger Kantorei Stuttgart)

Das wollst du, Gott, bewahren rein
Für diesem arg'n Geschlechte;
Und laß uns dir befohlen sein,
Daß sich's in uns nicht flechte.
Der gottlos Hauf sich umher findt,
Wo solche lose Leute sind
In deinem Volk erhaben.

6. Chorale [Verse 6] (S, A, T, B)

That wouldst thou, God, untainted keep
Before this wicked people;
And us into thy care commend,
Lest it in us be twisted.
The godless crowd doth us surround,
In whom such wanton people are
Within thy folk exalted.

Chor, Gesamtinstrumentarium
15 Takte, g-Moll, 4/4 Takt

Ausführende:
Helen Watts, Alt
Aldo Baldin, Tenor
Walter Heldwein, Baß
Hans Wolf, Trompete
Gerhard Cichos, Altposaune
Jan Swails, Tenorposaune
Hermann Josef Kahlenbach, Baßposaune
Fumiaki Miyamoto, Oboe
Kurt Etzold, Fagott
Wilhelm Melcher, Violine
Johannes Fink, Continuocello
Thomas Lom, Kontrabaß
Hans-Joachim Erhard, Cembalo/Orgelpositiv
Gächinger Kantorei Stuttgart
Bach-Collegium Stuttgart
Leitung: Helmuth Rilling

Aufnahme: Tonstudio Teije van Geest, Heidelberg
Aufnahmeleitung: Richard Hauck
Aufnahmeort: Gedächtniskirche Stuttgart
Aufnahmezeit: Februar 1979
Spieldauer: 18'00"

BWV 3

Serie **VII**, Nr. 98.7**18**

Ach Gott, wie manches Herzeleid
Kantate zum 2. Sonntag nach Epiphanias
für Sopran, Alt, Tenor, Baß, vierstimmigen Chor,
Horn, Posaune, 2 Oboi d'amore, Streicher und
Generalbaß

1. Coro (Choral)
(Gächinger Kantorei Stuttgart)

Ach Gott, wie manches Herzeleid
Begegnet mir zu dieser Zeit!
Der schmale Weg ist trübsalvoll,
Den ich zum Himmel wandern soll.

1. Chorus [Verse 1] (S, A, T, B)

Ah God, how oft a heartfelt grief
Confronteth me within these days!
The narrow path is sorrow-filled
Which I to heaven travel must.

Chor, Posaune, 2 Oboi d'amore, Streicher, Bc.
62 Takte, A-Dur, 4/4 Takt

2. Recitativo e Choral
(Augér, Schreckenbach, Harder, Huttenlocher, Gächinger Kantorei Stuttgart)

Wie schwerlich läßt sich Fleisch und Blut
Tenor
So nur nach Irdischem und Eitlem trachtet
Und weder Gott noch Himmel achtet,
   Zwingen zu dem ewigen Gut!
Alt
Da du, o Jesu, nun mein alles bist,
Und doch mein Fleisch so widerspenstig ist.
   Wo soll ich mich denn wenden hin?
Sopran
Das Fleisch ist schwach, doch will der Geist;
So hilf du mir, der du mein Herze weißt.
   Zu dir, o Jesu, steht mein Sinn.
Baß
Wer deinem Rat und deiner Hilfe traut,
Der hat wohl nie auf falschen Grund gebaut,
Da du der ganzen Welt zum Trost gekommen,
Und unser Fleisch an dich genommen,
So rettet uns dein Sterben
Vom endlichen Verderben.
Drum schmecke doch ein gläubiges Gemüte
Des Heilands Freundlichkeit und Güte.

Sopran, Alt, Tenor, Baß, Chor, Bc.
35 Takte, D-Dur – A-Dur, 4/4 Takt

3. Aria
(Huttenlocher)

Empfind ich Höllenangst und Pein,
Doch muß beständig in dem Herzen
Ein rechter Freudenhimmel sein.
   Ich darf nur Jesu Namen nennen,
   Der kann auch unermeßne Schmerzen
   Als einen leichten Nebel trennen.

Baß, Bc.
154 Takte, fis-Moll, 3/4 Takt

4. Recitativo
(Harder)

Es mag mir Leib und Geist verschmachten,
Bist du, o Jesu, mein
Und ich bin dein,
Will ich's nicht achten.
Dein treuer Mund
Und dein unendlich Lieben,
Das unverändert stets geblieben,
Erhält mir noch den ersten Bund,
Der meine Brust mit Freudigkeit erfüllet
Und auch des Todes Furcht, des Grabes
                    Schrecken stillet.

2. Chorale [Verse 2] (S, A, T, B)
   and Recitative (T, A, S, B)

How hard it is for flesh and blood
(T)
It but for earthly goods and vain things striveth
And neither God nor heaven heedeth,
   To be forced to eternal good!
(A)
Since thou, O Jesus, now art all to me,
And yet my flesh so stubbornly resists.
   Where shall I then my refuge take?
(S)
The flesh is weak, the spirit strong;
So help thou me, thou who my heart dost know.
   To thee, O Jesus, I incline.
(B)
Who in thy help and in thy counsel trusts
Indeed hath ne'er on false foundation built;
Since thou to all the world art come to help us
And hast our flesh upon thee taken,
Thy dying shall redeem us
From everlasting ruin.
So savor now a spirit ever faithful
The Savior's graciousness and favor.

3. Aria (B)

Though I feel fear of hell and pain,
Yet must steadfast within my bosom
A truly joyful heaven be.
   I need but Jesus' name once utter,
   Who can dispel unmeasured sorrows
   As though a gentle mist dividing.

4. Recitative (T)

Though both my flesh and soul may languish,
If thou art, Jesus, mine
And I am thine,
I will not heed it.
Thy truthful mouth
And all thy boundless loving,
Which never changed abides forever,
Preserve for me that ancient bond,
Which now my breast with exultation filleth
And even fear of death, the grave's own terror,
                    stilleth.

Fällt Not und Mangel gleich von allen Seiten ein,
Mein Jesus wird mein Schatz und Reichtum sein.

Tenor, Bc.
14 Takte, cis-Moll – E-Dur, 4/4 Takt

5. Aria (Duetto)
(Augér, Schreckenbach)

Wenn Sorgen auf mich dringen,
Will ich in Freudigkeit
Zu meinem Jesu singen.
  Mein Kreuz hilft Jesus tragen,
  Drum will ich gläubig sagen:
  Es dient zum besten allezeit.

Sopran, Alt, Oboe d'amore, Violinen, Bc.
120 Takte, E-Dur, 4/4 Takt

6. Choral
(Gächinger Kantorei Stuttgart)

Erhalt mein Herz im Glauben rein,
So leb und sterb ich dir allein.
Jesu, mein Trost, hör mein Begier,
O mein Heiland, wär ich bei dir.

Chor, Horn, 2 Oboi d'amore, Streicher, Bc.
8 Takte, A-Dur, 4/4 Takt

Ausführende:
Arleen Augér, Sopran
Gabriele Schreckenbach, Alt
Lutz-Michael Harder, Tenor
Philippe Huttenlocher, Baß
Bernhard Schmid, Horn
Gerhard Cichos, Posaune
Klaus Kärcher, Oboe d'amore
Hedda Rothweiler, Oboe d'amore
Kurt Etzold, Fagott
Jakoba Hanke, Continuocello
Thomas Lom, Kontrabaß
Bärbel Schmid, Orgelpositiv
Hans-Joachim Erhard, Cembalo
Gächinger Kantorei Stuttgart
Bach-Collegium Stuttgart
Leitung: Helmuth Rilling

Aufnahme: Tonstudio Teije van Geest, Heidelberg
Aufnahmeleitung: Richard Hauck
Aufnahmeort: Gedächtniskirche Stuttgart
Aufnahmezeit: Februar/April 1980
Spieldauer: 24'40"

Though dearth and famine soon from ev'ry side
                                          oppress,
My Jesus will my wealth and treasure be.

5. Aria (S, A)

When sorrow round me presses,
I will with joyfulness
My song lift unto Jesus.
  My cross doth Jesus carry,
  So I'll devoutly say now:
  It serves me best in ev'ry hour.

6. Chorale [Verse 18] (S, A, T, B)

If thou my heart in faith keep pure,
I'll live and die in thee alone.
Jesu, my strength, hear my desire,
O Savior mine, I'd be with thee.

Christ lag in Todesbanden
Kantate zum 1. Osterfesttag
für Sopran, Alt, Tenor, Baß, vierstimmigen Chor,
Fagott, Streicher und Generalbaß

1. Sinfonia
(Bach-Collegium Stuttgart)

Streicher, Bc.
14 Takte, e-Moll, 4/4 Takt

2. Coro [Versus I]
(Gächinger Kantorei Stuttgart)

Christ lag in Todesbanden
Für unsre Sünd gegeben,
Er ist wieder erstanden
Und hat uns bracht das Leben;
Des wir sollen fröhlich sein,
Gott loben und ihm dankbar sein
Und singen halleluja,
Halleluja!

Chor, Streicher, Bc.
94 Takte, e-Moll, 4/4 Takt

3. Duetto [Versus II]
(Wiens, Watkinson)

Den Tod niemand zwingen kunnt
Bei allen Menschenkindern,
Das macht' alles unsre Sünd,
Kein Unschuld war zu finden.
Davon kam der Tod so bald
Und nahm über uns Gewalt,
Hielt uns in seinem Reich gefangen.
Halleluja!

Sopran, Alt, Bc.
53 Takte, e-Moll, 4/4 Takt

4. Aria [Versus III]
(Schreier)

Jesus Christus, Gottes Sohn,
An unser Statt ist kommen
Und hat die Sünde weggetan,
Damit dem Tod genommen
All sein Recht und sein Gewalt,
Da bleibet nichts denn Tods Gestalt,

1. Sinfonia

2. Verse 1 (S, A, T, B)

Christ lay to death in bondage,
For all our sin was given;
He is once more arisen
And hath us brought true life now;
For this shall we joyful be,
God giving praise and gratitude
And singing hallelujah.
Hallelujah!

3. Verse 2 (S, A)

That death no one could subdue
Amongst all mankind's children;
This was all caused by our sin,
No innocence was found then.
From this came, then, death so quick
And seized power over us,
Held us in his realm as captives.
Hallelujah!

4. Verse 3 (T)

Jesus Christ is God's own Son,
To our abode he cometh
And hath all sin now set aside,
Whereby from death is taken
All his rule and all his might;
Here bideth nought but death's mere form,

Den Stach'l hat er verloren,
Halleluja!

His sting hath fully perished.
Hallelujah!

Tenor, Violine, Bc.
42 Takte, e-Moll, 4/4 Takt

5. Coro [Versus IV]
(Gächinger Kantorei Stuttgart)

5. Verse 4 (S, A, T, B)

Es war ein wunderlicher Krieg,
Da Tod und Leben rungen,
Das Leben behielt den Sieg,
Es hat den Tod verschlungen.
Die Schrift hat verkündigt das,
Wie ein Tod den andern fraß,
Ein Spott aus dem Tod ist worden.
Halleluja!

It was an awesome thing that strife,
When death and life did wrestle;
And life did the vict'ry win,
For it hath death devoured.
The Scripture foretold it so,
How one death the other ate;
To scorn has now death been given.
Hallelujah!

Chor, Bc.
44 Takte, e-Moll, 4/4 Takt

6. Aria [Versus V]
(Schöne)

6. Verse 5 (B)

Hier ist das rechte Osterlamm,
Davon Gott hat geboten,
Das ist hoch an des Kreuzes Stamm
In heißer Lieb gebraten,
Das Blut zeichnet unsre Tür,
Das hält der Glaub dem Tode für,
Der Würger kann uns nicht mehr schaden.
Halleluja!

Here is the spotless Easter lamb,
Whereof God hath commanded;
It is high on the cross's branch
In ardent love now burning;
The blood signeth now our door,
Our faith doth it to death display,
The strangler can now no more harm us.
Hallelujah!

Baß, Streicher, Bc.
95 Takte, e-Moll, 3/4 Takt

7. Aria (Duetto) [Versus VI]
(Wiens, Schreier)

7. Verse 6 (S, T)

So feiern wir das hohe Fest
Mit Herzensfreud und Wonne,
Das uns der Herre scheinen läßt,
Er ist selber die Sonne,
Der durch seiner Gnade Glanz
Erleuchtet unsre Herzen ganz,
Der Sünden Nacht ist verschwunden.
Halleluja!

So let us keep the great high feast
With heartfelt joy and pleasure,
Which us the Lord makes manifest;
He is himself the sunlight,
And through his own shining grace
He filleth all our hearts with light;
The sin-filled night now hath vanished.
Hallelujah!

Sopran, Tenor, Bc.
43 Takte, e-Moll, 4/4 Takt

8. Choral [Versus VII]
(Gächinger Kantorei Stuttgart)

8. Verse 7 (S, A, T, B)

Wir essen und leben wohl
In rechten Osterfladen,

We eat now and live indeed
On this true bread of Easter;

Der alte Sauerteig nicht soll
Sein bei dem Wort der Gnaden,
Christus will die Koste sein
Und speisen die Seel allein,
Der Glaub will keins andern leben.
Halleluja!

16 Takte, e-Moll, 4/4 Takt

Ausführende:
Edith Wiens, Sopran
Carolyn Watkinson, Alt
Peter Schreier, Tenor
Wolfgang Schöne, Baß
Kurt Etzold, Fagott
Walter Forchert, Violine
Gerhard Mantel, Continuocello
Thomas Lom, Kontrabaß
Hans-Joachim Erhard, Orgelpositiv
Gächinger Kantorei Stuttgart
Bach-Collegium Stuttgart
Leitung: Helmuth Rilling

Aufnahme: Tonstudio Teije van Geest, Heidelberg
Aufnahmeleitung: Richard Hauck, Heinz Jansen
Toningenieur: Henno Quasthoff
Aufnahmeort: Gedächtniskirche Stuttgart
Aufnahmezeit: Dezember 1980
Spieldauer: 19'50"

The ancient leaven shall not
Bide with the word of favor;
Christ would be our sustenance
And nourish the soul alone,
For faith would on none other live.
Hallelujah!

BWV 5

Wo soll ich fliehen hin
Kantate zum 19. Sonntag nach Trinitatis
für Sopran, Alt, Tenor, Baß, vierstimmigen Chor,
Trompete, 2 Oboen, Streicher und Generalbaß

1. Coro (Choral)
(Gächinger Kantorei Stuttgart)

Wo soll ich fliehen hin,
Weil ich beschweret bin
Mit viel und großen Sünden?
Wo soll ich Rettung finden?
Wenn alle Welt herkäme,
Mein Angst sie nicht wegnähme.

Chor, Gesamtinstrumentarium
78 Takte, g-Moll, 4/4 Takt

1. Chorus [Verse 1] (S, A, T, B)

Where shall I refuge find,
For I am burdened low
By sins both great and many?
Where shall I find salvation?
Were all the world here gathered,
My fear it would not vanquish.

2. Recitativo
(Schöne)

Der Sünden Wust hat mich nicht nur befleckt,
Er hat vielmehr den ganzen Geist bedeckt,
Gott müßte mich als unrein von sich treiben;
Doch weil ein Tropfen heilges Blut
So große Wunder tut,
Kann ich noch unverstoßen bleiben.
Die Wunden sind ein offnes Meer,
Dahin ich meine Sünden senke,
Und wenn ich mich zu diesem Strome lenke,
So macht er mich von meinen Flecken leer.

Baß, Bc.
14 Takte, d-Moll – g-Moll, 4/4 Takt

3. Aria
(Baldin)

Ergieße dich reichlich, du göttliche Quelle,
Ach, walle mit blutigen Strömen auf mich!
 Es fühlet mein Herze die tröstliche Stunde,
 Nun sinken die drückenden Lasten zu Grunde,
 Es wäschet die sündlichen Flecken von sich.

Tenor, Viola, Bc.
172 Takte, Es-Dur, 3/4 Takt

4. Recitativo e Choral
(Watkinson)

Mein treuer Heiland tröstet mich,
Es sei verscharrt in seinem Grabe,
Was ich gesündigt habe;
Ist mein Verbrechen noch so groß,
Er macht mich frei und los.
Wenn Gläubige die Zuflucht bei ihm finden,
Muß Angst und Pein
Nicht mehr gefährlich sein
Und alsobald verschwinden;
Ihr Seelenschatz, ihr höchstes Gut
Ist Jesu unschätzbares Blut;
Es ist ihr Schutz vor Teufel, Tod und Sünden,
In dem sie überwinden.

Alt, Oboe, Bc.
16 Takte, c-Moll, 4/4 Takt

5. Aria
(Schöne)

Verstumme, Höllenheer,
Du machst mich nicht verzagt!
 Ich darf dies Blut dir zeigen,

2. Recitative (B)

Chaotic sin hath me not merely stained,
It hath, much worse, my soul completely veiled.
God surely would have banished me as sullied;
But since a drop of holy blood
Such mighty wonders doth,
I can still unrejected bide here.
Those wounds are now an open sea,
Wherein I may sink my transgressions,
And when I steer my course into these waters,
Then doth he me of all my stains make free.

3. Aria (T)

Pour forth thine abundance, thou fountain
                                    immortal,
Ah, well up with blood-streaming rivers o'er me!
 My heart doth perceive here its moment of
                                    comfort,
 Now sink all my burdensome sins to the
                                    bottom,
 It purgeth the sin-ridden stains from itself.

4. Recitative (A) with instr. chorale

My faithful Savior comforts me,
Let now within the tomb be buried
All wrongs I have committed
Though my transgressions be so great,
He makes me free and safe.
When faithful people refuge find beside him,
Shall fear and grief
No longer danger bring
And in a trice shall vanish.
Their spirit's store, their highest wealth
Is Jesus' very priceless blood;
It is their shield 'gainst devil, death and error;
In it shall they have vict'ry.

5. Aria (B)

Grow silent, host of hell,
Thou mak'st me not afraid!
 If I this blood now show thee,

So mußt du plötzlich schweigen,
Es ist in Gott gewagt.

Baß, Trompete, Oboe, Streicher, Bc.
125 Takte, B-Dur, 4/4 Takt

Thou must at once be silent,
For this in God I dare.

6. Recitativo
(Augér)

Ich bin ja nur das kleinste Teil der Welt,
Und da des Blutes edler Saft
Unendlich große Kraft
Bewährt erhält,
Daß jeder Tropfen, so auch noch so klein,
Die ganze Welt kann rein
Von Sünden machen,
So laß dein Blut
Ja nicht an mir verderben,
Es komme mir zugut,
Daß ich den Himmel kann ererben.

Sopran, Bc.
11 Takte, g-Moll, 4/4 Takt

6. Recitative (S)

I am, indeed, the world's mere smallest part,
And since that blood's rare liquid hath
Its boundless mighty pow'r
Preserved intact,
So that each drop, however small it be,
Can all the world make clean
Of its transgressions,
Then let thy blood
Upon me bring no ruin,
And me so benefit,
That I, then, heaven may inherit.

7. Choral
(Gächinger Kantorei Stuttgart)

**Führ auch mein Herz und Sinn
Durch deinen Geist dahin,
Daß ich mög alles meiden,
Was mich und dich kann scheiden,
Und ich an deinem Leibe
Ein Gliedmaß ewig bleibe.**

Chor, Gesamtinstrumentarium
12 Takte, g-Moll, 4/4 Takt

7. Chorale [Verse 11] (S, A, T, B)

**Lead e'en my heart and will
Through thine own Spirit hence,
That I may shun all perils
Which me from thee could sever,
And I of thine own body
A member bide forever.**

Ausführende:
Arleen Augér, Sopran
Carolyn Watkinson, Alt
Aldo Baldin, Tenor
Wolfgang Schöne, Baß
Hans Wolf, Trompete
Klaus Kärcher, Oboe
Hedda Rothweiler, Oboe
Kurt Etzold, Fagott
Christian Hedrich, Viola
Martin Ostertag, Continuocello
Thomas Lom, Kontrabaß
Hans-Joachim Erhard, Cembalo/Orgelpositiv
**Gächinger Kantorei Stuttgart
Bach-Collegium Stuttgart
Leitung: Helmuth Rilling**

Aufnahme: Tonstudio Teije van Geest, Heidelberg
Aufnahmeleitung: Richard Hauck
Aufnahmeort: Gedächtniskirche Stuttgart
Aufnahmezeit: Februar / Oktober 1979
Spieldauer: 20'10"

Bleib bei uns, denn es will Abend werden
Kantate zum 2. Osterfesttag
für Sopran, Alt, Tenor, Baß, vierstimmigen Chor,
2 Oboen, Oboe da caccia, Violoncello piccolo,
Streicher und Generalbaß

1. Coro
(Gächinger Kantorei Stuttgart)

*Bleib bei uns, denn es will Abend werden, und der Tag
hat sich geneiget.*

Chor, 2 Oboen, Oboe da caccia, Streicher, Bc.
133 Takte, c-Moll, 3/4 – ₵ – 3/4 Takt

2. Aria
(Watkinson)

Hochgelobter Gottessohn,
Laß es dir nicht sein entgegen,
Daß wir itzt vor deinem Thron
Eine Bitte niederlegen:
Bleib, ach bleibe unser Licht,
Weil die Finsternis einbricht.

Alt, Oboe da caccia, Bc.
129 Takte, Es-Dur, 3/8 Takt

3. Choral
(Wiens)

**Ach bleib bei uns, Herr Jesu Christ,
Weil es nun Abend worden ist,
Dein göttlich Wort, das helle Licht,
Laß ja bei uns auslöschen nicht.**

**In dieser letzt'n betrübten Zeit
Verleih uns, Herr, Beständigkeit,
Daß wir dein Wort und Sakrament
Rein b'halten bis an unser End.**

Sopran, Violoncello piccolo, Bc.
100 Takte, B-Dur, ₵ Takt

4. Recitativo
(Heldwein)

Es hat die Dunkelheit
An vielen Orten überhand genommen.
Woher ist aber dieses kommen?
Bloß daher, weil sowohl die Kleinen als die
Großen

1. Chorus [Dictum] (S, A, T, B)

*Bide with us, for it will soon be evening, and the day is
now declining.*

2. Aria (A)

High-exalted Son of God,
Let it thee not be unwelcome
That we now before thy throne
A petition lay before thee:
Bide, oh, bide for us our light,
For the darkness doth steal in.

3. Chorale (S)

**Oh, bide with us, Lord Jesus Christ,
For now the evening is at hand,
Thy godly word, that radiant light,
Let in our midst, yea, never fade.**

**Within this recent time of woe
Grant us, O Lord, steadfastness sure,
That we thy word and sacrament
Keep ever pure until our end.**

4. Recitative (B)

Here hath the darkness now
Attained the upper hand in many quarters.
But wherefore is this come upon us?
The cause is simply that the humble and the
mighty

Nicht in Gerechtigkeit Vor dir, o Gott, gewandelt Und wider ihre Christenpflicht gehandelt. Drum hast du auch den Leuchter umgestoßen.	Keep not in righteousness Before thee, God, their pathway And violate their duty now as Christians. Thus hast thou e'en the lampstands overturned now.

Baß, Bc.
10 Takte, d-Moll – g-Moll, 4/4 Takt

5. Aria
(Kraus)

5. Aria (T)

Jesu, laß uns auf dich sehen, Daß wir nicht Auf den Sündenwegen gehen. Laß das Licht Deines Worts uns heller scheinen Und dich jederzeit treu meinen.	Jesus, keep our sights upon thee, That we not Walk upon the sinful pathway. Let the light Of thy word o'er us shine brighter, And forever grant thy favor.

Tenor, Violine, Streicher, Bc.
52 Takte, g-Moll, ¢ Takt

6. Choral
(Gächinger Kantorei Stuttgart)

6. Chorale (S, A, T, B)

Beweis dein Macht, Herr Jesu Christ, Der du Herr aller Herren bist: Beschirm dein arme Christenheit, Daß sie dich lob in Ewigkeit.	**Reveal thy might, Lord Jesus Christ, O thou who art the Lord of Lords; Protect thy wretched Christian folk, That they praise thee eternally.**

Chor, 2 Oboen, Oboe da caccia, Streicher, Bc.
8 Takte, g-Moll, 4/4 Takt

Ausführende:
Edith Wiens, Sopran
Carolyn Watkinson, Alt
Adalbert Kraus, Tenor
Walter Heldwein, Baß
Ingo Goritzki, Oboe
Hedda Rothweiler, Oboe
Dietmar Keller, Oboe da caccia
Kurt Etzold, Fagott
Walter Forchert, Violine
Alfred Lessing, Violoncello piccolo
Gerhard Mantel, Continuocello
Harro Bertz, Kontrabaß
Hans-Joachim Erhard, Cembalo/Orgelpositiv
Gächinger Kantorei Stuttgart
Bach-Collegium Stuttgart
Leitung: Helmuth Rilling

Aufnahme: Tonstudio Teije van Geest, Heidelberg
Aufnahmeleitung: Richard Hauck
Aufnahmeort: Gedächtniskirche Stuttgart
Aufnahmezeit: Dezember 1980
Spieldauer: 19'00"

Christ unser Herr zum Jordan kam

Kantate zu Johannis
für Alt, Tenor, Baß, vierstimmigen Chor,
2 Oboi d'amore, Streicher mit 2 Solo-Violinen und
Generalbaß

1. Coro (Choral)
(Gächinger Kantorei Stuttgart)

Christ unser Herr zum Jordan kam
Nach seines Vaters Willen,
Von Sankt Johanns die Taufe nahm,
Sein Werk und Amt zu erfüllen;
Da wollt er stiften uns ein Bad,
Zu waschen uns von Sünden,
Ersäufen auch den bittern Tod
Durch sein selbst Blut und Wunden;
Es galt ein neues Leben.

Chor, 2 Oboi d'amore, Violine, Streicher, Bc.
128 Takte, e-Moll, 4/4 Takt

2. Aria
(Schöne)

Merkt und hört, ihr Menschenkinder,
Was Gott selbst die Taufe heißt.
　Es muß zwar hier Wasser sein,
　Doch schlecht Wasser nicht allein.
　Gottes Wort und Gottes Geist
　Tauft und reiniget die Sünder.

Baß, Bc.
80 Takte, G-Dur, 4/4 Takt

3. Recitativo
(Kraus)

Dies hat Gott klar
Mit Worten und mit Bildern dargetan,
Am Jordan ließ der Vater offenbar
Die Stimme bei der Taufe Christi hören;
Er sprach: Dies ist mein lieber Sohn,
An diesem hab ich Wohlgefallen,
Er ist vom hohen Himmelsthron
Der Welt zugut
In niedriger Gestalt gekommen
Und hat das Fleisch und Blut
Der Menschenkinder angenommen;
Den nehmet nun als euren Heiland an
Und höret seine teuren Lehren!

Tenor, Bc.
15 Takte, e-Moll – d-Moll, 4/4 Takt

1. Chorus [Verse 1] (S, A, T, B)

Christ did our Lord to Jordan come,
His Father's will fulfilling,
And from Saint John baptism took,
His work and charge to accomplish;
Here would he found for us a bath
To wash us clean from error,
To drown as well our bitter death
In his own blood and anguish;
A life restored it gave us.

2. Aria (B)

Mark and hear, O mankind's children,
What God did baptism call.
　True, there must be water here,
　But mere water not alone.
　God's word and Holy Ghost
　Bathes and purifies the sinners.

3. Recitative (T)

This hath God shown
In words and in examples clear to all;
At Jordan's bank the Father plainly let
His voice resound while Christ was being
　　　　　　　　　　　　　　baptized;
He said: This is my own dear Son,
In whom I have now found great pleasure;
He is from heaven's lofty throne
To help the world
In meek and humble form descended
And hath the flesh and blood
Of mankind's children to him taken;
Him take ye now as your Redeemer true
And listen to his precious teaching!

4. Aria
(Kraus)

Des Vaters Stimme ließ sich hören,
Der Sohn, der uns mit Blut erkauft,
Ward als ein wahrer Mensch getauft.
Der Geist erschien im Bild der Tauben,
Damit wir ohne Zweifel glauben,
Es habe die Dreifaltigkeit
Uns selbst die Taufe zubereit'.

Tenor, 2 Violinen, Bc.
147 Takte, a-Moll, 9/8 (3/4) Takt

4. Aria (T)

The Father's voice itself resounded,
The Son, who us with blood did buy,
Was as a very man baptized.
The Spirit came, a dove appearing,
So that our faith would never doubt that
It was the Holy Trinity
Which gave baptism unto us.

5. Recitativo
(Schöne)

Als Jesus dort nach seinen Leiden
Und nach dem Auferstehn
Aus dieser Welt zum Vater wollte gehn,
Sprach er zu seinen Jüngern:
Geht hin in alle Welt und lehret alle Heiden,
Wer glaubet und getaufet wird auf Erden,
Der soll gerecht und selig werden.

Baß, Streicher, Bc.
12 Takte, e-Moll – h-Moll, 4/4 Takt

5. Recitative (B)

When Jesus there endured his passion
And had been raised again,
And from this world would to his Father go,
Spake he to his disciples:
Go forth to all the world and preach to all
the gentiles,
He who believes and is baptized on earth now
Shall then be justified and blessèd.

6. Aria
(Watts)

Menschen, glaubt doch dieser Gnade,
Daß ihr nicht in Sünden sterbt,
Noch im Höllenpfuhl verderbt!
Menschenwerk und -heiligkeit
Gilt vor Gott zu keiner Zeit.
Sünden sind uns angeboren,
Wir sind von Natur verloren;
Glaub und Taufe macht sie rein,
Daß sie nicht verdammlich sein.

Alt, Oboe d'amore, Streicher, Bc.
50 Takte, e-Moll, 4/4 Takt

6. Aria (A)

Mankind, trust now in this mercy,
That ye not in error die,
Nor in hell's foul pit decay!
Human works and sanctity
Never count before God's throne.
Sins are ours innately given,
We are lost by our own nature;
Faith and baptism make them clean
That they not perdition bring.

7. Choral
(Gächinger Kantorei Stuttgart)

Das Aug allein das Wasser sieht,
Wie Menschen Wasser gießen,
Der Glaub allein die Kraft versteht
Des Blutes Jesu Christi,
Und ist für ihm ein rote Flut
Von Christi Blut gefärbet,
Die allen Schaden heilet gut
Von Adam her geerbet,
Auch von uns selbst begangen.

Chor, Gesamtinstrumentarium
18 Takte, e-Moll – h-Moll, 4/4 Takt

7. Chorale (S, A, T, B)

The eye alone the water sees,
As men pour out the water,
But faith alone the pow'r perceives
Christ Jesus' blood hath given;
For faith there is a sea of red
By Christ's own blood now colored,
Which all transgressions healeth well
Which Adam hath bequeathed us
And by ourselves committed.

Ausführende:
Helen Watts, Alt
Adalbert Kraus, Tenor
Wolfgang Schöne, Baß
Manfred Clement, Oboe d'amore
Hedda Rothweiler, Oboe d'amore
Kurt Etzold, Fagott
Walter Forchert, Violine
Martin Krauth, Violine
Klaus-Peter Hahn, Continuocello
Thomas Lom, Kontrabaß
Hans-Joachim Erhard, Cembalo/Orgelpositiv
Gächinger Kantorei Stuttgart
Bach-Collegium Stuttgart
Leitung: Helmuth Rilling

Aufnahme: Tonstudio Teije van Geest, Heidelberg
Aufnahmeleitung: Richard Hauck
Aufnahmeort: Gedächtniskirche Stuttgart
Aufnahmezeit: Februar 1979
Spieldauer: 22'10"

BWV 8

Liebster Gott, wann werd ich sterben
Kantate zum 16. Sonntag nach Trinitatis
für Sopran, Alt, Tenor, Baß, vierstimmigen Chor,
Horn, Flöte, 2 Oboi d'amore, Streicher und Generalbaß

1. Coro
(Gächinger Kantorei Stuttgart)

Liebster Gott, wann werd ich sterben?
Meine Zeit läuft immer hin,
Und des alten Adams Erben,
Unter denen ich auch bin,
Haben dies zum Vaterteil,
Daß sie eine kleine Weil
Arm und elend sein auf Erden
Und dann selber Erde werden.

Chor, Gesamtinstrumentarium
68 Takte, E-Dur, 12/8 Takt

1. Chorus [Verse 1] (S, A, T, B)

Dearest God, when will my death be?
Now my days run ever on
And the heirs of the old Adam
Have this for their legacy,
That they for a little while,
Poor and wretched, earth inhabit
And then are with earth united.

2. Aria
(Kraus)

Was willst du dich, mein Geist, entsetzen,
Wenn meine letzte Stunde schlägt?
Mein Leib neigt täglich sich zur Erden,
Und da muß seine Ruhstatt werden,
Wohin man so viel tausend trägt.

Tenor, Oboe d'amore, Bc.
94 Takte, cis-Moll, 3/4 Takt

2. Aria (T)

Why wouldst thou then, my soul, be frightened
If that my final hour should strike?
My body daily leans toward earth now,
And there it must its rest discover
Where now so many thousands lie.

38

3. Recitativo
(Watts)

Zwar fühlt mein schwaches Herz
Furcht, Sorge, Schmerz:
Wo wird mein Leib die Ruhe finden?
Wer wird die Seele doch
Vom aufgelegten Sündenjoch
Befreien und entbinden?
Das Meine wird zerstreut,
Und wohin werden meine Lieben
In ihrer Traurigkeit
Zertrennt, vertrieben?

Alt, Streicher, Bc.
10 Takte, gis-Moll – A-Dur, 4/4 Takt

3. Recitative (A)

Indeed my weak heart feels
Fear, worry, pain:
Where will my body rest discover?
Who will my soul that day
From its confining yoke of sin
Exonerate and loosen.
My goods will be dispersed,
And whither will then all my loved ones
In their own wretched grief
Be cast and banished?

4. Aria
(Huttenlocher)

Doch weichet, ihr tollen, vergeblichen Sorgen!
Mich rufet mein Jesus: wer sollte nicht gehn?
    Nichts, was mir gefällt,
    Besitzet die Welt.
    Erscheine mir, seliger, fröhlicher Morgen,
    Verkläret und herrlich vor Jesu zu stehn.

Baß, Flöte, Streicher, Bc.
92 Takte, A-Dur, 12/8 Takt

4. Aria (B)

So yield now, ye foolish and purposeless
                                    sorrows!
My Jesus doth call me: who would then not go?
    Nought which I desire
    Doth this world possess.
    Appear to me, blessèd, exuberant morning,
    Transfigured in glory to Jesus I'll come.

5. Recitativo
(Augér)

Behalte nur, o Welt, das Meine!
Du nimmst ja selbst mein Fleisch und mein
                                    Gebeine,
So nimm auch meine Armut hin;
Genug, daß mir aus Gottes Überfluß
Das höchste Gut noch werden muß,
Genug, daß ich dort reich und selig bin.
Was aber ist von mir zu erben,
Als meines Gottes Vatertreu?
Die wird ja alle Morgen neu
Und kann nicht sterben.

Sopran, Bc.
13 Takte, fis-Moll – gis-Moll, 4/4 Takt

5. Recitative (S)

Then seize, O world, all my possessions!
Thou takest e'en my flesh and this my body,
So take as well my poverty;
Enough, that I from God's abundant store
The highest wealth am yet to have,
Enough, that there I rich and blest shall be.
However, what shall I inherit
Except my God's paternal love?
It is, yea, ev'ry morning new
And cannot perish.

6. Choral
(Gächinger Kantorei Stuttgart)

Herrscher über Tod und Leben,
Mach einmal mein Ende gut,
Lehre mich den Geist aufgeben
Mit recht wohlgefaßtem Mut.
Hilf, daß ich ein ehrlich Grab
Neben frommen Christen hab

6. Chorale [Verse 6] (S, A, T, B)

Ruler over death and living,
Let at last my end be good;
Teach me how to yield my spirit
With a courage firm and sure.
Help me earn an honest grave
Next to godly Christian men,

Und auch endlich in der Erde
Nimmermehr zuschanden werde!

And at last by earth though covered
May I never ruin suffer!

Chor, Gesamtinstrumentarium
20 Takte, E-Dur, 4/4 Takt

Ausführende:
Arleen Augér, Sopran
Helen Watts, Alt
Adalbert Kraus, Tenor
Philippe Huttenlocher, Baß
Bernhard Schmid, Horn
Peter-Lukas Graf, Flöte
Hedda Rothweiler, Oboe d'amore
Klaus Kärcher, Oboe d'amore
Martin Ostertag, Continuocello
Thomas Lom, Kontrabaß
Hans-Joachim Erhard, Cembalo/Orgelpositiv
Gächinger Kantorei Stuttgart
Bach-Collegium Stuttgart
Leitung: Helmuth Rilling

Aufnahme: Tonstudio Teije van Geest, Heidelberg
Aufnahmeleitung: Richard Hauck
Aufnahmeort: Gedächtniskirche Stuttgart
Aufnahmezeit: Februar / Oktober 1979
Spieldauer: 16'50"

BWV 9

Serie **X**, Nr. 98.747

Es ist das Heil uns kommen her
Kantate zum 6. Sonntag nach Trinitatis
für Sopran, Alt, Tenor, Baß, vierstimmigen Chor,
Flöte, Oboe d'amore, Streicher mit Solo-Violine und
Generalbaß

1. Coro (Choral)
(Gächinger Kantorei Stuttgart)

Es ist das Heil uns kommen her
Von Gnad und lauter Güte.
Die Werk, die helfen nimmermehr,
Sie mögen nicht behüten.
Der Glaub sieht Jesum Christum an,
Der hat g'nug für uns all getan,
Er ist der Mittler worden.

1. Chorus [Verse 1] (S, A, T, B)

Now is to us salvation come
By grace and purest favor.
And works, they offer help no more,
They cannot give protection.
But faith shall Jesus Christ behold,
Who for us all hath done enough,
He is our intercessor.

Chor, Gesamtinstrumentarium
147 Takte, E-Dur, 3/4 Takt

2. Recitativo
(Schöne)

2. Recitative (B)

Gott gab uns ein Gesetz, doch waren wir zu
schwach,

God gave to us a law, but we were far too weak

40

Daß wir es hätten halten können.
Wir gingen nur den Sünden nach,
Kein Mensch war fromm zu nennen;
Der Geist blieb an dem Fleische kleben
Und wagte nicht zu widerstreben.
Wir sollten in Gesetze gehn
Und dort als wie in einem Spiegel sehn,
Wie unsere Natur unartig sei;
Und dennoch blieben wir dabei.
Aus eigner Kraft war niemand fähig,
Der Sünden Unart zu verlassen,
Er möcht auch alle Kraft zusammenfassen.

Baß, Bc.
18 Takte, cis-Moll – h-Moll, 4/4 Takt

3. Aria
(Kraus)

Wir waren schon zu tief gesunken,
Der Abgrund schluckt uns völlig ein,
   Die Tiefe drohte schon den Tod,
   Und dennoch konnt in solcher Not
Uns keine Hand behilflich sein.

Tenor, Violine, Bc.
88 Takte, e-Moll, 12/16 Takt

4. Recitativo
(Schöne)

Doch mußte das Gesetz erfüllet werden;
Deswegen kam das Heil der Erden,
Des Höchsten Sohn, der hat es selbst erfüllt
Und seines Vaters Zorn gestillt.
Durch sein unschuldig Sterben
Ließ er uns Hilf erwerben.
Wer nun demselben traut,
Wer auf sein Leiden baut,
Der gehet nicht verloren.
Der Himmel ist für den erkoren,
Der wahren Glauben mit sich bringt
Und fest um Jesu Arme schlingt.

Baß, Bc.
16 Takte, h-Moll – A-Dur, 4/4 Takt

5. Aria (Duetto)
(Sonntag, Schreckenbach)

Herr, du siehst statt guter Werke
Auf des Herzens Glaubensstärke,
Nur den Glauben nimmst du an.
   Nur der Glaube macht gerecht,
   Alles andre scheint zu schlecht,
Als daß es uns helfen kann.

Sopran, Alt, Flöte, Oboe d'amore, Bc.
229 Takte, A-Dur, 2/4 Takt

That we could ever hope to keep it.
We followed but the call of sin,
No man could be called godly;
The soul remained to flesh adherent
And ventured not to stand against it.
We were within the law to walk
And there as if within a mirror see
How yet our nature was undisciplined;
And just the same we to it clung.
Of one's own strength none had the power
His sinful rudeness to abandon,
Though he might all his strength together
                summon.

3. Aria (T)

We were ere then too deeply fallen,
The chasm sucked us fully down,
   The deep then threatened us with death,
   And even still in such distress
There was no hand to lend us help.

4. Recitative (B)

But somehow was the law to have fulfilment;
And for this came to earth salvation,
The Highest's Son hath it himself fulfilled
And his own Father's wrath made still.
Through his own guiltless dying
He let us win salvation.
Who shall on him rely
And in his passion trust,
He shall not walk in peril.
And heaven is for him appointed
Who with true faith shall bring himself
And firmly Jesus' arms embrace.

5. Aria (S, A)

Lord, thou look'st past our good labors
To the heart's believing power,
Nought but faith dost thou accept.
   Nought but faith shall justify,
   Ev'ry labor seems too slight
E'er to bring us any help.

41

6. Recitativo
(Schöne)

Wenn wir die Sünd aus dem Gesetz erkennen,
So schlägt es das Gewissen nieder;
Doch ist das unser Trost zu nennen,
Daß wir im Evangelio
Gleich wieder froh
Und freudig werden:
Dies stärket unsern Glauben wieder.
Drauf hoffen wir der Zeit,
Die Gottes Gütigkeit
Uns zugesaget hat,
Doch aber auch aus weisem Rat
Die Stunde uns verschwiegen.
Jedoch, wir lassen uns begnügen,
Er weiß es, wenn es nötig ist,
Und brauchet keine List
An uns; wir dürfen auf ihn bauen
Und ihm allein vertrauen.

Baß, Bc.
19 Takte, fis-Moll – E-Dur, 4/4 Takt

6. Recitative (B)

When we our sin within the law acknowledge,
Our conscience is most sorely stricken;
Yet can we reckon to our comfort
That we within the Gospel's word
Shall soon again
Be glad and joyful:
This gives to our belief new power.
We therefore wait the day
Which God's own graciousness
For us appointed hath,
E'en though, in truth, with purpose wise,
The hour is unspoken.
But still we wait with full assurance,
He knoweth when our time is come
And worketh no deceit
On us; we may depend upon him,
On him alone relying.

7. Choral
(Gächinger Kantorei Stuttgart)

Ob sich's anließ, als wollt er nicht,
Laß dich es nicht erschrecken;
Denn wo er ist am besten mit,
Da will er's nicht entdecken.
Sein Wort laß dir gewisser sein,
Und ob dein Herz spräch lauter Nein,
So laß doch dir nicht grauen.

Chor, Gesamtinstrumentarium
14 Takte, E-Dur, 4/4 Takt

7. Chorale [Verse 12] (S, A, T, B)

Though it should seem he were opposed,
Be thou by this not frightened;
For where he is at best with thee,
His wont is not to show it.
His word take thou more certain still,
And though thy heart say only "No,"
Yet let thyself not shudder.

Ausführende:
Ulrike Sonntag, Sopran
Gabriele Schreckenbach, Alt
Adalbert Kraus, Tenor
Wolfgang Schöne, Baß
Sibylle Keller-Sanwald, Flöte
Günther Passin, Oboe d'amore
Christoph Carl, Fagott
Georg Egger, Violine
Stefan Trauer, Violoncello
Claus Zimmermann, Kontrabaß
Martha Schuster, Cembalo
Hans-Joachim Erhard, Orgelpositiv
Gächinger Kantorei Stuttgart
Württembergisches Kammerorchester Heilbronn
Leitung: Helmuth Rilling

Aufnahme: Tonstudio Teije van Geest, Heidelberg
Aufnahmeleitung: Richard Hauck
Aufnahmeort: Gedächtniskirche Stuttgart
Aufnahmezeit: Februar 1984
Spieldauer: 20'30"

Meine Seel erhebt den Herren
Kantate zu Mariae Heimsuchung
für Sopran, Alt, Tenor, Baß, vierstimmigen Chor,
Trompete, 2 Oboen, Streicher und Generalbaß

1. Coro (Choral)
(Gächinger Kantorei Stuttgart)

Meine Seel erhebt den Herren,
Und mein Geist freuet sich Gottes, meines Hei-
landes;
Denn er hat seine elende Magd angesehen.
Siehe, von nun an werden mich selig preisen alle
Kindeskind.

Chor, Gesamtinstrumentarium
83 Takte, g-Moll, 4/4 Takt

2. Aria
(Augér)

Herr, der du stark und mächtig bist,
Gott, dessen Name heilig ist,
Wie wunderbar sind deine Werke!
　Du siehest mich Elenden an,
　Du hast an mir so viel getan,
　Daß ich nicht alles zähl und merke.

Sopran, Oboe, Streicher, Bc.
143 Takte, B-Dur, 4/4 Takt

3. Recitativo
(Baldin)

Des Höchsten Güt und Treu
Wird alle Morgen neu
Und währet immer für und für
Bei denen, die allhier
Auf seine Hilfe schaun
Und ihm in wahrer Furcht vertraun.
Hingegen übt er auch Gewalt
Mit seinem Arm
An denen, welche weder kalt
Noch warm
Im Glauben und im Lieben sein;
Die nacket, bloß und blind,
Die voller Stolz und Hoffart sind,
Will seine Hand wie Spreu zerstreun.

Tenor, Bc.
16 Takte, g-Moll – d-Moll, 4/4 Takt

1. Chorus [Verses 1 and 2] (S, A, T, B)

This my soul exalts the Lord now,
And my heart finds in God gladness, in God
my Savior;
For he hath this his lowly handmaid now regarded.
Lo now, from henceforth shall all men call me
blessèd, ev'ry child's own child.

2. Aria (S)

Lord, thou who strong and mighty art,
God, thou whose name most holy is,
How wonderful are all thy labors!
　Thou seest me in low estate,
　Thou hast for me more blessings wrought
　Than I could either know or number.

3. Recitative (T)

The Highest's gracious love
Is ev'ry morning new,
Enduring ever more and more
Amongst all those who here
To his salvation look
And him in honest fear do trust.
But he doth also wield great might
With his own arm
Upon those who are neither cold
Nor warm
In faith and in love's charity;
Them naked, bare and blind,
Filled now with pride and haughtiness,
Shall his own hand like chaff disperse.

4. Aria
(Schöne)

Gewaltige stößt Gott vom Stuhl
Hinunter in den Schwefelpfuhl;
Die Niedern pflegt Gott zu erhöhen,
Daß sie wie Stern am Himmel stehen.
Die Reichen läßt Gott bloß und leer,
Die Hungrigen füllt er mit Gaben,
Daß sie auf seinem Gnadenmeer
Stets Reichtum und die Fülle haben.

Baß, Bc.
56 Takte, F-Dur, 4/4 Takt

4. Aria (B)

God casts the strong down from their seat
Headlong into the sulph'rous pit;
The humble hath God oft exalted,
That they like stars may stand in heaven.
The rich doth God leave void and bare,
The hungry filleth he with blessing,
That they upon his sea of grace
Have riches with abundance ever.

5. Duetto con Choral
(Neubauer, Baldin)

**Er denket der Barmherzigkeit
Und hilft seinem Diener Israel auf.**

Alt, Tenor, Trompete, Bc.
35 Takte, d-Moll, 6/8 Takt

5. Duet [Verse 8] (A, T) with instr. chorale

**And mindful of his mercy, he
Doth give to his servant Israel help.**

6. Recitativo
(Baldin)

Was Gott den Vätern alter Zeiten
Geredet und verheißen hat,
Erfüllt er auch im Werk und in der Tat.
Was Gott dem Abraham,
Als er zu ihm in seine Hütten kam,
Versprochen und geschworen,
Ist, da die Zeit erfüllet war, geschehen.
Sein Same mußte sich so sehr
Wie Sand am Meer
Und Stern am Firmament ausbreiten,
Der Heiland ward geboren,
Das ewge Wort ließ sich im Fleische sehen,
Das menschliche Geschlecht von Tod und allem
                                                    Bösen
Und von des Satans Sklaverei
Aus lauter Liebe zu erlösen;
Drum bleibt's darbei,
Daß Gottes Wort voll Gnad und Wahrheit sei.

Tenor, Streicher, Bc.
22 Takte, B-Dur – g-Moll, 4/4 Takt

6. Recitative (T)

What God of old to our forefathers
In promise and in word did give,
He here fulfils in all his works and deeds.
What God to Abraham,
When he to him into his tent did come,
Did prophesy and promise,
Was, when the time had been fulfilled,
                                                    accomplished.
His seed in truth must be as far
As ocean sands
And starry firmament extended;
For born was then the Savior,
Eternal word was seen in flesh appearing,
That this the human race from death and
                                                    ev'ry evil
And also Satan's slavery
Through purest love might be delivered;
So it remains:
The word of God is full of grace and truth.

7. Choral
(Gächinger Kantorei Stuttgart)

**Lob und Preis sei Gott dem Vater und dem Sohn
Und dem Heiligen Geiste,
Wie es war im Anfang, jetzt und immerdar
Und von Ewigkeit zu Ewigkeit, Amen.**

Chor, Gesamtinstrumentarium
22 Takte, g-Moll, 4/4 Takt

7. Chorale [Verses 10 and 11] (S, A, T, B)

**Laud and praise be God the Father and the Son
And to the Holy Spirit,
As in the beginning was and ever is
Be from evermore to evermore. Amen.**

Ausführende:
Arleen Augér, Sopran
Margit Neubauer, Alt
Aldo Baldin, Tenor
Wolfgang Schöne, Baß
Hans Wolf, Trompete
Allan Vogel, Oboe
Hedda Rothweiler, Oboe
Kurt Etzold, Fagott
Klaus-Peter Hahn, Continuocello
Thomas Lom, Kontrabaß
Hans-Joachim Erhard, Cembalo/Orgelpositiv
Gächinger Kantorei Stuttgart
Bach-Collegium Stuttgart
Leitung: Helmuth Rilling

Aufnahme: Tonstudio Teije van Geest, Heidelberg
Aufnahmeleitung: Richard Hauck
Aufnahmeort: Gedächtniskirche Stuttgart
Aufnahmezeit: Februar 1979
Spieldauer: 21'30"

BWV 11

Serie X, Nr. 98.748

Lobet Gott in seinen Reichen
(Himmelfahrtsoratorium)
Kantate zu Himmelfahrt
für Sopran, Alt, Tenor, Baß, vierstimmigen Chor,
3 Trompeten, Pauken, 2 Flöten, 2 Oboen, 2 Oboi d'amore, Streicher und Generalbaß

1. Coro
(Gächinger Kantorei Stuttgart)

Lobet Gott in seinen Reichen,
Preiset ihn in seinen Ehren,
Rühmet ihn in seiner Pracht;
   Sucht sein Lob recht zu vergleichen,
   Wenn ihr mit gesamten Chören
   Ihm ein Lied zu Ehren macht!

Chor, 3 Trompeten, Pauken, 2 Flöten, 2 Oboen,
Streicher, Bc.
217 Takte, D-Dur, 2/4 Takt

1. Chorus (S, A, T, B)

Laud to God in all his kingdoms,
Praise to him in all his honors,
In his splendor tell his fame;
   Strive his glory's due to honor
   When ye with assembled choirs
   Make a song to praise his name!

2. Recitativo
(Kraus)

*Der Herr Jesus hub seine Hände auf und segnete
seine Jünger, und es geschah, da er sie segnete, schied
er von ihnen.*

Tenor, Bc.
6 Takte, h-Moll – A-Dur, 4/4 Takt

2. Recitative (T) Evangelist

*The Lord Jesus then lifted up his hands in blessing on
his disciples, and thereupon, as he was blessing them,
he parted from them.*

45

3. Recitativo
(Schmidt)

Ach, Jesu, ist dein Abschied schon so nah?
Ach, ist denn schon die Stunde da,
Da wir dich von uns lassen sollen?
Ach, siehe, wie die heißen Tränen
Von unsern blassen Wangen rollen,
Wie wir uns nach dir sehnen,
Wie uns fast aller Trost gebricht.
Ach, weiche doch noch nicht!

Baß, 2 Flöten, Bc.
11 Takte, fis-Moll – a-Moll, 4/4 Takt

4. Aria
(Georg)

Ach, bleibe doch, mein liebstes Leben,
Ach, fliehe nicht so bald von mir!
    Dein Abschied und dein frühes Scheiden
    Bringt mir das allergrößte Leiden,
    Ach ja, so bleibe doch noch hier;
    Sonst werd ich ganz von Schmerz umgeben

Alt, Violinen, Bc.
79 Takte, a-Moll, 4/4 Takt

5. Recitativo
(Kraus)

*Und ward aufgehoben zusehends und fuhr auf gen
Himmel, eine Wolke nahm ihn weg vor ihren Augen,
und er sitzet zur rechten Hand Gottes.*

Tenor, Bc.
6 Takte, e-Moll – fis-Moll, 4/4 Takt

6. Choral
(Gächinger Kantorei Stuttgart)

**Nun lieget alles unter dir,
Dich selbst nur ausgenommen;
Die Engel müssen für und für
Dir aufzuwarten kommen.
Die Fürsten stehn auch auf der Bahn
Und sind dir willig untertan;
Luft, Wasser, Feuer, Erden
Muß dir zu Dienste werden.**

Chor, 2 Flöten, 2 Oboi d'amore, Streicher, Bc.
30 Takte, D-Dur, 3/4 Takt

3. Recitative (B)

Ah, Jesus, is thy parting now so near?
Ah, is so soon the moment come
When we shall have to let thee leave us?
Ah, look now, how the burning teardrops
Down these our pallid cheeks are rolling,
How we for thee are yearning,
How nearly all our hope is lost.
Ah, do not yet depart!

4. Aria (A)

Ah, stay with me, my dearest life thou,
Ah, flee thou not so soon from me!
    Thy parting and thine early leaving
    Bring me the most egregious suff'ring,
    Ah yes, then stay yet here awhile;
    Else shall I be with pain surrounded.

5. Recitative (T) Evangelist

*And was lifted up manifestly and went up toward
heaven, and a cloud did bear him off before their eyes
then, and he sits at the right hand of God now.*

6. Chorale (S, A, T, B)

**Now lieth all beneath thy feet,
Thyself the one exception;
The angels must for evermore
To wait upon thee gather.
The princes stand, too, on the way
And are thy willing servants now;
Air, water, earth and fire
Must thee their service offer.**

7a. Recitativo
(Kraus, Schmidt)

(Evangelist, zwei Männer in weißen Kleidern)
Tenor

Und da sie ihm nachsahen gen Himmel fahren, siehe, da stunden bei ihnen zwei Männer in weißen Kleidern, welche auch sagten:
beide
Ihr Männer von Galiläa, was stehet ihr und sehet gen Himmel? Dieser Jesus, welcher von euch ist aufgenommen gen Himmel, wird kommen, wie ihr ihn gesehen habt gen Himmel fahren.

Tenor, Baß, Bc.
18 Takte, D-Dur, 4/4 Takt

7b. Recitativo
(Georg)

Ach ja! so komme bald zurück:
Tilg einst mein trauriges Gebärden,
Sonst wird mir jeder Augenblick
Verhaßt und Jahren ähnlich werden.

Alt, 2 Flöten, Bc.
7 Takte, G-Dur – h-Moll, 4/4 Takt

7c. Recitativo
(Kraus)

Sie aber beteten ihn an, wandten um gen Jerusalem von dem Berge, der da heißet der Ölberg, welcher ist nahe bei Jerusalem und liegt einen Sabbater-Weg davon, und sie kehreten wieder gen Jerusalem mit großer Freude.

Tenor, Bc.
9 Takte, D-Dur – G-Dur, 4/4 Takt

8. Aria
(Cuccaro)

Jesu, deine Gnadenblicke
Kann ich doch beständig sehn.
　Deine Liebe bleibt zurücke,
　Daß ich mich hier in der Zeit
　An der künftgen Herrlichkeit
　Schon voraus im Geist erquicke,
　Wenn wir einst dort vor dir stehn.

Sopran, Flöte, Oboe, Violinen, Violen
264 Takte, G-Dur, 3/8 Takt

7a. Recitative (T, B)

Evangelist and Two Men in White Robes
(Evangelist)
And as they looked at him going up to heaven, lo now, there standing beside them were two men in shining raiment, and they were saying:
(Both Evangelist and the Two Men)
Ye men here of Galilee, why do ye stand and gaze up to heaven? For this Jesus, who is from you now lifted up unto heaven, shall come again as ye have seen him now go up to heaven.

7b. Recitative (A)

Ah yes! so come thou soon again:
Erase at last my sad demeanor,
Else will my ev'ry moment be
Despised and years in length appearing.

7c. Recitative (T) Evangelist

And thereupon they prayed to him, turned around toward Jerusalem from that mountain which is called Mount of Olives, that which is not far from Jerusalem and lies only one Sabbath's day away, and they went up again into Jerusalem filled with great gladness.

8. Aria (S)

Jesus, thy dear mercy's glances
Can I, yea, forever, see.
　For thy love doth stay behind thee,
　That I here within my time
　On that future majesty
　Even now my soul may nurture,
　When we'll there before thee stand.

9. Coro (Choral)
(Gächinger Kantorei Stuttgart)

Wenn soll es doch geschehen,
Wenn kömmt die liebe Zeit,
Daß ich ihn werde sehen
In seiner Herrlichkeit?
Du Tag, wenn wirst du sein,
Daß wir den Heiland grüßen,
Daß wir den Heiland küssen?
Komm, stelle dich doch ein!

Chor, 3 Trompeten, Pauken, 2 Flöten, 2 Oboen,
Streicher, Bc.
71 Takte, D-Dur, 6/4 Takt

Ausführende:
Costanza Cuccaro, Sopran
Mechthild Georg, Alt
Adalbert Kraus, Tenor
Andreas Schmidt, Baß
Bernhard Schmid, Trompete
Claude Rippas, Trompete
Paul Raber, Trompete
Norbert Schmitt, Pauken
Sibylle Keller-Sanwald, Flöte
Barbara Schlenker, Flöte
Wiltrud Böckheler, Flöte
Günther Passin, Oboe/Oboe d'amore
Hedda Rothweiler, Oboe/Oboe d'amore
Kurt Etzold, Fagott
Georg Egger, Konzertmeister
Stefan Trauer, Violoncello
Claus Zimmermann, Kontrabaß
Martha Schuster, Cembalo
Hans-Joachim Erhard, Orgelpositiv
Gächinger Kantorei Stuttgart
Württembergisches Kammerorchester Heilbronn
Leitung: Helmuth Rilling

Aufnahme: Tonstudio Teije van Geest, Heidelberg
Aufnahmeleitung: Richard Hauck
Aufnahmeort: Gedächtniskirche Stuttgart
Aufnahmezeit: Februar 1984
Spieldauer: 26'10"

9. Chorale (S, A, T, B)

When shall it ever happen,
When comes the welcome day
In which I shall behold him
In all his majesty?
Thou day, when wilt thou be,
In which we greet the Savior,
In which we kiss the Savior?
Come, make thyself appear!

BWV 12

Weinen, Klagen, Sorgen, Zagen
Kantate zum Sonntag Jubilate
für Alt, Tenor, Baß, vierstimmigen Chor,
Trompete, Oboe, Streicher und Generalbaß

Serie **II**, Nr. 98.661

1. Sinfonia
(Bach-Collegium Stuttgart)

Oboe, Streicher, Bc.
16 Takte, f-Moll, 4/4 Takt

2. Coro
(Gächinger Kantorei Stuttgart)

Weinen, Klagen,
Sorgen, Zagen,
Angst und Not
Sind der Christen Tränenbrot,
    Die das Zeichen Jesu tragen.

Chor, Streicher, Bc.
141 Takte, f-Moll, 3/2 Takt

3. Recitativo
(Watts)

Wir müssen durch viel Trübsal in das Reich Gottes eingehen.

Alt, Streicher, Bc.
7 Takte, c-Moll, 4/4 Takt

4. Aria
(Watts)

Kreuz und Krone sind verbunden,
Kampf und Kleinod sind vereint.
    Christen haben alle Stunden
    Ihre Qual und ihren Feind,
    Doch ihr Trost sind Christi Wunden.

Alt, Oboe, Bc.
62 Takte, c-Moll, 4/4 Takt

5. Aria
(Schöne)

Ich folge Christo nach,
Von ihm will ich nicht lassen
Im Wohl und Ungemach,
Im Leben und Erblassen.
Ich küsse Christi Schmach,
Ich will sein Kreuz umfassen.
Ich folge Christo nach,
Von ihm will ich nicht lassen.

Baß, 2 Violinen, Bc.
40 Takte, Es-Dur, 4/4 Takt

1. Sinfonia

2. Chorus (S, A, T, B)

Weeping, wailing
Grieving, fearing,
Dread and need
Are the Christians' tearful bread,
    Them the sign of Jesus bearing.

3. Recitative [Dictum] (A)

We must pass through great sadness that we God's kingdom may enter.

4. Aria (A)

Cross and crown are joined together,
Gem and conflict are made one.
    Christians must at ev'ry hour
    Have their torment and their foe,
    But Christ's wounds shall be their comfort.

5. Aria (B)

I'll follow after Christ,
I will not e'er forsake him
In health and in distress,
In living and in dying.
I kiss now Christ's disgrace,
I will his cross embrace now.
I'll follow after Christ,
I will not e'er forsake him.

6. Aria con Choral
(Kraus)

Sei getreu, alle Pein
Wird doch nur ein Kleines sein.
Nach dem Regen
Blüht der Segen,
Alles Wetter geht vorbei.
Sei getreu, sei getreu!

Tenor, Trompete, Bc.
95 Takte, g-Moll, 3/4 Takt

6. Aria (T) with instr. chorale

Be steadfast, ev'ry pain
Will have but a trifle been.
After showers
Blessing flowers,
Ev'ry tempest will have past.
Be steadfast, be steadfast!

7. Choral
(Gächinger Kantorei Stuttgart)

Was Gott tut, das ist wohlgetan,
Dabei will ich verbleiben,
Es mag mich auf die rauhe Bahn
Not, Tod und Elend treiben,
So wird Gott mich
Ganz väterlich
In seinen Armen halten:
Drum laß ich ihn nur walten.

Chor, Trompete, Streicher, Bc.
14 Takte, B-Dur, 4/4 Takt

7. Chorale (S, A, T, B)

What God doth, that is rightly done,
To that will I be cleaving,
Though out upon the cruel road
Need, death and suff'ring drive me,
E'en so will God,
All fatherhood,
Within his arms enfold me:
So I yield him all power.

Ausführende:
Helen Watts, Alt
Adalbert Kraus, Tenor
Wolfgang Schöne, Baß
Hermann Sauter, Trompete
Otto Winter, Oboe
Hans Mantels, Fagott
Werner Keltsch, Violine
Eva Dörnenburg, Violine
Jürgen Wolf, Continuocello
Manfred Gräser, Kontrabaß
Martha Schuster, Cembalo/Orgelpositiv
Gächinger Kantorei Stuttgart
Bach-Collegium Stuttgart
Leitung: Helmuth Rilling

Aufnahme: Sonopress Tontechnik, Gütersloh
Aufnahmeleitung: Richard Hauck/Wolfram
Wehnert
Aufnahmeort: Gedächtniskirche Stuttgart
Aufnahmezeit: Februar 1972
Spieldauer: 26'00"

BWV 13

Meine Seufzer, meine Tränen
Kantate zum 2. Sonntag nach Epiphanias
(Text: G. Chr. Lehms)
für Sopran, Alt, Tenor, Baß, vierstimmigen Chor,
2 Blockflöten, Oboe da caccia, Streicher mit Solo-Violine
und Generalbaß

1. Aria
(Kraus)

Meine Seufzer, meine Tränen
Können nicht zu zählen sein.
   Wenn sich täglich Wehmut findet
   Und der Jammer nicht verschwindet,
   Ach! so muß uns diese Pein
   Schon den Weg zum Tode bahnen.

Tenor, 2 Blockflöten, Oboe da caccia, Bc.
82 Takte, d-Moll, 12/8 Takt

1. Aria (T)

Of my sighing, of my crying
No one could the sum reveal.
   If each day is filled with sadness
   And our sorrow never passeth,
   Ah, it means that all our pain
   Now the way to death prepareth!

2. Recitativo
(Watkinson)

Mein liebster Gott läßt mich
Annoch vergebens rufen
Und mir in meinem Weinen
Noch keinen Trost erscheinen.
Die Stunde lässet sich
Zwar wohl von ferne sehen,
Allein ich muß doch noch vergebens flehen.

Alt. Bc.
11 Takte, B-Dur – F-Dur, 4/4 Takt

2. Recitative (A)

My dearest Lord hath let
Me long in vain invoke him,
To me in all my weeping
No comfort yet revealing.
The hour even now
Is from afar appearing,
But still I must in vain make my entreaty.

3. Choral
(Gächinger Kantorei Stuttgart)

Der Gott, der mir hat versprochen
Seinen Beistand jederzeit,
Der läßt sich vergebens suchen
Jetzt in meiner Traurigkeit.
Ach! Will er denn für und für
Grausam zürnen über mir,
Kann und will er sich der Armen
Itzt nicht wie vorhin erbarmen?

Chor-Alt, 2 Blockflöten, Oboe da caccia, Streicher, Bc.
49 Takte, F-Dur, 4/4 Takt

3. Chorale (A)

That God who gave me the promise
Of his helping hand alway
Lets me strive in vain to find him
Now within my sad estate.
Ah! Will he then evermore
Cruel wrath retain for me,
Can and will he to the wretched
Now no longer show his mercy?

4. Recitativo
(Augér)

Mein Kummer nimmet zu
Und raubt mir alle Ruh,

4. Recitative (S)

My sorrow ever grows
And robs me of all peace,

Mein Jammerkrug ist ganz
Mit Tränen angefüllet,
Und diese Not wird nicht gestillet,
So mich ganz unempfindlich macht.
Der Sorgen Kummernacht
Drückt mein beklemmtes Herz darnieder,
Drum sing ich lauter Jammerlieder.
Doch, Seele, nein,
Sei nur getrost in deiner Pein:
Gott kann den Wermutsaft
Gar leicht in Freudenwein verkehren
Und dir alsdenn viel tausend Lust gewähren.

Sopran, Bc.
15 Takte, B-Dur, 4/4 Takt

My cup of woe is filled
With tears to overflowing,
And my distress will not be stilled now
And leaves me full of cold despair.
This night of care and grief
Oppresseth this my anxious bosom,
I sing, thus, only songs of sorrow.
No, spirit, no,
Take only comfort in thy pain:
God can the wormwood's gall
Transform with ease to wine of rapture
And then as well ten thousand joys allow thee.

5. Aria
(Heldwein)

Ächzen und erbärmlich Weinen
Hilft der Sorgen Krankheit nicht;
   Aber wer gen Himmel siehet
   Und sich da um Trost bemühet,
   Dem kann leicht ein Freudenlicht
   In der Trauerbrust erscheinen.

Baß, 2 Blockflöten, Violine, Bc.
86 Takte, g-Moll, 4/4 Takt

5. Aria (B)

Moaning and most piteous weeping
Shall help sorrow's sickness not;
   But whoe'er to heaven looketh
   And strives there to find his comfort
   Can with ease a light of joy
   In his grieving breast discover.

6. Choral
(Gächinger Kantorei Stuttgart)

So sei nun, Seele, deine
Und traue dem alleine,
Der dich erschaffen hat;
Es gehe, wie es gehe,
Dein Vater in der Höhe,
Der weiß zu allen Sachen Rat.

Chor, Gesamtinstrumentarium
12 Takte, B-Dur, 4/4 Takt

6. Chorale (S, A, T, B)

Thyself be true, O spirit,
And trust in him alone now
Who hath created thee;
Let happen what may happen,
Thy Father there in heaven
Doth counsel in all matters well.

Ausführende:
Arleen Augér, Sopran
Carolyn Watkinson, Alt
Adalbert Kraus, Tenor
Walter Heldwein, Baß
Hartmut Strebel, Blockflöte
Barbara Schlenker, Blockflöte
Helmut Koch, Oboe da caccia
Dietmar Keller, Oboe da caccia
Christoph Carl, Fagott
Walter Forchert, Konzertmeister
Barbara Haupt-Brauckmann, Continuocello
Thomas Lom, Kontrabaß
Hans-Joachim Erhard, Cembalo/Orgelpositiv
Gächinger Kantorei Stuttgart
Bach-Collegium Stuttgart
Leitung: Helmuth Rilling

Aufnahme: Tonstudio Teije van Geest, Heidelberg
Aufnahmeleitung: Richard Hauck
Aufnahmeort: Gedächtniskirche Stuttgart
Aufnahmezeit: März/November 1981
Spieldauer: 19'40"

BWV 14

Serie **X**, Nr. 98.748

Wär Gott nicht mit uns diese Zeit
Kantate zum 4. Sonntag nach Epiphanias
für Sopran, Tenor, Baß, vierstimmigen Chor,
Horn, 2 Oboen, Streicher und Generalbaß

1. Coro (Choral)
(Gächinger Kantorei Stuttgart)

Wär Gott nicht mit uns diese Zeit,
So soll Israel sagen,
Wär Gott nicht mit uns diese Zeit,
Wir hätten müssen verzagen,
Die so ein armes Häuflein sind,
Veracht' von so viel Menschenkind,
Die an uns setzen alle.

Chor, Gesamtinstrumentarium
217 Takte, g-Moll, 3/8Takt

1. Chorus [Verse 1] (S, A, T, B)

Were God not with us all this time,
Let Israel now say it:
Were God not with us all this time,
We would have surely lost courage,
For such a tiny band we are,
Despised by so much of mankind,
They all oppose us ever.

2. Aria
(Laki)

Unsre Stärke heißt zu schwach,
Unserm Feind zu widerstehen.
 Stünd uns nicht der Höchste bei,
 Würd uns ihre Tyrannei
 Bald bis an das Leben gehen.

Sopran, Horn, Streicher, Bc.
137 Takte, B-Dur, 3/4 Takt

2. Aria (S)

Our own strength is called too weak,
That our foe we bid defiance.
 Stood by us the Highest not,
 Surely would their tyranny
 Soon our very being threaten.

3. Recitativo
(Baldin)

Ja, hätt es Gott nur zugegeben,
Wir wären längst nicht mehr am Leben,
Sie rissen uns aus Rachgier hin,
So zornig ist auf uns ihr Sinn.
Es hätt uns ihre Wut
Wie eine wilde Flut
Und als beschämte Wasser überschwemmet,
Und niemand hätte die Gewalt gehemmet.

Tenor, Bc.
10 Takte, g-Moll – d-Moll, 4/4 Takt

3. Recitative

Yea, if then God had but allowed it,
We long no more were with the living,
Their vengeance would have ravished us,
Such wrath for us do they intend.
For they had in their rage
Like as a rampant flood
Within its foaming waters spilled upon us,
And no one could have all their might resisted.

4. Aria
(Huttenlocher)

Gott, bei deinem starken Schützen
Sind wir vor den Feinden frei.
  Wenn sie sich als wilde Wellen
Uns aus Grimm entgegenstellen,
Stehn uns deine Hände bei.

Baß, 2 Oboen, Bc.
93 Takte, g-Moll, 4/4 Takt

4. Aria (B)

God, through thine own strong protection
Are we from our foes set free.
  When they come as raging waters
In their hate to rise against us,
With us yet thy hands will be.

5. Choral
(Gächinger Kantorei Stuttgart)

**Gott Lob und Dank, der nicht zugab,
Daß ihr Schlund uns möcht fangen.
Wie ein Vogel des Stricks kömmt ab,
Ist unsre Seel entgangen:
Strick ist entzwei, und wir sind frei;
Des Herren Name steht uns bei,
Des Gottes Himmels und Erden.**

Chor, Gesamtinstrumentarium
14 Takte, g-Moll, 4/4 Takt

5. Chorale [Verse 3] (S, A, T, B)

**God praise and thanks, who did not let
Their savage jaws devour us.
As a bird from its snare comes free,
So is our soul delivered:
The snare's in twain, and we are free;
The Lord's own name doth stand with us,
The God of earth and of heaven.**

Ausführende:
Krisztina Laki, Sopran
Aldo Baldin, Tenor
Philippe Huttenlocher, Baß
Marie-Louise Neunecker, Horn
Günther Passin, Oboe
Hedda Rothweiler, Oboe
Kurt Etzold, Fagott
Georg Egger, Konzertmeister
Stefan Trauer, Violoncello
Claus Zimmermann, Kontrabaß
Martha Schuster, Cembalo
Hans-Joachim Erhard, Orgelpositiv
**Gächinger Kantorei Stuttgart
Württembergisches Kammerorchester Heilbronn
Leitung: Helmuth Rilling**

Aufnahme: Tonstudio Teije van Geest, Heidelberg
Aufnahmeleitung: Richard Hauck
Aufnahmeort: Gedächtniskirche Stuttgart
Aufnahmezeit: Februar 1984
Spieldauer: 15'10"

BWV 16

Serie **VIII**, Nr. 98.730

Herr Gott, dich loben wir
Kantate zu Neujahr
(Text: G. Chr. Lehms)
für Alt, Tenor, Baß, vierstimmigen Chor,
Horn, 2 Oboen, Viola, Streicher und Generalbaß

1. Coro (Choral)
(Gächinger Kantorei Stuttgart)

Herr Gott, dich loben wir,
Herr Gott, wir danken dir.
Dich, Gott Vater in Ewigkeit,
Ehret die Welt weit und breit.

Chor, Horn, 2 Oboen, Streicher, Bc.
34 Takte, a-Moll – G-Dur (mixolydisch), 4/4 Takt

Lord God, we give thee praise,
Lord God, we give thee thanks,
Thee, God Father eternally,
All the world lauds far and wide.

2. Recitativo
(Huttenlocher)

So stimmen wir
Bei dieser frohen Zeit
Mit heißer Andacht an
Und legen dir,
O Gott, auf dieses neue Jahr
Das erste Herzensopfer dar.
Was hast du nicht von Ewigkeit
Für Heil an uns getan,
Und was muß unsre Brust
Noch jetzt vor Lieb und Treu verspüren!
Dein Zion sieht vollkommne Ruh,
Es fällt ihm Glück und Segen zu;
Der Tempel schallt
Von Psaltern und von Harfen,
Und unsre Seele wallt,
Wenn wir nur Andachtsglut in Herz und Munde
                                        führen.
O, sollte darum nicht ein neues Lied erklingen
Und wir in heißer Liebe singen?

Baß, Bc.
19 Takte, C-Dur – G-Dur, 4/4 Takt

2. Recitative (B)

So we shall raise
Upon this joyful day
Our ardent worship's song
And shall to thee,
O God, for this the fresh new year
Our spirit's first oblation give.
What hast thou not since time began
For our salvation done,
And how much must our breast
Yet of thy faith and love perceive now!
Thy Zion perfect peace beholds,
Its portion bliss and happiness;
The temple rings
With sounds of harp and psalt'ry,
And how our soul shall soar
If we but worship's fire to heart and lips shall
                                        summon!
Oh, ought we not therefore a new refrain ring
                                        out now
And in our fervent love be singing?

3. Aria e Coro
(Huttenlocher, Gächinger Kantorei Stuttgart)

Chor
Laßt uns jauchzen, laßt uns freuen:
Gottes Güt und Treu
Bleibet alle Morgen neu.
　Baß
　　Krönt und segnet seine Hand,
　　Ach so glaubt, daß unser Stand
　　Ewig, ewig glücklich sei.

Baß, Chor, Horn, 2 Oboen, Streicher, Bc.
70 Takte, C-Dur, 4/4 Takt

3. Aria (S, A, T, B)

(Tutti)
Let us triumph, let's be merry:
God's good will and faith
Shall be ev'ry morning new.
　(B)
　　Crown and blesseth if his hand,
　　Ah, be sure that all our clan
　　Ever, ever shall be glad.

4. Recitativo
(Schreckenbach)

Ach treuer Hort,
Beschütz auch fernerhin dein wertes Wort,
Beschütze Kirch und Schule,

4. Recitative (A)

Ah, faithful shield,
Protect as in the past thy precious word,
Protect both church and school now,

55

So wird dein Reich vermehrt
Und Satans arge List gestört;
Erhalte nur den Frieden
Und die beliebte Ruh,
So ist uns schon genug beschieden,
Und uns fällt lauter Wohlsein zu.
Ach! Gott, du wirst das Land
Noch ferner wässern,
Du wirst es stets verbessern,
Du wirst es selbst mit deiner Hand
Und deinem Segen bauen.
Wohl uns, wenn wir
Dir für und für,
Mein Jesus und mein Heil, vertrauen.

Alt, Bc.
18 Takte, e-Moll – C-Dur, 4/4 Takt

Thus shall thy kingdom grow
And Satan's wicked guile fall low;
If thou upholdest order
And our belovèd peace,
Our lot, indeed, shall be sufficient,
And we'll have nought but happiness.
Ah! God, thou shalt this land
Bathe still with nurture.
Thou shalt alway amend it,
Thou shalt it with thy very hand
And very blessing foster.
We're blest, if we
Thee evermore
Shall trust, my Jesus and my Savior.

5. Aria
(Schreier)

Geliebter Jesu, du allein
Sollst meiner Seelen Reichtum sein.
Wir wollen dich vor allen Schätzen
In unser treues Herze setzen,
Ja, wenn das Lebensband zerreißt,
Stimmt unser gottvergnügter Geist
Noch mit den Lippen sehnlich ein:
Geliebter Jesu, du allein
Sollst meiner Seelen Reichtum sein.

Tenor, Viola, Bc.
150 Takte, F-Dur, 3/4 Takt

5. Aria (T)

Belovèd Jesus, thou alone
Shalt be the treasure of my soul.
We will before all other riches
Within our faithful heart enthrone thee,
Yea, when the thread of life shall break,
Our spirit shall, in God content,
Again with lips most gladly sing:
Belovèd Jesus, thou alone
Shalt be the treasure of my soul.

6. Choral
(Gächinger Kantorei Stuttgart)

All solch dein Güt wir preisen,
Vater ins Himmels Thron,
Die du uns tust beweisen
Durch Christum, deinen Sohn,
Und bitten ferner dich,
Gib uns ein friedlich Jahre,
Vor allem Leid bewahre
Und nähr uns mildiglich.

Chor, Gesamtinstrumentarium
16 Takte, a-Moll, 4/4 Takt

6. Chorale (S, A, T, B)

We praise all this thy kindness,
Father on heaven's throne,
Which unto us thou showest
Through Christ, who is thy Son,
And beg thee now as well
To make our year be peaceful,
From ev'ry woe to guard us,
And nourish us with grace.

Ausführende:
Gabriele Schreckenbach, Alt
Peter Schreier, Tenor
Philippe Huttenlocher, Baß
Johannes Ritzkowsky, Horn
Diethelm Jonas, Oboe
Hedda Rothweiler, Oboe
Kurt Etzold, Fagott
Walter Forchert, Konzertmeister

Adelheid Böckheler, Viola
Helmut Veihelmann, Continuocello
Martin Ostertag, Continuocello
Thomas Lom, Kontrabaß
Hans-Joachim Erhard, Cembalo/Orgelpositiv
Gächinger Kantorei Stuttgart
Bach-Collegium Stuttgart
Leitung: Helmuth Rilling

Aufnahme: Tonstudio Teije van Geest, Heidelberg
Aufnahmeleitung: Richard Hauck
Aufnahmeort: Gedächtniskirche Stuttgart
Aufnahmezeit: März/Oktober 1981
Spieldauer: 17'25"

BWV 17

Serie IX, Nr. 98.734

Wer Dank opfert, der preiset mich

Kantate zum 14. Sonntag nach Trinitatis
für Sopran, Alt, Tenor, Baß, vierstimmigen Chor,
2 Oboen, Streicher mit 2 Solo-Violinen und Generalbaß

I. Teil

1. Coro
(Gächinger Kantorei Stuttgart)

*Wer Dank opfert, der preiset mich, und das ist der
Weg, daß ich ihm zeige das Heil Gottes.*

Chor, 2 Oboen, Streicher, Bc.
125 Takte, A-Dur, 3/4 Takt

2. Recitativo
(Schreckenbach)

Es muß die ganze Welt ein stummer Zeuge
werden
Von Gottes hoher Majestät,
Luft, Wasser, Firmament und Erden,
Wenn ihre Ordnung als in Schnuren geht;
Ihn preiset die Natur mit ungezählten Gaben,
Die er ihr in den Schoß gelegt,
Und was den Odem hegt,
Will noch mehr Anteil an ihm haben,
Wenn es zu seinem Ruhm so Zung als Fittich
regt.

Alt, Bc.
15 Takte, fis-Moll – cis-Moll, 4/4 Takt

First Part

1. Chorus [Dictum] (S, A, T, B)

*Who thanks giveth, he praiseth me, and this is the
way that I shall show to him God's healing.*

2. Recitative (A)

Thus ought the whole wide world become a
silent witness
Of God's exalted majesty,
Air, water, firmament and earth now
While in their order as a line they move;
And nature tells his praise in all the
countless blessings
Which he within her lap hath laid;
And all that draweth breath
Shall have a greater portion in him
When it to give him praise both tongue and
wing doth stir.

3. Aria
(Augér)

Herr, deine Güte reicht, so weit der Himmel ist,
und deine Wahrheit langt, so weit die Wolken
gehen.
Wüßt ich gleich sonsten nicht, wie herrlich groß
du bist,
So könnt ich es gar leicht aus deinen Werken
sehen.
Wie sollt man dich mit Dank davor nicht stetig
preisen?
Da du uns willt den Weg des Heils hingegen
weisen.

Sopran, 2 Violinen, Bc.
63 Takte, E-Dur, 4/4 Takt

II. Teil

4. Recitativo
(Kraus)

*Einer aber unter ihnen, da er sahe, daß er gesund
worden war, kehrete um und preisete Gott mit lauter
Stimme und fiel auf sein Angesicht zu seinen Füßen
und dankete ihm, und das war ein Samariter.*

Tenor, Bc.
9 Takte, cis-Moll – fis-Moll, 4/4 Takt

5. Aria
(Kraus)

Welch Übermaß der Güte
Schenkst du mir!
Doch was gibt mein Gemüte
Dir dafür?
Herr, ich weiß sonst nichts zu bringen,
Als dir Dank und Lob zu singen.

Tenor, Streicher, Bc.
67 Takte, D-Dur, 4/4 Takt

6. Recitativo
(Heldwein)

Sieh meinen Willen an, ich kenne, was ich bin:
Leib, Leben und Verstand, Gesundheit, Kraft
und Sinn,
Der du mich läßt mit frohem Mund genießen,
Sind Ströme deiner Gnad, die du auf mich läßt
fließen.
Lieb, Fried, Gerechtigkeit und Freud in deinem
Geist
Sind Schätz, dadurch du mir schon hier ein
Vorbild weist,

3. Aria (S)

Lord, thy goodwill extends as far as heaven is,
And this thy truth doth reach as far as
clouds are coursing.
Knew I no other way how glorious is thy might,
Yet could I with great ease from thine own
works observe it.
How could we not with thanks for this forever
praise thee?
For thou shalt in return salvation's way then
show us.

Second Part

4. Recitative (T)

*One, however, in their number, upon seeing that he to
health was restored, turned back again and gave
praise to God with a loud voice then and fell down
upon his face before his feet there and gave thanks to
him, and he a Samaritan was.*

5. Aria (T)

To me what wealth of favor
Thou dost give!
But what shall thee my spirit
Give in turn?
Lord, I know nought else to offer
Than my thanks and praise to sing thee.

6. Recitative (B)

My purpose now regard, for I know what I am:
Flesh, reason and my life, my health and strength
and mind,
Which I through thee enjoy and tell it gladly,
Are streams of thy dear grace which over me
thou pourest.
Love, peace, true righteousness, thy Holy
Spirit's joy
Are treasures through which thou to me e'en here
dost show

Was Gutes du gedenkst mir dorten zuzuteilen
Und mich an Leib und Seel vollkommentlich zu
heilen.

What favor thou dost plan to grant me there in
heaven,
In body and in soul to bring me perfect healing.

Baß, Bc.
17 Takte, h-Moll – cis-Moll, 4/4 Takt

7. Choral
(Gächinger Kantorei Stuttgart)

Wie sich ein Vatr erbarmet
Üb'r seine junge Kindlein klein:
So tut der Herr uns Armen,
So wir ihn kindlich fürchten rein.
Er kennt das arme Gemächte,
Gott weiß, wir sind nur Staub.
Gleichwie das Gras vom Rechen,
Ein Blum und fallendes Laub,
Der Wind nur drüber wehet,
So ist es nimmer da:
Also der Mensch vergehet,
Sein End, das ist ihm nah.

7. Chorale (S, A, T, B)

As hath a father mercy
For all his children, young and small,
The Lord forgives us also,
When we as children fear him pure.
He knows that we are poor creatures,
God knows we are but dust.
Like as the grass in mowing,
A bud and leaf in fall,
The wind need merely blow it,
And it's no longer there:
E'en so man's life is passing,
His end is ever near.

Chor, Gesamtinstrumentarium
45 Takte, A-Dur, 3/4 Takt

Ausführende:
Arleen Augér, Sopran
Gabriele Schreckenbach, Alt
Adalbert Kraus, Tenor
Walter Heldwein, Baß
Günther Passin, Oboe
Hedda Rothweiler, Oboe
Paul Gerhard Leihenseder, Fagott
Walter Forchert, Violine
Hubert Buchberger, Violine
Helmut Veihelmann, Continuocello
Harro Bertz, Kontrabaß
Hans-Joachim Erhard, Cembalo/Orgelpositiv
Gächinger Kantorei Stuttgart
Bach-Collegium Stuttgart
Leitung: Helmuth Rilling

Aufnahme: Tonstudio Teije van Geest, Heidelberg
Aufnahmeleitung: Richard Hauck
Aufnahmeort: Gedächtniskirche Stuttgart
Aufnahmezeit: Februar/Oktober 1982
Spiedauer: 19'00"

BWV 18

Gleichwie der Regen und Schnee vom Himmel fällt

Kantate zum Sonntag Sexagesimae
(Text: E. Neumeister)
für Sopran, Alt, Tenor, Baß, 2 Blockflöten,
4 Violen und Generalbaß

1. Sinfonia
(Bach-Collegium Stuttgart)

Gesamtinstrumentarium
72 Takte, a-Moll, 6/4 Takt

1. Sinfonia

2. Recitativo
(Schöne)

*Gleichwie der Regen und Schnee vom Himmel fällt
und nicht wieder dahin kommet, sondern feuchtet die
Erde und macht sie fruchtbar und wachsend, daß sie
gibt Samen zu säen und Brot zu essen: Also soll das
Wort, so aus meinem Munde gehet, auch sein; es soll
nicht wieder zu mir leer kommen, sondern tun, das
mir gefället, und soll ihm gelingen, dazu ich's sende.*

Baß, Bc.
15 Takte, a-Moll, 4/4 Takt

2. Recitative [Dictum] (B)

*Just as the showers and snow from heaven fall and
return again not thither, rather give the earth moisture and make it fertile and fruitful, so it gives seed for
the sowing and bread for eating: Just so shall the
word which from mine own mouth proceedeth, be too;
it shall not come again to me empty, but shall do
what I have purposed and shall that accomplish for
which I send it.*

3. Recitativo e Litania
(Csapò, Schnaut, Kraus, Schöne)

Tenor
Mein Gott, hier wird mein Herze sein:
Ich öffne dir's in meines Jesu Namen;
So streue deinen Samen
Als in ein gutes Land hinein.
Mein Gott, hier wird mein Herze sein:
Laß solches Frucht, und hundertfältig, bringen.
O Herr, Herr, hilf! o Herr, laß wohlgelingen!
  Du wollest deinen Geist und Kraft zum Worte
                  geben.
  Erhör uns, lieber Herre Gott!
Baß
Nur wehre, treuer Vater, wehre,
Daß mich und keinen Christen nicht
Des Teufels Trug verkehre.
Sein Sinn ist ganz dahin gericht',
Uns deines Wortes zu berauben
Mit aller Seligkeit.
  Den Satan unter unsre Füße treten.
  Erhör uns, lieber Herre Gott!
Tenor
Ach! viel' verleugnen Wort und Glauben
Und fallen ab wie faules Obst,
Wenn sie Verfolgung sollen leiden.

3. Recitative (T, B) and Litany (S, A, T, B)

(T)
My God, here shall my heart abide:
I open it to thee in Jesus' name now;
So scatter wide thy seed then
As if on fertile land in me.
My God, here shall my heart abide:
Let it bring forth in hundredfold its harvest.
O Lord, Lord, help! O Lord, O let it prosper!
(S, A, T, B)
  That thou might to the word thy Spirit add,
                  and power,
  O hear us, O good Lord, our God!
(B)
But keep us, faithful Father, keep us,
Both me and any Christian soul,
From Satan's lies attending.
His mind has only one intent,
Of this thy word to rob us
With all our happiness.
  That Satan underneath our feet be trodden,
  O hear us, O good Lord, our God!
(T)
Ah! Many, word and faith renouncing,
Now fall away like rotting fruit,
When persecution they must suffer.

So stürzen sie in ewig Herzeleid,	Thus they are plunged in everlasting grief
Da sie ein zeitlich Weh vermeiden.	For having passing woe avoided.
Und uns für des Türken und des Papsts	**And from all the Turk's and all the Pope's**
grausamen Mord und Lästerungen,	**Most cruel murder and oppression,**
Wüten und Toben väterlich behüten.	**Anger and fury, fatherlike protect us.**
Erhör uns, lieber Herre Gott!	**O hear us, O good Lord, our God!**
Baß	(B)
Ein andrer sorgt nur für den Bauch;	One man may but for belly care,
Inzwischen wird der Seele ganz vergessen;	And meanwhile is his soul left quite forgotten;
Der Mammon auch	And Mammon, too,
Hat vieler Herz besessen.	Hath many hearts' allegiance,
So kann das Wort zu keiner Kraft gelangen.	And then the word is left without its power.
Und wieviel Seelen hält	How many are the souls
Die Wollust nicht gefangen?	By pleasure not the captive?
So sehr verführet sie die Welt,	So well seduceth them the world,
Die Welt, die ihnen muß anstatt des Himmels	The world which now they must instead of
stehen,	heaven honor,
Darüber sie vom Himmel irregehen.	And therefore shall from heaven stray and
	wander.
Alle Irrige und Verführte wiederbringen.	**All those now who are gone and led astray**
	recover.
Erhör uns, lieber Herre Gott!	**O hear us, O good Lord, our God!**

Sopran, Alt, Tenor, Baß, Gesamtinstrumentarium
88 Takte, F-Dur – d-Moll, 4/4 Takt

---

4. Aria
(Csapò)

Mein Seelenschatz ist Gottes Wort;	My soul's true treasure is God's word;
Außer dem sind alle Schätze	Otherwise are all those treasures
Solche Netze,	Mere devices
Welche Welt und Satan stricken,	By the world and Satan woven,
Schnöde Seelen zu berücken.	Scornful spirits for beguiling.
Fort mit allen, fort, nur fort!	Take them all now, take them hence!
Mein Seelenschatz ist Gottes Wort.	My soul's true treasure is God's word.

4. Aria (S)

Sopran, Gesamtinstrumentarium
42 Takte, F-Dur, 4/4 Takt

---

5. Choral
(Gächinger Kantorei Stuttgart)

Ich bitt, o Herr, aus Herzens Grund,	**I pray, O Lord, with inmost heart,**
Du wollst nicht von mir nehmen	**May thou not take it from me,**
Dein heilges Wort aus meinem Mund;	**Thy holy word take from my mouth;**
So wird mich nicht beschämen	**For thus shall not confound me**
Mein Sünd und Schuld, denn in dein Huld	**My sin and shame, for in thy care**
Setz ich all mein Vertrauen:	**I have all mine assurance:**
Wer sich nur fest darauf verläßt,	**Who shall steadfast on this rely**
Der wird den Tod nicht schauen.	**Shall surely death not witness.**

5. Chorale (S, A, T, B)

Chor, Blockflöte, 4 Violen, Bc.
17 Takte, a-Moll, 4/4 Takt

Ausführende:
Eva Csapò, Sopran
Gabriele Schnaut, Alt
Adalbert Kraus, Tenor
Wolfgang Schöne, Baß

Peter Thalheimer, Blockflöte
Hella Karpa, Blockflöte
Hermann Herder, Fagott
Christian Hedrich, Viola
Michael Meyer, Viola
Peter Mederus, Viola
Horst Strohfeldt, Viola
Jürgen Wolf, Violoncello
Thomas Lom, Kontrabaß
Martha Schuster, Cembalo
Joachim Eichhorn, Orgelpositiv
Gächinger Kantorei Stuttgart
Leitung: Helmuth Rilling

Aufnahme: Südwest-Tonstudio, Stuttgart
Aufnahmeleitung: Richard Hauck, Heinz Jansen
Toningenieur: Henno Quasthoff
Aufnahmeort: Gedächtniskirche Stuttgart
Aufnahmezeit: Januar 1975
Spieldauer: 15'50"

BWV 19

Serie **I**, Nr. 98.657

Es erhub sich ein Streit
Kantate zum Michaelisfest
(Text: Picander)
für Sopran, Tenor, Baß, vierstimmigen Chor,
3 Trompeten, Pauken, 2 Oboen, 2 Oboi d'amore,
Oboe da caccia, Streicher und Generalbaß

1. Coro
(Gächinger Kantorei Stuttgart)

Es erhub sich ein Streit.
  Die rasende Schlange, der höllische Drache
  Stürmt wider den Himmel mit wütender Rache.
  Aber Michael bezwingt,
  Und die Schar, die ihn umringt,
  Stürzt des Satans Grausamkeit.

Chor, 3 Trompeten, Pauken, 2 Oboen, Oboe da caccia,
Streicher, Bc.
130 Takte, C-Dur, 6/8 Takt

2. Recitativo
(Nimsgern)

Gottlob! der Drache liegt.
Der unerschaffne Michael
Und seiner Engel Heer
Hat ihn besiegt.
Dort liegt er in der Finsternis
Mit Ketten angebunden,
Und seine Stätte wird nicht mehr
Im Himmelreich gefunden.

1. Chorus (S, A, T, B)

There arose a great strife.
  The furious serpent, the dragon infernal,
  Now storms against heaven with passionate
                                    vengeance.
  But Saint Michael wins the day,
  And the host which follows him
  Strikes down Satan's cruel might.

2. Recitative (B)

Praise God! The dragon's low.
The uncreated Michael now
And all his angel host
Have brought him down.
He lies there in the darkness' gloom
With fetters bound about him,
And his abode shall be no more
In heaven's realm discovered.

Wir stehen sicher und gewiß,
Und wenn uns gleich sein Brüllen schrecket,
So wird doch unser Leib und Seel
Mit Engeln zugedecket.

Baß, Bc.
13 Takte, e-Moll, 4/4 Takt

3. Aria
(Rondelli)

Gott schickt uns Mahanaim zu;
Wir stehen oder gehen,
So können wir in sichrer Ruh
Vor unsern Feinden stehen.
Es lagert sich, so nah als fern,
Um uns der Engel unsers Herrn
Mit Feuer, Roß und Wagen.

Sopran, 2 Oboi d'amore, Bc.
76 Takte, G-Dur, ₵ Takt

4. Recitativo
(Kraus)

Was ist der schnöde Mensch, das Erdenkind?
Ein Wurm, ein armer Sünder.
Schaut, wie ihn selbst der Herr so lieb gewinnt,
Daß er ihn nicht zu niedrig schätzet
Und ihm die Himmelskinder,
Der Seraphinen Heer,
Zu seiner Wacht und Gegenwehr,
Zu seinem Schutze setzet.

Tenor, Streicher, Bc.
10 Takte, e-Moll – h-Moll, 4/4 Takt

5. Aria con Choral
(Kraus)

Bleibt, ihr Engel, bleibt bei mir!
    Führet mich auf beiden Seiten,
    Daß mein Fuß nicht möge gleiten!
    Aber lernt mich auch allhier
    Euer großes Heilig singen
    Und dem Höchsten Dank zu singen!

Tenor, Trompete, Streicher, Bc.
140 Takte, e-Moll, 6/8 Takt

6. Recitativo
(Rondelli)

Laßt uns das Angesicht
Der frommen Engel lieben
Und sie mit unsern Sünden nicht
Vertreiben oder auch betrüben.

3. Aria (S)

God sends us Mahanaim here;
In waiting or departing
We therefore can in safe repose
Before our foes stand firmly.
He is encamped, both near and far,
Round us the angel of our Lord
With fire, horse and wagon.

4. Recitative (T)

What is, then, scornful man, that child of earth?
A worm, a wretched sinner.
See how him e'en the Lord so much doth love
That he regards him not unworthy
And doth e'en heaven's children,
The host of Seraphim,
For his safekeeping and defense,
For his protection give him.

5. Aria (T) with instr. chorale

Stay, ye angels, stay by me!
    Lead me so on either side now
    That my foot may never stumble!
    But instruct me here as well
    How to sing your mighty "Holy"
    And the Highest thanks to offer.

6. Recitative (S)

Let us the countenance
Of righteous angels love now
And them with our own sinfulness
Not drive away or even sadden.

We stand now confident and sure,
And though we by his roar be frightened,
Yet shall our body and our soul
My angels be protected.

So sein sie, wenn der Herr gebeut,
Der Welt Valet zu sagen,
Zu unsrer Seligkeit
Auch unser Himmelswagen.

Sopran, Bc.
8 Takte, C-Dur – F-Dur, 4/4 Takt

And they shall, when the Lord us bids
The world "Farewell" to render,
To our great happiness,
Our chariots be to heaven.

7. Choral
(Gächinger Kantorei Stuttgart)

**Laß dein' Engel mit mir fahren
Auf Elias Wagen rot
Und mein Seele wohl bewahren,
Wie Lazrum nach seinem Tod.
Laß sie ruhn in deinem Schoß,
Erfüll sie mit Freud und Trost,
Bis der Leib kommt aus der Erde
Und mit ihr vereinigt werde.**

Chor, 3 Trompeten, Pauken, 2 Oboen, Oboe da caccia,
Streicher, Bc.
36 Takte, C-Dur, 3/4 Takt

7. Chorale (S, A, T, B)

**Let thine angel with me travel
On Elias' chariot red,
This my soul so well protecting
As for Laz'rus when he died.
Let it rest within thy lap,
Make it full of joy and hope
Till from earth shall rise my body
And with it be reunited.**

Ausführende:
Barbara Rondelli, Sopran
Adalbert Kraus, Tenor
Siegmund Nimsgern, Baß
Hermann Sauter, Trompete
Eugen Mayer, Trompete
Heiner Schatz, Trompete
Karl-Heinz Peinecke, Pauken
Otto Winter, Oboe/Oboe d'amore
Hanspeter Weber, Oboe/Oboe d'amore/
Oboe da caccia
Hans Mantels, Fagott
Hannelore Michel, Continuocello
Manfred Gräser, Kontrabaß
Martha Schuster, Cembalo/Orgelpositiv
Gächinger Kantorei Stuttgart
Bach-Collegium Stuttgart
Leitung: Helmuth Rilling

Aufnahme: Sonopress Tontechnik, Gütersloh
Aufnahmeleitung: Richard Hauck/Wolfram
Wehnert
Aufnahmeort: Gedächtniskirche Stuttgart
Aufnahmezeit: Februar/Mai 1971
Spieldauer: 20'30"

BWV 20

O Ewigkeit, du Donnerwort

Kantate zum 1. Sonntag nach Trinitatis
für Alt, Tenor, Baß, vierstimmigen Chor,
Trompete, 3 Oboen, Streicher und Generalbaß

I. Teil

1. Coro (Choral)
(Frankfurter Kantorei)

O Ewigkeit, du Donnerwort,
O Schwert, das durch die Seele bohrt,
O Anfang sonder Ende!
O Ewigkeit, Zeit ohne Zeit,
Ich weiß vor großer Traurigkeit
Nicht, wo ich mich hinwende.
Mein ganz erschrocken Herz erbebt,
Daß mir die Zung am Gaumen klebt.

Chor, Gesamtinstrumentarium
106 Takte, F-Dur, 4/4 – 3/4 – 4/4 Takt

2. Recitativo
(Altmeyer)

Kein Unglück ist in aller Welt zu finden,
Das ewig dauernd sei:
Es muß doch endlich mit der Zeit einmal
          verschwinden.
Ach! aber ach! die Pein der Ewigkeit hat nur
          kein Ziel;
Sie treibet fort und fort ihr Marterspiel,
Ja, wie selbst Jesus spricht,
Aus ihr ist kein Erlösung nicht.

Tenor, Bc.
11 Takte, a-Moll – c-Moll, 4/4 Takt

3. Aria
(Altmeyer)

Ewigkeit, du machst mir bange,
Ewig, ewig ist zu lange!
Ach, **hier gilt fürwahr ein Scherz.**
Flammen, die auf ewig brennen,
Ist kein Feuer gleich zu nennen;
Es erschrickt und bebt mein Herz,
Wenn ich diese Pein bedenke
Und den Sinn zur Höllen lenke.

Tenor, Streicher, Bc.
97 Takte, c-Moll, 3/4 Takt

First Part

1. Chorus [Verse 1] (S, A, T, B)

Eternity, thou thundrous word,
O sword that through the soul doth bore,
Beginning with no ending!
Eternity, time lacking time,
I know now faced with deepest grief
Not where to seek my refuge.
So much my frightened heart doth quake
That to my gums my tongue is stuck.

2. Recitative (T)

Affliction is there none in all the world now
Which lasts eternally.
It must indeed at last in course of time once
          vanish.
Ah! Ah, alas! Eternity hath pain which hath no
          end;
It carries on and on its torment's game;
Yea, as e'en Jesus saith,
From it there is redemption none.

3. Aria (T)

Endless time, thou mak'st me anxious,
Endless, endless passeth measure!
Ah, **for sure, this is no sport.**
Flames which are forever burning
Are all fires past comparing;
It alarms and shakes my heart
When I once this pain consider
And my thoughts to hell have guided.

4. Recitativo
(Schöne)

Gesetzt, es dau'rte der Verdammten Qual
So viele Jahr, als an der Zahl
Auf Erden Gras, am Himmel Sterne wären;
Gesetzt, es sei die Pein so weit hinausgestellt,
Als Menschen in der Welt
Von Anbeginn gewesen,
So wäre doch zuletzt
Derselben Ziel und Maß gesetzt:
Sie müßte doch einmal aufhören.
Nun aber, wenn du die Gefahr,
Verdammter! tausend Millionen Jahr
Mit allen Teufeln ausgestanden,
So ist doch nie der Schluß vorhanden;
Die Zeit, so niemand zählen kann,
Fängt jeden Augenblick
Zu deiner Seelen ewgem Ungelück
Sich stets von neuem an.

Baß, Bc.
19 Takte, g-Moll – d-Moll, 4/4 Takt

5. Aria
(Schöne)

Gott ist gerecht in seinen Werken:
　Auf kurze Sünden dieser Welt
　Hat er **so lange Pein bestellt;**
　Ach wollte doch die Welt dies merken!
　Kurz ist die Zeit, der Tod geschwind,
　Bedenke dies, o Menschenkind!

Baß, 3 Oboen, Bc.
84 Takte, B-Dur, 4/4 Takt

6. Aria
(Kessler)

O Mensch, errette deine Seele,
Entfliehe Satans Sklaverei
Und mache dich von Sünden frei,
Damit in jener Schwefelhöhle
Der Tod, so die Verdammten plagt,
Nicht deine Seele ewig nagt.
O Mensch, errette deine Seele!

Alt, Streicher, Bc.
64 Takte, d-Moll, 3/4 Takt

7. Choral
(Frankfurter Kantorei)

Solang ein Gott im Himmel lebt
Und über alle Wolken schwebt,
Wird solche Marter währen:
Es wird sie plagen Kält und Hitz,

4. Recitative (B)

Suppose the torture of the damned should last
As many years as is the sum
Of grass on earth and stars above in heaven;
Suppose that all their pain were just as long
　　　　　　　　　　　　　　　　to last
As men within the world
Have from the first existed;
There would have been at last
To this an end and limit set:
It would have been at last concluded.
But now, though, when thou hast the dread,
Damned creature, of a thousand million years
With all the demons borne and suffered,
Yet never shall the end be present;
The time which none could ever count,
Each moment starts again,
To this thy soul's eternal grief and woe,
Forevermore anew.

5. Aria (B)

The Lord is just in all his dealings:
　The brief transgressions of this world
　He hath **such lasting pain ordained.**
　Ah, would that now the world would mark it!
　Short is the time and death so quick,
　Consider this, O child of man!

6. Aria

O man, deliver this thy spirit,
Take flight from Satan's slavery
And make thyself of sin now free,
So that within that pit of sulphur
The death which doth damned creatures plague
Shall not thy soul forever hound.
O man, deliver this thy spirit!

7. Chorale [Verse 8] (S, A, T, B)

So long a God in heaven dwells
And over all the clouds doth swell,
Such torments shall not be finished:
They will be plagued by heat and cold,

Angst, Hunger, Schrecken, Feu'r und Blitz
Und sie doch nicht verzehren.
Denn wird sich enden diese Pein,
Wenn Gott nicht mehr wird ewig sein.

Chor, Gesamtinstrumentarium
16 Takte, F-Dur, 4/4 Takt

II. Teil

8. Aria
(Schöne)

Wacht auf, wacht auf, verlorne Schafe,
Ermuntert euch vom Sündenschlafe
Und bessert euer Leben bald!
Wacht auf, eh die Posaune schallt,
Die euch mit Schrecken aus der Gruft
Zum Richter aller Welt vor das Gerichte ruft!

Baß, Gesamtinstrumentarium
40 Takte, C-Dur, 4/4 Takt

9. Recitativo
(Gohl)

Verlaß, o Mensch, die Wollust dieser Welt,
Pracht, Hoffart, Reichtum, Ehr und Geld;
Bedenke doch
In dieser Zeit annoch,
Da dir der Baum des Lebens grünet,
Was dir zu deinem Friede dienet!
Vielleicht ist dies der letzteTag,
Kein Mensch weiß, wenn er sterben mag.
Wie leicht, wie bald
Ist mancher tot und kalt!
Man kann noch diese Nacht
Den Sarg vor deine Türe bringen.
Drum sei vor allen Dingen
Auf deiner Seelen Heil bedacht!

Alt, Bc.
16 Takte, a-Moll, 4/4 Takt

10. Aria (Duetto)
(Gohl, Kraus)

O Menschenkind,
Hör auf geschwind,
Die Sünd und Welt zu lieben,
Daß nicht die Pein,
Wo Heulen und Zähnklappen sein,
Dich ewig mag betrüben!
Ach spiegle dich am reichen Mann,
Der in der Qual
Auch nicht einmal
Ein Tröpflein Wasser haben kann!

Alt, Tenor, Bc.
95 Takte, a-Moll, 3/4 Takt

Fear, hunger, terror, lightning's bolt
And still be not diminished.
For only then shall end this pain
When God no more eternal reign.

Second Part

8. Aria (B)

Wake up, wake up, ye straying sheep now,
Arouse yourselves from error's slumber
And better this your life straightway!
Wake up before the trumpet sounds,
Which you with terror from the grave
Before the judge of all the world to judgment
calls!

9. Recitative (S)

Forsake, O man, the pleasure of this world,
Pride, splendor, riches, rank and gold;
Consider though
Within thy present time,
While thee the tree of life hath vigor,
What lendeth to thy peace most service!
Perhaps this is the final day,
No man knows when his death may come.
How quick, how soon
Are many dead and cold!
One could this very night
To thine own door the coffin carry.
Hence keep before all matters
Thy soul's salvation in thy thoughts.

10. Aria (A, T)

O child of man,
Now cease forthwith
Both sin and world to cherish,
So that the pain
Where chatt'ring teeth and howling reign
Thee not forever sadden!
See in thyself the wealthy man
Who in his pain
Not even once
A drop of water could receive!

11. Choral
(Frankfurter Kantorei)

O Ewigkeit, du Donnerwort,
O Schwert, das durch die Seele bohrt,
O Anfang sonder Ende!
O Ewigkeit, Zeit ohne Zeit,
Ich weiß vor großer Traurigkeit
Nicht, wo ich mich hinwende.
Nimm du mich, wenn es dir gefällt,
Herr Jesu, in dein Freudenzelt!

Chor, Gesamtinstrumentarium
16 Takte, F-Dur, 4/4 Takt

Ausführende:
Verena Gohl, Alt
Martha Kessler, Alt
Theo Altmeyer, Tenor
Adalbert Kraus, Tenor
Wolfgang Schöne, Baß
Hermann Sauter, Trompete
Otto Winter, Oboe
Klaus Kärcher, Oboe
Hanspeter Weber, Oboe
Hans Mantels, Fagott
Rudolf Gleißner, Continuocello
Ulrich Lau, Kontrabaß
Martha Schuster, Cembalo/Orgelpositiv
Frankfurter Kantorei
Bach-Collegium Stuttgart
Leitung: Helmuth Rilling

Aufnahme: Sonopress Tontechnik, Gütersloh
Aufnahmeleitung: Richard Hauck/Wolfram
Wehnert
Aufnahmeort: Gedächtniskirche Stuttgart
Aufnahmezeit: Juni/Juli 1970
Spieldauer: 32'20"

11. Chorus [Verse 12] (S, A, T, B)

Eternity, thou thundrous word,
O sword that through the soul doth bore,
Beginning with no ending!
Eternity, time lacking time,
I know now faced with deepest woe
Not where to seek my refuge.
Take me then when thou dost please,
Lord Jesus, to thy joyful tent!

BWV 21

Serie III, Nr. 98.680

Ich hatte viel Bekümmernis
Kantate zum 3. Sonntag nach Trinitatis
für Sopran, Alt, Tenor, Baß, vierstimmigen Chor,
3 Trompeten, Pauken, Oboe, Fagott,
Streicher mit Solo-Violine und Generalbaß

I. Teil

1. Sinfonia
(Bach-Collegium Stuttgart)

Oboe, Violine, Streicher, Bc.
20 Takte, c-Moll, 4/4 Takt

First Part

1. Sinfonia

2. Coro
(Indiana University Chamber Singers)

*Ich hatte viel Bekümmernis in meinem Herzen; aber
deine Tröstungen erquicken meine Seele.*

Chor, Oboe, Streicher, Bc.
58 Takte, c-Moll, 4/4 Takt

2. Chorus [Dictum] (S, A, T, B)

*I had so much distress and woe within my bosom; but
still thy consoling restoreth all my spirit.*

3. Aria
(Augér)

Seufzer, Tränen, Kummer, Not,
Ängstlichs Sehnen, Furcht und Tod
Nagen mein beklemmtes Herz
Ich empfinde Jammer, Schmerz.

Sopran, Oboe, Bc.
30 Takte, c-Moll, 12/8 Takt

3. Aria (S)

Sighing, crying, sorrow, need,
Anxious yearning, fear and death
Gnaw at this my anguished heart,
I am filled with grieving, hurt.

4. Recitativo
(Kraus)

Wie hast du dich, mein Gott,
In meiner Not,
In meiner Furcht und Zagen
Denn ganz von mir gewandt?
Ach! kennst du nicht dein Kind?
Ach! hörst du nicht das Klagen
Von denen, die dir sind
Mit Bund und Treu verwandt?
Du warest meine Lust
Und bist mir grausam worden;
Ich suche dich an allen Orten,
Ich ruf und schrei dir nach, –
Allein mein Weh und Ach!
Scheint itzt, als sei es dir ganz unbewußt.

Tenor, Streicher, Bc.
17 Takte, c-Moll – f-Moll, 4/4 Takt

4. Recitative (T)

Why hast thou, O my God,
In my distress,
In my great fear and anguish
Then turned away from me?
Ah! Know'st thou not thy child?
Ah! Hear'st thou not the wailing
Of those who are to thee
In bond and faith allied?
Thou wast once my delight
And to me art now cruel;
I search for thee in ev'ry region,
I call and cry to thee,
But still my "Woe and Ah"
Seems now by thee completely unperceived.

5. Aria
(Kraus)

Bäche von gesalznen Zähren,
Fluten rauschen stets einher.
  Sturm und Wellen mich versehren,
  Und dies trübsalsvolle Meer
  Will mir Geist und Leben schwächen,
  Mast und Anker wollen brechen,
  Hier versink ich in den Grund,
  Dort seh in der Hölle Schlund.

Tenor, Streicher, Bc.
62 Takte, f-Moll, 4/4 Takt

5. Aria (T)

Streams of salty tears are welling,
Floods are rushing ever forth.
  Storm and waters overwhelm me,
  And this sorrow-laden sea
  Would my life and spirit weaken,
  Mast and anchor are near broken,
  Here I sink into the depths,
  There peer in the jaws of hell.

6. Coro
(Amini, Hagerman, Robinson, Anderson,
Indiana University Chamber Singers)

*Was betrübst du dich, meine Seele, und bist so unru-
hig in mir? Harre auf Gott; denn ich werde ihm noch
danken, daß er meines Angesichtes Hilfe und mein
Gott ist.*

Sopran, Alt, Tenor, Baß, Chor, Oboe, Streicher, Bc.
75 Takte, f-Moll – c-Moll, 3/4 – 4/4 Takt

II. Teil

7. Recitativo
(Augér, Schöne)

Ach Jesu, meine Ruh,
Mein Licht, wo bleibest du?
  O Seele sieh! Ich bin bei dir.
Bei mir?
Hier ist ja lauter Nacht.
  Ich bin dein treuer Freund,
  Der auch im Dunkeln wacht,
  Wo lauter Schalken seind.
Brich doch mit deinem Glanz und Licht des
                            Trostes ein.
  Die Stunde kömmet schon,
  Da deines Kampfes Kron
  Dir wird ein süßes Labsal sein.

Sopran, Baß, Streicher, Bc.
15 Takte, Es-Dur – B-Dur, 4/4 Takt

8. Duetto
(Augér, Schöne)

Komm, mein Jesu, und erquicke
  Ja, ich komme und erquicke
Und erfreu mit deinem Blicke
  Dich mit meinem Gnadenblicke.
Diese Seele,
  Deine Seele,
Die soll sterben
  Die soll leben
Und nicht leben
  Und nicht sterben
Und in ihrer Unglückshöhle
  Hier aus dieser Wundenhöhle
Ganz verderben
  Sollst du erben
Ich muß stets in Kummer schweben,
  Heil durch diesen Saft der Reben.
Ja, ach ja, ich bin verloren!
  Nein, ach nein, du bist erkoren!
Nein, ach nein, du hassest mich!
  Ja, ach ja, ich liebe dich!

6. Chorus [Dictum] (S, A, T, B)

*Why art thou distressed, O my spirit, and art so
unquiet in me? Trust firm in God for I even yet shall
thank him, that he of my countenance the comfort
and my God is.*

Second Part

7. Recitative (S, B) Soul and Jesus

Ah Jesus, my repose,
My light, where bidest thou?
  O Soul, behold! I am with thee.
With me?
But here is nought but night.
  I am thy faithful friend,
  Who e'en in darkness guards,
  Where nought but fiends are found.
Break through then with thy beam and light
                            of comfort here.
  The hour draweth nigh
  In which thy battle's crown
  Shall thee a sweet refreshment bring.

8. Aria (S, B) Soul, Jesus

Come, my Jesus, with refreshment
  Yes, I'm coming with refreshment
And delight in thine appearing
  For thee in my grace appearing.
This my spirit,
  This thy spirit
Which shall perish
  Which shall flourish
And not flourish
  And not perish
And in its misfortune's cavern
  Here from its afflictions' cavern
Go to ruin.
  Shalt thou merit
I must e'er in sorrow hover,
  Healing through the grapes' sweet flavor.
Yes, ah yes, I am forsaken!
  No, ah no, thou hast been chosen!
No, ah no, thou hatest me!
  Yes, ah yes, I cherish thee!

Ach, Jesu, durchsüße mir Seele und Herze!
Entweichet, ihr Sorgen, verschwinde,
du Schmerze!

Sopran, Baß, Bc.
84 Takte, Es-Dur, 4/4 – 3/8 – 4/4 Takt

Ah, Jesus, now sweeten my spirit and bosom!
Give way, all ye troubles, and vanish, thou
sorrow!

9. Coro con Choral
(Amini, Hagerman, Anderson,
Indiana University Chamber Singers)

9. Chorus [Dictum] and Chorale (S, A, T, B)

*Sei nun wieder zufrieden, meine Seele, denn der Herr
tut dir Guts.*

*Be now once more contented, O my spirit, for the Lord
serves thee well.*

**Was helfen uns die schweren Sorgen,
Was hilft uns unser Weh und Ach?
Was hilft es, daß wir alle Morgen
Beseufzen unser Ungemach?
Wir machen unser Kreuz und Leid
Nur größer durch die Traurigkeit.**

**What use to us this heavy sorrow,
What use all this our "Woe and Ah?"
What use that we should ev'ry morning
Heap sighs upon our sore distress?
We only make our cross and pain
Grow greater through our discontent.**

**Denk nicht in deiner Drangsalshitze,
Daß du von Gott verlassen seist,
Und daß Gott der im Schoße sitze,
Der sich mit stetem Glücke speist.
Die folgend Zeit verändert viel
Und setzet jeglichem sein Ziel.**

**Think not within the heat of hardship
That thou by God forsaken art,
And that he rests within God's bosom
Who doth on constant fortune feed.
Pursuing time transformeth much
And gives to ev'rything its end.**

Sopran, Alt, Baß, Chor, Oboe, Streicher, Bc.
216 Takte, g-Moll, 3/4 Takt

10. Aria
(Kraus)

10. Aria (T)

Erfreue dich, Seele, erfreue dich, Herze,
Entweiche nun, Kummer, verschwinde, du
Schmerze!
Verwandle dich, Weinen, in lautern Wein,
Es wird nun mein Ächzen ein Jauchzen mir
sein!
Es brennet und flammet die reinste Kerze
Der Liebe, des Trostes in Seele und Brust,
Weil Jesus mich tröstet mit himmlischer Lust.

Be glad, O my spirit, be glad, O my bosom,
Give way now, O trouble, and vanish, thou
sorrow.
Transform thyself, weeping, to nothing but
wine,
For now shall my sobbing pure triumph
become!
Now burneth and flameth most purely the
candle
Of love and of hope in my soul and my heart,
For Jesus consoles me with heavenly joy.

Tenor, Bc.
148 Takte, F-Dur, 3/8 Takt

11. Coro
(Amini, Hagerman, Robinson, Anderson,
Indiana University Chamber Singers)

11. Chorus [Dictum] (S, A, T, B)

*Das Lamm, das erwürget ist, ist würdig zu nehmen
Kraft und Reichtum und Weisheit und Stärke und
Ehre und Preis und Lob.
Lob und Ehre und Preis und Gewalt sei unserm Gott
von Ewigkeit zu Ewigkeit. Amen, alleluja!*

*The lamb that is slaughtered now is worthy to have all
might and riches and wisdom and power and honor
and praise and fame.
Fame and honor and praise and great might be to
our God from evermore to evermore. Amen, alleluia!*

Sopran, Alt, Tenor, Baß, Chor, 3 Trompeten,
Pauken, Oboe, Streicher, Bc.
68 Takte, C-Dur, 4/4 Takt

Ausführende:
Arleen Augér, Sopran
Adalbert Kraus, Tenor
Wolfgang Schöne, Baß
Nancy Amini, Sopran
Karen Hagerman, Alt
Douglas Robinson, Tenor
Norman Anderson, Baß
Hermann Sauter, Trompete
Eugen Mayer, Trompete
Heiner Schatz, Trompete
Karl Schad, Pauken
Günther Passin, Oboe
Günther Pfitzenmaier, Fagott
Albert Boesen, Violine
Friedemann Schulz, Continuocello
Manfred Gräser, Kontrabaß
Martha Schuster, Cembalo
Thomas Jaber, Orgelpositiv
Indiana University Chamber Singers
Bach-Collegium Stuttgart
Leitung: Helmuth Rilling

Aufnahme: Südwest-Tonstudio, Stuttgart
Aufnahmeleitung: Richard Hauck
Toningenieur: Henno Quasthoff
Aufnahmeort: Gedächtniskirche Stuttgart
Aufnahmezeit: März/Mai 1976
Spieldauer: 44'25"

BWV 22

Serie V, Nr. 98.691

Jesus nahm zu sich die Zwölfe
Kantate zum Sonntag Estomihi
für Alt, Tenor, Baß, vierstimmigen Chor,
Oboe, Fagott, Streicher mit Solo-Violine und
Generalbaß

1. Arioso e Coro
(Kraus, Schöne, Gächinger Kantorei Stuttgart)

Tenor
Jesus nahm zu sich die Zwölfe und sprach:
Baß
*Sehet, wir gehn hinauf gen Jerusalem, und es wird
alles vollendet werden, das geschrieben ist von des
Menschen Sohn.*
Chor
*Sie aber vernahmen der keines und wußten nicht, was
das gesaget war.*

Tenor, Baß, Chor, Gesamtinstrumentarium
92 Takte, g-Moll, 4/4 Takt

**1. Arioso and Chorus [Dictum] (T, B, and
S, A, T, B)**

(T)
Jesus took to him the twelve then and said:
(B)
*See now, we shall go up to Jerusalem, and there will
all be accomplished fully which is written now of the
Son of man.*
(S, A, T, B)
*However, they understood nothing and did not grasp
what this his saying was.*

2. Aria
(Watts, Kärcher)

Mein Jesu, ziehe mich nach dir,
Ich bin bereit, ich will von hier
Und nach Jerusalem zu deinen Leiden gehn.
  Wohl mir, wenn ich die Wichtigkeit
  Von dieser Leid- und Sterbenszeit
  Zu meinem Troste kann durchgehends wohl
                                    verstehn!

Alt, Oboe, Bc.
84 Takte, c-Moll, 9/8 Takt

2. Aria (A)

My Jesus, draw me unto thee,
I am prepared, I will from here
And to Jerusalem to thine own passion go.
  Well me, if I the consequence
  Of this the time of death and pain
  For mine own comfort may completely
                                    understand!

3. Recitativo
(Schöne)

Mein Jesu, ziehe mich, so werd ich laufen,
Denn Fleisch und Blut verstehet ganz und gar,
Nebst deinen Jüngern nicht, was das gesaget war.
Es sehnt sich nach der Welt und nach dem
                              größten Haufen;
Sie wollen beiderseits, wenn du verkläret bist,
Zwar eine feste Burg auf Tabors Berge bauen;
Hingegen Golgatha, so voller Leiden ist,
In deiner Niedrigkeit mit keinem Auge schauen.
Ach! kreuzige bei mir in der verderbten Brust
Zuvörderst diese Welt und die verbotne Lust,
So werd ich, was du sagst, vollkommen wohl
                              verstehen
Und nach Jerusalem mit tausend Freuden gehen.

Baß, Streicher, Bc.
26 Takte, Es-Dur – B-Dur, 4/4 Takt

3. Recitative (B)

My Jesus, draw me on and I shall hasten,
For flesh and blood completely fail to see,
Like thy disciples then, what this thy saying was.
Our will is with the world and with the greatest
                              rabble;
They would, both of them, when thou
                              transfigured art,
Indeed a mighty tow'r on Tabor's mountain build
                              thee,
But there on Golgatha, which is so full of pain,
In thy distress so low with not an eye behold thee.
Ah, crucify in me, in my corrupted breast,
Before all else this world and its forbidden lust,
And I shall for thy words be filled with
                              understanding
And to Jerusalem with untold gladness journey.

4. Aria
(Kraus)

Mein alles in allem, mein ewiges Gut,
Verbeßre das Herze, verändre den Mut;
Schlag alles darnieder,
Was dieser Entsagung des Fleisches zuwider!
Doch wenn ich nun geistlich ertötet da bin,
So ziehe mich nach dir in Friede dahin!

Tenor, Violine, Streicher, Bc.
124 Takte, B-Dur, 3/8 Takt

4. Aria (T)

My treasure of treasures, mine infinite store,
Amend thou my spirit, transform thou my heart,
Bring all in subjection
Which to my denial of flesh is resistant!
But when in my spirit I've mortified been,
Then summon me to thee in peace there above!

5. Choral
(Gächinger Kantorei Stuttgart)

Ertöt uns durch dein Güte,
Erweck uns durch dein Gnad;
Den alten Menschen kränke,
Daß der neu' leben mag
Wohl hie auf dieser Erden,

5. Chorale (S, A, T, B)

Us mortify through kindness,
Awake us through thy grace;
The former man enfeeble,
So that the new may live
E'en in this earthly dwelling,

Den Sinn und all Begehren
Und G'danken hab'n zu dir.

Chor, Gesamtinstrumentarium
35 Takte, B-Dur, 4/4 Takt

Ausführende:
Helen Watts, Alt
Adalbert Kraus, Tenor
Wolfgang Schöne, Baß
Klaus Kärcher, Oboe
Hansjörg Schellenberger, Oboe
Günther Pfitzenmaier, Fagott
Albert Boesen, Violine
Jürgen Wolf, Continuocello
Thomas Lom, Kontrabaß
Martha Schuster, Cembalo
Montserrat Torrent, Orgelpositiv
Gächinger Kantorei Stuttgart
Bach-Collegium Stuttgart
Leitung: Helmuth Rilling

Aufnahme: Südwest-Tonstudio, Stuttgart
Aufnahmeleitung: Richard Hauck
Toningenieur: Henno Quasthoff
Aufnahmeort: Gedächtniskirche Stuttgart
Aufnahmezeit: Januar/April 1977
Spieldauer: 18'30"

His will and ev'ry purpose
And thought may give to thee.

BWV 23

Serie **V**, Nr. 98.691

Du wahrer Gott und Davids Sohn
Kantate zum Sonntag Estomihi
für Sopran, Alt, Tenor, Baß, vierstimmigen Chor,
2 Oboen, Streicher und Generalbaß

1. Aria (Duetto)
(Augér, Watts)

Du wahrer Gott und Davids Sohn,
Der du von Ewigkeit in der Entfernung schon
Mein Herzeleid und meine Leibespein
Umständlich angesehn, erbarm dich mein!
   Und laß durch deine Wunderhand,
   Die so viel Böses abgewandt,
   Mir gleichfalls Hilf und Trost geschehen.

Sopran, Alt, 2 Oboen, Bc.
62 Takte, c-Moll, 4/4 Takt

1. Aria (S, A)

Thou, very God and David's Son,
Who from eternity and from afar e'en now
My heart's distress and this my body's pain
With caring dost regard, thy mercy give!
   And through thine hand, with wonder filled,
   Which so much evil hath repelled,
   Give me as well both help and comfort.

2. Recitativo con Choral
(Baldin)

Ach! gehe nicht vorüber;
Du, aller Menschen Heil,
Bist ja erschienen,
Die Kranken und nicht die Gesunden zu
                           bedienen.
Drum nehm ich ebenfalls an deiner Allmacht teil;
Ich sehe dich auf diesen Wegen,
Worauf man
Mich hat wollen legen,
Auch in der Blindheit an.
Ich fasse mich
Und lasse dich
Nicht ohne deinen Segen.

Tenor, Oboe, Streicher, Bc.
15 Takte, As-Dur – Es-Dur, 4/4 Takt

2. Recitative (T) with instr. chorale

Ah, do not pass me by now,
Thou, Savior of all men,
Yea, art appearèd,
The ailing and not to healthy men to give thy
                           succor.
Thus shall I also share in thine almighty power;
I'll see thee now beside the road here,
Where they have
Deigned to leave me lying,
E'en in my sightless state.
I'll rest here firm
And leave thee not
Without thy gracious blessing.

3. Coro
(Baldin, Tüller, Gächinger Kantorei Stuttgart)

Aller Augen warten, Herr,
Du allmächtger Gott, auf dich,
Und die meinen sonderlich.
Gib denselben Kraft und Licht,
Laß sie nicht
Immerdar in Finsternissen!
Künftig soll dein Wink allein
Der geliebte Mittelpunkt
Aller ihrer Werke sein,
Bis du sie einst durch den Tod
Wiederum gedenkst zu schließen.

Tenor, Baß, Chor, Gesamtinstrumentarium
153 Takte, Es-Dur, 3/4 Takt

3. Chorus (S, A, T, B)

Ev'ry eye now waiteth, Lord,
Thou Almighty God, on thee,
And mine own especially.
Give to them both strength and light,
Leave them not
Evermore to stay in darkness.
Henceforth shall thy nod alone
The belovèd central aim
Of their ev'ry labor be,
Till thou shalt at last through death
Once again decide to close them.

4. Choral
(Gächinger Kantorei Stuttgart)

**Christe, du Lamm Gottes,
Der du trägst die Sünd der Welt,
Erbarm dich unser!
Christe, du Lamm Gottes,
Der du trägst die Sünd der Welt,
Erbarm dich unser!
Christe, du Lamm Gottes,
Der du trägst die Sünd der Welt,
Gib uns dein' Frieden. Amen.**

Chor, Gesamtinstrumentarium
58 Takte, g-Moll – c-Moll, 4/4 Takt

4. Chorale (S, A, T, B)

**O Christ, Lamb of God, thou,
Who dost bear the world's own sin,
Have mercy on us!
O Christ, Lamb of God, thou,
Who dost bear the world's own sin,
Have mercy on us!
O Christ, Lamb of God, thou,
Who dost bear the world's own sin,
Give us thy peace now. Amen.**

Ausführende:
Arleen Augér, Sopran
Helen Watts, Alt
Aldo Baldin, Tenor
Niklaus Tüller, Baß

Günther Passin, Oboe
Hedda Rothweiler, Oboe
Hansjörg Schellenberger, Oboe
Günther Pfitzenmaier, Fagott
Jürgen Wolf, Continuocello
Manfred Gräser, Kontrabaß
Martha Schuster, Cembalo/Orgelpositiv
Montserrat Torrent, Orgelpositiv
Gächinger Kantorei Stuttgart
Bach-Collegium Stuttgart
Leitung: Helmuth Rilling

Aufnahme: Südwest-Tonstudio, Stuttgart
Aufnahmeleitung: Richard Hauck
Toningenieur: Henno Quasthoff
Aufnahmeort: Gedächtniskirche Stuttgart
Aufnahmezeit: Januar/April 1977
Spieldauer: 18'35"

BWV 24

Serie V, Nr. 98.693

Ein ungefärbt Gemüte

Kantate zum 4. Sonntag nach Trinitatis
(Text: E. Neumeister)
für Sopran, Alt, Tenor, Baß, vierstimmigen Chor,
Trompete, 2 Oboen, 2 Oboi d'amore, Fagott,
Streicher und Generalbaß

1. Aria
(Watts)

Ein ungefärbt Gemüte
Von deutscher Treu und Güte
Macht uns vor Gott und Menschen schön.
  Der Christen Tun und Handel,
  Ihr ganzer Lebenswandel
Soll auf dergleichen Fuße stehn.

Alt, Streicher, Bc.
110 Takte, F-Dur, 3/4 Takt

2. Recitativo
(Kraus)

Die Redlichkeit
Ist eine von den Gottesgaben.
Daß sie bei unsrer Zeit
So wenig Menschen haben,
Das macht, sie bitten Gott nicht drum.
Denn von Natur geht unsers Herzens Dichten
Mit lauter Bösem um:
Soll's seinen Weg auf etwas Gutes richten,
So muß es Gott durch seinen Geist regieren
Und auf der Bahn der Tugend führen.

1. Aria (A)

An undisguised intention
Of native faith and kindness
Doth us 'fore God and man make fair.
  For Christians' work and commerce
  Throughout their whole life's compass
Should on this kind of footing stand.

2. Recitative

Sincerity
Is one of God's most gracious blessings.
The fact that in our time
There are but few who have it
Comes from not asking God for it.
For of itself proceeds our heart's contrivance
In nought but evil ways;
If it would set its course on something worthy,
Then must it be by God's own Spirit governed
And in the path of virtue guided.

Verlangst du Gott zum Freunde,	If God as friend thou seekest,
So mache dir den Nächsten nicht zum Feinde	Thou must thyself no foe be to thy neighbor
Durch Falschheit, Trug und List!	Through cunning, ruse and craft!
Ein Christ	A Christian
Soll sich der Taubenart bestreben	Should strive the way of doves to copy
Und ohne Falsch und Tücke leben.	And live without deceit and malice.
Mach aus dir selbst ein solches Bild,	Within thyself impress the form
Wie du den Nächsten haben willt!	Which in thy neighbor thou wouldst see.

Tenor, Bc.
26 Takte, B-Dur, 4/4 Takt

3. Coro
(Augér, Pugh, Kraus, Schöne,
Gächinger Kantorei Stuttgart)

3. Chorus [Dictum] (S, A,T, B)

Alles nun, das ihr wollet, daß euch die Leute tun sollen, das tut ihr ihnen.

All things now that ye wish to be done by people unto you, that do ye to them.

Sopran, Alt, Tenor, Baß, Chor, Trompete,
2 Oboen, Bc.
104 Takte, g-Moll, 3/4 Takt

4. Recitativo
(Heldwein)

4. Recitative (B)

Die Heuchelei	Hypocrisy
Ist eine Brut, die Belial gehecket.	Is of the brood which Belial concocteth.
Wer sich in ihre Larve stecket,	Who self behind its mask concealeth
Der trägt des Teufels Liberei.	Doth wear the devil's livery.
Wie? lassen sich denn Christen	What? Do, then, even Christians
Dergleichen auch gelüsten?	Such things as these now covet?
Gott sei's geklagt! die Redlichkeit ist teuer.	O God, forfend! Sincerity is precious.
Manch teuflisch Ungeheuer	And many fiendish monsters
Sieht wie ein Engel aus.	Appear in angel's guise.
Man kehrt den Wolf hinein,	But let the wolf come in,
Den Schafspelz kehrt man raus.	Sheep's clothing is swept out.
Wie könnt es ärger sein?	What could be worse than this?
Verleumden, Schmähn und Richten,	For slander, spite and judgment,
Verdammen und Vernichten	Damnation and destruction
Ist überall gemein.	Are ev'rywhere now found.
So geht es dort, so geht es hier.	It is the same, both there and here.
Der liebe Gott behüte mich dafür!	May God above protect me now from this.

Baß, Streicher, Bc.
24 Takte, F-Dur – C-Dur, 4/4 Takt

5. Aria
(Kraus)

5. Aria (T)

Treu und Wahrheit sei der Grund	Troth and truth should be the base
Aller deiner Sinnen,	Of all thine intention;
Wie von außen Wort und Mund,	As thine outward word and speech,
Sei das Herz von innen.	Be the heart within thee.
Gütig sein und tugendreich	Being kind and virtuous
Macht uns Gott und Engeln gleich.	Makes us God and angels like.

Tenor, 2 Oboi d'amore, Bc.
48 Takte, a-Moll, 4/4 Takt

6. Choral
(Gächinger Kantorei Stuttgart)

O Gott, du frommer Gott,
Du Brunnquell aller Gaben,
Ohn den nichts ist, was ist,
Von dem wir alles haben,
Gesunden Leib gib mir,
Und daß in solchem Leib
Ein unverletzte Seel
Und rein Gewissen bleib.

Chor, Trompete, 2 Oboen, Streicher, Bc.
26 Takte, F-Dur, 4/4 Takt

Ausführende:
Arleen Augér, Sopran
Helen Watts, Alt
Katharina Pugh, Alt
Adalbert Kraus, Tenor
Walter Heldwein, Baß
Rob Roy McGregor, Trompete
Günther Passin, Oboe
Hedda Rothweiler, Oboe/Oboe d'amore
Allan Vogel, Oboe d'amore
Kurt Etzold, Fagott
Jürgen Wolf, Continuocello
Manfred Gräser, Kontrabaß
Hans-Joachim Erhard, Orgelpositiv
Gächinger Kantorei Stuttgart
Bach-Collegium Stuttgart
Leitung: Helmuth Rilling

Aufnahme: Südwest-Tonstudio, Stuttgart
Aufnahmeleitung: Richard Hauck
Toningenieur: Henno Quasthoff
Aufnahmeort: Gedächtniskirche Stuttgart
Aufnahmezeit: September/Dezember 1977,
Januar 1978
Spieldauer: 17'40"

6. Chorale (S, A, T, B)

O God, thou righteous God,
Thou fountain of all blessings,
Without whom nought exists,
From whom is all our treasure,
My body grant good health,
And let within my flesh
An uncorrupted soul
And conscience pure e'er dwell.

BWV 25

Serie V, Nr. 98.695

Es ist nichts Gesundes an meinem Leibe
Kantate zum 14. Sonntag nach Trinitatis
für Sopran, Tenor, Baß, vierstimmigen Chor,
Trompete, 3 Posaunen, 3 Blockflöten, 2 Oboen,
Streicher und Generalbaß

1. Coro con Choral
(Gächinger Kantorei Stuttgart)

Es ist nichts Gesundes an meinem Leibe vor deinem Dräuen und ist kein Friede in meinen Gebeinen vor meiner Sünde.

Chor, Gesamtinstrumentarium
74 Takte, e-Moll (phrygisch), 4/4 Takt

1. Chorus [Dictum] (S, A, T, B) with instr. chorale

There is nought of soundness within my body, for thou art angry, nor any quiet within these my bones now, for I am sinful.

2. Recitativo
(Kraus)

Die ganze Welt ist nur ein Hospital,
Wo Menschen von unzählbar großer Zahl
Und auch die Kinder in den Wiegen
An Krankheit hart darniederliegen.
Den einen quälet in der Brust
Ein hitzges Fieber böser Lust;
Der andre lieget krank
An eigner Ehre häßlichem Gestank;
Den dritten zehrt die Geldsucht ab
Und stürzt ihn vor der Zeit ins Grab.
Der erste Fall hat jedermann beflecket
Und mit dem Sündenaussatz angestecket.
Ach! dieses Gift durchwühlt auch meine Glieder.
Wo find ich Armer Arzenei?
Wer stehet mir in meinem Elend bei?
Wer ist mein Arzt, wer hilft mir wieder?

Tenor, Bc.
20 Takte, d-Moll, 4/4 Takt

2. Recitative (T)

Now all the world is but a hospital,
Where mortals in their numbers passing count
And even children in the cradle
In sickness lie with bitter anguish.
The one is tortured in the breast
By raging fever's angry lust;
Another lieth ill
From his own honor's odious foul stench;
The third is torn by lust for gold,
Which hurls him to an early grave.
The first great fall hath ev'ryone polluted
And with its rash of sinfulness infected.
Ah, this great bane doth gnaw as well my
members.
Where is a cure for wretched me?
Who will by me within my suff'ring stand?
My healer who, who will restore me?

3. Aria
(Huttenlocher)

Ach, wo hol ich Armer Rat?
Meinen Aussatz, meine Beulen
Kann kein Kraut noch Pflaster heilen
Als die Salb aus Gilead.
Du, mein Arzt, Herr Jesu, nur
Weißt die beste Seelenkur.

Baß, Bc.
48 Takte, d-Moll, 4/4 Takt

3. Aria (B)

Ah, where shall this wretch find help?
All my rashes, all my cankers
Can no herb or plaster cure now
But the balm of Gilead.
Healer mine, Lord Jesus, thou
Know'st alone my soul's best cure.

4. Recitativo
(Augér)

O Jesu, lieber Meister,
Zu dir flieh ich;
Ach, stärke die geschwächten Lebensgeister!
Erbarme dich,
Du Arzt und Helfer aller Kranken,
Verstoß mich nicht
Von deinem Angesicht!
Mein Heiland, mache mich von Sündenaussatz
rein,

4. Recitative (S)

O Jesus, O dear Master,
To thee I flee:
Ah, strengthen thou my weakened vital spirits!
Have mercy now,
Thou help and doctor of all ailing,
O thrust me not
Hence from thy countenance!
My Healer, make me clean from my great rash
of sin,

So will ich dir
Mein ganzes Herz dafür
Zum steten Opfer weihn
Und lebenslang vor deine Hülfe danken.

Sopran, Bc.
15 Takte, a-Moll – C-Dur, 4/4 Takt

And I will thee
Give all my heart in turn
In lasting sacrifice
And through my life for all thy help be grateful.

5. Aria
(Augér)

Öffne meinen schlechten Liedern,
Jesu, dein Genadenohr!
Wenn ich dort im höhern Chor
Werde mit den Engeln singen,
Soll mein Danklied besser klingen.

Sopran, 3 Blockflöten, 2 Oboen, Streicher, Bc.
147 Takte, C-Dur, 3/8 Takt

5. Aria (S)

Open to my songs so meager,
Jesus, thy most gracious ear!
When I there in choirs above
Shall be with the angels singing,
Shall my thankful song sound better.

6. Choral
(Gächinger Kantorei Stuttgart)

Ich will alle meine Tage
Rühmen deine starke Hand,
Daß du meine Plag und Klage
Hast so herzlich abgewandt.
Nicht nur in der Sterblichkeit
Soll dein Ruhm sein ausgebreit':
Ich will's auch hernach erweisen
Und dort ewiglich dich preisen.

Chor, Trompete, 3 Blockflöten, 2 Oboen,
Streicher, Bc.
17 Takte, C-Dur, 4/4 Takt

6. Chorale (S, A, T, B)

I will all my days forever
Glorify thy mighty hand,
That thou all my drudge and mourning
Hast so graciously repelled.
Not alone in mortal life
Shall I tell thy glory wide:
I will e'en hereafter tell it
And there evermore extol thee.

Ausführende:
Arleen Augér, Sopran
Adalbert Kraus, Tenor
Philippe Huttenlocher, Baß
Hans Wolf, Trompete
Gerhard Cichos, Posaune
Gerrit Schwab, Posaune
Hans Rückert, Posaune
Peter Thalheimer, Blockflöte
Christine Thalheimer-Bartl, Blockflöte
Eva Praetorius, Blockflöte
Allan Vogel, Oboe
Hedda Rothweiler, Oboe
Günther Pfitzenmaier, Fagott
Jürgen Wolf, Continuocello
Thomas Lom, Kontrabaß
Hans-Joachim Erhard, Cembalo/Orgelpositiv
Gächinger Kantorei Stuttgart
Bach-Collegium Stuttgart
Leitung: Helmuth Rilling

Aufnahme: Südwest-Tonstudio, Stuttgart
Aufnahmeleitung: Richard Hauck
Toningenieur: Henno Quasthoff
Aufnahmeort: Gedächtniskirche Stuttgart
Aufnahmezeit: September/Dezember 1977,
Januar 1978
Spieldauer: 16'05"

BWV 26

Serie **VII**, Nr. 98.713

Ach wie flüchtig, ach wie nichtig
Kantate zum 24. Sonntag nach Trinitatis
für Sopran, Alt, Tenor, Baß, vierstimmigen Chor,
Cornetto, Flöte, 3 Oboen, Streicher mit
Solo-Violine und Generalbaß

1. Choral
(Gächinger Kantorei Stuttgart)

Ach wie flüchtig, ach wie nichtig
Ist der Menschen Leben!
Wie ein Nebel bald entstehet,
Und auch wieder bald vergehet,
So ist unser Leben, sehet!

Chor, Gesamtinstrumentarium
65 Takte, a-Moll, 4/4 Takt

1. Chorus [Verse 1] (S, A, T, B)

Ah, how fleeting, ah, how empty
Is the life of mortals!
As a mist which quickly riseth
And again as quickly passeth,
Even thus our life is, witness!

2. Aria
(Kraus)

So schnell ein rauschend Wasser schießt,
So eilen unser Lebenstage.
 Die Zeit vergeht, die Stunden eilen,
 Wie sich die Tropfen plötzlich teilen,
 Wenn alles in den Abgrund schießt.

Tenor, Flöte, Violine, Bc.
198 Takte, C-Dur, 6/8 Takt

2. Aria (T)

As fast as rushing waters gush,
So hasten on our days of living.
 The time doth pass, the hours hasten,
 Just as the raindrops quickly break up
 When all to the abyss doth rush.

3. Recitativo
(Soffel)

Die Freude wird zur Traurigkeit,
Die Schönheit fällt als eine Blume,
Die größte Stärke wird geschwächt,
Es ändert sich das Glücke mit der Zeit,
Bald ist es aus mit Ehr und Ruhme,
Die Wissenschaft und was ein Mensche dichtet,
Wird endlich durch das Grab vernichtet.

Alt, Bc.
10 Takte, C-Dur – e-Moll, 4/4 Takt

3. Recitative (A)

Our joy will be to sadness turned,
Our beauty falleth like a flower,
The greatest strength will be made weak,
Transformed will be good fortune all in time,
Soon is the end of fame and honor,
What scholarship and what mankind contriveth
Will at the last the grave extinguish.

4. Aria
(Huttenlocher)

An irdische Schätze das Herze zu hängen,
Ist eine Verführung der törichten Welt.
   Wie leichtlich entstehen verzehrende Gluten,
   Wie rauschen und reißen die wallenden
                         Fluten,
   Bis alles zerschmettert in Trümmern zerfällt.

Baß, 3 Oboen, Bc.
119 Takte, e-Moll, ¢ Takt

5. Recitativo
(Augér)

Die höchste Herrlichkeit und Pracht
Umhüllt zuletzt des Todes Nacht.
Wer gleichsam als ein Gott gesessen,
Entgeht dem Staub und Asche nicht,
Und wenn die letzte Stunde schläget,
Daß man ihn zu der Erde träget,
Und seiner Hoheit Grund zerbricht,
Wird seiner ganz vergessen.

Sopran, Bc.
9 Takte, G-Dur – a-Moll, 4/4 Takt

6. Choral
(Gächinger Kantorei Stuttgart)

Ach wie flüchtig, ach wie nichtig
Sind der Menschen Sachen!
Alles, alles, was wir sehen,
Das muß fallen und vergehen.
Wer Gott fürcht', bleibt ewig stehen.

Chor, Gesamtinstrumentarium
10 Takte, a-Moll, 4/4 Takt

Ausführende:
Arleen Augér, Sopran
Doris Soffel, Alt
Adalbert Kraus, Tenor
Philippe Huttenlocher, Baß
Bernhard Schmid, Cornetto
Peter-Lukas Graf, Flöte
Klaus Kärcher, Oboe
Günther Passin, Oboe
Hedda Rothweiler, Oboe
Dietmar Keller, Oboe
Kurt Etzold, Fagott
Wilhelm Melcher, Violine
Martin Ostertag, Continuocello
Thomas Lom, Kontrabaß
Hans-Joachim Erhard, Cembalo/Orgelpositiv
Gächinger Kantorei Stuttgart
Bach-Collegium Stuttgart
Leitung: Helmuth Rilling

4. Aria (B)

Upon earthly treasure the heart to be setting
Is but a seduction of our foolish world.
   How easily formed are the holocaust's embers,
   What thunder and power have waters in
                      floodtime
   Till all things collapse into ruin and fall.

5. Recitative (S)

The highest majesty and pomp
Are veiled at last by death's dark night.
Who almost as a god was honored
Escapes the dust and ashes not,
And when the final hour striketh
In which he to the earth is carried
And his own height's foundation falls,
Is he then quite forgotten.

6. Chorale [Verse 13] (S, A, T, B)

Ah, how fleeting, ah, how empty
Are all mortal matters!
All that, all that which we look at,
what must fall at last and vanish.
Who fears God shall stand forever.

Aufnahme: Tonstudio Teije van Geest, Heidelberg
Aufnahmeleitung: Richard Hauck
Aufnahmeort: Gedächtniskirche Stuttgart
Aufnahmezeit: Oktober 1979 / April 1980
Spieldauer: 14'40"

BWV 27

Serie IX, Nr. 98.735

Wer weiß, wie nahe mir mein Ende
Kantate zum 16. Sonntag nach Trinitatis
für Sopran, Alt, Tenor, Baß, vier- und fünfstimmigen Chor,
Horn, 2 Oboen, Oboe da caccia, Streicher, Orgel und Generalbaß

1. Coro e Recitativo
(Wiens, Schreckenbach, Harder,
Gächinger Kantorei Stuttgart)

Wer weiß, wie nahe mir mein Ende?

Sopran
Das weiß der liebe Gott allein,
Ob meine Wallfahrt auf der Erden
Kurz oder länger möge sein.
   Hin geht die Zeit, her kömmt der Tod,
Alt
Und endlich kommt es doch so weit,
Daß sie zusammentreffen werden.
   Ach, wie geschwinde und behende
   Kann kommen meine Todesnot!
Tenor
Wer weiß, ob heute nicht
Mein Mund die letzten Worte spricht.
Drum bet ich alle Zeit:
   Mein Gott, ich bitt durch Christi Blut,
   Mach's nur mit meinem Ende gut!

Sopran, Alt, Tenor, Chor, Horn, 2 Oboen, Streicher, Bc.
86 Takte, c-Moll, 3/4 Takt

2. Recitativo
(Harder)

Mein Leben hat kein ander Ziel,
Als daß ich möge selig sterben
Und meines Glaubens Anteil erben;
Drum leb ich allezeit
Zum Grabe fertig und bereit,
Und was das Werk der Hände tut,
Ist gleichsam, ob ich sicher wüßte,
Daß ich noch heute sterben müßte:
Denn Ende gut macht alles gut!

Tenor, Bc.
11 Takte, g-Moll – c-Moll, 4/4 Takt

1. Chorale (S, A, T, B) and Recitative (S, A, T)

Who knows how near to me my end is?

(S)
This knows the Lord above alone,
If this my pilgrimage on earth be
Short, or if longer it may be.
   Hence fleeth time, here cometh death,
(A)
And at the last the point is reached
When they will surely meet each other.
   Ah, with what swiftness and adroitness
   Can come to me the trial of death!
(T)
Who knows if e'en today
My mouth its final word might speak.
Thus shall I always pray:
   My God, I pray through Christ's own blood,
   Allow but that my end be good!

2. Recitative (T)

My lifetime hath no other goal
Than that I may in death be blessèd
And this my faith's reward inherit.
Thus shall I always live
For death's grave ready and prepared;
As for the work my hands now do
It is as though I were full certain
That I today were meant to perish:
For all is well that endeth well!

3. Aria
(Schreckenbach)

Willkommen! will ich sagen,
Wenn der Tod ans Bette tritt.
   Fröhlich will ich folgen, wenn er ruft,
   In die Gruft,
   Alle meine Plagen
   Nehm ich mit.

Alt, Orgel, Oboe da caccia, Bc.
80 Takte, Es-Dur, 4/4 Takt

4. Recitativo
(Wiens)

Ach, wer doch schon im Himmel wär!
Ich habe Lust zu scheiden
Und mit dem Lamm,
Das aller Frommen Bräutigam,
Mich in der Seligkeit zu weiden.
Flügel her!
Ach, wer doch schon im Himmel wär!

Sopran, Streicher, Bc.
8 Takte, c-Moll, 4/4 Takt

5. Aria
(Heldwein)

Gute Nacht, du Weltgetümmel!
   Itzt mach ich mit dir Beschluß;
   Ich steh schon mit einem Fuß
   Bei dem lieben Gott im Himmel.

Baß, Streicher, Bc.
96 Takte, g-Moll, 3/4 Takt

6. Choral
(Gächinger Kantorei Stuttgart)

Welt, ade! ich bin dein müde,
Ich will nach dem Himmel zu,
Da wird sein der rechte Friede
Und die ewge, stolze Ruh.
Welt, bei dir ist Krieg und Streit,
Nichts denn lauter Eitelkeit,
In dem Himmel allezeit
Friede, Freud und Seligkeit.

Chor, Horn, 2 Oboen, Streicher, Bc.
22 Takte, B-Dur, 4/4 – 3/1 Takt

3. Aria (A)

"O welcome!" will I utter
Then when death my bed doth near.
   Gladly will I follow
   To the tomb;
   All of mine afflictions
   Will I bring.

4. Recitative (S)

Ah, would I were in heaven now!
It is my wish to leave now
And with the lamb,
Of all the righteous bridegroom true,
Find in my blessedness a pasture.
Wings come now!
Ah, would I were in heaven now!

5. Aria (B)

O farewell, thou worldly tumult!
   Now I'll take of thee my leave;
   I stand e'en now with one foot
   Nigh our good Lord God in heaven.

6. Chorale (S, A, T, B)

World, farewell! Of thee I weary,
I would unto heaven go,
Where I'll find that perfect quiet
And eternal, glorious rest.
World, with thee are war and strife,
Nought but utter vanity,
But in heaven endlessly
Peace and joy and happiness.

Ausführende:
Edith Wiens, Sopran
Gabriele Schreckenbach, Alt
Lutz-Michael Harder, Tenor
Walter Heldwein, Baß
Bernhard Schmid, Horn
Günther Passin, Oboe
Hedda Rothweiler, Oboe
Marie-Lise Schüpbach, Oboe da caccia
Kurt Etzold, Fagott
Walter Forchert, Konzertmeister
Jakoba Hanke, Continuocello
Harro Bertz, Kontrabaß
Hans-Joachim Erhard, Orgel/Orgelpositiv
Martha Schuster, Cembalo
Gächinger Kantorei Stuttgart
Bach-Collegium Stuttgart
Leitung: Helmuth Rilling

Aufnahme: Tonstudio Teije van Geest, Heidelberg
Aufnahmeleitung: Richard Hauck
Aufnahmeort: Gedächtniskirche Stuttgart
Aufnahmezeit: Februar/Oktober 1982
Spieldauer: 17'05"

BWV 28

Serie **VIII**, Nr. 98.729

Gottlob! nun geht das Jahr zu Ende
Kantate zum Sonntag nach Weihnachten
(Text: E. Neumeister)
für Sopran, Alt, Tenor, Baß, vierstimmigen Chor,
Horn, 3 Posaunen, 2 Oboen, Oboe da caccia,
Streicher und Generalbaß

1. Aria
(Augér)

Gottlob! nun geht das Jahr zu Ende,
Das neue rücket schon heran.
Gedenke, meine Seele, dran,
Wieviel dir deines Gottes Hände
Im alten Jahre Guts getan!
Stimm ihm ein frohes Danklied an;
So wird er ferner dein gedenken
Und mehr zum neuen Jahre schenken.

Sopran, 2 Oboen, Oboe da caccia, Streicher, Bc.
121 Takte, a-Moll, 3/4 Takt

1. Aria (S)

Praise God! For now the year is ending,
The new year draweth quickly nigh.
Consider, O my spirit, this,
How much thee these thy God's own hands have
Within the old year richly blest!
Raise him a happy song of thanks;
And he will further thee remember
And more in this new year reward thee.

2. Coro (Choral)
(Gächinger Kantorei Stuttgart)

**Nun lob, mein Seel, den Herren,
Was in mir ist, den Namen sein!**

2. Chorale (S, A, T, B)

**Now praise, my soul, the Master,
All I possess, his name give praise!**

85

Sein Wohltat tut er mehren,
Vergiß es nicht, o Herze mein!
Hat dir dein Sünd vergeben
Und heilt dein Schwachheit groß,
Errett' dein armes Leben,
Nimmt dich in seinen Schoß.
Mit reichem Trost beschüttet,
Verjüngt, dem Adler gleich.
Der Kön'g schafft Recht, behütet,
Die leid'n in seinem Reich.

Chor, Horn, 2 Oboen, Oboe da caccia, Streicher, Bc.
174 Takte, C-Dur, ₵ Takt

His kindness he will increase,
Forget it not, O heart of mine!
He hath thy sin forgiven
And heals thy weakness all,
He saves thy life so wretched,
Takes thee in his embrace;
With comfort rich anoints thee,
Made young with eagle strength.
The King is just and guardeth
Those suff'ring within his realm.

3. Recitativo ed Arioso
(Heldwein)

So spricht der Herr: Es soll mir eine Lust sein, daß ich ihnen Gutes tun soll, und ich will sie in diesem Lande pflanzen treulich, von ganzem Herzen und von ganzer Seelen.

Baß, Bc.
26 Takte, e-Moll, 4/4 Takt

3. Recitative and Arioso (B)

Thus saith the Lord: It shall to me bring pleasure that I unto them give favor, and I will them within this land in faith establish, with all my heart now and with all my spirit.

4. Recitativo
(Kraus)

Gott ist ein Quell, wo lauter Güte fleußt;
Gott ist ein Licht, wo lauter Gnade scheinet;
Gott ist ein Schatz, der lauter Segen heißt;
Gott ist ein Herr, der's treu und herzlich meinet.
Wer ihn im Glauben liebt, in Liebe kindlich ehrt,
Sein Wort von Herzen hört
Und sich von bösen Wegen kehrt,
Dem gibt er sich mit allen Gaben.
Wer Gott hat, der muß alles haben.

Tenor, Streicher, Bc.
13 Takte, G-Dur – C-Dur, 4/4 Takt

4. Recitative (T)

God is a spring, where nought but kindness wells;
God is a light, where nought but mercy shineth;
God is a store, which nought but blessing gives;
God is a Lord, with loyal, heartfelt purpose.
All him in faith who love, in childlike love adore,
His word sincerely heed
And from all wicked pathways turn,
He gives himself with ev'ry blessing.
Who God hath must have ev'ry treasure.

5. Aria (Duetto)
(Schreckenbach, Kraus)

Gott hat uns im heurigen Jahre gesegnet,
Daß Wohltun und Wohlsein einander begegnet.
Wir loben ihn herzlich und bitten darneben,
Er woll auch ein glückliches neues Jahr geben.
Wir hoffen's von seiner beharrlichen Güte
Und preisen's im voraus mit dankbarm Gemüte.

Alt, Tenor, Bc.
66 Takte, C-Dur, 6/8 Takt

5. Aria (A, T)

God hath us in this very year brought such
                                    blessing,
That good deed and good health each other
                                    encounter.
We praise him sincerely and ask in addition
That he might a happy new year also give us.
Our hope springs from his own unswerving com-
                                    passion,
We praise him already with most grateful spirit.

6. Choral
(Gächinger Kantorei Stuttgart)

All solch dein Güt wir preisen,
Vater ins Himmels Thron,
Die du uns tust beweisen
Durch Christum, deinen Sohn,
Und bitten ferner dich:
Gib uns ein friedsam Jahre,
Für allem Leid bewahre
Und nähr uns mildiglich.

Chor, Gesamtinstrumentarium
16 Takte, a-Moll, 4/4 Takt

Ausführende:
Arleen Augér, Sopran
Gabriele Schreckenbach, Alt
Adalbert Kraus, Tenor
Walter Heldwein, Baß
Peter Send, Horn
Jan Swails, Altposaune
Manfred Eichhorst, Tenorposaune
Hans Rückert, Baßposaune
Fumiaki Miyamoto, Oboe
Diethelm Jonas, Oboe
Hedda Rothweiler, Oboe
Dietmar Keller, Oboe da caccia
Kurt Etzold, Fagott
Martin Ostertag, Continuocello
Harro Bertz, Kontrabaß
Hans-Joachim Erhard, Cembalo/Orgelpositiv
Gächinger Kantorei Stuttgart
Bach-Collegium Stuttgart
Leitung: Helmuth Rilling

Aufnahme: Tonstudio Teije van Geest, Heidelberg
Aufnahmeleitung: Richard Hauck
Aufnahmeort: Gedächtniskirche Stuttgart
Aufnahmezeit: November 1981, Februar 1982
Spieldauer: 16'40"

6. Chorale (S, A, T, B)

We praise all thy compassion
Father on heaven's throne,
Which thou to us hast proven
Through Christ who is thy Son,
And further ask of thee:
Give us a peaceful year now,
From ev'ry woe defend us
And us with kindness feed.

BWV 29

Wir danken dir, Gott, wir danken dir
Kantate zum Ratswechsel
für Sopran, Alt, Tenor, Baß, vierstimmigen Chor,
obligate Orgel, 3 Trompeten, Pauken, 2 Oboen,
Streicher mit Solo-Violine und Generalbaß

1. Sinfonia
(Erhard, Württembergisches Kammerorchester
Heilbronn)

Orgel, 3 Trompeten, Pauken, 2 Oboen, Streicher, Bc.
138 Takte, D-Dur, 3/4 Takt

Serie X, Nr. 98.746

1. Sinfonia

2. Coro
(Gächinger Kantorei Stuttgart)

Wir danken dir, Gott, wir danken dir und verkündigen deine Wunder.

Chor, Gesamtinstrumentarium
91 Takte, D-Dur, 2/2 Takt

3. Aria
(Baldin)

Halleluja, Stärk und Macht
Sei des Allerhöchsten Namen!
  Zion ist noch seine Stadt,
  Da er seine Wohnung hat,
  Da er noch bei unserm Samen
An der Väter Bund gedacht.

Tenor, Violine, Bc.
232 Takte, A-Dur, ₵ Takt

4. Recitativo
(Huttenlocher)

Gottlob! es geht uns wohl!
Gott ist noch unsre Zuversicht,
Sein Schutz, sein Trost und Licht
Beschirmt die Stadt und die Paläste.
Sein Flügel hält die Mauern feste.
Er läßt uns allerorten segnen,
Der Treue, die den Frieden küßt,
Muß für und für
Gerechtigkeit begegnen.
Wo ist ein solches Volk wie wir,
Dem Gott so nah und gnädig ist!

Baß, Bc.
13 Takte, fis-Moll – e-Moll, 4/4 Takt

5. Aria
(Sonntag)

Gedenk an uns mit deiner Liebe,
Schleuß uns in dein Erbarmen ein!
  Segne die, so uns regieren,
  Die uns leiten, schützen, führen,
  Segne, die gehorsam sein!

Sopran, Oboe, Streicher, Bc.
102 Takte, h-Moll, 6/8 Takt

6. Recitativo e Coro
(Graf, Gächinger Kantorei Stuttgart)

Vergiß es ferner nicht, mit deiner Hand
Uns Gutes zu erweisen;

2. Chorus [Dictum] (S, A, T, B)

We give thee thanks, God, we give thee thanks and proclaim to the world thy wonders.

3. Aria (T)

Hallelujah, strength and might
To the name of God Almighty!
  Zion is his city still,
  Where he doth his dwelling keep,
  Where he still with our descendants
Keeps our fathers' covenant.

4. Recitative (B)

Praise God! We are so blest!
God is still our sure confidence,
His shield, his help and light
Protect the town and all its mansions,
His pinions hold the walls unshaken.
He gives us ev'rywhere his blessing,
And faithfulness which kisseth peace
Must evermore
With justice meet together.
Where is a people such as we,
Whom God so near and gracious is?

5. Aria (S)

Remember us with thine affection,
Embrace us in thy mercy's arms!
  Bless all those who us now govern,
  Those who lead us, guard us, guide us,
  Bless those who obey as well!

6. Recitative (A and S, A, T, B)

Forget not further still with thine own hand
Prosperity to give us;

So soll
Dich unsre Stadt und unser Land,
Das deiner Ehre voll,
Mit Opfern und mit Danken preisen,
Und alles Volk soll sagen:
Amen!

Alt, Chor, Bc.
8 Takte, D-Dur, 4/4 Takt

Thus shall
Now this our town and this our land,
Here with thine honor filled,
With sacrifice and thanks extol thee,
And all the people shall say:
Amen!

7. Aria
(Graf)

Halleluja, Stärk und Macht
Sei des Allerhöchsten Namen!

Alt, Orgel, Bc.
72 Takte, D-Dur, 2/2 Takt

7. Aria (A)

Hallelujah, strength and might
To the name of God Almighty!

8. Choral
(Gächinger Kantorei Stuttgart)

Sei Lob und Preis mit Ehren
Gott Vater, Sohn, Heiligem Geist!
Der woll in uns vermehren,
Was er uns aus Gnaden verheißt,
Daß wir ihm fest vertrauen,
Gänzlich verlassn auf ihn,
Von Herzen auf ihn bauen,
Daß unsr Herz, Mut und Sinn
Ihm tröstlich solln anhangen;
Drauf singen wir zur Stund:
Amen, wir werden's erlangen,
Glaubn wir aus Herzens Grund.

Chor, Gesamtinstrumentarium
44 Takte, D-Dur, 3/4 Takt

8. Chorale (S, A, T, B)

Now laud and praise with honor
God Father, Son, and Holy Ghost!
That he in us make flourish
What he to us in mercy pledged,
That we should firmly trust him,
In full on him relying,
Sincerely in him hoping;
That our heart, mind and will
To him with joy be fastened;
To this now let us sing:
Amen, we shall achieve it,
We trust with all our heart.

Ausführende:
Ulrike Sonntag, Sopran
Elisabeth Graf, Alt
Aldo Baldin, Tenor
Philippe Huttenlocher, Baß
Hannes Läubin, Trompete
Wolfgang Läubin, Trompete
Hans Läubin, Trompete
Norbert Schmitt, Pauken
Günther Passin, Oboe
Hedda Rothweiler, Oboe
Christoph Carl, Fagott
Georg Egger, Violine
Stefan Trauer, Violoncello
Claus Zimmermann, Kontrabaß
Martha Schuster, Cembalo
Hans-Joachim Erhard, Orgel
Gächinger Kantorei Stuttgart
Württembergisches Kammerorchester Heilbronn
Leitung: Helmuth Rilling

Aufnahme: Tonstudio Teije van Geest, Heidelberg
Aufnahmeleitung: Richard Hauck
Aufnahmeort: Gedächtniskirche Stuttgart
Aufnahmezeit: Februar 1984
Spieldauer: 21'20"

BWV 30

Serie **X**, Nr. 98.750

Freue dich, erlöste Schar
Kantate zu Johannis
für Sopran, Alt, Tenor, Baß, vierstimmigen Chor,
2 Flöten, 2 Oboen, Oboe d'amore, Streicher mit Solo-
Violine und Generalbaß

I. Teil

1. Coro
(Gächinger Kantorei Stuttgart)

Freue dich, erlöste Schar,
Freue dich in Sions Hütten.
  Dein Gedeihen hat itzund
  Einen rechten festen Grund,
  Dich mit Wohl zu überschütten.

Chor, Gesamtinstrumentarium
160 Takte, D-Dur, 2/4 Takt

2. Recitativo
(Huttenlocher)

Wir haben Rast,
Und des Gesetzes Last
Ist abgetan.
Nichts soll uns diese Ruhe stören,
Die unsre liebe Väter oft
Gewünscht, verlanget und gehofft.
Wohlan,
Es freue sich, wer immer kann,
Und stimme seinem Gott zu Ehren
Ein Loblied an,
Und das im höhern Chor,
Ja, singt einander vor!

Baß, Bc.
13 Takte, h-Moll – G-Dur, 4/4 Takt

3. Aria
(Huttenlocher)

Gelobet sei Gott, gelobet sein Name,
Der treulich gehalten Versprechen und Eid!

First Part

1. Chorus (S, A, T, B)

Joyful be, O ransomed throng,
Joyful be in Zion's dwellings.
  Thy well-being hath henceforth
  Found a sure and solid means
  Thee with bliss and health to shower.

2. Recitative (B)

We now have rest,
The burden of the law
Has been removed.
Nought shall from this repose distract us,
Which our belovèd fathers oft
Had sought with yearning and with hope.
Come forth,
Be joyful all, whoever can,
And raise to pay their God due honor
A song of praise,
And all the heav'nly choir,
Yea, sing in glad accord!

3. Aria (B)

All praise be to God, all praise for his name's
                       sake,
Who faithfully keepeth his promise and vow!

Sein treuer Diener ist geboren,
Der längstens darzu auserkoren,
Daß er den Weg dem Herrn bereit'.

Baß, Streicher, Bc.
196 Takte, G-Dur, 3/8 Takt

His faithful servant hath been born now,
Who long had for this been elected,
That he the Lord his way prepare.

4. Recitativo
(Georg)

Der Herold kömmt und meldt den König an,
Er ruft; drum säumet nicht
Und macht euch auf
Mit einem schnellen Lauf,
Eilt dieser Stimme nach!
Sie zeigt den Weg, sie zeigt das Licht,
Wodurch wir jene selge Auen
Dereinst gewißlich können schauen.

Alt, Bc.
9 Takte, D-Dur – cis-Moll, 4/4 Takt

4. Recitative (A)

The herald comes and sounds the king's
approach,
He calls; so tarry not
And get ye up,
And with a lively pace
Rush to this voice's call!
It shows the way, it shows the light
By which we on those blessèd pastures
At last may surely gaze with wonder.

5. Aria
(Georg)

Kommt, ihr angefochtnen Sünder,
Eilt und lauft, ihr Adamskinder,
Euer Heiland ruft und schreit!
   Kommet, ihr verirrten Schafe,
   Stehet auf vom Sündenschlafe,
   Denn itzt ist die Gnadenzeit!

Alt, Flöte, Streicher, Bc.
126 Takte, A-Dur, ¢ Takt

5. Aria (A)

Come, ye sorely tempted sinners,
Haste and run, O Adam's children,
This your Savior calls and cries!
   Come ye, all ye errant sheep now,
   Rise ye up from sin-filled slumber,
   For now is the hour of grace!

6. Choral
(Gächinger Kantorei Stuttgart)

**Eine Stimme läßt sich hören
In der Wüste weit und breit,
Alle Menschen zu bekehren:
Macht dem Herrn den Weg bereit,
Machet Gott ein ebne Bahn,
Alle Welt soll heben an,
Alle Täler zu erhöhen,
Daß die Berge niedrig stehen.**

Chor, Gesamtinstrumentarium
19 Takte, A-Dur, 4/4 Takt

6. Chorale (S, A, T, B)

**There a voice of one is crying
In the desert far and wide,
Leading mankind to conversion:
For the Lord the way prepare,
Make for God the pathway smooth,
All the world should now arise,
Ev'ry valley be exalted,
That the mountains may be humbled.**

II. Teil

7. Recitativo
(Huttenlocher)

So bist du denn, mein Heil, bedacht,
Den Bund, den du gemacht

Second Part

7. Recitative (B)

If thou dost then, my Hope, intend
That law which thou didst make

Mit unsern Vätern, treu zu halten
Und in Genaden über uns zu walten;
Drum will ich mich mit allem Fleiß
Dahin bestreben,
Dir, treuer Gott, auf dein Geheiß
In Heiligkeit und Gottesfurcht zu leben.

Baß, 2 Oboen, Bc.
11 Takte, e-Moll – fis-Moll, 4/4 Takt

8. Aria
(Huttenlocher)

Ich will nun hassen
Und alles lassen,
Was dir, mein Gott, zuwider ist.
    Ich will dich nicht betrüben,
    Hingegen herzlich lieben,
    Weil du mir so genädig bist.

Baß, Oboe d'amore, Violine, Streicher, Bc.
241 Takte, h-Moll, 2/4 Takt

9. Recitativo
(Cuccaro)

Und ob wohl sonst der Unbestand
Den schwachen Menschen ist verwandt,
So sei hiermit doch zugesagt:
Sooft die Morgenröte tagt,
Solang ein Tag den andern folgen läßt,
So lange will ich steif und fest,
Mein Gott, durch deinen Geist
Dir ganz und gar zu Ehren leben.
Dich soll sowohl mein Herz als Mund
Nach dem mit dir gemachten Bund
Mit wohlverdientem Lob erheben.

Sopran, Bc.
13 Takte, fis-Moll – G-Dur, 4/4 Takt

10. Aria
(Cuccaro)

Eilt, ihr Stunden, kommt herbei,
Bringt mich bald in jene Auen!
    Ich will mit der heilgen Schar
    Meinem Gott ein' Dankaltar
    In den Hütten Kedar bauen,
    Bis ich ewig dankbar sei.

Sopran, Violine, Bc.
147 Takte, e-Moll, 9/8 Takt

With our own fathers to uphold now
And in thy gracious power to rule o'er us,
Then will I set with utmost care
On this my purpose:
Thee, faithful God, at thy command
In holiness and godly fear to serve now.

8. Aria (B)

I will detest now
And all avoid now
Which thee, my God, doth cause offense.
    I will thee not cause sadness,
    Instead sincerely love thee,
    For thou to me so gracious art.

9. Recitative (S)

And even though the fickle heart
In human weakness is innate,
Yet here and now let this be said:
So oft the rosy morning dawns,
So long one day the next one lets ensue,
So long will I both strong and firm
Through thine own Spirit live,
My God, entirely for thine honor.
And now shall both my heart and voice
According to thy covenant
With well deservèd praise extol thee.

10. Aria (S)

Haste, ye hours, come to me,
Bring me soon into those pastures!
    I would with the holy throng
    To my God an altar raise,
    In the tents of Kedar offered,
    Where I'll give eternal thanks.

11. Recitativo
(Baldin)

Geduld, der angenehme Tag
Kann nicht mehr weit und lange sein,
Da du von aller Plag
Der Unvollkommenheit der Erden,
Die dich, mein Herz, gefangen hält,
Vollkommen wirst befreiet werden.
Der Wunsch trifft endlich ein,
Da du mit den erlösten Seelen
In der Vollkommenheit
Von diesem Tod des Leibes bist befreit,
Da wird dich keine Not mehr quälen.

Tenor, Bc.
14 Takte, h-Moll – D-Dur, 4/4 Takt

11. Recitative (T)

Forbear, the loveliest of days
Can no more far and distant be,
When thou from ev'ry toil
Of imperfection's earthly burdens,
Which thee, my heart, doth now enthrall,
Wilt come to have thy perfect freedom.
Thy hope will come at last,
When thou with all the ransomed spirits,
In that perfected state,
From death here of the body wilt be freed,
And there thee no more woe will torment.

12. Coro
(Gächinger Kantorei Stuttgart)

Freue dich, geheilgte Schar,
Freue dich in Sions Auen!
   Deiner Freude Herrlichkeit,
   Deiner Selbstzufriedenheit
  Wird die Zeit kein Ende schauen.

Chor, Gesamtinstrumentarium
160 Takte, D-Dur, 2/4 Takt

12. Chorus (S, A, T, B)

Joyful be, O hallowed throng,
Joyful be in Zion's pastures!
   Of thy joyful majesty,
   Of thy full contentment's bliss
  Shall all time no end e'er witness.

Ausführende:
Costanza Cuccaro, Sopran
Mechthild Georg, Alt
Aldo Baldin, Tenor
Philippe Huttenlocher, Baß
Sibylle Keller-Sanwald, Flöte
Wiltrud Böckheler, Flöte
Peter-Lukas Graf, Flöte
Günther Passin, Oboe/Oboe d'amore
Hedda Rothweiler, Oboe
Kurt Etzold, Fagott
Georg Egger, Violine
Stefan Trauer, Violoncello
Claus Zimmermann, Kontrabaß
Martha Schuster, Cembalo
Hans-Joachim Erhard, Cembalo/Orgelpositiv
Gächinger Kantorei Stuttgart
Württembergisches Kammerorchester Heilbronn
Leitung: Helmuth Rilling

Aufnahme: Tonstudio Teije van Geest, Heidelberg
Aufnahmeleitung: Richard Hauck
Aufnahmeort: Gedächtniskirche Stuttgart
Aufnahmezeit: Februar 1984
Spieldauer: 35'30"

BWV 31

Der Himmel lacht! die Erde jubilieret
Kantate zum 1. Osterfesttag
(Text: S. Franck)
für Sopran, Tenor, Baß, fünfstimmigen Chor,
3 Trompeten, Pauken, 3 Oboen, Oboe da caccia,
Fagott, Streicher und Generalbaß

1. Sonata
(Bach-Collegium Stuttgart)

Gesamtinstrumentarium
68 Takte, C-Dur, 6/8 Takt

1. Sonata

2. Coro
(Indiana University Chamber Singers)

2. Chorus (S, A, T, B)

Der Himmel lacht! die Erde jubilieret
Und was sie trägt in ihrem Schoß;
Der Schöpfer lebt! der Höchste triumphieret
Und ist von Todesbanden los.
Der sich das Grab zur Ruh erlesen,
Der Heiligste kann nicht verwesen.

The heavens laugh! The earth doth ring with
glory,
And all she bears within her lap;
Our Maker lives! The Highest stands triumphant
And is from bonds of death now free.
He who the grave for rest hath chosen,
The Holy One, sees not corruption.

Chor, Gesamtinstrumentarium
71 Takte, C-Dur, 4/4 Takt

3. Recitativo
(Schöne)

3. Recitative (B)

Erwünschter Tag! sei, Seele, wieder froh!
Das A und O,
Der erst und auch der letzte,
Den unsre schwere Schuld in Todeskerker
setzte,
Ist nun gerissen aus der Not!
Der Herr war tot,
Und sieh, er lebet wieder;
Lebt unser Haupt, so leben auch die Glieder.
Der Herr hat in der Hand
Des Todes und der Hölle Schlüssel!
Der sein Gewand
Blutrot bespritzt in seinem bittern Leiden,
Will heute sich mit Schmuck und Ehren kleiden.

O welcome day! O soul, again be glad!
The A and O,
The first and also last one,
Whom our own grievous guilt in death's own
prison buried,
Is now torn free of all his woe!
The Lord was dead,
And lo, again he liveth;
As lives our head, so live as well his members.
The Lord hath in his hand
Of death and also hell the keys now!
He who his cloak
Blood-red did splash within his bitter passion,
Today will put on finery and honor.

Baß, Bc.
30 Takte, C-Dur – e-Moll, 4/4 Takt

4. Aria
(Schöne)

4. Aria (B)

Fürst des Lebens, starker Streiter,
Hochgelobter Gottessohn!
  Hebet dich des Kreuzes Leiter
  Auf den höchsten Ehrenthron?

Prince of being, mighty warrior,
High-exalted Son of God!
  Lifteth thee the cross's ladder
  To the highest honor's throne?

Wird, was dich zuvor gebunden,
Nun dein Schmuck und Edelstein?
Müssen deine Purpurwunden
Deiner Klarheit Strahlen sein?

Baß, Bc.
32 Takte, C-Dur, 4/4 Takt

5. Recitativo
(Kraus)

So stehe dann, du gottergebne Seele,
Mit Christo geistlich auf!
Tritt an den neuen Lebenslauf!
Auf! von den toten Werken!
Laß, daß dein Heiland in der Welt,
An deinem Leben merken!
Der Weinstock, der jetzt blüht,
Trägt keine toten Reben!
Der Lebensbaum läßt seine Zweige leben!
Ein Christe flieht
Ganz eilend von dem Grabe!
Er läßt den Stein,
Er läßt das Tuch der Sünden
Dahinten
Und will mit Christo lebend sein.

Tenor, Bc.
18 Takte, a-Moll – G-Dur, 4/4 Takt

6. Aria
(Kraus)

Adam muß in uns verwesen,
Soll der neue Mensch genesen,
Der nach Gott geschaffen ist.
Du mußt geistlich auferstehen
Und aus Sündengräbern gehen,
Wenn du Christi Gliedmaß bist.

Tenor, Streicher, Bc.
37 Takte, G-Dur, 4/4 Takt

7. Recitativo
(Augér)

Weil dann das Haupt sein Glied
Natürlich nach sich zieht,
So kann mich nichts von Jesu scheiden.
Muß ich mit Christo leiden,
So werd ich auch nach dieser Zeit
Mit Christo wieder auferstehen
Zur Ehr und Herrlichkeit
Und Gott in meinem Fleische sehen.

Sopran, Bc.
12 Takte, e-Moll – C-Dur, 4/4 Takt

Will what thee once held in bondage
Now thy finest jewel be?
Must all these thy wounds of purple
Of thy radiance be the beams?

5. Recitative (T)

So therefore now, O soul to God devoted,
With Christ in spirit rise!
Set out upon the new life's course!
Rise, leave the works of dying!
Make thine own Savior in the world
Be in thy life reflected!
The grape vine which now blooms
Puts forth no lifeless berries!
The tree of life now lets its branches flourish!
A Christian flees
Full speed the tomb and dying!
He leaves the stone,
He leaves the shroud of error
Behind him
And would with Christ alive abide.

6. Aria (T)

Adam must in us now perish,
If the new man shall recover,
Who like God created is.
Thou in spirit must arise now
And from sin's dark cavern exit
If of Christ the limbs thou art.

7. Recitative (S)

For since the head his limbs
By nature takes with him,
So can me nought from Jesus sever.
If I with Christ must suffer,
So shall I also in due time
With Christ again be risen
To glorious majesty
And God in this my flesh then witness.

8. Aria con Choral
(Augér, Goritzki)

Letzte Stunde, brich herein,
Mir die Augen zuzudrücken!
Laß mich Jesu Freudenschein
Und sein helles Licht erblicken,
Laß mich Engeln ähnlich sein!
Letzte Stunde, brich herein!

Sopran, Oboe, Streicher, Bc.
121 Takte, C-Dur, 3/4 Takt

9. Choral
(Indiana University Chamber Singers)

So fahr ich hin zu Jesu Christ,
Mein' Arm tu ich ausstrecken;
So schlaf ich ein und ruhe fein,
Kein Mensch kann mich aufwecken,
Denn Jesus Christus, Gottes Sohn,
Der wird die Himmelstür auftun,
Mich führn zum ewgen Leben.

Chor, Trompete, 3 Oboen, Oboe da caccia, Fagott,
Streicher, Bc.
15 Takte, C-Dur, 4/4 Takt

Ausführende:
Arleen Augér, Sopran
Adalbert Kraus, Tenor
Wolfgang Schöne, Baß
Hermann Sauter, Trompete
Eugen Mayer, Trompete
Heiner Schatz, Trompete
Karl Schad, Pauken
Günther Passin, Oboe
Ingo Goritzki, Oboe
Hedda Rothweiler, Oboe
Rolf Julius Koch, Oboe
Dietmar Keller, Oboe da caccia
Günther Pfitzenmaier, Fagott
Friedemann Schulz, Continuocello
Hans Häublein, Continuocello
Thomas Lom, Kontrabaß
Martha Schuster, Cembalo
Thomas Jaber, Orgelpositiv
Indiana University Chamber Singers
Bach-Collegium Stuttgart
Leitung: Helmuth Rilling

Aufnahme: Südwest-Tonstudio, Stuttgart
Aufnahmeleitung: Richard Hauck
Toningenieur: Henno Quasthoff
Aufnahmeort: Südwest-Tonstudio Stuttgart/
Gedächtniskirche Stuttgart
Aufnahmezeit: März/April/Mai 1976
Spieldauer: 22'25"

8. Aria (S) with instr. chorale

Final hour, break now forth,
These mine eyes to close in darkness!
Let me Jesus' radiant joy
And his brillant light behold then,
Let me angels then be like!
Final hour, break now forth!

9. Chorale (S, A, T, B)

So forth I'll go to Jesus Christ,
My arm to him extending;
To sleep I'll go and rest so fine,
No man could ever wake me,
For Jesus Christ, of God the Son,
He will the heav'nly door unlock,
To life eternal lead me.

BWV 32

Liebster Jesu, mein Verlangen
Kantate zum 1. Sonntag nach Epiphanias
(Text: G. Chr. Lehms)
für Sopran, Baß, vierstimmigen Chor,
Oboe, Streicher mit Solo-Violine und Generalbaß

1. Aria
(Augér)

Liebster Jesu, mein Verlangen,
Sage mir, wo find ich dich?
Soll ich dich so bald verlieren
Und nicht ferner bei mir spüren?
Ach! mein Hort, erfreue mich,
Laß dich höchst vergnügt umfangen.

Sopran, Oboe, Streicher, Bc.
50 Takte, e-Moll, 4/4 Takt

1. Aria (S)

Dearest Jesus, my desiring,
Tell me now where I'll find thee.
Shall I then so quickly lose thee
And no longer by me feel thee?
Ah, my shield, now gladden me,
Let my fondest joy embrace thee.

2. Recitativo
(Heldwein)

*Was ist's, daß du mich gesuchet? Weißt du nicht, daß
ich sein muß in dem, das meines Vaters ist?*

Baß, Bc.
5 Takte, h-Moll, 4/4 Takt

2. Recitative [Dictum] (B)

*But why wast thou looking for me? Know'st thou not
that I must be about my Father's business now?*

3. Aria
(Heldwein)

Hier, in meines Vaters Stätte,
Findt mich ein betrübter Geist.
  Da kannst du mich sicher finden
  Und dein Herz mit mir verbinden,
  Weil dies meine Wohnung heißt.

Baß, Violine, Bc.
254 Takte, G-Dur, 3/8 Takt

3. Aria (B)

Here, within my Father's dwelling,
Findeth me a downcast soul.
  Here canst thou most surely find me
  And thy heart to me bind firmly,
  For this is my dwelling called.

4. Recitativo (Dialogo)
(Augér, Heldwein)

Sopran
Ach! heiliger und großer Gott,
So will ich mir
Denn hier bei dir
Beständig Trost und Hilfe suchen.
Baß
Wirst du den Erdentand verfluchen
Und nur in diese Wohnung gehn,
So kannst du hier und dort bestehn.

4. Recitative (S, B)

(Soul)
Ah, holy and most mighty God,
Thus I'll for me
Then here with thee
Seek constant help and consolation.
(Jesus)
If thou of earthly trash art scornful
And only to this dwelling go,
Thou canst both here and there fare well.

Sopran
Wie lieblich ist doch deine Wohnung,
Herr, starker Zebaoth;
Mein Geist verlangt
Nach dem, was nur in deinem Hofe prangt.
Mein Leib und Seele freuet sich
In dem lebendgen Gott:
Ach! Jesu, meine Brust liebt dich nur ewiglich.
Baß
So kannst du glücklich sein,
Wenn Herz und Geist
Aus Liebe gegen mich entzündet heißt.
Sopran
Ach! dieses Wort, das itzo schon
Mein Herz aus Babels Grenzen reißt,
Fass' ich mir andachtsvoll in meiner Seele ein.

Sopran, Baß, Streicher, Bc.
23 Takte, h-Moll – G-Dur, 4/4 Takt

(Soul)
How lovely is, though, this thy dwelling,
Lord, mighty Sabaoth;
My spirit longs
For that which only in thy court doth shine.
My soul and body are made glad
Within the living God:
Ah! Jesus, this my heart loves thee alone alway.
(Jesus)
Thou canst then happy be,
If heart and soul
With love for me be now with passion filled.
(Soul)
Ah! This reply, which shall henceforth
My heart from Babel's borders tear,
I shall adoring bind within my spirit now.

5. Aria (Duetto)
(Augér, Heldwein)

beide
Nun verschwinden alle Plagen,
Nun verschwindet Ach und Schmerz.
Sopran
Nun will ich nicht von dir lassen,
Baß
Und ich dich auch stets umfassen.
Sopran
Nun vergnüget sich mein Herz
Baß
Und kann voll Freude sagen:
beide
Nun verschwinden alle Plagen,
Nun verschwindet Ach und Schmerz!

Sopran, Baß, Oboe, Violine, Streicher, Bc.
111 Takte, D-Dur, 4/4 Takt

5. Aria (S, B)

(Both)
Now shall vanish ev'ry torment
Now shall vanish "Ah and woe."
(Soul)
Now I will not ever leave thee,
(Jesus)
And I'll also e'er embrace thee.
(Soul)
Now contented is my heart
(Jesus)
And can filled with gladness utter:
(Both)
Now shall vanish ev'ry torment
Now shall vanish "Ah and woe!"

6. Choral
(Gächinger Kantorei Stuttgart)

Mein Gott, öffne mir die Pforten
Solcher Gnad und Gütigkeit,
Laß mich allzeit allerorten
Schmecken deine Süßigkeit!
Liebe mich und treib mich an,
Daß ich dich, so gut ich kann,
Wiederum umfang und liebe
Und ja nun nicht mehr betrübe.

Chor, Gesamtinstrumentarium
17 Takte, G-Dur, 4/4 Takt

6. Chorale (S, A, T, B)

My God, open me the portals
Of this grace and kindliness,
In all times and in all places
Let me thy dear sweetness taste!
Love me, too, and lead me on,
That I may as best I can
Once again embrace and love thee
And may now no more be saddened.

Ausführende:
Arleen Augér, Sopran
Walter Heldwein, Baß
Fumiaki Miyamoto, Oboe
Kurt Etzold, Fagott
Walter Forchert, Konzertmeister
Martin Ostertag, Continuocello
Thomas Lom, Kontrabaß
Hans-Joachim Erhard, Cembalo/Orgelpositiv
Bärbel Schmid, Orgelpositiv
Gächinger Kantorei Stuttgart
Bach-Collegium Stuttgart
Leitung: Helmuth Rilling

Aufnahme: Tonstudio Teije van Geest, Heidelberg
Aufnahmeleitung: Richard Hauck
Aufnahmeort: Gedächtniskirche Stuttgart
Aufnahmezeit: November 1981
Spieldauer: 22'45"

BWV 33

Serie **VI**, Nr. 98.709

Allein zu dir, Herr Jesu Christ
Kantate zum 13. Sonntag nach Trinitatis
für Alt, Tenor, Baß, vierstimmigen Chor,
2 Oboen, Streicher und Generalbaß

1. Coro (Choral)
(Gächinger Kantorei Stuttgart)

Allein zu dir, Herr Jesu Christ,
Mein Hoffnung steht auf Erden;
Ich weiß, daß du mein Tröster bist,
Kein Trost mag mir sonst werden.
Von Anbeginn ist nichts erkorn,
Auf Erden war kein Mensch geborn,
Der mir aus Nöten helfen kann.
Ich ruf dich an,
Zu dem ich mein Vertrauen hab.

Chor, Gesamtinstrumentarium
153 Takte, a-Moll, 3/4 Takt

2. Recitativo
(Huttenlocher)

Mein Gott und Richter, willt du mich aus dem
                              Gesetze fragen,
So kann ich nicht,
Weil mein Gewissen widerspricht,
Auf tausend eines sagen.
An Seelenkräften arm und an der Liebe bloß,
Und meine Sünd ist schwer und übergroß;
Doch weil sie mich von Herzen reuen,

1. Chorus [Verse 1] (S, A, T, B)

Alone to thee, Lord Jesus Christ,
My hope on earth regardeth;
I know thou art my comforter,
I have no other comfort.
Since time began, was nought ordained,
On earth there came no man to birth,
Who from my woe could help me flee.
I call to thee,
In whom I have placed all my trust.

2. Recitative (B)

My God and judge thou, by the law if thou wert me
                              to question,
I could no way,
For that my conscience would forbid,
Once in a thousand answer.
In strength of spirit poor am I, of love left bare,
And all my sin is grave and very great,
But since for them my heart repenteth,

99

Wirst du, mein Gott und Hort,
Durch ein Vergebungswort
Mich wiederum erfreuen.

Baß, Bc.
14 Takte, e-Moll – G-Dur, 4/4 Takt

3. Aria
(Watts)

Wie furchtsam wankten meine Schritte,
Doch Jesus hört auf meine Bitte
Und zeigt mich seinem Vater an.
  Mich drückten Sündenlasten nieder,
  Doch hilft mir Jesu Trostwort wieder,
  Daß er für mich genug getan.

Alt, Streicher, Bc.
105 Takte, C-Dur, 4/4 Takt

4. Recitativo
(Lang)

Mein Gott, verwirf mich nicht,
Wiewohl ich dein Gebot noch täglich übertrete,
Von deinem Angesicht!
Das kleinste ist mir schon zu halten viel zu
                                    schwer;
Doch, wenn ich um nichts mehr
Als Jesu Beistand bete,
So wird mich kein Gewissensstreit
Der Zuversicht berauben;
Gib mir nur aus Barmherzigkeit
Den wahren Christenglauben!
So stellt er sich mit guten Früchten ein
Und wird durch Liebe tätig sein.

Tenor, Bc.
16 Takte, a-Moll, 4/4 Takt

5. Aria (Duetto)
(Lang, Huttenlocher)

Gott, der du die Liebe heißt,
Ach, entzünde meinen Geist,
Laß zu dir vor allen Dingen
Meine Liebe kräftig dringen!
Gib, daß ich aus reinem Triebe
Als mich selbst den Nächsten liebe;
Stören Feinde meine Ruh,
Sende du mir Hülfe zu!

Tenor, Baß, 2 Oboen, Bc.
135 Takte, e-Moll, 3/4 Takt

3. Aria (A)

How fearful wavered then my paces,
But Jesus heareth my petition
And doth me to his Father show.
  Though grievous weight of sin depressed me,
  Again hath Jesus' word assured me
  That he for me enough hath done.

4. Recitative (T)

My God, reject me not,
Although against thy law I daily have offended,
From this thy countenance!
The smallest law for me to keep is much too hard;
But, if I for no more
Than Jesus' comfort pray now,
There shall no war of conscience rise
Of confidence to rob me;
Give me but of **thy mercy's store**
A faith both true and Christian!
And it shall come with rich rewards to me
And then through love its work achieve.

5. Aria (T, B)

God, thou who art love now called,
Ah, enkindle this my soul,
Let for thee before all matters
This my love be strongly yearning!
Grant that I with pure devotion
As myself my neighbor cherish;
Should the foe disturb my rest,
Then to me assistance send!

6. Choral
(Gächinger Kantorei Stuttgart)

Ehr sei Gott in dem höchsten Thron,
Dem Vater aller Güte,
Und Jesu Christ, sein'm liebsten Sohn,
Der uns allzeit behüte,
Und Gott dem Heiligen Geiste,
Der uns sein Hülf allzeit leiste,
Damit wir ihm gefällig sein,
Hier in dieser Zeit
Und folgends in der Ewigkeit.

Chor, Gesamtinstrumentarium
22 Takte, a-Moll, 4/4 Takt

Ausführende:
Helen Watts, Alt
Frieder Lang, Tenor
Philippe Huttenlocher, Baß
Fumiaki Miyamoto, Oboe
Hedda Rothweiler, Oboe
Klaus Thunemann, Fagott
Martin Ostertag, Continuocello
Thomas Lom, Kontrabaß
Hans-Joachim Erhard, Cembalo/Orgelpositiv
Gächinger Kantorei Stuttgart
Bach-Collegium Stuttgart
Leitung: Helmuth Rilling

Aufnahme: Tonstudio Teije van Geest, Heidelberg
Aufnahmeleitung: Richard Hauck
Aufnahmeort: Gedächtniskirche Stuttgart
Aufnahmezeit: Februar / Oktober 1979
Spieldauer: 20'55"

6. Chorale [Verse 4] (S, A, T, B)

Now praise God on the highest throne,
The Father of all goodness,
And Jesus Christ, his dearest Son,
Who us alway protecteth,
And God the Holy Spirit, too,
Who us his help alway doth give,
That we may ever him obey,
Here within this time
And then in all eternity.

BWV 34

Serie I, Nr. 98.660

O ewiges Feuer, o Ursprung der Liebe
Kantate zum Pfingstfest
für Alt, Tenor, Baß, vierstimmigen Chor,
3 Trompeten, Pauken, 2 Flöten, 2 Oboen,
Streicher und Generalbaß

1. Coro
(Gächinger Kantorei Stuttgart)

O ewiges Feuer, o Ursprung der Liebe,
Entzünde die Herzen und weihe sie ein.
  Laß himmlische Flammen durchdringen und
                                    wallen,
  Wir wünschen, o Höchster, dein Tempel zu
                                    sein,
  Ach, laß dir die Seelen im Glauben gefallen.

Chor, 3 Trompeten, Pauken, 2 Oboen, Streicher, Bc.
244 Takte, D-Dur, 3/4 Takt

1. Chorus (S, A, T, B)

O fire everlasting, O fountain of loving,
Enkindle our hearts now and consecrate them.
  Let heavenly flames now envelop and flood
                                    them,
  We wish now, O Highest, thy temple to be,
  Ah, let thee our spirits in faith ever please thee.

2. Recitativo
(Kraus)

Herr, unsre Herzen halten dir
Dein Wort der Wahrheit für:
Du willst bei Menschen gerne sein,
Drum sei das Herze dein;
Herr, ziehe gnädig ein.
Ein solch erwähltes Heiligtum
Hat selbst den größten Ruhm.

Tenor, Bc.
9 Takte, h-Moll –fis-Moll, 4/4 Takt

3. Aria
(Watts)

Wohl euch, ihr auserwählten Seelen,
Die Gott zur Wohnung ausersehn.
　　Wer kann ein großer Heil erwählen?
　　Wer kann des Segens Menge zählen?
　　Und dieses ist vom Herrn geschehn.

Alt, 2 Flöten, Streicher, Bc.
72 Takte, A-Dur, 4/4 Takt

4. Recitativo
(Schöne)

Erwählt sich Gott die heilgen Hütten,
Die er mit Heil bewohnt,
So muß er auch den Segen auf sie schütten,
So wird der Sitz des Heiligtums belohnt.
Der Herr ruft über sein geweihtes Haus
Das Wort des Segens aus:

Baß, Bc.
8 Takte, fis-Moll – A-Dur, 4/4 Takt

5. Coro
(Gächinger Kantorei Stuttgart)

Friede über Israel.
Dankt den höchsten Wunderhänden,
Dankt, Gott hat an euch gedacht.
　　Ja, sein Segen wirkt mit Macht,
　　Friede über Israel,
　　Friede über euch zu senden.

Chor, 3 Trompeten, Pauken, 2 Oboen, Streicher, Bc.
88 Takte, D-Dur, 4/4 – 2/2 Takt

Ausführende:
Helen Watts, Alt
Adalbert Kraus, Tenor
Wolfgang Schöne, Baß
Hermann Sauter, Trompete

2. Recitative (T)

Lord, these our hearts hold out to thee
Thy word of truth to see:
Thou wouldst midst mankind gladly be,
Thus let my heart be thine;
Lord, enter graciously.
For such a chosen holy shrine
Hath e'en the greatest fame.

3. Aria (A)

Rejoice, all ye, the chosen spirits,
Whom God his dwelling did elect.
　　Who can a greater bliss be wanting?
　　Who can his blessings' number reckon?
　　And this is by the Lord fulfilled.

4. Recitative (B)

If God doth choose the holy shelters
Where he with health doth dwell,
Then must he, too, his blessing pour upon them,
And thus the holy temples seat reward.
The Lord proclaims above his hallowed house
His word of blessing now:

5. Chorus (S, A, T, B)

Peace be over Israel.
Thank the lofty hands of wonder,
Thank, God hath you in his heart.
　　Yea, his blessing works with might,
　　Peace be over Isarel,
　　Peace upon you all he sendeth.

Eugen Mayer, Trompete
Heiner Schatz, Trompete
Karl Schad, Pauken
Peter-Lukas Graf, Querflöte
Peter Thalheimer, Querflöte
Otto Winter, Oboe
Thomas Schwarz, Oboe
Hans Mantels, Fagott
Jürgen Wolf, Continuocello
Manfred Gräser, Kontrabaß
Martha Schuster, Cembalo/Orgelpositiv
Gächinger Kantorei Stuttgart
Bach-Collegium Stuttgart
Leitung: Helmuth Rilling

Aufnahme: Sonopress Tontechnik, Gütersloh
Aufnahmeleitung: Richard Hauck/Wolfram
Wehnert
Aufnahmeort: Gedächtniskirche Stuttgart
Aufnahmezeit: Februar 1972
Spieldauer: 18'30"

BWV 35

Serie **IX**, Nr. 98.733

Geist und Seele wird verwirret
Kantate zum 12. Sonntag nach Trinitatis
(Text. G. Chr. Lehms)
für Alt, obligate Orgel, 2 Oboen, Oboe da caccia,
Streicher und Generalbaß

I. Teil

1. Sinfonia
(Erhard, Bach-Collegium Stuttgart)

Orgel, 2 Oboen, Oboe da caccia, Streicher, Bc.
131 Takte, d-Moll, 4/4 Takt

2. Aria
(Hamari)

Geist und Seele wird verwirret,
Wenn sie dich, mein Gott, betracht'.
   Denn die Wunder, so sie kennet
   Und das Volk mit Jauchzen nennet,
   Hat sie taub und stumm gemacht.

Alt, Orgel, 2 Oboen, Oboe da caccia, Streicher, Bc.
128 Takte, a-Moll, 6/8 Takt

First Part

1. Sinfonia

2. Aria (A)

Soul with spirit is bewildered
When it thee, my God, beholds.
   For the wonder which it seeth
   And the folk with triumph telleth
   Hath it deaf and dumb now made.

3. Recitativo
(Hamari)

Ich wundre mich;
Denn alles, was man sieht,
Muß uns Verwundrung geben.
Betracht ich dich,
Du teurer Gottessohn,
So flieht
Vernunft und auch Verstand davon.
Du machst es eben,
Daß sonst ein Wunderwerk vor dir was
                   Schlechtes ist.
Du bist
Dem Namen, Tun und Amte nach erst
                   wunderreich,
Dir ist kein Wunderding auf dieser Erde gleich.
Den Tauben gibst du das Gehör,
Den Stummen ihre Sprache wieder,
Ja, was noch mehr,
Du öffnest auf ein Wort die blinden Augenlider.
Dies, dies sind Wunderwerke,
Und ihre Stärke
Ist auch der Engel Chor nicht mächtig
                   auszusprechen.

Alt, Bc.
20 Takte, F-Dur – g-Moll, 4/4 Takt

3. Recitative (A)

I am amazed;
For ev'rything we see
Must give us cause to marvel.
Regarding thee,
Thou precious Son of God,
From me
My reason and my sense do flee.
Thou art the reason
That even miracles next thee so wretched seem.
Thou art
In name and deed and office truly wonderful,
There is no thing of wonder on the earth like thee.
For hearing givest thou the deaf,
The dumb thou dost return their speaking,
Yea, more than this,
Dost open the lids of eyes unseeing.
These, these are works of wonder,
And to their power
Doth e'en the angel choir lack strength to give
                   expression.

4. Aria
(Hamari)

Gott hat alles wohl gemacht.
Seine Liebe, seine Treu
Wird uns alle Tage neu.
Wenn uns Angst und Kummer drücket,
Hat er reichen Trost geschicket,
Weil er täglich für uns wacht.
Gott hat alles wohl gemacht.

Alt, Orgel, Bc.
72 Takte, F-Dur, 4/4 Takt.

4. Aria (A)

God hath all so well achieved.
His devotion, his good faith
We see ev'ry day renewed.
When both fear and toil oppress us,
He hath ample comfort sent us,
For he tendeth us each day.
God hath all so well achieved.

II. Teil

5. Sinfonia
(Erhard, Bach-Collegium Stuttgart)

Orgel, 2 Oboen, Oboe da caccia, Streicher, Bc.
232 Takte, d-Moll, 3/8 Takt

Second Part

5. Sinfonia

6. Recitativo
(Hamari)

Ach, starker Gott, laß mich
Doch dieses stets bedenken,
So kann ich dich
Vergnügt in meine Seele senken.

6. Recitative (A)

Ah, mighty God, let me
Then this alway remember,
And then I can
Content within my soul implant thee.

Laß mir dein süßes Hephata
Das ganz verstockte Herz erweichen;
Ach! lege nur den Gnadenfinger in die Ohren,
Sonst bin ich gleich verloren.
Rühr auch das Zungenband
Mit deiner starken Hand,
Damit ich diese Wunderzeichen
In heilger Andacht preise
Und mich als Kind und Erb erweise.

Alt, Bc.
14 Takte, B-Dur – a-Moll, 4/4 Takt

7. Aria
(Hamari)

Ich wünsche nur bei Gott zu leben,
Ach! wäre doch die Zeit schon da,
Ein fröhliches Halleluja
Mit allen Engeln anzuheben.
Mein liebster Jesu, löse doch
Das jammerreiche Schmerzensjoch
Und laß mich bald in deinen Händen
Mein martervolles Leben enden.

Alt, Orgel, 2 Oboen, Oboe da caccia, Streicher, Bc.
122 Takte, C-Dur, 3/8 Takt

Ausführende:
Julia Hamari, Alt
Hans-Joachim Erhard, Orgel
Diethelm Jonas, Oboe
Hedda Rothweiler, Oboe
Dietmar Keller, Oboe da caccia
Günther Pfitzenmaier, Fagott
Otto Armin, Konzertmeister
Ansgar Schneider, Continuocello
Harro Bertz, Kontrabaß
Michael Behringer, Cembalo
Bach-Collegium Stuttgart
Leitung: Helmuth Rilling

Aufnahme: Tonstudio Teije van Geest, Heidelberg
Aufnahmeleitung: Richard Hauck
Aufnahmeort: Gedächtniskirche Stuttgart
Aufnahmezeit: Oktober 1982
Spieldauer: 26'25"

For me let thy sweet Hephata
My heart so obstinate now soften;
Ah, lay thou but upon mine ear thy gracious finger,
Or else I soon must perish.
Touch, too, my tongue's restraint
With thine own mighty hand,
That I may all these signs of wonder
In sacred worship praise now,
Myself thine heir and child revealing.

7. Aria (A)

I seek alone with God to live now,
Ah, would that now the time were come,
To raise a glad hallelujah
With all the angels in rejoicing.
My dearest Jesus, do release
This sorrow-laden yoke of pain
And let me soon within thy bosom
My life so full of torment finish.

BWV 36

Serie VIII, Nr. 98.726

Schwingt freudig euch empor
Kantate zum 1. Advent
für Sopran, Alt, Tenor, Baß, vierstimmigen Chor,
2 Oboi d'amore, Streicher mit Solo-Violine und
Generalbaß

I. Teil	*First Part*

1. Coro
(Gächinger Kantorei Stuttgart)

Schwingt freudig euch empor zu den erhabnen
Sternen,
Ihr Zungen, die ihr itzt in Zion fröhlich seid!
Doch haltet ein! Der Schall darf sich nicht weit
entfernen,
Es naht sich selbst zu euch der Herr der
Herrlichkeit.

Chor, Oboe d'amore, Violine, Streicher, Bc.
103 Takte, D-Dur, 3/4 Takt

1. Chorus (S, A, T, B)

Soar joyfully aloft amidst the starry grandeur
Ye voices, ye who now in Zion gladly dwell!
No, wait awhile! Your sound shall not have far
to travel,
To you draws nigh himself the Lord of majesty.

2. Choral
(Augér, Schreckenbach)

Nun komm, der Heiden Heiland,
Der Jungfrauen Kind erkannt,
Des sich wundert alle Welt,
Gott solch Geburt ihm bestellt.

Sopran, Alt, 2 Oboi d'amore, Bc.
49 Takte, fis-Moll, 4/4 Takt

2. Chorale (S, A)

Come now, the nations' Savior,
As the Virgin's child made known,
At this marvels all the world,
That God this birth gave to him.

3. Aria
(Schreier)

Die Liebe zieht mit sanften Schritten
Sein Treugeliebtes allgemach.
   Gleichwie es eine Braut entzücket,
   Wenn sie den Bräutigam erblicket,
   So folgt ein Herz auch Jesu nach.

Tenor, Oboe d'amore, Bc.
121 Takte, h-Moll, 3/8 Takt

3. Aria (T)

Now love doth draw with gentle paces
Its true belovèd more and more
   Like as it brings the bride enchantment
   When she the bridegroom near beholdeth,
   E'en so the heart doth Jesus seek.

4. Choral
(Gächinger Kantorei Stuttgart)

Zwingt die Saiten in Cythara
Und laßt die süße Musica
Ganz freudenreich erschallen,
Daß ich möge mit Jesulein,
Dem wunderschönen Bräutgam mein,
In steter Liebe wallen!
Singet,
Springet,
Jubilieret, triumphieret, dankt dem Herren!
Groß ist der König der Ehren.

Chor, Gesamtinstrumentarium
20 Takte, D-Dur, 4/4 Takt

4. Chorale (S, A, T, B)

Raise the viols in Cythera
And let now charming Musica
With joy and gladness echo,
That I may with my Jesus-child,
With this exquisite groom of mine,
In constant love e'er journey.
Sing now,
Dance now,
Jubilation cry triumphant, thank the Lord now!
Great is the king of all honor.

II. Teil

5. Aria
(Heldwein)

Willkommen, werter Schatz!
Die Lieb und Glaube machet Platz
Vor dich in meinem Herzen rein,
Zieh bei mir ein!

Baß, Violine, Streicher, Bc.
65 Takte, D-Dur, 4/4 Takt

6. Choral
(Schreier)

Der du bist dem Vater gleich,
Führ hinaus den Sieg im Fleisch,
Daß dein ewig Gotts Gewalt
In uns das krank Fleisch enthalt.

Tenor, 2 Oboi d'amore, Bc.
60 Takte, h-Moll, 3/4 Takt

7. Aria
(Augér)

Auch mit gedämpften, schwachen Stimmen
Wird Gottes Majestät verehrt.
    Denn schallet nur der Geist darbei,
    So ist ihm solches ein Geschrei,
    Das er im Himmel selber hört.

Sopran, Violine, Bc.
86 Takte, G-Dur, 12/8 Takt

8. Choral
(Gächinger Kantorei Stuttgart)

Lob sei Gott, dem Vater, g'ton,
Lob sei Gott, sein'm eingen Sohn,
Lob sei Gott, dem Heilgen Geist,
Immer und in Ewigkeit!

Chor, Gesamtinstrumentarium
8 Takte, h-Moll, 4/4 Takt

Ausführende:
Arleen Augér, Sopran
Gabriele Schreckenbach, Alt
Peter Schreier, Tenor
Walter Heldwein, Baß
Günther Passin, Oboe d'amore
Hedda Rothweiler, Oboe d'amore
Klaus Thunemann, Fagott
Kurt Etzold, Fagott
Walter Forchert, Konzertmeister

Second Part

5. Aria (B)

O welcome, dearest love!
My love and faith prepare a place
For thee within my heart that's pure,
Come dwell in me!

6. Chorale (T)

Thou who art the Father like,
Lead the conquest o'er the flesh,
That thy God's eternal pow'r
May by our sick flesh be held.

7. Aria (S)

E'en with our muted, feeble voices
Is God's great majesty adored.
    For sound nought but our soul alone,
    This is to him a mighty shout,
    Which he in heav'n itself doth hear.

8. Chorale (S, A, T, B)

Praise to God, the Father, be,
Praise to God, his only Son,
Praise to God, the Holy Ghost,
Ever and eternally!

Jakoba Hanke, Continuocello
Thomas Lom, Kontrabaß
Harro Bertz, Kontrabaß
Hans-Joachim Erhard, Cembalo/Orgelpositiv
Gächinger Kantorei Stuttgart
Bach-Collegium Stuttgart
Leitung: Helmuth Rilling

Aufnahme: Tonstudio Teije van Geest, Heidelberg
Aufnahmeleitung: Richard Hauck
Aufnahmeort: Gedächtniskirche Stuttgart
Aufnahmezeit: August 1980/Februar 1981/März
1982
Spieldauer: 28'55"

BWV 37

Serie **VI**, 98.704

Wer da gläubet und getauft wird
Kantate zu Himmelfahrt
für Sopran, Alt, Tenor, Baß, vierstimmigen Chor,
2 Oboi d'amore, Streicher mit Solo-Violine und
Generalbaß

1. Coro
(Gächinger Kantorei Stuttgart)

Wer da gläubet und getauft wird, der wird selig wer-
den.

Chor, Gesamtinstrumentarium
87 Takte, A-Dur, 3/2 Takt

1. Chorus [Dictum] (S, A, T, B)

He who trusteth and is baptized, he shall have
salvation.

2. Aria
(Kraus)

Der Glaube ist das Pfand der Liebe,
Die Jesus für die Seinen hegt.
  Drum hat er bloß aus Liebestriebe,
  Da er ins Lebensbuch mich schriebe,
  Mir dieses Kleinod beigelegt.

Tenor, Violine, Bc.
82 Takte, A-Dur, 4/4 Takt

2. Aria (T)

Belief doth guarantee the love now
Which Jesus for his people keeps.
  Thus hath he from pure love's emotion,
  When he into life's book enrolled me,
  On me this precious gem bestowed.

3. Choral
(Augér, Watkinson)

Herr Gott Vater, mein starker Held!
Du hast mich ewig vor der Welt
In deinem Sohn geliebet.
Dein Sohn hat mich ihm selbst vertraut,
Er ist mein Schatz, ich bin sein Braut,
Sehr hoch in ihm erfreuet.
Eia!
Eia!

3. Chorale (S, A)

Lord God, Father, my champion strong!
Thou hast me e'er before the world
In thine own Son belovèd.
Thy Son hath me himself betrothed,
He is my store, I am his bride,
Most high in him rejoicing.
Eia!
Eia!

Himmlisch Leben wird er geben mir dort oben;
Ewig soll mein Herz ihn loben.

Sopran, Alt, Bc.
39 Takte, D-Dur, 12/8 Takt

4. Recitativo
(Huttenlocher)

Ihr Sterblichen, verlanget ihr,
Mit mir
Das Antlitz Gottes anzuschauen?
So dürft ihr nicht auf gute Werke bauen;
Denn ob sich wohl ein Christ
Muß in den guten Werken üben,
Weil es der ernste Wille Gottes ist,
So macht der Glaube doch allein,
Daß wir vor Gott gerecht und selig sein.

Baß, Streicher, Bc.
11 Takte, h-Moll, 4/4 Takt

5. Aria
(Huttenlocher)

Der Glaube schafft der Seele Flügel,
Daß sie sich in den Himmel schwingt,
Die Taufe ist das Gnadensiegel,
Das uns den Segen Gottes bringt;
Und daher heißt ein selger Christ,
Wer gläubet und getaufet ist.

Baß, Oboe d'amore, Streicher, Bc.
47 Takte, h-Moll, 4/4 Takt

6. Choral
(Gächinger Kantorei Stuttgart)

Den Glauben mir verleihe
An dein' Sohn Jesum Christ,
Mein Sünd mir auch verzeihe
Allhier zu dieser Frist.
Du wirst mir nicht versagen,
Was du verheißen hast,
Daß er mein Sünd tu tragen
Und lös mich von der Last.

Chor, Gesamtinstrumentarium
17 Takte, A-Dur, 4/4 Takt

Ausführende:
Arleen Augér, Sopran
Carolyn Watkinson, Alt
Adalbert Kraus, Tenor
Philippe Huttenlocher, Baß
Manfred Clement, Oboe d'amore
Hedda Rothweiler, Oboe d'amore

Life in heaven shall he give to me supernal;
Ever shall my heart extol him.

4. Recitative (B)

Ye mortal folk, do ye now long
With me
God's countenance to see before you?
Then ye should not be on good works dependent;
For though a Christian ought
Indeed in good works ever labor,
Because this is the solemn will of God,
Yet doth our faith alone assure
That we 'fore God be justified and saved.

5. Aria (B)

Belief provides the soul with pinions,
On which it shall to heaven soar,
Baptism is the seal of mercy
Which us God's saving blessing brings;
And thus is called the Christian blest
Who doth believe and is baptized.

6. Chorale (S, A, T, B)

Belief bestow upon me
In thy Son Jesus Christ,
My sins as well forgive me
While I am in this life.
Thou wilt not e'er deny me
What thou hast promised me,
That he my sin shall carry
And loose me of its weight.

Klaus Thunemann, Fagott
Walter Forchert, Violine
Barbara Haupt-Brauckmann, Continuocello
Thomas Lom, Kontrabaß
Hans-Joachim Erhard, Cembalo/Orgelpositiv
Gächinger Kantorei Stuttgart
Bach-Collegium Stuttgart
Leitung: Helmuth Rilling

Aufnahme: Tonstudio Teije van Geest, Heidelberg
Aufnahmeleitung: Richard Hauck
Aufnahmeort: Gedächtniskirche Stuttgart
Aufnahmezeit: Februar 1979
Spieldauer: 16'20"

BWV 38

Serie **VII**, Nr. 98.712

Aus tiefer Not schrei ich zu dir
Kantate zum 21. Sonntag nach Trinitatis
für Sopran, Alt, Tenor, Baß, vierstimmigen Chor,
Trompete, 3 Posaunen, 2 Oboen, Streicher und
Generalbaß

1. Coro (Choral)
(Gächinger Kantorei Stuttgart)

1. Chorus [Verse 1] (S, A, T, B)

Aus tiefer Not schrei ich zu dir,
Herr Gott, erhör mein Rufen;
Dein gnädig Ohr neig her zu mir
Und meiner Bitt sie öffne!
Denn so du willst das sehen an,
Was Sünd und Unrecht ist getan,
Wer kann, Herr, vor dir bleiben?

In deep distress I cry to thee,
Lord God, hear thou my calling;
Thy gracious ear bend low to me
And open to my crying!
For if thou wilt observance make
Of sin and deed unjustly done,
Who can, Lord, stand before thee?

Chor, Gesamtinstrumentarium
140 Takte, phrygisch, ₵ Takt

2. Recitativo
(Watts)

2. Recitative (A)

In Jesu Gnade wird allein
Der Trost vor uns und die Vergebung sein,
Weil durch des Satans Trug und List
Der Menschen ganzes Leben
Vor Gott ein Sündengreuel ist.
Was könnte nun
Die Geistesfreudigkeit zu userm Beten geben,
Wo Jesu Geist und Wort nicht neue Wunder tun?

In Jesus' mercy will alone
Our comfort be and our forgiveness rest,
Because through Satan's craft and guile
Is mankind's whole existence
'Fore God a sinful outrage found.
What could then now
Bring peace and joy of mind to us in our
                                                petitions
If Jesus' Spirit's word did not new wonders do?

Alt, Bc.
10 Takte, C-Dur – a-Moll, 4/4 Takt

3. Aria
(Harder, Dent)

Ich höre mitten in den Leiden
Ein Trostwort, so mein Jesus spricht.
   Drum, o geängstigtes Gemüte,
   Vertraue deines Gottes Güte,
   Sein Wort besteht und fehlet nicht,
   Sein Trost wird niemals von dir scheiden!

Tenor, 2 Oboen, Bc.
117 Takte, a-Moll, 4/4 Takt

4. Recitativo con Choral
(Augér)

Ach!
Daß mein Glaube noch so schwach,
Und daß ich mein Vertrauen
Auf feuchtem Grunde muß erbauen!
Wie ofte müssen neue Zeichen
Mein Herz erweichen!
Wie? kennst du deinen Helfer nicht,
Der nur ein einzig Trostwort spricht,
Und gleich erscheint,
Eh deine Schwachheit es vermeint,
Die Rettungsstunde.
Vertraue nur der Allmachtshand und seiner
                  Wahrheit Munde!

Sopran, Bc.
16 Takte, d-Moll, 4/4 Takt

5. Aria (Terzetto)
(Augér, Watts, Huttenlocher)

Wenn meine Trübsal als mit Ketten
Ein Unglück an dem andern hält,
So wird mich doch mein Heil erretten,
Daß alles plötzlich von mir fällt.
Wie bald erscheint des Trostes Morgen
Auf diese Nacht der Not und Sorgen!

Sopran, Alt, Baß, Bc.
123 Takte, d-Moll, ₵ Takt

6. Choral
(Gächinger Kantorei Stuttgart)

Ob bei uns ist der Sünden viel,
Bei Gott ist viel mehr Gnade;
Sein Hand zu helfen hat kein Ziel,
Wie groß auch sei der Schade.
Er ist allein der gute Hirt,
Der Israel erlösen wird
Aus seinen Sünden allen.

Chor, Gesamtinstrumentarium
18 Takte, phrygisch, 4/4 Takt

3. Aria (T)

I hear amidst my very suff'ring
This comfort which my Jesus speaks.
   Thus, O most anguished heart and spirit,
   Put trust in this thy God's dear kindness,
   His word shall stand and never fail,
   His comfort never thee abandon!

4. Recitative (S) with instr. chorale

Ah!
That my faith is still so frail,
And that all my reliance
On soggy ground I must establish!
How often must I have new portents
My heart to soften!
What? Dost thou know thy helper not,
Who speaks but one consoling word,
And then appears,
Before thy weakness doth perceive,
Salvation's hour.
Just trust in his almighty hand and in his
                  mouth so truthful!

5. Aria (S, A, B)

When my despair as though with fetters
One sorrow to the next doth bind,
Yet shall no less my Savior free me,
And all shall sudden from me fall.
How soon appears the hopeful morning
Upon the night of woe and sorrow!

6. Chorale [Verse 5] (S, A, T, B)

Though with us many sins abound,
With God is much more mercy;
His hand's assistance hath no end,
However great our wrong be.
He is alone our shepherd true,
Who Israel shall yet set free
Of all his sinful doings.

Ausführende:
Arleen Augér, Sopran
Helen Watts, Alt
Lutz-Michael Harder, Tenor
Philippe Huttenlocher, Baß
Bernhard Schmid, Trompete
Gerhard Cichos, Posaune
Hans Kuhner, Posaune
Hans Rückert, Posaune
Günther Passin, Oboe
Simon Dent, Oboe
Hedda Rothweiler, Oboe
Kurt Etzold, Fagott
Gerhard Mantel, Continuocello
Harro Bertz, Kontrabaß
Hans-Joachim Erhard, Orgelpositiv
Gächinger Kantorei Stuttgart
Bach-Collegium Stuttgart
Leitung: Helmuth Rilling

Aufnahme: Tonstudio Teije van Geest, Heidelberg
Aufnahmeleitung: Richard Hauck
Aufnahmeort: Gedächtniskirche Stuttgart
Aufnahmezeit: Februar/April 1980
Spieldauer: 18'40"

BWV 39

Brich dem Hungrigen dein Brot
Kantate zum 1. Sonntag nach Trinitatis
für Sopran, Alt, Baß, vierstimmigen Chor,
2 Blockflöten, 2 Oboen, Streicher mit Solo-Violine und
Generalbaß

I. Teil

First Part

1. Coro
(Gächinger Kantorei Stuttgart)

1. Chorus [Dictum] (S, A, T, B)

*Brich dem Hungrigen dein Brot und die, so im Elend
sind, führe ins Haus! So du einen nacket siehest, so
kleide ihn und entzeuch dich nicht von deinem Fleisch.
Alsdenn wird dein Licht herfürbrechen wie die Morgenröte, und deine Besserung wird schnell wachsen,
und deine Gerechtigkeit wird für dir hergehen, und
die Herrlichkeit des Herrn wird dich zu sich nehmen.*

*Break with hungry men thy bread and those who in
want are found take in thy house! If thou dost a man
see naked, then cover him and withdraw thyself not
from thy flesh. And then shall thy light through all
break forth like the rosy morning, and thy recovery
shall wax quickly, and thine own righteousness shall
go forth before thee, and the majesty of the Lord God
shall receive thee.*

Chor, 2 Blockflöten, 2 Oboen, Streicher, Bc.
218 Takte, g-Moll, 3/4 – 4/4 – 3/8 Takt

2. Recitativo
(Gerihsen)

2. Recitative (B)

*Der reiche Gott wirft seinen Überfluß
Auf uns, die wir ohn ihn auch nicht den Odem
haben.*

*The bounteous God casts his abundant store
On us, those who without him were not even
breathing.*

112

Sein ist es, was wir sind; er gibt nur den Genuß,
Doch nicht, daß uns allein
Nur seine Schätze laben.
Sie sind der Probestein,
Wodurch er macht bekannt,
Daß er der Armut auch die Notdurft
                                    ausgespendet,
Als er mit milder Hand,
Was jener nötig ist, uns reichlich zugewendet.
Wir sollen ihm für sein gelehntes Gut
Die Zinse nicht in seine Scheuren bringen;
Barmherzigkeit, die auf dem Nächsten ruht,
Kann mehr als alle Gab ihm an das Herze
                                    dringen.

Baß, Bc.
21 Takte, B-Dur – a-Moll, 4/4 Takt

3. Aria
(Schreckenbach)

Seinem Schöpfer noch auf Erden
Nur im Schatten ähnlich werden,
Ist im Vorschmack selig sein.
Sein Erbarmen nachzuahmen,
Streuet hier des Segens Samen,
Den wir dorten bringen ein.

Alt, Oboe, Violine, Bc.
149 Takte, F-Dur, 3/8 Takt

II. Teil

4. Aria
(Gerihsen)

*Wohlzutun und mitzuteilen vergesset nicht; denn
solche Opfer gefallen Gott wohl.*

Baß, Bc.
54 Takte, d-Moll, ₵ Takt

5. Aria
(Augér)

Höchster, was ich habe,
Ist nur deine Gabe.
Wenn vor deinem Angesicht
Ich schon mit dem meinen
Dankbar wollt erscheinen,
Willt du doch kein Opfer nicht.

Sopran, Blockflöte, Bc.
67 Takte, B-Dur, 6/8 Takt

His is all that we are; he gives us but the use,
But not that us alone
Should these his treasures comfort.
They as a touchstone serve,
By which he hath revealed
That he to poor men also need hath freely given,
And hath with open hand,
Whate'er the poor require, to us so richly
                                    proffered.
We are required for all the wealth he lends
No interest into his barns to carry;
But mercy which is to one's neighbor shown
Can more than any gift be to his heart
                                    compelling.

3. Aria (A)

One's creator while on earth yet
Even dimly to resemble
Is a foretaste of true bliss.
His compassion's way to follow
Scatters here the seeds of blessing
Which in heaven we shall reap.

Second Part

4. Aria [Dictum] (B)

*To do good and share your blessings forget ye not; for
these are off'rings well-pleasing to God.*

5. Aria (S)

Highest, my possessions
Are but what thou givest.
If before thy countenance
I with what I have now
Grateful seek to venture,
Thou wouldst not an off'ring have.

6. Recitativo
(Schreckenbach)

Wie soll ich dir, o Herr, denn sattsamlich
vergelten,
Was du an Leib und Seel mir hast zugutgetan?
Ja, was ich noch empfang, und solches gar nicht
selten,
Weil ich mich jede Stund noch deiner rühmen
kann?
Ich hab nichts als den Geist, dir eigen zu
ergeben,
Dem Nächsten die Begierd, daß ich ihm
dienstbar werd,
Der Armut, was du mir gegönnt in diesem
Leben,
Und, wenn es dir gefällt, den schwachen Leib
der Erd.
Ich bringe, was ich kann, Herr, laß es dir
behagen,
Daß ich, was du versprichst, auch einst davon
mög tragen.

Alt, Streicher, Bc.
21 Takte, Es-Dur – g-Moll, 4/4 Takt

6. Recitative (A)

How shall I then, O Lord, sufficiently repay thee
All that for flesh and soul thou hast bestowed
on me?
Yea, what I yet receive, and that by no means sel-
dom,
Since I at ev'ry hour still can thy praises tell?
I own nought but my soul which I to thee may
offer,
To neighbor nought but hope that I shall serve
him well,
To poor men, all thou me hast giv'n within my
lifetime,
And, if it be thy will, my feeble flesh to earth.
I'll offer what I can, Lord, let it find thy favor,
That I all thou hast pledged from them e'en yet
may gather.

7. Choral
(Gächinger Kantorei Stuttgart)

Selig sind, die aus Erbarmen
Sich annehmen fremder Not,
Sind mitleidig mit den Armen,
Bitten treulich für sie Gott.
Die behülflich sind mit Rat,
Auch, womöglich, mit der Tat,
Werden wieder Hülf empfangen
Und Barmherzigkeit erlangen.

Chor, Gesamtinstrumentarium
17 Takte, B-Dur, 4/4 Takt

7. Chorale (S, A, T, B)

Blessèd those who through compassion
Bear the weight of others' woe,
Who with pity for the wretched
Pray steadfast for them to God.
They who helpful are in word,
And if possible in deed,
Shall in turn receive thy succor
And themselves obtain compassion.

Ausführende:
Arleen Augér, Sopran
Gabriele Schreckenbach, Alt
Franz Gerihsen, Baß
Manfred Harras, Blockflöte
Marianne Lüthi, Blockflöte
Günther Passin, Oboe
Hedda Rothweiler, Oboe
Günther Pfitzenmaier, Fagott
Walter Forchert, Violine
Jakoba Hanke, Continuocello
Albert Michael Locher, Kontrabaß
Hans-Joachim Erhard, Cembalo/Orgelpositiv
Gächinger Kantorei Stuttgart
Bach-Collegium Stuttgart
Leitung: Helmuth Rilling

Aufnahme: Tonstudio Teije van Geest, Heidelberg
Aufnahmeleitung: Richard Hauck
Aufnahmeort: Gedächtniskirche Stuttgart
Aufnahmezeit: Februar 1982
Spieldauer: 21'35"

BWV 40

Dazu ist erschienen der Sohn Gottes
Kantate zum 2. Weihnachtstag
für Alt, Tenor, Baß, vierstimmigen Chor,
2 Hörner, 2 Oboen, Streicher und Generalbaß

1. Coro
(Figuralchor der Gedächtniskirche Stuttgart)

Dazu ist erschienen der Sohn Gottes, daß er die Werke des Teufels zerstöre.

Chor, Gesamtinstrumentarium
80 Takte, F-Dur, 4/4 Takt

1. Chorus [Dictum] (S, A, T, B)

For this is appearèd the Son of God, that he destroy all the works of the devil.

2. Recitativo
(Kraus)

Das Wort ward Fleisch und wohnet in der Welt,
Das Licht der Welt bestrahlt den Kreis der
Erden,
Der große Gottessohn
Verläßt des Himmels Thron,
Und seiner Majestät gefällt,
Ein kleines Menschenkind zu werden.
Bedenkt doch diesen Tausch, wer nur gedenken
kann;
Der König wird ein Untertan,
Der Herr erscheinet als ein Knecht
Und wird dem menschlichen Geschlecht
– O süßes Wort in aller Ohren! –
Zu Trost und Heil geboren.

Tenor, Bc.
15 Takte, F-Dur – B-Dur, 4/4 Takt

2. Recitative (T)

The word was flesh and dwelleth in the world,
The world's true light doth shine throughout the
earth now,
The mighty Son of God
Hath left the throne of heav'n,
And in his majesty would be
A little child of human nature.
Give thought to this exchange, all ye who
thought possess:
The king a subject is become,
The Lord as servant doth appear
And for this mortal race of man
O sweetest word to all who hear it
Is born to heal and comfort.

3. Choral
(Figuralchor der Gedächtniskirche Stuttgart)

**Die Sünd macht Leid;
Christus bringt Freud,
Weil er zu Trost in diese Welt ist kommen.
Mit uns ist Gott
Nun in der Not:
Wer ist, der uns als Christen kann verdammen?**

Chor, Horn, 2 Oboen, Streicher, Bc.
11 Takte, g-Moll, 4/4 Takt

3. Chorale (S, A, T, B)

**Though sin brings pain,
Our Christ brings joy,
For as our comfort he this world hath entered.
With us is God
Now in our need:
Who could us now as Christians bring damnation?**

4. Aria
(Nimsgern)

Höllische Schlange,
Wird dir nicht bange?
Der dir den Kopf als ein Sieger zerknickt,
Ist nun geboren,
Und die verloren,
Werden mit ewigem Frieden beglückt.

Baß, 2 Oboen, Streicher, Bc.
121 Takte, d-Moll, 3/8 Takt

5. Recitativo
(Gohl)

Die Schlange, so im Paradies
Auf alle Adamskinder
Das Gift der Seelen fallen ließ,
Bringt uns nicht mehr Gefahr;
Des Weibes Samen stellt sich dar,
Der Heiland ist ins Fleisch gekommen
Und hat ihr alles Gift benommen.
Drum sei getrost! betrübter Sünder.

Alt, Streicher, Bc.
11 Takte, B-Dur, 4/4 Takt

6. Choral
(Figuralchor der Gedächtniskirche Stuttgart)

Schüttle deinen Kopf und sprich:
Fleuch, du alte Schlange!
Was erneurst du deinen Stich,
Machst mir angst und bange?
Ist dir doch der Kopf zerknickt,
Und ich bin durchs Leiden
Meines Heilands dir entrückt
In den Saal der Freuden.

Chor, Horn, 2 Oboen, Streicher, Bc.
16 Takte, d-Moll, 4/4 Takt

7. Aria
(Kraus)

Christenkinder, freuet euch!
  Wütet schon das Höllenreich,
  Will euch Satans Grimm erschrecken:
Jesus, der erretten kann,
  Nimmt sich seiner Küchlein an
  Und will sie mit Flügeln decken.

Tenor, 2 Hörner, 2 Oboen, Bc.
54 Takte, F-Dur, 12/8 Takt

4. Aria (B)

Hell's very serpent,
Art thou not anxious?
He who thy head as a victor shall dash
Is to us born now,
And all the fallen
Shall in eternal repose be made glad.

5. Recitative (A)

The serpent that in paradise
Upon all Adam's children
The bane of souls did cause to fall
Brings us no danger more;
The woman's seed is manifest,
The Savior is in flesh appearèd
And hath from it removed all venom.
Take comfort then, O troubled sinner!

6. Chorale (S, A, T, B)

Shake thy head now and declare:
Flee, thou ancient serpent!
Why renewest thou thy sting
For my fear and anguish?
Now indeed thy head is dashed,
And I've through the passion
Of my Savior fled from thee
To the hall of gladness.

7. Aria (T)

Christian children, now rejoice!
  Raging now is hell's domain,
  You would Satan's fury frighten:
Jesus, who can rescue bring,
  Would embrace his little chicks
  And beneath his wings protect them.

116

8. Choral
(Figuralchor der Gedächtniskirche Stuttgart)

Jesu, nimm dich deiner Glieder
Ferner in Genaden an;
Schenke, was man bitten kann,
Zu erquicken deine Brüder:
Gib der ganzen Christenschar
Frieden und ein selges Jahr!
Freude, Freude über Freude!
Christus wehret allem Leide.
Wonne, Wonne über Wonne!
Er ist die Genadensonne.

Chor, Horn, 2 Oboen, Streicher, Bc.
20 Takte, f-Moll, 4/4 Takt

Ausführende:
Verena Gohl, Alt
Adalbert Kraus, Tenor
Siegmund Nimsgern, Baß
Johannes Ritzkowsky, Horn
Willy Rütten, Horn
Otto Winter, Oboe
Thomas Schwarz, Oboe
Hans Mantels, Fagott
Hannelore Michel, Continuocello
Manfred Gräser, Kontrabaß
Martha Schuster, Cembalo/Orgelpositiv
Figuralchor der Gedächtniskirche Stuttgart
Bach-Collegium Stuttgart
Leitung: Helmuth Rilling

Aufnahme: Sonopress Tontechnik, Gütersloh
Aufnahmeleitung: Richard Hauck/Wolfram
Wehnert
Aufnahmeort: Gedächtniskirche Stuttgart
Aufnahmezeit: Juni/Juli 1970
Spieldauer: 17'20"

8. Chorale (S, A, T, B)

Jesus, take now these thy members
Henceforth with thy loving grace;
Pour out all that we could ask
To the comfort of thy brethren;
Give to all the Christian throng
Concord and a blessèd year!
Gladness, gladness after gladness!
Christ shall ward off ev'ry sadness.
Rapture, rapture after rapture!
For he is the sun of favor.

BWV 41

Serie **II**, Nr. 98.666

Jesu, nun sei gepreiset
Kantate zu Neujahr
für Sopran, Alt, Tenor, Baß, vierstimmigen Chor,
3 Trompeten, Pauken, 3 Oboen, Violoncello piccolo,
Streicher und Generalbaß

1. Coro (Choral)
(Gächinger Kantorei Stuttgart)

Jesu, nun sei gepreiset
Zu diesem neuen Jahr
Für dein Güt, uns beweiset

1. Chorus [Verse 1] (S, A, T, B)

Be praised now, O Lord Jesus,
At this the newborn year
For thy help which thou showest

In aller Not und G'fahr,	In all our dread and stress,
Daß wir haben erlebet	That we ourselves have witnessed
Die neu fröhliche Zeit,	The new and joyful age
Die voller Gnaden schwebet	Which full of blessing bideth,
Und ewger Seligkeit;	And lasting happiness;
Daß wir in guter Stille	That we in goodly stillness
Das alt Jahr habn erfüllet.	The old year have completed.
Wir wolln uns dir ergeben	Ourselves we'd thee surrender
Jetzund und immerdar,	For now and evermore,
Behüt Leib, Seel und Leben	Protect life, soul and body
Hinfort durchs ganze Jahr!	Henceforth through all the year!

Chor, 3 Trompeten, Pauken, 3 Oboen, Streicher, Bc.
213 Takte, C-Dur, 4/4 – 3/4 – 4/4 Takt

2. Aria
(Donath)

	2. Aria (S)

Laß uns, o höchster Gott, das Jahr vollbringen,	Let us, O highest God, the year accomplish
Damit das Ende so wie dessen Anfang sei.	That it be ended even as it was begun.
Es stehe deine Hand uns bei,	Beside us let thy hand abide,
Daß kunftig bei des Jahres Schluß	That later, when the year hath closed,
Wir bei des Segens Überfluß	We be midst blessing's rich excess,
Wie jetzt ein Halleluja singen.	As now, a hallelujah singing.

Sopran, 3 Oboen, Bc.
187 Takte, G-Dur, 6/8 Takt

3. Recitativo
(Hoeffgen)

	3. Recitative (A)

Ach! deine Hand, dein Segen muß allein	Ah, thine own hand, thy blessing must alone
Das A und O, der Anfang und das Ende sein.	The A and O, beginning and the ending be!
Das Leben trägest du in deiner Hand,	Our whole life holdest thou within thy hand,
Und unsre Tage sind bei dir geschrieben;	The number of our days with thee stands written;
Dein Auge steht auf Stadt und Land;	Thine eye doth watch o'er town and land;
Du zählest unser Wohl und kennest unser Leiden,	Thou tellest all our weal and knowest all our sorrow,
Ach! gib von beiden,	Ah, give from both now
Was deine Weisheit will, wozu dich dein Erbarmen angetrieben.	Whate'er thy wisdom will, wherever thy great mercy thee hath prompted.

Alt, Bc.
14 Takte, a-Moll – e-Moll, 4/4 Takt

4. Aria
(Kraus)

	4. Aria (T)

Woferne du den edlen Frieden	For just as thou hast noble concord
Für unsern Leib und Stand beschieden,	To this our flesh and state allotted,
So laß der Seele doch dein selig machend Wort.	So grant my soul as well thy gracious, healing word.
Wenn uns dies Heil begegnet,	If us this health befalleth,
So sind wir hier gesegnet	We shall be here most blessèd
Und Auserwählte dort!	And thine elected there!

Tenor, Violoncello piccolo, Bc.
86 Takte, a-Moll, 4/4 Takt

5. Recitativo e Coro
(Nimsgern, Gächinger Kantorei Stuttgart)

Doch weil der Feind bei Tag und Nacht
Zu unserm Schaden wacht
Und unsre Ruhe will verstören,
So wollest du, o Herre Gott, erhören,
Wenn wir in heiliger Gemeine beten:
   Den Satan unter unsre Füße treten.
So bleiben wir zu deinem Ruhm
Dein auserwähltes Eigentum
Und können auch nach Kreuz und Leiden
Zur Herrlichkeit von hinnen scheiden.

Baß, Chor, Bc.
15 Takte, C-Dur, 4/4 Takt

6. Choral
(Gächinger Kantorei Stuttgart)

Dein ist allein die Ehre,
Dein ist allein der Ruhm;
Geduld im Kreuz uns lehre,
Regier all unser Tun,
Bis wir fröhlich abscheiden
Ins ewig Himmelreich,
Zu wahrem Fried und Freude,
Den Heilgen Gottes gleich.
Indes mach's mit uns allen
Nach deinem Wohlgefallen:
Solchs singet heut ohn Scherzen
Die christgläubige Schar
Und wünscht mit Mund und Herzen
Ein seligs neues Jahr.

Chor, 3 Trompeten, Pauken, 3 Oboen, Streicher, Bc.
45 Takte, C-Dur, 4/4 Takt

Ausführende:
Helen Donath, Sopran
Marga Hoeffgen, Alt
Adalbert Kraus, Tenor
Siegmund Nimsgern, Baß
Hermann Sauter, Trompete
Eugen Mayer, Trompete
Heiner Schatz, Trompete
Karl Schad, Pauken
Günther Passin, Oboe
Otto Winter, Oboe
Hanspeter Weber, Oboe
Hedda Rothweiler, Oboe
Kurt Etzold, Fagott
Jürgen Wolf, Violoncello piccolo/Continuocello
Dieter Brachmann, Continuocello
Manfred Gräser, Kontrabaß
Martha Schuster, Cembalo/Orgelpositiv
Gächinger Kantorei Stuttgart
Bach-Collegium Stuttgart
Leitung: Helmuth Rilling

5. Recitative (B) and Chorus (S, A, T, B)

(B)
But since the foe both day and night
To do us harm doth watch
And our tranquillity would ruin,
May it please thee, O Lord our God, to hear us
When we in sacred congregation beg thee:
(S, A, T, B)
   That Satan underneath our feet be trampled.
And we'll forever to thy praise
As thine elect belong to thee
And also after cross and passion
From here depart into great glory.

6. Chorale (S, A, T, B)

Thine is alone the honor,
Thine is alone the praise;
To bear the cross now teach us,
And rule our ev'ry deed,
Till we depart with rapture
To heav'n's eternal realm,
Into true peace and gladness,
The saints of God made like.
With us deal in the meanwhile
According to thy pleasure:
Thus sing today in earnest
The Christ-believing throngs
And wish with voice and spirit
A new and blessèd year.

Aufnahme: Sonopress Tontechnik, Gütersloh
Aufnahmeleitung: Richard Hauck, Wolfram Wehnert
Aufnahmeort: Gedächtniskirche Stuttgart
Aufnahmezeit: März/April 1973
Spieldauer: 29'20"

BWV 42

Serie VIII, Nr. 98.722

Am Abend aber desselbigen Sabbats
Kantate zum Sonntag Quasimodogeniti
für Sopran, Alt, Tenor, Baß, vierstimmigen Chor,
2 Oboen, Fagott, Streicher mit 2 Solo-Violinen und
Generalbaß

1. Sinfonia
(Bach-Collegium Stuttgart)

2 Oboen, Fagott, Streicher, Bc.
138 Takte, D-Dur, 4/4 Takt

1. Sinfonia

2. Recitativo
(Schreier)

Am Abend aber desselbigen Sabbats, da die Jünger versammlet und die Türen verschlossen waren aus Furcht vor den Juden, kam Jesus und trat mitten ein.

Tenor, Bc.
6 Takte, h-Moll, 4/4 Takt

2. Recitative [Dictum] (T)

The evening, though, of the very same Sabbath, the disciples assembled, and the doors had been fastened tightly for fear of the Jews now, when Jesus came and walked among them.

3. Aria
(Hamari)

Wo zwei und drei versammlet sind
In Jesu teurem Namen,
Da stellt sich Jesus mitten ein
Und spricht darzu das Amen.
Denn was aus Lieb und Not geschicht,
Das bricht des Höchsten Ordnung nicht.

Alt, 2 Oboen, Fagott, Streicher, Bc.
118 Takte, G-Dur, 4/4 – 12/8 – 4/4 Takt

3. Aria (A)

Where two and three assembled are
For Jesus' precious name's sake,
There cometh Jesus in their midst
And speaks o'er them his Amen.
For that which love and need have caused
Doth not the Highest's order break.

4. Choral (Duetto)
(Augér, Schreier)

**Verzage nicht, o Häuflein klein,
Obgleich die Feinde willens sein,
Dich gänzlich zu verstören,
Und suchen deinen Untergang,**

4. Chorale (S, T)

**Do not despair, O little flock,
E'en though the foe may well intend
Thee fully to destroy
And seek a way to bring thee down,**

120

Davon dir wird recht angst und bang:
Es wird nicht lange währen.

Wherefore thou shalt know fear and dread:
It shall not long be lasting.

Sopran, Tenor, Fagott, Bc.
70 Takte, h-Moll, 3/4 Takt

5. Recitativo
(Huttenlocher)

Man kann hiervon ein schön Exempel sehen
An dem, was zu Jerusalem geschehen;
Denn da die Jünger sich versammlet hatten
Im finstern Schatten,
Aus Furcht vor denen Juden,
So trat mein Heiland mitten ein,
Zum Zeugnis, daß er seiner Kirche Schutz
                                    will sein.
Drum laßt die Feinde wüten!

5. Recitative (B)

One can from this a fine example summon,
From that which in Jerusalem did happen;
When the disciples had assembled that day
In gloomy shadows
Because they feared the Jews then,
There came my Savior in their midst
To witness that he for his church its shield
                                    would be.
Thus, leave the foe his fury!

Baß, Bc.
11 Takte, G-Dur – a-Moll, 4/4 Takt

6. Aria
(Huttenlocher)

Jesus ist ein Schild der Seinen,
Wenn sie die Verfolgung trifft.
Denen muß die Sonne scheinen
Mit der goldnen Überschrift:
Jesus ist ein Schild der Seinen,
Wenn sie die Verfolgung trifft.

6. Aria (B)

Jesus shall now shield his people
When them persecution strikes.
For their sake the sun must shine forth
With the golden superscript:
Jesus shall now shield his people,
When them persecution strikes.

Baß, 2 Violinen, Bc.
84 Takte, A-Dur, ₵ Takt

7. Choral
(Gächinger Kantorei Stuttgart)

**Verleih uns Frieden gnädiglich,
Herr Gott, zu unsern Zeiten;
Es ist doch ja kein andrer nicht,
Der für uns könnte streiten,
Denn du, unsr Gott, alleine.**

**Gib unsern Fürsten und der Obrigkeit
Fried und gut Regiment,
Daß wir unter ihnen
Ein geruhig und stilles Leben führen mögen
In aller Gottseligkeit und Ehrbarkeit.
Amen.**

7. Chorale (S, A, T, B)

**Now grant us concord graciously,
Lord God, in our own season;
For there indeed no other is
Who for us could do battle
Than thou, our God, thou only.**

**Give to our princes and all magistrates
Peace and good governance,
So that we beneath them
A most peaceful and quiet life may lead forever
In godliest devotion and honesty.
Amen.**

Chor, 2 Oboen, Streicher, Bc.
27 Takte, fis-Moll, 4/4 Takt

Ausführende:
Arleen Augér, Sopran
Julia Hamari, Alt
Peter Schreier, Tenor

Philippe Huttenlocher, Baß
Ingo Goritzki, Oboe
Hedda Rothweiler, Oboe
Klaus Thunemann, Fagott
Rainer Kimstedt, Violine
Yoshiko Nakura Okada, Violine
Johannes Fink, Continuocello
Martin Ostertag, Continuocello
Thomas Lom, Kontrabaß
Hans-Joachim Erhard, Cembalo/Orgelpositiv
Gächinger Kantorei Stuttgart
Bach-Collegium Stuttgart
Leitung: Helmuth Rilling

Aufnahme: Tonstudio Teije van Geest, Heidelberg
Aufnahmeleitung: Richard Hauck
Aufnahmeort: Gedächtniskirche Stuttgart
und Große Aula der Alten Universität Salzburg
Aufnahmezeit: August/Dezember 1980,
Februar/März 1981
Spieldauer: 29'30"

BWV 43

Serie **IX**, Nr. 98.731

Gott fähret auf mit Jauchzen
Kantate zu Himmelfahrt
für Sopran, Alt, Tenor, Baß, vierstimmigen Chor,
3 Trompeten, Pauken, 2 Oboen, Streicher und
Generalbaß

I. Teil

First Part

1. Coro
(Gächinger Kantorei Stuttgart)

1. Chorus [Dictum] (S, A, T, B)

Gott fähret auf mit Jauchzen und der Herr mit heller Posaunen. Lobsinget, lobsinget Gott, lobsinget, lobsinget unserm Könige.

God goeth up with shouting and the Lord with ringing of trumpets. Sing praises, sing praise to God, sing praises, sing praises to our Lord and King.

Chor, 3 Trompeten, Pauken, 2 Oboen, Streicher, Bc.
132 Takte, C-Dur, 4/4 – ₵ Takt

2. Recitativo
(Harder)

2. Recitative (T)

Es will der Höchste sich ein Siegsgepräng
           bereiten,
Da die Gefängnisse er selbst gefangen führt.
Wer jauchzt ihm zu? Wer ist's, der die Posaunen
           rührt?
Wer gehet ihm zur Seiten?
Ist es nicht Gottes Heer,
Das seines Namens Ehr,

Now would the Highest his own vict'ry-song
           make ready,
For he captivity himself hath captive led.
Who haileth him? Who is it who the trumpets
           sound?
Who goeth at his side now?
Is it not God's own host,
Which for his name's great praise,

Heil, Preis, Reich, Kraft und Macht mit lauter
                                    Stimme singet
Und ihm nun ewiglich ein Halleluja bringet.

Tenor, Bc.
12 Takte, a-Moll – G-Dur, 4/4 Takt

3. Aria
(Harder)

Ja tausend mal tausend begleiten den Wagen,
Dem König der Kön'ge lobsingend zu sagen,
Daß Erde und Himmel sich unter ihm schmiegt
Und was er bezwungen, nun gänzlich erliegt.

Tenor, Violinen, Bc.
128 Takte, G-Dur, 3/8 Takt

4. Recitativo
(Augér)

*Und der Herr, nachdem er mit ihnen geredet hatte,
ward er aufgehoben gen Himmel und sitzet zur rechten Hand Gottes.*

Sopran, Bc.
5 Takte, e-Moll, 4/4 Takt

5. Aria
(Augér)

Mein Jesus hat nunmehr
Das Heilandwerk vollendet
Und nimmt die Wiederkehr
Zu dem, der ihn gesendet.
Er schließt der Erde Lauf,
Ihr Himmel, öffnet euch
Und nehmt ihn wieder auf!

Sopran, 2 Oboen, Streicher, Bc.
41 Takte, e-Moll, 4/4 Takt

II. Teil

6. Recitativo
(Huttenlocher)

Es kommt der Helden Held,
Des Satans Fürst und Schrecken,
Der selbst den Tod gefällt,
Getilgt der Sünden Flecken,
Zerstreut der Feinde Hauf;
Ihr Kräfte, eilt herbei
Und holt den Sieger auf.

Baß, Streicher, Bc.
13 Takte, C-Dur, 4/4 Takt

Strength, fame, rule, pow'r and might with open
                                    voices singeth
And him now evermore a hallelujah bringeth.

3. Aria (T)

Yea, thousands on thousands in convoys of
                                    wagons,
The great King of Kings shall sing praises,
                                    proclaiming
That both earth and heaven beneath him now
                                    bend,
And all he hath conquered now fully submits.

4. Recitative (S)

*And the Lord, once that he amongst them had finish-
ed speaking, was there lifted up into heaven and
sitteth at the right hand of God.*

5. Aria (S)

My Jesus hath henceforth
Salvation's work completed
And makes now his return
To that one who had sent him.
He ends his earthly course,
Ye heavens, open wide
And take him once again!

Second Part

6. Recitative (B)

The hero's hero comes,
Who Satan's prince and terror,
Who even death did fell,
Erased the stain of error,
Dispersed the hostile horde;
Ye powers, come with haste
And lift the victor up.

7. Aria
(Huttenlocher)

Er ist's, der ganz allein
Die Kelter hat getreten
Voll Schmerzen, Qual und Pein,
Verlorne zu erretten
Durch einen teuren Kauf.
Ihr Thronen, mühet euch
Und setzt ihm Kränze auf!

Baß, Trompete, Bc.
62 Takte, C-Dur, 4/4 Takt

8. Recitativo
(Hamari)

Der Vater hat ihm ja
Ein ewig Reich bestimmet:
Nun ist die Stunde nah,
Da er die Krone nimmet
Vor tausend Ungemach.
Ich stehe hier am Weg
Und schau ihm freudig nach.

Alt, Bc.
9 Takte, a-Moll, 4/4 Takt

9. Aria
(Hamari)

Ich sehe schon im Geist,
Wie er zu Gottes Rechten
Auf seine Feinde schmeißt,
Zu helfen seinen Knechten
Aus Jammer, Not und Schmach.
Ich stehe hier am Weg
Und schau ihm sehnlich nach.

Alt, 2 Oboen, Bc.
88 Takte, a-Moll, 3/4 Takt

10. Recitativo
(Augér)

Er will mir neben sich
Die Wohnung zubereiten,
Damit ich ewiglich
Ihm stehe an der Seiten,
Befreit von Weh und Ach!
Ich stehe hier am Weg
Und ruf ihm dankbar nach.

Sopran, Bc.
9 Takte, G-Dur – e-Moll, 4/4 Takt

7. Aria (B)

'Tis he who all alone
The winepress hath now trodden
Of torment, pain and woe,
The lost to bring salvation
Through purchase at great price.
Ye thrones now, stir yourselves
And on him laurels set!

8. Recitative (A)

The Father hath him, yea,
A lasting kingdom given:
Now is the hour at hand
When he the crown receiveth
For countless hardship borne.
I stand here by the path
And to him gladly gaze.

9. Aria (A)

I see within my soul
How he at God's right hand now
Doth all his foes strike down
To set free all his servants
From mourning, woe and shame.
I stand here by the path
And on him yearn to gaze.

10. Recitative (S)

He would beside himself
A dwelling for me ready,
In which for evermore
I shall stand close beside him,
Made free of "woe and ah!"
I stand here by the path
And to him grateful call.

11. Choral
(Gächinger Kantorei Stuttgart)

Du Lebensfürst, Herr Jesu Christ,
Der du bist aufgenommen
Gen Himmel, da dein Vater ist
Und die Gemein der Frommen,
Wie soll ich deinen großen Sieg,
Den du durch einen schweren Krieg
Erworben hast, recht preisen
Und dir g'nug Ehr erweisen?

Zieh uns dir nach,so laufen wir,
Gib uns des Glaubens Flügel!
Hilf, daß wir fliehen weit von hier
Auf Israelis Hügel!
Mein Gott! wenn fahr ich doch dahin,
Woselbst ich ewig fröhlich bin?
Wenn werd ich vor dir stehen,
Dein Angesicht zu sehen?

Chor, Trompete, 2 Oboen, Streicher, Bc.
60 Takte, G-Dur, 3/4 Takt

Ausführende:
Arleen Augér, Sopran
Julia Hamari, Alt
Lutz-Michael Harder, Tenor
Philippe Huttenlocher, Baß
Friedemann Immer, Trompete (Satz 7)
Bernhard Schmid, Trompete
Peter Send, Trompete
Roland Burkhardt, Trompete
Norbert Schmitt, Pauken
Fumiaki Miyamoto, Oboe
Diethelm Jonas, Oboe
Hedda Rothweiler, Oboe
Kurt Etzold, Fagott
Walter Forchert, Konzertmeister
Barbara Haupt-Brauckmann, Continuocello
Harro Bertz, Kontrabaß
Hans-Joachim Erhard, Cembalo/Orgelpositiv
Gächinger Kantorei Stuttgart
Bach-Collegium Stuttgart
Leitung: Helmuth Rilling

Aufnahme: Tonstudio Teije van Geest, Heidelberg
Aufnahmeleitung: Richard Hauck
Aufnahmeort: Gedächtniskirche Stuttgart
Aufnahmezeit: November 1981, Oktober 1982
Spieldauer: 23'05"

11. Chorale (S, A, T, B)

Thou Prince of life, Lord Jesus Christ,
Thou who art taken up now
To heaven, where thy Father is
And all the faithful people,
How shall I thy great victory,
Which thou through a most grievous strife
Hast merited, praise rightly
And thy full honor pay thee?

Draw us to thee and we shall run,
Give us of faith the pinions!
Help us our flight from here to make
To Israel's true mountains!
My God! When shall I then depart
To where I'll ever happy dwell?
When shall I stand before thee,
Thy countenance to witness?

BWV 44

Sie werden euch in den Bann tun
Kantate zum Sonntag Exaudi
für Sopran, Alt, Tenor, Baß, vierstimmigen Chor,
2 Oboen, Streicher und Generalbaß

Serie **VI**, Nr. 98.705

1. Aria (Duetto)
(Baldin, Schöne)

Sie werden euch in den Bann tun.

Tenor, Baß, 2 Oboen, Bc.
87 Takte, g-Moll, 3/4 Takt

1. Aria [Dictum] (T, B)

In banishment they will cast you.

2. Coro
(Gächinger Kantorei Stuttgart)

Es kömmt aber die Zeit, daß, wer euch tötet, wird meinen, er tue Gott einen Dienst daran.

Chor, Gesamtinstrumentarium
35 Takte, g-Moll, ₵ Takt

2. Chorus [Dictum] (S, A, T, B)

There cometh, yea, the time when he who slays you will think that he doeth God a good deed in this.

3. Aria
(Watts)

Christen müssen auf der Erden
Christi wahre Jünger sein.
　Auf sie warten alle Stunden,
　Bis sie selig überwunden,
　Marter, Bann und schwere Pein.

Alt, Oboe, Bc.
125 Takte, c-Moll, 3/4 Takt

3. Aria (A)

Christians must, while on earth dwelling,
Christ's own true disciples be.
　On them waiteth ev'ry hour
　Till they blissfully have conquered
　Torment, ban and grievous pain.

4. Choral
(Baldin)

Ach Gott, wie manches Herzeleid
Begegnet mir zu dieser Zeit.
Der schmale Weg ist trübsalvoll,
Den ich zum Himmel wandern soll.

Tenor, Bc.
19 Takte, Es-Dur, 4/4 Takt

4. Chorale (T)

Ah God, how oft a heartfelt grief
Confronteth me within these days.
The narrow path is sorrow-filled
Which I to heaven travel must.

5. Recitativo
(Schöne)

Es sucht der Antichrist,
Das große Ungeheuer,
Mit Schwert und Feuer
Die Glieder Christi zu verfolgen,
Weil ihre Lehre ihm zuwider ist.
Er bildet sich dabei wohl ein,
Es müsse sein Tun Gott gefällig sein.
Allein, es gleichen Christen denen Palmen-
　　　　　　　　　　　　　　　　zweigen,
Die durch die Last nur desto höher steigen.

Baß, Bc.
12 Takte, g-Moll – d-Moll, 4/4 Takt

5. Recitative (B)

Now doth the Antichrist,
That huge and mighty monster,
With sword and fire
Hound Christ's own members with oppression,
Since what they teach to him is odious.
He is, indeed, meanwhile convinced
That all his actions God's approval have.
But yet, the Christians are so like the palm tree
　　　　　　　　　　　　　　　　branches,
Which through their weight just all the higher
　　　　　　　　　　　　　　　　tower.

6. Aria
(Augér)

Es ist und bleibt der Christen Trost,
Daß Gott vor seine Kirche wacht.
  Denn wenn sich gleich die Wetter türmen,
  So hat doch nach den Trübsalstürmen
  Die Freudensonne bald gelacht.

Sopran, Gesamtinstrumentarium
87 Takte, B-Dur, 4/4 Takt

6. Aria (S)

It is and bides the Christians' hope
That God o'er this his church doth watch.
  For when so quick the tempests tower,
  Yet after all the storms of sorrow
  The sun of gladness soon doth laugh.

7. Choral
(Gächinger Kantorei Stuttgart)

So sei nun, Seele, deine
Und traue dem alleine,
Der dich erschaffen hat.
Es gehe, wie es gehe,
Dein Vater in der Höhe,
Der weiß zu allen Sachen Rat.

Chor, Gesamtinstrumentarium
12 Takte, B-Dur, 4/4 Takt

7. Chorale (S, A, T, B)

Thyself be true, O spirit,
And trust in him alone now
Who hath created thee.
Let happen what may happen,
Thy Father there in heaven
Doth counsel in all matters well.

Ausführende:
Arleen Augér, Sopran
Helen Watts, Alt
Aldo Baldin, Tenor
Wolfgang Schöne, Baß
Günther Passin, Oboe
Hedda Rothweiler, Oboe
Kurt Etzold, Fagott
Klaus-Peter Hahn, Continuocello
Thomas Lom, Kontrabaß
Hans-Joachim Erhard, Cembalo/Orgelpositiv
Gächinger Kantorei Stuttgart
Bach-Collegium Stuttgart
Leitung: Helmuth Rilling

Aufnahme: Tonstudio Teije van Geest, Heidelberg
Aufnahmeleitung: Richard Hauck
Aufnahmeort: Gedächtniskirche Stuttgart
Aufnahmezeit: Februar 1979
Spieldauer: 17'00"

BWV 45

Serie **IX**, Nr. 98.734

Es ist dir gesagt, Mensch, was gut ist
Kantate zum 8. Sonntag nach Trinitatis
für Alt, Tenor, Baß, vierstimmigen Chor, 2 Flöten,
Oboen, Streicher und Generalbaß

I. Teil

1. Coro
(Gächinger Kantorei Stuttgart)

Es ist dir gesagt, Mensch, was gut ist und was der Herr von dir fordert, nämlich: Gottes Wort halten und Liebe üben und demütig sein vor deinem Gott.

Chor, 2 Flöten, 2 Oboen, Streicher, Bc.
228 Takte, E-Dur, ₵ Takt

2. Recitativo
(Baldin)

Der Höchste läßt mich seinen Willen wissen
Und was ihm wohlgefällt;
Er hat sein Wort zur Richtschnur dargestellt,
Wornach mein Fuß soll sein geflissen
Allzeit einherzugehn
Mit Furcht, mit Demut und mit Liebe
Als Proben des Gehorsams, den ich übe,
Um als ein treuer Knecht dereinsten zu bestehn.

Tenor, Bc.
12 Takte, H-Dur – gis-Moll, 4/4 Takt

3. Aria
(Baldin)

Weiß ich Gottes Rechte,
Was ist's, das mir helfen kann,
Wenn er mir als seinem Knechte
Fordert scharfe Rechnung an.
Seele, denke dich zu retten,
Auf Gehorsam folget Lohn;
Qual und Hohn
Drohet deinem Übertreten!

Tenor, Streicher, Bc.
166 Takte, cis-Moll, 3/8 Takt

II. Teil

4. Arioso
(Huttenlocher)

Es werden viele zu mir sagen an jenem Tage: Herr, Herr, haben wir nicht in deinem Namen geweissaget, haben wir nicht in deinem Namen Teufel ausgetrieben, haben wir nicht in deinem Namen viel Taten getan? Denn werde ich ihnen bekennen: Ich habe euch noch nie erkannt, weichet alle von mir, ihr Übeltäter!

Baß, Streicher, Bc.
69 Takte, A-Dur, 4/4 Takt

First Part

1. Chorus [Dictum] (S, A, T, B)

It hath thee been told, Man, what is good and what the Lord of thee asketh, namely: God's word to hold fast and love to practise, to be humble before this thy God.

2. Recitative (T)

The Highest lets me know his will and purpose
And what him pleaseth well;
His word he gave to be a guide for life,
By which my foot shall be most careful
At all times to proceed
With fear, with rev'rence and with love now
As tests of the obedience which I practise,
That I his servant true in days to come be proved.

3. Aria (T)

I know God's true justice,
What it is which me can help
When from me as his own servant
He demands strict reckoning.
Spirit, ponder thy salvation,
To obedience comes reward;
Pain and scorn
Threaten thee in thy transgression!

Second Part

4. Arioso [Dictum] (B)

There will be many who will say unto me on that day: Lord, Lord, have we then not in thine own name been prophesying, have we then not in thine own name been exorcising devils, have we then not in thine own name performed many labors? Then unto them all shall I say this: I recognize not one of you, get ye all hence from me, ye evildoers.

5. Aria
(Hamari)

Wer Gott bekennt
aus wahrem Herzensgrund,
Den will er auch bekennen.
 Denn der muß ewig brennen,
 Der einzig mit dem Mund
 Ihn Herren nennt.

Alt, Flöte, Bc.
67 Takte, fis-Moll, 4/4 Takt

5. Aria (A)

Who God doth own
With honest heart's intent
Will he in turn acknowledge.
 For he shall burn forever
 Who merely with the mouth
 Doth call him Lord.

6. Recitativo
(Hamari)

So wird denn Herz und Mund selbst von mir
Richter sein,
Und Gott will mir den Lohn nach meinem Sinn
erteilen:
Trifft nun mein Wandel nicht nach seinen
Worten ein,
Wer will hernach der Seelen Schaden heilen?
Was mach ich mir denn selber Hindernis?
Des Herren Wille muß geschehen,
Doch ist sein Beistand auch gewiß,
Daß er sein Werk durch mich mög wohl
vollendet sehen.

Alt, Bc.
13 Takte, E-Dur, 4/4 Takt

6. Recitative (A)

Thus will the heart and mouth themselves my
judges be,
And God will the reward which I have sought
allot me:
Should now my conduct his commandments not
fulfill,
Who would thereafter heal my soul's
misfortune?
Why do I make mine own impediment?
The Lord's desire must be fulfilled,
But his support is also sure,
That he his work through me might see in
full accomplished.

7. Choral
(Gächinger Kantorei Stuttgart)

Gib, daß ich tu mit Fleiß,
Was mir zu tun gebühret,
Worzu mich dein Befehl
In meinem Stande führet!
Gib, daß ich's tue bald,
Zu der Zeit, da ich soll;
Und wenn ich's tu, so gib,
Daß es gerate wohl!

Chor, Gesamtinstrumentarium
16 Takte, E-Dur, 4/4 Takt

7. Chorale (S, A, T, B)

Grant that I do with care
What I to do am given,
To that which thy command
Me in my station leadeth!
Grant that I do it quick,
Just at the time I ought;
And when I do, then grant
That it may prosper well!

Ausführende:
Julia Hamari, Alt
Aldo Baldin, Tenor
Philippe Huttenlocher, Baß
Sibylle Keller-Sanwald, Flöte
Günther Passin, Oboe
Nora-Gudrun Spitz, Oboe
Kurt Etzold, Fagott
Walter Forchert, Konzertmeister
Helmut Veihelmann, Continuocello

Harro Bertz, Kontrabaß
Hans-Joachim Erhard, Cembalo/Orgelpositiv
Gächinger Kantorei Stuttgart
Bach-Collegium Stuttgart
Leitung: Helmuth Rilling

Aufnahme: Tonstudio Teije van Geest, Heidelberg
Aufnahmeleitung: Richard Hauck
Aufnahmeort: Gedächtniskirche Stuttgart
Aufnahmezeit: Februar 1982
Spieldauer: 21'00"

BWV 46

Serie V, Nr. 98.694

Schauet doch und sehet, ob irgendein Schmerz sei
Kantate zum 10. Sonntag nach Trinitatis
für Alt, Tenor, Baß, vierstimmigen Chor,
Trompete, 2 Blockflöten, Oboe, 2 Oboi da caccia,
Streicher und Generalbaß

1. Coro
(Gächinger Kantorei Stuttgart)

*Schauet doch und sehet, ob irgendein Schmerz sei wie
mein Schmerz, der mich troffen hat. Denn der Herr
hat mich voll Jammers gemacht am Tage seines grim-
migen Zorns.*

Chor, Gesamtinstrumentarium
142 Takte, d-Moll, 3/4 Takt

1. Chorus [Dictum] (S, A, T, B)

*Look indeed and see then if there be a grief like to my
grief which hath stricken me. For the Lord hath me
with sorrow made full on that day of his furious
wrath.*

2. Recitativo
(Kraus)

So klage du, zerstörte Gottesstadt,
Du armer Stein- und Aschenhaufen!
Laß ganze Bäche Tränen laufen,
Weil dich betroffen hat
Ein unersetzlicher Verlust
Der allerhöchsten Huld,
So du entbehren mußt
Durch deine Schuld.
Du wurdest wie Gomorra zugerichtet,
Wiewohl nicht gar vernichtet.
O besser! wärest du in Grund verstört,
Als daß man Christi Feind jetzt in dir lästern hört.
Du achtest Jesu Tränen nicht,
So achte nun des Eifers Wasserwogen,
Die du selbst über dich gezogen,
Da Gott, nach viel Geduld,
Den Stab zum Urteil bricht.

Tenor, 2 Blockflöten, Streicher, Bc.
20 Takte, g-Moll, 4/4 Takt

2. Recitative (T)

Then cry aloud, thou fallen town of God,
Thou wretched heap of stone and ashes!
Let brimming streams of tears be flowing,
For thee hath stricken now
An irreplaceable loss
Of that most precious grace
Which thou must do without
Through thine own fault.
Thou wast just like Gomorrah sternly dealt with,
Albeit not destroyed.
Oh, better hadst thou been leveled low
Than that the foe of Christ should blaspheme
                                    now in thee.
Though thou wouldst Jesus' tears not heed,
Yet heed thou still the tidal wave of passion
Which thou upon thyself dost summon,
For God, who long forbears,
The rod of judgment wields.

3. Aria
(Schöne)

Dein Wetter zog sich auf von weiten,
Doch dessen Strahl bricht endlich ein
    Und muß dir unerträglich sein,
    Da überhäufte Sünden
    Der Rache Blitz entzünden
Und dir den Untergang bereiten.

Baß, Trompete, Streicher, Bc.
110 Takte, B-Dur, 3/4 Takt

4. Recitativo
(Watts)

Doch bildet euch, o Sünder, ja nicht ein,
Es sei Jerusalem allein
Vor andern Sünden voll gewesen!
Man kann bereits von euch dies Urteil lesen:
Weil ihr euch nicht bessert
Und täglich die Sünden vergrößert,
So müsset ihr alle so schrecklich umkommen.

Alt, Bc.
10 Takte, F-Dur – c-Moll, 4/4 Takt

5. Aria
(Watts)

Doch Jesus will auch bei der Strafe
Der Frommen Schild und Beistand sein,
Er sammelt sie als seine Schafe,
Als seine Küchlein liebreich ein;
Wenn Wetter der Rache die Sünder belohnen,
Hilft er, daß Fromme sicher wohnen.

Alt, 2 Blockflöten, Oboe da caccia
63 Takte, g-Moll, 4/4 Takt

6. Choral
(Gächinger Kantorei Stuttgart)

O großer Gott von Treu,
Weil vor dir niemand gilt
Als dein Sohn Jesus Christ,
Der deinen Zorn gestillt,
So sieh doch an die Wunden sein,
Sein Marter, Angst und schwere Pein;
Um seinetwillen schone,
Uns nicht nach Sünden lohne.

Chor, Trompete, 2 Blockflöten, Oboe, Oboe da caccia,
Streicher, Bc.
21 Takte, g-Moll – d-Moll, 4/4 Takt

3. Aria (B)

Thy tempest gathered from great distance,
But now its fires at last break loose
    And must thee surely overwhelm,
    For surfeit of transgression
    Shall lightning's wrath enkindle
And send its certain doom upon thee.

4. Recitative (A)

And yet thou must, O sinner, not suppose
That now Jerusalem alone
Is more than others filled with error!
To you already one may read this judgment:
Since ye shun amendment
And daily your sins are increasing,
Ye shall ev'ry one meet that dreadful
                         destruction.

5. Aria (A)

Yet Jesus shall e'en midst the judgment
The righteous' shield and helper be,
He gathers them as his own sheep now,
As his own chicks, so dear, to him.
When tempests of vengeance are sinners
                         rewarding,
He helps the righteous dwell securely.

6. Chorale (S, A, T, B)

O faithful God, so great,
Before thee none hath weight
But thy Son Jesus Christ,
Who thy great wrath hath stilled;
So gaze upon those wounds of his,
His torment, fear and grievous pain;
And for his sake protect us,
Nor for our sins repay us.

Ausführende:
Helen Watts, Alt
Adalbert Kraus, Tenor
Wolfgang Schöne, Baß
Rob Roy McGregor, Trompete
Hartmut Strebel, Blockflöte
Barbara Schlenker, Blockflöte
Hedda Rothweiler, Oboe/Oboe da caccia
Dietmar Keller, Oboe da caccia
Jürgen Wolf, Continuocello
Thomas Lom, Kontrabaß
Hans-Joachim Erhard, Orgelpositiv
Gächinger Kantorei Stuttgart
Bach-Collegium Stuttgart
Leitung: Helmuth Rilling

Aufnahme: Südwest-Tonstudio, Stuttgart
Aufnahmeleitung: Richard Hauck
Toningenieur: Henno Quasthoff
Aufnahmeort: Gedächtniskirche Stuttgart
Aufnahmezeit: September/Dezember 1977,
Januar 1978
Spieldauer: 18'45"

BWV 47

Serie **IX,** Nr. 98.735

Wer sich selbst erhöhet, der soll erniedriget werden
Kantate zum 17. Sonntag nach Trinitatis
(Text: J. Fr. Helbig)
für Sopran, Baß, vierstimmigen Chor, obligate Orgel,
2 Oboen, Streicher mit Solo-Violine und Generalbaß

1. Coro
(Gächinger Kantorei Stuttgart)

*Wer sich selbst erhöhet, der soll erniedriget werden,
und wer sich selbst erniedriget, der soll erhöhet werden.*

Chor, 2 Oboen, Streicher, Bc.
228 Takte, g-Moll, ₵ Takt

1. Chorus [Dictum] (S, A, T, B)

*Who himself exalteth, he shall be made to be hum-
ble, and who doth make himself humble, he shall be
made exalted.*

2. Aria
(Augér)

Wer ein wahrer Christ will heißen,
Muß der Demut sich befleißen;
Demut stammt aus Jesu Reich.
  Hoffart ist dem Teufel gleich;
  Gott pflegt alle die zu hassen,
  So den Stolz nicht fahrenlassen.

Sopran, Orgel, Bc.
289 Takte, d-Moll, 3/8 Takt

2. Aria (S)

He who would be called true Christian
Must to meekness give much practice;
  Meekness comes from Jesus' realm.
  Haughty pride is devil's fare,
  God treats all those with his hatred
  Who their pride do not abandon.

3. Recitativo
(Huttenlocher)

Der Mensch ist Kot, Stank, Asch und Erde;
Ist's möglich, daß vom Übermut,
Als einer Teufelsbrut,
Er noch bezaubert werde?
Ach Jesus, Gottes Sohn,
Der Schöpfer aller Dinge,
Ward unsertwegen niedrig und geringe,
Er duldte Schmach und Hohn;
Und du, du armer Wurm, suchst dich zu
                  brüsten?
Gehört sich das vor einen Christen?
Geh, schäme dich, du stolze Kreatur,
Tu Buß und folge Christi Spur;
Wirf dich vor Gott im Geiste gläubig nieder!
Zu seiner Zeit erhöht er dich auch wieder.

Baß, Streicher, Bc.
20 Takte, g-Moll – Es-Dur, 4/4 Takt

3. Recitative (B)

Mankind is dirt, stench, earth and ashes;
How could it be by arrogance,
Born of the devil's brood,
Still yet so fascinated?
Ah, Jesus, God's own Son,
Creator of all nature,
Became for our sake humble and most lowly,
Enduring spite and scorn;
And thou, thou wretched worm, wouldst thou
                  be boastful?
Beseemeth such as this a Christian?
Go, shame thyself, thou prideful creature man,
Repent and follow Christ's own path;
Prostrate thyself to God with faithful spirit!
In his own time he shall again exalt thee.

4. Aria
(Huttenlocher)

Jesu, beuge doch mein Herze
Unter deine starke Hand,
Daß ich nicht mein Heil verscherze
Wie der erste Höllenbrand.
Laß mich deine Demut suchen
Und den Hochmut ganz verfluchen;
Gib mir einen niedern Sinn,
Daß ich dir gefällig bin!

Baß, Oboe, Violine, Bc.
79 Takte, Es-Dur, 4/4 Takt

4. Aria (B)

Jesus, humble yet my spirit
Under thy most mighty hand,
That I not salvation forfeit
As a foretaste of hell's fire.
Let me thine own meekness follow
And on pride set condemnation;
Give to me a humble heart,
That I may thy favor find!

5. Choral
(Gächinger Kantorei Stuttgart)

Der zeitlichen Ehrn will ich gern entbehrn,
Du wollst mir nur das Ewge gewähren,
Das du erworben hast
Durch deinen herben, bittern Tod.
Das bitt ich dich, mein Herr und Gott.

Chor, Gesamtinstrumentarium
10 Takte, g-Moll, 4/4 Takt

5. Chorale (S, A, T, B)

All temporal praise would I glad forsake
If thou me but eternity give,
Which thou hast won for us
Through thine own painful, bitter death.
This do I ask, my Lord and God.

Ausführende:
Arleen Augér, Sopran
Philippe Huttenlocher, Baß
Günther Passin, Oboe
Nora-Gudrun Spitz, Oboe
Kurt Etzold, Fagott
Walter Forchert, Violine
Helmut Veihelmann, Continuocello
Thomas Lom, Kontrabaß

Hans-Joachim Erhard, Orgel/Orgelpositiv
Martha Schuster, Cembalo
Gächinger Kantorei Stuttgart
Bach-Collegium Stuttgart
Leitung: Helmuth Rilling

Aufnahme: Tonstudio Teije van Geest, Heidelberg
Aufnahmeleitung: Richard Hauck
Aufnahmeort: Gedächtniskirche Stuttgart
Aufnahmezeit: Februar/Oktober 1982
Spieldauer: 23'35"

BWV 48

Serie **II**, Nr. 98.669

Ich elender Mensch,
wer wird mich erlösen
Kantate zum 19. Sonntag nach Trinitatis
für Alt, Tenor, vierstimmigen Chor, Trompete,
Oboe, Streicher und Generalbaß

1. Coro con Choral
(Gächinger Kantorei Stuttgart)

*Ich elender Mensch, wer wird mich erlösen vom Leibe
dieses Todes?*

Chor, Trompete, Oboe, Streicher, Bc.
138 Takte, g-Moll, 3/4 Takt

1. Chorus [Dictum] with instr. chorale

*A poor man am I, who will set me free from the body
of this dying?*

2. Recitativo
(Hoeffgen)

O Schmerz, o Elend, so mich trifft,
Indem der Sünden Gift
Bei mir in Brust und Adern wütet:
Die Welt wird mir ein Siech- und Sterbehaus,
Der Leib muß seine Plagen
Bis zu dem Grabe mit sich tragen.
Allein die Seele fühlet den stärksten Gift,
Damit sie angestecket;
Drum, wenn der Schmerz den Leib des Todes
trifft,
Wenn ihr der Kreuzkelch bitter schmecket,
So treibt er ihr ein brünstig Seufzen aus.

Alt, Streicher, Bc.
16 Takte, Es-Dur – B-Dur, 4/4 Takt

2. Recitative (A)

Such pain, such sorrow strike at me
While poison born of sin
Within my breast and veins is raging:
My world a house of death and sickness is,
My flesh must all its torments
Into the very grave bear with it.
But yet the soul perceiveth the poison most
With which it is infected;
Thus, when by pain the flesh of death is struck
And soul tastes cross's bitter chalice,
That cup doth force from it a fervent sigh.

3. Choral
(Gächinger Kantorei Stuttgart)

Soll's ja so sein,
Daß Straf und Pein

3. Chorale (S, A, T, B)

If it need be
That judgment's pain

Auf Sünde folgen müssen,
So fahr hier fort
Und schone dort
Und laß mich hier wohl büßen.

Chor, Trompete, Oboe, Streicher, Bc.
10 Takte, B-Dur, 4/4 Takt

4. Aria
(Hoeffgen)

Ach, lege das Sodom der sündlichen Glieder,
Wofern es dein Wille, zerstöret darnieder!
Nur schone der Seele und mache sie rein,
Um vor dir ein heiliges Zion zu sein.

Alt, Oboe, Bc.
95 Takte, Es-Dur, 3/8 Takt

5. Recitativo
(Baldin)

Hier aber tut des Heilands Hand
Auch unter denen Toten Wunder.
Scheint deine Seele gleich erstorben,
Der Leib geschwächt und ganz verdorben,
Doch wird uns Jesu Kraft bekannt:
Er weiß im geistlich Schwachen
Den Leib gesund, die Seele stark zu machen.

Tenor, Bc.
9 Takte, B-Dur, 4/4 Takt

6. Aria
(Baldin)

Vergibt mir Jesus meine Sünden,
So wird mir Leib und Seel gesund.
Er kann die Toten lebend machen
Und zeigt sich kräftig in den Schwachen,
Er hält den längst geschloßnen Bund,
daß wir im Glauben Hilfe finden.

Tenor, Streicher, Bc.
124 Takte, g-Moll, 3/4 Takt

7. Choral
(Gächinger Kantorei Stuttgart)

Herr Jesu Christ, einiger Trost,
Zu dir will ich mich wenden;
Mein Herzleid ist dir wohl bewußt,
Du kannst und wirst es enden.
In deinen Willen sei's gestellt,
Mach's, lieber Gott, wie dir's gefällt:
Dein bin und will ich bleiben.

Chor, Trompete, Oboe, Streicher, Bc.
15 Takte, g-Moll, 4/4 Takt

4. Aria (A)

Ah, put off that Sodom from my sinful members,
Whenever thy purpose it bringeth to ruin!
Refine, though, my soul now and render it pure,
Before thee a hallowèd Zion to be.

5. Recitative (T)

But here doth work the Savior's hand
Amidst the very dead its wonders.
If thy soul nigh to death appeareth,
Thy body weak and fully broken,
Yet we shall Jesus' power know:
He can the weak in spirit,
The body sound, the soul robust yet render.

6. Aria (T)

Forgive me Jesus my transgressions,
So shall my flesh and soul be well.
He can the dead to life awaken
And shows his power in our weakness,
He keeps the long contracted bond,
That we in faith shall find salvation.

7. Chorale (S, A, T, B)

Lord Jesus Christ, my only help,
In thee will I take refuge;
My heart's distress is thee well known,
Thou canst and wilt dispel it.
Upon thy will let all depend,
Deal, O my God, as thou dost please:
Thine am I now and ever.

Ausführende:
Marga Hoeffgen, Alt
Aldo Baldin, Tenor
Günther Passin, Oboe
Otto Winter, Oboe
Kurt Etzold, Fagott
Jürgen Wolf, Continuocello
Manfred Gräser, Kontrabaß
Martha Schuster, Cembalo/Orgelpositiv
Gächinger Kantorei Stuttgart
Bach-Collegium Stuttgart
Leitung: Helmuth Rilling

Aufnahme: Sonopress Tontechnik, Gütersloh
Aufnahmeleitung: Richard Hauck, Wolfram
Wehnert
Aufnahmeort: Gedächtniskirche Stuttgart
Aufnahmezeit: März/April 1973
Spieldauer: 15'05"

BWV 49

Serie **IX**, Nr. 98.737

Ich geh und suche mit Verlangen
Kantate zum 20. Sonntag nach Trinitatis
für Sopran, Baß, obligate Orgel, Oboe d'amore,
Streicher mit Violincello piccolo und Generalbaß

1. Sinfonia
(Schuster, Bach-Collegium Stuttgart)

Orgel, Oboe d'amore, Streicher, Bc.
393 Takte, E-Dur, 3/8 Takt

1. Sinfonia

2. Aria
(Huttenlocher)

Ich geh und suche mit Verlangen
Dich, meine Taube, schönste Braut.
  Sag an, wo bist du hingegangen,
  Daß dich mein Auge nicht mehr schaut?

Baß, Orgel, Bc.
196 Takte, cis-Moll, 3/8 Takt

2. Aria (B)

I go and search for thee with longing,
Thee, O my doveling, fairest bride.
  Tell me, where art thou left and gone now
  That thee my eye no more can find?

3. Recitativo (Dialogo)
(Augér, Huttenlocher)

         (Jesus, Seele)
Baß
Mein Mahl ist zubereit'
Und meine Hochzeittafel fertig,
Nur meine Braut ist noch nicht gegenwärtig.

3. Recitative and Arioso (B, S)

(Jesus)
My feast is now prepared,
And this my marriage table ready,
But still my bride is not yet in attendance.

136

Sopran
Mein Jesus redt von mir;
O Stimme, welche mich erfreut!
Baß
Ich geh und suche mit Verlangen
Dich, meine Taube, schönste Braut.
Sopran
Mein Bräutigam, ich falle dir zu Füßen.
Baß
Sopran
Komm, Schönste, komm und laß dich küssen,
        Schönster,
Du sollst mein
            fettes Mahl genießen
Laß mich dein

Komm, liebe Braut, und
                    eile nun,
Mein Bräutigam! ich
beide
Die Hochzeitkleider anzutun.

Sopran, Baß, Streicher, Bc.
62 Takte, A-Dur, 4/4 – 3/8 Takt

(Soul)
My Jesus speaks of me;
O voice that maketh me so glad!
(Jesus)
I go and seek for thee with longing,
Thee, O my doveling, fairest bride.
(Soul)
My bridegroom dear, I fall before thy feet now.
(Jesus, Soul)
Come, fairest, come and let me kiss thee,
Thou shalt my
            sumptuous meal enjoy now.
Let me thy
Come, O my bride, and
                    hasten now,
My bridegroom dear, I
The wedding raiment to put on.

4. Aria
(Augér)

Ich bin herrlich, ich bin schön,
Meinen Heiland zu entzünden.
    Seines Heils Gerechtigkeit
    Ist mein Schmuck und Ehrenkleid;
    Und damit will ich bestehn,
    Wenn ich werd in'n Himmel gehn.

Sopran, Oboe d'amore, Violoncello piccolo, Bc.
88 Takte, A-Dur, 4/4 Takt

4. Aria (S)

I am glorious, I am fair,
And my Savior I've impassioned.
    His salvations's righteouess
    Is my cloak of honor bright;
    And in it will I be dressed
    When I unto heaven go.

5. Recitativo (Dialogo)
(Augér, Huttenlocher)
                        (Seele, Jesus)
Sopran
Mein Glaube hat mich selbst so angezogen.
Baß
So bleibt mein Herze dir gewogen,
So will ich mich mit dir
In Ewigkeit vertrauen und verloben.
Sopran
Wie wohl ist mir!
Der Himmel ist mir aufgehoben:
Die Majestät ruft selbst und sendet ihre
                                Knechte,
Daß das gefallene Geschlechte
Im Himmelssaal
Bei dem Erlösungsmahl
Zu Gaste möge sein,
Hier komm ich, Jesu, laß mich ein!
Baß
Sei bis in Tod getreu,
So leg ich dir die Lebenskrone bei.

Sopran, Baß, Bc.
18 Takte, fis-Moll – E-Dur, 4/4 Takt

5. Recitative (S, B)

(Soul)
My faith now holds me with such deep emotion.
(Jesus)
As to thee bides my heart's devotion,
So will I plight to thee
For evermore my troth and pledge of marriage.
(Soul)
How well for me!
For heaven is to me provided:
Its majesty doth call and sends its very servants
So that the fallen generations
To heaven's hall
At our salvation's meal
As guests may come to dine,
I'm here now, Jesus, let me in!
(Jesus)
So keep till death thy faith,
And I'll to thee the crown of life bequeath.

6. Aria con Choral
(Augér, Huttenlocher)

(Jesus, Seele)
Dich hab ich je und je geliebet,
Wie bin ich doch so herzlich froh,
Daß mein Schatz ist das A und O,
Der Anfang und das Ende.
Und darum zieh ich dich zu mir.
Er wird mich doch zu seinem Preis
Aufnehmen in das Paradeis;
Des klopf ich in die Hände.
Ich komme bald,
Amen! Amen!
Ich stehe vor der Tür,
Komm, du schöne Freudenkrone, bleib nicht
lange!

Mach auf, mein Aufenthalt!
Deiner wart ich mit Verlangen.
Dich hab ich je und je geliebet,
Und darum zieh ich dich zu mir.

Sopran, Baß, Orgel, Oboe d'amore, Streicher, Bc.
177 Takte, E-Dur, 2/4 Takt

Ausführende:
Arleen Augér, Sopran
Philippe Huttenlocher, Baß
Martha Schuster, Orgel
Günther Passin, Oboe d'amore
Günther Pfitzenmaier, Fagott
Otto Armin, Konzertmeister
Siegfried Pank, Violoncello piccolo
Ansgar Schneider, Violoncello
Harro Bertz, Kontrabaß
Martha Schuster, Orgelpositiv
Hans-Joachim Erhard, Cembalo
Bach-Collegium Stuttgart
Leitung: Helmuth Rilling

Aufnahme: Tonstudio Teije van Geest, Heidelberg
Aufnahmeleitung: Richard Hauck
Aufnahmeort: Gedächtniskirche Stuttgart
Aufnahmezeit: Oktober 1982
Spieldauer: 25'50"

6. Aria (B) and Chorale(S)

(Jesus, Soul)
Thee have I loved with love eternal,
How am I now so truly glad
My treasure is the A and O,
Beginning and the ending.
And therefore draw thee unto me.
He'll me, indeed, to his great praise
Receive into his paradise;
For this I'll clap my hands now.
I'm coming soon,
Amen! Amen!
I stand before the door,
Come, thou lovely crown of gladness, do not
tarry.

Unlock it, mine abode!
I await thee with great longing.
Thee have I loved with love eternal,
And therefore draw thee unto me.

BWV 50

Serie **X**, Nr. 98.749

Nun ist das Heil und die Kraft
Kantate (Fragment) zu Michaelis
– Rekonstruktion von Reinhold Kubik –
für fünfstimmigen Chor (SAATB),
3 Trompeten, Pauken, 2 Oboen, Oboe da caccia,
Streicher und Generalbaß

Coro
(Gächinger Kantorei Stuttgart)

Nun ist das Heil und die Kraft und das Reich und die
Macht unsers Gottes seines Christus worden, weil der
verworfen ist, der sie verklagete Tag und Nacht vor
Gott.

Chor, Gesamtinstrumentarium
136 Takte, D-Dur, 3/4 Takt

Ausführende:
Hannes Läubin, Trompete
Bernhard Läubin, Trompete
Wolfgang Läubin, Trompete
Norbert Schmitt, Pauken
Fabian Menzel, Oboe
Hedda Rothweiler, Oboe
Dietmar Keller, Oboe da caccia
Christoph Carl, Fagott
Georg Egger, Konzertmeister
Stefan Trauer, Violoncello
Claus Zimmermann, Kontrabaß
Hans-Joachim Erhard, Orgel
Gächinger Kantorei Stuttgart
Württembergisches Kammerorchester Heilbronn
Leitung: Helmuth Rilling

Aufnahme: Tonstudio Teije van Geest, Heidelberg
Aufnahmeleitung: Richard Hauck
Aufnahmeort: Gedächtniskirche Stuttgart
Aufnahmezeit: Februar 1984
Spieldauer: 3'35"

Chorus [Dictum] (S, A, T, B)

Now is the health and the strength and the kingdom
and might of our God and of his Christ come to us, for
he is cast down now who was accusing them day and
night by God.

BWV 51

Serie X, Nr. 98.744

Jauchzet Gott in allen Landen
Kantate zum 15. Sonntag nach Trinitatis
(und „ohne Bestimmung")
für Sopran, Trompete, Streicher mit 2 Solo-Violinen
und Generalbaß

1. Aria
(Augér)

Jauchzet Gott in allen Landen!
  Was der Himmel und die Welt
  An Geschöpfen in sich hält,
  Müssen dessen Ruhm erhöhen,
  Und wir wollen unserm Gott
  Gleichfalls itzt ein Opfer bringen,
  Daß er uns in Kreuz und Not
  Allezeit hat beigestanden.

Sopran, Gesamtinstrumentarium
97 Takte, C-Dur, 4/4 Takt

1. Aria (S)

Praise ye God in ev'ry nation!
  All that heaven and the world
  Of created order hold
  Must be now his fame exalting,
  And we would to this our God
  Likewise now present an off'ring
  For that he midst cross and woe
  Always hath stood close beside us.

2. Recitativo
(Augér)

Wir beten zu dem Tempel an,
Da Gottes Ehre wohnet,
Da dessen Treu,
So täglich neu,
Mit lauter Segen lohnet.
Wir preisen, was er an uns hat getan.
Muß gleich der schwache Mund von seinen
                                    Wundern lallen,
So kann ein schlechtes Lob ihm dennoch
                                    wohlgefallen.

Sopran, Streicher, Bc.
24 Takte, a-Moll, 4/4 Takt

2. Recitative (S)

In prayer we now thy temple face,
Where God's own honor dwelleth,
Where his good faith,
Each day renewed,
The purest bliss dispenseth.
We praise him for what he for us hath done.
Although our feeble voice before his wonders
                                    stammers,
Perhaps e'en modest praise to him will yet bring
                                    pleasure.

3. Aria
(Augér)

Höchster, mache deine Güte
Ferner alle Morgen neu.
    So soll vor die Vatertreu
    Auch ein dankbares Gemüte
    Durch ein frommes Leben weisen,
    Daß wir deine Kinder heißen.

Sopran, Bc.
52 Takte, a-Moll, 12/8 Takt

3. Aria (S)

Highest, make thy gracious goodness
Henceforth ev'ry morning new.
    Thus before thy father's love
    Should as well the grateful spirit
    Through a righteous life show plainly
    That we are thy children truly.

4. Choral
(Augér)

Sei Lob und Preis mit Ehren
Gott Vater, Sohn, Heiligem Geist!
Der woll in uns vermehren,
Was er uns aus Gnaden verheißt,
Daß wir ihm fest vertrauen,
Gänzlich uns lass'n auf ihn,
Von Herzen auf ihn bauen,
Daß uns'r Herz, Mut und Sinn
Ihm festiglich anhangen;
Drauf singen wir zur Stund:
Amen, wir werdn's erlangen,
Glaub'n wir aus Herzensgrund.

Sopran, 2 Violinen, Bc.
117 Takte, C-Dur, 3/4 Takt

4. Chorale (S)

Now laud and praise with honor
God Father, Son, and Holy Ghost!
May he in us make increase
What he us with grace hast pledged,
So that we firmly trust him,
Entirely turn to him,
Make him our true foundation,
That our heart, mind and will
Steadfast to him be cleaving;
To this we sing here now:
Amen, we shall achieve it,
This is our heart's firm faith!

5. Aria
(Augér)

Alleluja!

Sopran, Gesamtinstrumentarium
109 Takte, C-Dur, 2/4 Takt

5. Aria (S)

Alleluia!

Ausführende:
Arleen Augér, Sopran
Hannes Läubin, Trompete
Georg Egger, Violine
Radboud Oomens, Violine
Stefan Trauer, Violoncello
Claus Zimmermann, Kontrabaß
Hans-Joachim Erhard, Cembalo
Württembergisches Kammerorchester Heilbronn
Leitung: Helmuth Rilling

Aufnahme: Tonstudio Teije van Geest, Heidelberg
Aufnahmeleitung: Richard Hauck
Aufnahmeort: Gedächtniskirche Stuttgart
Aufnahmezeit: September 1983
Spieldauer: 17'45"

BWV 52

Serie **IX**, Nr. 98.738

Falsche Welt, dir trau ich nicht
Kantate zum 23. Sonntag nach Trinitatis
für Sopran, vierstimmigen Chor,
2 Hörner, 3 Oboen, Fagott, Streicher mit 2 Solo-Violinen
und Generalbaß

1. Sinfonia
(Bach-Collegium Stuttgart)

2 Hörner, 3 Oboen, Fagott, Streicher, Bc.
84 Takte, F-Dur, 4/4 Takt

1. Sinfonia

2. Recitativo
(Augér)

Falsche Welt, dir trau ich nicht!
Hier muß ich unter Skorpionen
Und unter falschen Schlangen wohnen.
Dein Angesicht,
Das noch so freundlich ist,
Sinnt auf ein heimliches Verderben:
Wenn Joab küßt,
So muß ein frommer Abner sterben.
Die Redlichkeit ist aus der Welt verbannt,
Die Falschheit hat sie fortgetrieben,
Nun ist die Heuchelei
An ihrer Stelle blieben.
Der beste Freund ist ungetreu,
O jämmerlicher Stand!

Sopran, Bc.
14 Takte, d-Moll – a-Moll, 4/4 Takt

2. Recitative (S)

Treach'rous world, I trust thee not!
Here must I in the midst of scorpions
And midst deceitful serpents sojourn.
Thy countenance,
Which, ah, so friendly is,
Now plots in secret a destruction:
At Joab's kiss
Must come a righteous Abner's ruin.
Sincerity is from the world now banned,
Duplicity hath driv'n it from us,
And now hypocrisy
Here in its stead abideth.
The best of friends is found untrue,
O what a wretched state!

3. Aria
(Augér)

Immerhin, immerhin,
Wenn ich gleich verstoßen bin!
  Ist die falsche Welt mein Feind,
  O so bleibt doch Gott mein Freund,
  Der es redlich mit mir meint.

Sopran, 2 Violinen, Bc.
70 Takte, d-Moll, 4/4 Takt

3. Aria (S)

Just the same, just the same,
Though I be expelled with blame,
  Though the false world me offend,
  Oh, yet bideth God my friend,
  Who doth true for me intend.

4. Recitativo
(Augér)

Gott ist getreu!
Er wird, er kann mich nicht verlassen;
Will mich die Welt in ihrer Raserei
In ihre Schlingen fassen,
So steht mir seine Hülfe bei.
Auf seine Freundschaft will ich bauen
Und meine Seele, Geist und Sinn
Und alles, was ich bin,
Ihm anvertrauen.

Sopran, Bc.
13 Takte, B-Dur – F-Dur, 4/4 Takt

4. Recitative (S)

God is e'er true!
He shall, he can me not abandon;
E'en though the world and all its raging seek
Within its coils to seize me,
Yet near to me his help shall stand.
Upon his friendship I will build now
And give my spirit, soul and mind
And ev'rything I am
To him for keeping.

5. Aria
(Augér)

Ich halt es mit dem lieben Gott,
Die Welt mag nur alleine bleiben.
  Gott mit mir, und ich mit Gott,
  Also kann ich selber Spott
  Mit den falschen Zungen treiben.

Sopran, 3 Oboen, Bc.
119 Takte, B-Dur, 3/4 Takt

5. Aria (S)

I'll side with my dear God above,
The world may now alone continue.
  God with me and I with God,
  And I'll myself find scorn
  For the treach'rous tongues about me.

6. Choral
(Gächinger Kantorei Stuttgart)

In dich hab ich gehoffet, Herr,
Hilf, daß ich nicht zuschanden werd,
Noch ewiglich zu Spotte!
Das bitt ich dich,
Erhalte mich
In deiner Treu, Herr Gotte!

Chor, Gesamtinstrumentarium
14 Takte, F-Dur, 4/4 Takt

6. Chorale (S, A, T, B)

In thee I've placed my hope, O Lord,
Help me not be to ruin brought,
Nor evermore derided!
This I pray thee,
Uphold thou me
In thy true love, Almighty!

Ausführende:
Arleen Augér, Sopran
Johannes Ritzkowsky, Horn
Friedhelm Pütz, Horn

Günther Passin, Oboe
Hedda Rothweiler, Oboe
Dietmar Keller, Oboe
Günther Pfitzenmaier, Fagott
Hubert Buchberger, Solo-Violine I
Elisabeth Buchberger, Solo-Violine II
Ansgar Schneider, Violoncello
Harro Bertz, Kontrabaß
Hans-Joachim Erhard, Cembalo/Orgelpositiv
Gächinger Kantorei Stuttgart
Bach-Collegium Stuttgart
Leitung: Helmuth Rilling

Aufnahme: Tonstudio Teije van Geest, Heidelberg
Aufnahmeleitung: Richard Hauck
Aufnahmeort: Gedächtniskirche Stuttgart
Aufnahmezeit: Oktober 1982, Juni 1983
Spieldauer: 15'05"

BWV 54

Serie III, Nr. 98.679

Widerstehe doch der Sünde
Kantate zum 7. Sonntag nach Trinitatis
(Text: G. Chr. Lehms)
für Alt, Streicher und Generalbaß

1. Aria
(Hamari)

Widerstehe doch der Sünde,
Sonst ergreifet dich ihr Gift.
  Laß dich nicht den Satan blenden;
  Denn die Gottes Ehre schänden,
  Trifft ein Fluch, der tödlich ist.

Alt, Streicher, Bc.
97 Takte, G-Dur, 4/4 Takt

1. Aria (A)

Stand steadfast against transgression,
Or its poison thee will seize.
  Be thou not by Satan blinded,
  For God's glory to dishonor
  Bings a curse of fatal doom.

2. Recitativo
(Hamari)

Die Art verruchter Sünden
Ist zwar von außen wunderschön;
Allein man muß
Hernach mit Kummer und Verdruß
Viel Ungemach empfinden.
Von außen ist sie Gold;
Doch, will man weiter gehn,
So zeigt sich nur ein leerer Schatten
Und übertünchtes Grab.
Sie ist den Sodomsäpfeln gleich,
Und die sich mit derselben gatten,
Gelangen nicht in Gottes Reich.

2. Recitative (A)

The shape of vile transgression
In sooth is outward wondrous fair;
But yet one must
Receive with sorrow and dismay
Much toil and woe thereafter.
The outside is pure gold,
But, should one look within,
Appears nought but an empty shadow
And whited sepulchre.
It is the Sodom's apple like,
And those who are with it united
Shall never reach God's heav'nly realm.

Sie ist als wie ein scharfes Schwert,
Das uns durch Leib und Seele fährt.

It is just like a sharpened sword
Which doth our soul and body pierce.

Alt, Bc.
19 Takte, e-Moll – C-Dur, 4/4 Takt

3. Aria
(Hamari)

3. Aria (A)

Wer Sünde tut, der ist vom Teufel,
Denn dieser hat sie aufgebracht;
　　Doch wenn man ihren schnöden Banden
　　Mit rechter Andacht widerstanden,
Hat sie sich gleich davongemacht.

Who sin commits is of the devil,
For he it was who brought it forth;
　　But if one 'gainst its haughty fetters
　　With true devotion stand steadfastly,
Shall it at once from here take flight.

Alt, Streicher, Bc.
72 Takte, G-Dur, ₵ Takt

Ausführende:
Julia Hamari, Alt
Jürgen Wolf, Continuocello
Thomas Lom, Kontrabaß
Martha Schuster, Cembalo
Bach-Collegium Stuttgart
Leitung: Helmuth Rilling

Aufnahme: Südwest-Tonstudio, Stuttgart
Aufnahmeleitung: Richard Hauck, Heinz Jansen
Toningenieur: Henno Quasthoff
Aufnahmeort: Gedächtniskirche Stuttgart
Aufnahmezeit: März/April 1975
Spieldauer: 12'00"

BWV 55

Serie IX, Nr. 98.738

Ich armer Mensch, ich Sündenknecht
Kantate zum 22. Sonntag nach Trinitatis
für Tenor, vierstimmigen Chor,
Flöte, Oboe, Oboe d'amore, Streicher mit
2 Solo-Violinen und Generalbaß

1. Aria
(Kraus)

1. Aria (T)

Ich armer Mensch, ich Sündenknecht,
Ich geh vor Gottes Angesichte
Mit Furcht und Zittern zum Gerichte.
Er ist gerecht, ich ungerecht.
Ich armer Mensch, ich Sündenknecht!

I, wretched man, I, slave to sin,
I go before God's very presence
With fear and trembling unto judgment.
E'er just is he, unjust am I,
I, wretched man, I, slave to sin!

Tenor, Flöte, Oboe d'amore, 2 Violinen, Bc.
137 Takte, g-Moll, 6/8 Takt

2. Recitativo
(Kraus)

Ich habe wider Gott gehandelt
Und bin demselben Pfad,
Den er mir vorgeschrieben hat,
Nicht nachgewandelt.
Wohin? soll ich der Morgenröte Flügel
Zu meiner Flucht erkiesen,
Die mich zum letzten Meere wiesen,
So wird mich doch die Hand des Allerhöchsten
finden
Und mir die Sündenrute binden.
Ach ja!
Wenn gleich die Höll ein Bette
Vor mich und meine Sünden hätte,
So wäre doch der Grimm des Höchsten da.
Die Erde schützt mich nicht,
Sie droht mich Scheusal zu verschlingen;
Und will ich mich zum Himmel schwingen,
Da wohnet Gott, der mir das Urteil spricht.

Tenor, Bc.
19 Takte, c-Moll – d-Moll, 4/4 Takt

3. Aria
(Kraus)

Erbarme dich!
Laß die Tränen dich erweichen,
Laß sie dir zu Herzen reichen;
Laß um Jesu Christi willen
Deinen Zorn des Eifers stillen!
Erbarme dich!

Tenor, Flöte, Bc.
41 Takte, d-Moll, 4/4 Takt

4. Recitativo
(Kraus)

Erbarme dich!
Jedoch nun
Tröst ich mich,
Ich will nicht für Gerichte stehen
Und lieber vor dem Gnadenthron
Zu meinem frommen Vater gehen.
Ich halt ihm seinen Sohn,
Sein Leiden, sein Erlösen für,
Wie er für meine Schuld
Bezahlet und genug getan,
Und bitt ihn um Geduld,
Hinführo will ich's nicht mehr tun.
So nimmt mich Gott zu Gnaden wieder an.

Tenor, Streicher, Bc.
14 Takte, B-Dur, 4/4 Takt

2. Recitative (T)

I have against my God offended
And have upon the path
Which he did once prescribe for me
Not steadfast traveled.
Where now? Should I the rosy morning's pinions
For this my flight elect now,
To take me to the ocean's limits,
Yet would e'en still the hand of God
Almighty find me
And with the rods of sin chastise me.
Ah yes!
If even hell a bed could
For me and all my sins make ready,
Yet would indeed the wrath of God be there.
The earth protects me not,
It threatens wicked me to swallow;
And I would lift myself to heaven,
Where God doth dwell, who shall my judgment
tell.

3. Aria (T)

Have mercy, Lord!
Let my tears now make thee soften,
Let them reach into thy bosom;
Let for Jesus Christ's own glory
All thy zealous wrath grow calm now!
Have mercy, Lord!

4. Recitative (T)

Have mercy, Lord!
However,
I now hope
That I'll not stand before his judgment,
But rather to the throne of grace
Of this my righteous Father venture.
I'll offer him his Son,
His passion, his redemption then,
And how he for my sin
Hath all repaid sufficiently,
And beg him to forbear,
Henceforth will I my sin forswear.
Thus take me God into thy grace again.

5. Choral
(Gächinger Kantorei Stuttgart)

Bin ich gleich von dir gewichen,
Stell ich mich doch wieder ein;
Hat uns doch dein Sohn verglichen
Durch sein Angst und Todespein.
Ich verleugne nicht die Schuld,
Aber deine Gnad und Huld
Ist viel größer als die Sünde,
Die ich stets in mir befinde.

Chor, Flöte, Oboe, Streicher, Bc.
16 Takte, B-Dur, 4/4 Takt

Ausführende:
Adalbert Kraus, Tenor
Peter-Lukas Graf, Flöte
Günther Passin, Oboe/Oboe d'amore
Günther Pfitzenmaier, Fagott
Rainer Kussmaul, Violine
Yoshiko Okada-Nakura, Violine
Ansgar Schneider, Continuocello
Harro Bertz, Kontrabaß
Hans-Joachim Erhard, Cembalo/Orgelpositiv
Gächinger Kantorei Stuttgart
Bach-Collegium Stuttgart
Leitung: Helmuth Rilling

Aufnahme: Tonstudio Teije van Geest, Heidelberg
Aufnahmeleitung: Richard Hauck
Aufnahmeort: Gedächtniskirche Stuttgart
Aufnahmezeit: Februar/Oktober 1982
Spieldauer: 13'00"

5. Chorale (S, A, T, B)

Though I now from thee have fallen,
I will come again to thee;
For now hath thy Son redeemed us
Through his fear and pain of death.
I do not deny my guilt,
But thy mercy and thy grace
Are much greater than my sins are,
Which I ever find within me.

BWV 56

Serie IX, Nr. 98.736

Ich will den Kreuzstab gerne tragen
Kantate zum 19. Sonntag nach Trinitatis
für Baß, vierstimmigen Chor,
2 Oboen, Oboe da caccia, Streicher und Generalbaß

1. Aria
(Fischer-Dieskau)

Ich will den Kreuzstab gerne tragen,
Er kommt von Gottes lieber Hand,
Der führet mich nach meinen Plagen
Zu Gott, in das gelobte Land.
Da leg ich den Kummer auf einmal ins Grab,
Da wischt mir die Tränen mein Heiland selbst ab.

Baß, 2 Oboen, Oboe da caccia, Streicher, Bc.
167 Takte, g-Moll, 3/4 Takt

1. Aria (B)

I will the cross-staff gladly carry,
It comes from God's belovèd hand,
It leadeth me so weak and weary
To God, into the promised land.
When I in the grave all my trouble once lay,
Himself shall my Savior my tears wipe away.

2. Recitativo
(Fischer-Dieskau)

Mein Wandel auf der Welt
Ist einer Schiffahrt gleich:
Betrübnis, Kreuz und Not
Sind Wellen, welche mich bedecken
Und auf den Tod
Mich täglich schrecken;
Mein Anker aber, der mich hält,
Ist die Barmherzigkeit,
Womit mein Gott mich oft erfreut.
Der rufet so zu mir:
Ich bin bei dir,
Ich will dich nicht verlassen noch versäumen!
Und wenn das wütenvolle Schäumen
Sein Ende hat,
So tret ich aus dem Schiff in meine Stadt,
Die ist das Himmelreich,
Wohin ich mit den Frommen
Aus vieler Trübsal werde kommen.

Baß, Violoncello, Bc.
21 Takte, B-Dur, 4/4 Takt

2. Recitative (B)

My sojourn in the world
Is like a voyage at sea:
The sadness, cross and woe
Are billows which have overwhelmed me
And unto death
Each day appall me;
My anchor, though, which me doth hold,
Is that compassion's heart
With which my God oft makes me glad.
He calleth thus to me:
I am with thee,
I will not e'er abandon or forsake thee!
And when the raging ocean's shaking
Comes to an end,
Into my city from the ship I'll go
It is the heav'nly realm
Which I with all the righteous
From deepest sadness will have entered.

3. Aria
(Fischer-Dieskau)

Endlich, endlich wird mein Joch
Wieder von mir weichen müssen.
　Da krieg ich in dem Herren Kraft,
　Da hab ich Adlers Eigenschaft,
　Da fahr ich auf von dieser Erden
　Und laufe sonder matt zu werden.
　O gescheh es heute noch!

Baß, Oboe, Bc.
143 Takte, B-Dur, 4/4 Takt

3. Aria (B)

One day, one day shall my yoke
Once again be lifted from me.
　Then shall I in the Lord find pow'r,
　And with the eagle's features rare,
　There rise above this earthly bound'ry
　And soar without becoming weary.
　This I would today invoke!

4. Recitativo ed Arioso
(Fischer-Dieskau)

Ich stehe fertig und bereit,
Das Erbe meiner Seligkeit
Mit Sehnen und Verlangen
Von Jesu Händen zu empfangen.
Wie wohl wird mir geschehn,
Wenn ich den Port der Ruhe werde sehn.

Da leg ich den Kummer auf einmal ins Grab,
Da wischt mir die Tränen mein Heiland selbst ab.

Baß, Streicher, Bc.
20 Takte, g-Moll – c-Moll, 4/4 – 3/4 Takt

4. Recitative and Arioso (B)

I stand here ready and prepared,
My legacy of lasting bliss
With yearning and with rapture
From Jesus' hands at last to capture.
How well for me that day
When I the port of rest shall come to see.
When I in the grave all my trouble once lay,
Himself shall my Savior my tears wipe away.

5. Choral
(Gächinger Kantorei Stuttgart)

Komm, o Tod, du Schlafes Bruder,
Komm und führe mich nur fort;
Löse meines Schiffleins Ruder,
Bringe mich an sichern Port!
Es mag, wer da will, dich scheuen,
Du kannst mich vielmehr erfreuen;
Denn durch dich komm ich herein
Zu dem schönsten Jesulein.

Chor, Gesamtinstrumentarium
22 Takte, c-Moll, 4/4 Takt

Ausführende:
Dietrich Fischer-Dieskau, Baß
Günther Passin, Oboe
Hedda Rothweiler, Oboe
Daisuke Mogi, Oboe da caccia
Kurt Etzold, Fagott
Walter Forchert, Konzertmeister
Helmut Veihelmann, Violoncello
Harro Bertz, Kontrabaß
Hans-Joachim Erhard, Cembalo/Orgelpositiv
Gächinger Kantorei Stuttgart
Bach-Collegium Stuttgart
Leitung: Helmuth Rilling

Aufnahme: Tonstudio Teije van Geest, Heidelberg
Aufnahmeleitung: Richard Hauck
Aufnahmeort: Gedächtniskirche Stuttgart
Aufnahmezeit: Juli 1983
Spieldauer: 20'40"

5. Chorale (S, A, T, B)

Come, O death, of sleep the brother,
Come and lead me hence now forth;
Loosen now my small bark's rudder,
Bring thou me secure to port!
Others may desire to shun thee,
Thou canst all the more delight me;
For through thee I'll come inside
To the fairest Jesus-child.

BWV 57

Serie **VIII**, Nr. 98.729

Selig ist der Mann
Kantate zum 2. Weihnachtstag
(Text: G. Chr. Lehms)
für Sopran, Baß, vierstimmigen Chor,
2 Oboen, Oboe da caccia, Streicher mit Solo-Violine
und Generalbaß

1. Aria
(Heldwein)

*Selig ist der Mann, der die Anfechtung erduldet; denn,
nachdem er bewähret ist, wird er die Krone des Lebens
empfangen.*

Baß, 2 Oboen, Oboe da caccia, Streicher, Bc.
115 Takte, g-Moll, 3/4 Takt

1. Aria [Dictum] (B)

*Blessèd is the man who bears temptation with pa-
tience; for when he hath withstood the test, he shall
the crown of true life then be given.*

2. Recitativo
(Augér)

Ach! dieser süße Trost
Erquickt auch mir mein Herz,
Das sonst in Ach und Schmerz
Sein ewig Leiden findet
Und sich als wie ein Wurm in seinem Blute
                                 windet.

Ich muß als wie ein Schaf
Bei tausend rauhen Wölfen leben;
Ich bin ein recht verlaßnes Lamm,
Und muß mich ihrer Wut
Und Grausamkeit ergeben.
Was Abeln dort betraf,
Erpresset mir auch diese Tränenflut.
Ach! Jesu, wüßt ich hier
Nicht Trost von dir,
So müßte Mut und Herze brechen,
Und voller Trauer sprechen:

Sopran, Bc.
18 Takte, Es-Dur – c-Moll, 4/4 Takt

3. Aria
(Augér)

Ich wünschte mir den Tod, den Tod,
Wenn du, mein Jesu, mich nicht liebtest.
    Ja wenn du mich annoch betrübtest,
    So hätt ich mehr als Höllennot.

Sopran, Streicher, Bc.
132 Takte, c-Moll, 3/4 Takt

4. Recitativo (Dialogo)
(Augér, Heldwein)

Baß
Ich reiche dir die Hand
Und auch damit das Herze.
Sopran
Ach! süßes Liebespfand,
Du kannst die Feinde stürzen
Und ihren Grimm verkürzen.

Sopran, Baß, Bc.
6 Takte, g-Moll – B-Dur, 4/4 Takt

5. Aria
(Heldwein)

Ja, ja, ich kann die Feinde schlagen,
Die dich nur stets bei mir verklagen,
Drum fasse dich, bedrängter Geist.
    Bedrängter Geist, hör auf zu weinen,
    Die Sonne wird noch helle scheinen,
    Die dir itzt Kummerwolken weist.

Baß, Streicher, Bc.
191 Takte, B-Dur, 3/4 Takt

2. Recitative (S)

Ah! this sweet comfort doth
Restore my heart as well,
Which nought but "Ah and woe"
In endless sorrow findeth
And is just like a worm in its own blood now
                                 writhing.
I must just like the sheep
Midst countless savage wolves be living;
I am a true forsaken lamb
And must now to their rage
And cruelty surrender.
What Abel once befell,
Evokes from me as well a flood of tears.
Ah! Jesus, had I here
No strength from thee,
My courage and my heart would fail me
And say with deepest sorrow:

3. Aria (S)

I would now yearn for death, for death,
If thou, my Jesus, didst not love me.
    Yea, if thou me wouldst still leave saddened,
    I'd suffer more than pain of hell.

4. Recitative (B, S)

(Jesus)
I stretch to thee my hand,
My heart as well comes with it.
(Soul)
Ah! Sweetest bond of love,
Thou canst my foes bring ruin
And their great rage diminish.

5. Aria (B)

Yes, yes, I can thy foes destroy now
Who have before me e'er accused thee,
So have no fear, O anxious soul.
    O anxious soul, cease now thy weeping,
    The sun will soon be brightly shining,
    Which thee now clouds of trouble sends.

6. Recitativo (Dialogo)
(Augér, Heldwein)

Baß
In meinem Schoß liegt Ruh und Leben,
Dies will ich dir einst ewig geben.

Sopran
Ach! Jesu, wär ich schon bei dir,
Ach striche mir
Der Wind schon über Gruft und Grab,
So könnt ich alle Not besiegen.
Wohl denen, die im Sarge liegen
Und auf den Schall der Engel hoffen!
Ach! Jesu, mache mir doch nur,
Wie Stephano, den Himmel offen!
Mein Herz ist schon bereit,
Zu dir hinaufzusteigen.
Komm, komm, vergnügte Zeit!
Du magst mir Gruft und Grab
Und meinen Jesum zeigen.

Sopran, Baß, Bc.
18 Takte, Es-Dur – d-Moll, 4/4 Takt

6. Recitative (B, S)

(Jesus)
Within my lap life's peace abideth,
This I will once give thee forever.
(Soul)
Ah, Jesus, were I now with thee!
Ah, if the wind
Did now graze o'er my tomb and grave,
I could then ev'ry sorrow conquer.
How blest are they within the coffin
Who to the sound of angels hearken!
Ah, Jesus, open for me too,
As Stephan once, the gates of heaven!
My heart is now prepared
To soar aloft to meet thee.
Come, come, O blessèd hour!
Thou canst the tomb and grave
And mine own Jesus show me.

7. Aria
(Augér)

Ich ende behende mein irdisches Leben,
Mit Freuden zu scheiden verlang ich jetzt eben.
Mein Heiland, ich sterbe mit höchster Begier,
Hier hast du die Seele, was schenkest du mir?

Sopran, Violine, Bc.
230 Takte, g-Moll – B-Dur, 3/8Takt

7. Aria (S)

I'd quit now so quickly mine earthly existence,
With gladness to part now I long at this moment.
My Savior, I'd die now with greatest of joy,
Here hast thou my spirit, what dost thou give me?

8. Choral
(Gächinger Kantorei Stuttgart)

**Richte dich, Liebste, nach meinem Gefallen und
gläube,
Daß ich dein Seelenfreund immer und ewig
verbleibe,
Der dich ergötzt
Und in den Himmel versetzt
Aus dem gemarterten Leibe.**

Chor, Gesamtinstrumentarium
18 Takte, B-Dur, 3/4 Takt

Ausführende:
Arleen Augér, Sopran
Walter Heldwein, Baß
Fumiaki Miyamoto, Oboe
Hedda Rothweiler, Oboe
Dietmar Keller, Oboe da caccia
Kurt Etzold, Fagott
Walter Forchert, Konzertmeister

8. Chorale (S, A, T, B)

**Bring, my belovèd, my hopes to fulfillment,
confiding
That I'll thy bosom friend always and ever be biding,
Who thee hath pleased
And into heaven hath brought
Out of this thy tortured body.**

Barbara Haupt-Brauckmann, Continuocello
Thomas Lom, Kontrabaß
Hans-Joachim Erhard, Cembalo/Orgelpositiv
Gächinger Kantorei Stuttgart
Bach-Collegium Stuttgart
Leitung: Helmuth Rilling

Aufnahme: Tonstudio Teije van Geest, Heidelberg
Aufnahmeleitung: Richard Hauck
Aufnahmeort: Gedächtniskirche Stuttgart
Aufnahmezeit: November 1981, Februar 1982
Spieldauer: 27'10"

BWV 58

Ach Gott, wie manches Herzeleid
Kantate zum Sonntag nach Neujahr
für Sopran, Baß,
2 Oboen, Oboe da caccia, Streicher mit Solo-Violine
und Generalbaß

1. Aria con Choral
(Schöne, Gächinger Kantorei Stuttgart)

Ach Gott, wie manches Herzeleid
Begegnet mir zu dieser Zeit!
Der schmale Weg ist Trübsals voll,
Den ich zum Himmel wandern soll.

Nur Geduld, Geduld, mein Herze,
Es ist eine böse Zeit.
   Doch der Gang zur Seligkeit
   Führt zur Freude nach dem Schmerze.

Baß, Chor-Sopran, 2 Oboen, Oboe da caccia, Streicher,
Bc.
103 Takte, C-Dur, 3/4 Takt

2. Recitativo
(Schöne)

Verfolgt dich gleich die arge Welt,
So hast du dennoch Gott zum Freunde,
Der wider deine Feinde
Dir stets den Rücken hält.
Und wenn der wütende Herodes
Das Urteil eines schmähen Todes
Gleich über unsern Heiland fällt,
So kommt ein Engel in der Nacht,
Der lässet Joseph träumen,
Daß er dem Würger soll entfliehen
Und nach Ägypten ziehen.
Gott hat ein Wort, das dich vertrauend macht.
Er spricht: wenn Berg und Hügel niedersinken,

1. Aria (S) and Chorale (B)

Ah God, how oft a heartfelt grief
Confronteth me within these times!
The narrow path is sorrow-filled
Which I to heaven travel must.

Just forbear, forbear, my spirit,
This is such an evil age!
   Yet the road to blessedness
   Leads to pleasure after sorrow.

2. Recitative (B)

Pursue thee though the wicked world,
Yet thou hast even God as ally,
Who shall, thy foes opposing,
E'er cover thy retreat.
And when enraged the furious Herod
The judgment of a death most scornful
Upon our Savior once pronounced,
There came an angel in the night
Who sent a dream to Joseph,
That he the strangler should be fleeing
And Egypt's refuge seeking.
God hath a word which thee with trust doth fill.
He saith: Though hill and mountain fall in ruin,

Wenn dich die Flut des Wassers will ertrinken,
So will ich dich doch nicht verlassen noch
versäumen.

Baß, Bc.
19 Takte, a-Moll – F-Dur, 4/4 Takt

E'en though the floodtide's waters seek to drown
thee,
Yet will I still not e'er forsake thee or neglect
thee.

3. Aria
(Reichelt)

Ich bin vergnügt in meinem Leiden,
Denn Gott ist meine Zuversicht.
   Ich habe sichern Brief und Siegel,
   Und dieses ist der feste Riegel,
   Den bricht ja selbst die Hölle nicht.

Sopran, Violine, Bc.
77 Takte, d-Moll, 4/4 Takt

3. Aria (S)

I am content in this my sorrow,
For God is my true confidence.
   I have a certain seal and charter,
   And this abides a mighty barrier,
   Unrent in truth by hell itself.

4. Recitativo
(Reichelt)

Kann es die Welt nicht lassen,
Mich zu verfolgen und zu hassen,
So weist mir Gottes Hand
Ein andres Land.
Ach! könnt es heute noch geschehen,
Daß ich mein Eden möchte sehen!

Sopran, Bc.
15 Takte, F-Dur – a-Moll, 4/4 Takt

4. Recitative (S)

E'en though the world refrain not
To pursue me and to hate me,
God's hand doth show to me
Another land.
Ah, could today it only happen
That I my Eden might behold yet!

5. Aria con Choral
(Schöne, Gächinger Kantorei Stuttgart)

Ich hab vor mir ein schwere Reis'
Zu dir ins Himmels Paradeis,
Da ist mein rechtes Vaterland,
Daran du dein Blut hast gewandt.

Nur getrost, getrost, ihr Herzen,
Hier ist Angst, dort Herrlichkeit!
   Und die Freude jener Zeit
   Überwieget alle Schmerzen.

Baß, Chor-Sopran, Gesamtinstrumentarium
108 Takte, C-Dur, 2/4 Takt

5. Aria (B) and Chorale (S)

I stand before a toilsome road
To thee in heaven's paradise;
There is my proper fatherland,
For which thou thine own blood hast shed.

Just take heart, take heart, ye spirits,
Here is fear, there glory reigns!
   And the pleasure of that day
   Overcometh ev'ry sorrow.

Ausführende:
Ingeborg Reichelt, Sopran
Wolfgang Schöne, Baß
Werner Keltsch, Violine
Hannelore Michel, Continuocello
Manfred Gräser, Kontrabaß
Martha Schuster, Cembalo/Orgelpositiv
Gächinger Kantorei Stuttgart,
Sopran-Cantus-firmus

Bach-Collegium Stuttgart
Leitung: Helmuth Rilling

Aufnahme: Sonopress Tontechnik, Gütersloh
Aufnahmeleitung: Richard Hauck/Wolfram
Wehnert
Aufnahmeort: Gedächtniskirche Stuttgart
Aufnahmezeit: Februar 1971
Spieldauer: 14'45"

BWV 59

Wer mich liebet, der wird mein Wort halten

Kantate zum 1. Pfingsttag
(Text: E. Neumeister)
für Sopran, Baß, vierstimmigen Chor, 2 Trompeten,
Pauken, Streicher mit Solo-Violine und Generalbaß

1. Duetto
(Augér, Tüller)

*Wer mich liebet, der wird mein Wort halten, und
mein Vater wird ihn lieben, und wir werden zu ihm
kommen und Wohnung bei ihm machen.*

Sopran, Baß, 2 Trompeten, Pauken, Streicher, Bc.
61 Takte, C-Dur, 4/4 Takt

1. Duet [Dictum] (S, B)

*He who loves me will keep my commandments, and
my Father, too, will love him, and we shall unto him
come then and make our dwelling with him.*

2. Recitativo
(Augér)

O, was sind das für Ehren,
Worzu uns Jesus setzt?
Der uns so würdig schätzt,
Daß er verheißt,
Samt Vater und dem Heilgen Geist
In unsre Herzen einzukehren.
O, was sind das für Ehren?
Der Mensch ist Staub,
Der Eitelkeit ihr Raub,
Der Müh und Arbeit Trauerspiel
Und allen Elends Zweck und Ziel.
Wie nun? Der Allerhöchste spricht,
Er will in unsern Seelen
Die Wohnung sich erwählen.
Ach, was tut Gottes Liebe nicht?
Ach, daß doch, wie er wollte,
Ihn auch ein jeder lieben sollte.

Sopran, Streicher, Bc.
23 Takte, a-Moll – G-Dur, 4/4 Takt

2. Recitative (S)

Oh, what are then these honors
To which us Jesus leads?
He finds in us such worth,
That he hath pledged
With Father and the Holy Ghost
Within our hearts to make his dwelling.
Oh, what are then these honors?
For man is dust,
Of vanity the prey,
Of toil and work a tragedy,
Of ev'ry woe the end and goal.
What then? The Lord Almighty saith:
He will within our spirits
Elect to make his dwelling.
Ah, what doth God's dear love not do?
Ah, would that, as he wanted,
Now each and ev'ry man should love him.

3. Choral
(Gächinger Kantorei Stuttgart)

Komm, Heiliger Geist, Herre Gott,
Erfüll mit deiner Gnaden Gut
Deiner Gläubigen Herz, Mut und Sinn.
Dein brünstig Lieb entzünd in ihn'n.
O Herr, durch deines Lichtes Glanz
Zu dem Glauben versammelt hast
Das Volk aus aller Welt Zungen;
Das sei dir, Herr, zu Lob gesungen.
Alleluja, alleluja.

Chor, Trompete, Streicher, Bc.
28 Takte, G-Dur, 4/4 Takt

4. Aria
(Tüller)

Die Welt mit allen Königreichen,
Die Welt mit aller Herrlichkeit
Kann dieser Herrlichkeit nicht gleichen,
Womit uns unser Gott erfreut:
Daß er in unsern Herzen thronet
Und wie in einem Himmel wohnet.
Ach Gott, wie selig sind wir doch,
Wie selig werden wir erst noch,
Wenn wir nach dieser Zeit der Erden
Bei dir im Himmel wohnen werden.

Baß, Violine, Bc.
42 Takte, C-Dur, 4/4 Takt

Ausführende:
Arleen Augér, Sopran
Niklaus Tüller, Baß
Hermann Sauter, Trompete
Eugen Mayer, Trompete
Wieland Junge, Pauken
Wolfgang Rösch, Violine
Reinhard Werner, Continuocello
Manfred Gräser, Kontrabaß
Martha Schuster, Cembalo
Gächinger Kantorei Stuttgart
Bach-Collegium Stuttgart
Leitung: Helmuth Rilling

Aufnahme: Südwest-Tonstudio, Stuttgart
Aufnahmeleitung: Richard Hauck
Toningenieur: Henno Quasthoff
Aufnahmeort: Gedächtniskirche Stuttgart
Aufnahmezeit: September 1976/Januar 1977
Spieldauer: 10'40"

3. Chorale (S, A, T, B)

Come Holy Spirit, God the Lord,
And fill with thy most precious grace
Thy believers in heart, will and mind.
Thine ardent love ignite in them.
O Lord, through thine own brilliant light
To faith thou hast assembled now
The folk of ev'ry tongue and clime;
May this, O Lord, be sung to praise thee.
Alleluia, alleluia.

4. Aria (B)

The world with all its realms and kingdoms,
The world with all its majesty
Is to this majesty no equal
Through which our God doth make us glad:
That he's enthroned within our spirits
And there as in a heaven dwelleth.
Ah God, though blessèd we may be,
How blessèd shall we still become
When we, our earthly time completed,
With thee in heaven shall be dwelling.

BWV 60

O Ewigkeit, du Donnerwort
Kantate (Dialogo) zum 24. Sonntag nach Trinitatis
für Alt, Tenor, Baß, vierstimmigen Chor,
Horn, 2 Oboi d'amore, Streicher mit Solo-Violine
und Generalbaß

1. Aria (Duetto)
(Kraus, Gächinger Kantorei Stuttgart)

O Ewigkeit, du Donnerwort,
O Schwert, das durch die Seele bohrt,
O Anfang sonder Ende!
O Ewigkeit, Zeit ohne Zeit,
Ich weiß vor großer Traurigkeit
Nicht, wo ich mich hinwende;
Mein ganz erschrocknes Herze bebt,
Daß mir die Zung am Gaumen klebt.
Herr, ich warte auf dein Heil.

Tenor, Chor-Alt, Horn, 2 Oboi d'amore,
Streicher, Bc.
83 Takte, D-Dur, 4/4 Takt

1. Aria [Dictum] (A, T)

Eternity, thou thundrous word,
O sword that through the soul doth bore,
Beginning with no ending!
Eternity, time lacking time,
I know now faced with deepest grief
Not where to seek my refuge.
So much my frightened heart doth quake
That to my gums my tongue doth stick.
Lord, I wait now for thy help.

2. Recitativo (Dialogo)
(Watts, Kraus)

Alt
O schwerer Gang zum letzten Kampf und Streite!
Tenor
Mein Beistand ist schon da,
Mein Heiland steht mir ja
Mit Trost zur Seite.
Alt
Die Todesangst, der letzte Schmerz
Ereilt und überfällt mein Herz
Und martert diese Glieder.
Tenor
Ich lege diesen Leib vor Gott zum Opfer nieder.
Ist gleich der Trübsal Feuer heiß,
Genug, es reinigt mich zu Gottes Preis.
Alt
Doch nun wird sich der Sünden große Schuld
                    vor mein Gesichte stellen.
Tenor
Gott wird deswegen doch kein Todesurteil
                    fällen.
Er gibt ein Ende den Versuchungsplagen,
Daß man sie kann ertragen.

Alt, Tenor, Bc.
26 Takte, h-Moll – G-Dur, 4/4 Takt

2. Recitative (A, T)

(Fear)
O toilsome road to final strife and battle!
(Hope)
My sponsor is at hand,
My Savior stands nearby
With help beside me.
(Fear)
The fear of death, the final pain
Rush on and overwhelm my heart
And torture all my members.
(Hope)
I lay before the Lord in sacrifice my body.
And though the fire of grief be hot,
Enough! It cleanseth me to God's own praise.
(Fear)
But now will stand my sins' own grievous
                guilt before my face accusing.
(Hope)
God will on their account not sentence thee to
                death, though.
He sets a limit to temptation's torments
So that we can endure them.

3. Aria (Duetto)
(Watts, Kraus)

Alt
Mein letztes Lager will mich schrecken,
Tenor
Mich wird des Heilands Hand bedecken,
Alt
Des Glaubens Schwachheit sinket fast,
Tenor
Mein Jesus trägt mit mir die Last.
Alt
Das offne Grab sieht greulich aus,
Tenor
Es wird mir doch ein Friedenshaus.

Alt, Tenor, Oboe d'amore, Violine, Bc.
94 Takte, h-Moll, 3/4 Takt

4. Recitativo (Furcht) ed Arioso (Christus)
(Watts, Huttenlocher)

Alt
Der Tod bleibt doch der menschlichen Natur
verhaßt
Und reißet fast
Die Hoffnung ganz zu Boden.
Baß
Selig sind die Toten;
Alt
Ach! Aber ach, wieviel Gefahr
Stellt sich der Seele dar,
Den Sterbeweg zu gehen!
Vielleicht wird ihr der Höllenrachen
Den Tod erschrecklich machen,
Wenn er sie zu verschlingen sucht;
Vielleicht ist sie bereits verflucht
Zum ewigen Verderben.
Baß
Selig sind die Toten, die in dem Herren sterben;
Alt
Wenn ich im Herren sterbe,
Ist denn die Seligkeit mein Teil und Erbe?
Der Leib wird ja der Würmer Speise!
Ja, werden meine Glieder
Zu Staub und Erde wieder,
Da ich ein Kind des Todes heiße,
So schein ich ja im Grabe zu verderben.
Baß
Selig sind die Toten, die in dem Herren sterben, von
nun an.
Alt
Wohlan!
Soll ich von nun an selig sein:
So stelle dich, o Hoffnung, wieder ein!
Mein Leib mag ohne Furcht im Schlafe ruhn,
Der Geist kann einen Blick in jene Freude tun.

Alt, Baß, Bc.
52 Takte, e-Moll – D-Dur, 4/4 Takt

3. Aria (A, T)

(Fear)
My final bed would bring me terror,
(Hope)
But yet the Savior's hand will guard me,
(Fear)
My faith's own weakness faileth near,
(Hope)
My Jesus bears with me the weight.
(Fear)
The open grave so cruel appears,
(Hope)
It will be yet my house of peace.

4. Recitative and Arioso [Dictum] (A, B)

(Fear)
But death abides to human nature most perverse
And hurleth nigh
All hope to its destruction.
(Christ)
Blessèd are the dead men.
(Fear)
Ah, ah, alas! What jeopardy
The soul will have to face
In making death's last journey!
Perhaps the jaws of hell will threaten
Its death to fill with terror
When they attempt to swallow it;
Perhaps it is already cursed
To everlasting ruin.
(Christ)
Blessèd are the dead men who in the Lord have
died now.
(Fear)
If in the Lord I die now,
Can then salvation be my lot and portion?
My flesh, indeed, the worms will nurture!
Yea, change will all my members,
To dust and earth returning,
For I a child of death am reckoned
And seem, in truth, within the grave to perish.
(Christ)
Blessèd are the dead men who in the Lord
have died now, from now on.
(Fear)
Lead on!
If from now on I shall be blest,
Present thyself, O Hope, again to me!
My body may unfearing rest in sleep,
My spirit can a glance into that bliss now cast.

5. Choral
(Gächinger Kantorei Stuttgart)

Es ist genug;
Herr, wenn es dir gefällt,
So spanne mich doch aus!
Mein Jesus kommt;
Nun gute Nacht, o Welt!
Ich fahr ins Himmelshaus,
Ich fahre sicher hin mit Frieden,
Mein großer Jammer bleibt danieden.
Es ist genug.

Chor, 2 Oboi d'amore, Streicher, Bc.
20 Takte, A-Dur, 4/4 Takt

Ausführende:
Helen Watts, Alt
Adalbert Kraus, Tenor
Philippe Huttenlocher, Baß
Johannes Ritzkowsky, Horn
Günther Passin, Oboe d'amore
Allan Vogel, Oboe d'amore
Günther Pfitzenmaier, Fagott
Walter Forchert, Violine
Hans Häublein, Continuocello
Manfred Gräser, Kontrabaß
Hans-Joachim Erhard, Cembalo/Orgelpositiv
David Deffner, Orgelpositiv
Gächinger Kantorei Stuttgart
Bach-Collegium Stuttgart
Leitung: Helmuth Rilling

Aufnahme: Südwest-Tonstudio, Stuttgart
Aufnahmeleitung: Richard Hauck
Toningenieur: Henno Quasthoff
Aufnahmeort: Gedächtniskirche Stuttgart
Aufnahmezeit: Dezember 1977, Januar 1978
Spieldauer: 17'25"

5. Chorale (S, A, T, B)

It is enough;
Lord, if it be thy will,
Then let me rest in peace!
My Jesus comes;
To thee, O world, good night!
I fare to heaven's house,
I fare in peace henceforth securely,
My great distress shall bide behind me.
It is enough.

BWV 61

Nun komm, der Heiden Heiland
Kantate zum 1. Advent
(Text: E. Neumeister)
für Sopran, Tenor, Baß, vierstimmigen Chor,
Fagott, Streicher und Generalbaß

1. Coro (Ouverture)
(Gächinger Kantorei Stuttgart)

Nun komm, der Heiden Heiland,
Der Jungfrauen Kind erkannt,
Des sich wundert alle Welt:
Gott solch Geburt ihm bestellt.

Chor, Streicher, Bc.
93 Takte, a-Moll, ₵ – 3/4 – ₵ Takt

1. Chorus [Overture] (S, A, T, B)

Now come, the gentiles' Savior,
As the Virgin's child revealed,
At whom marvels all the world
That God him this birth ordained.

157

2. Recitativo
(Kraus)

Der Heiland ist gekommen,
Hat unser armes Fleisch und Blut
An sich genommen
Und nimmet uns zu Blutsverwandten an.
O allerhöchstes Gut,
Was hast du nicht an uns getan?
Was tust du nicht
Noch täglich an den Deinen?
Du kommst und läßt dein Licht
Mit vollem Segen scheinen.

Tenor, Bc.
18 Takte, C-Dur, 4/4 Takt

2. Recitative (T)

To us is come the Savior,
Who hath our feeble flesh and blood
Himself now taken
And taketh us as kinsmen of his blood.
O treasure unexcelled,
What hast thou not for us then done?
What dost thou not
Yet daily for thy people?
Thy coming makes thy light
Appear with richest blessing.

3. Aria
(Kraus)

Komm, Jesu, komm zu deiner Kirche
Und gib ein selig neues Jahr.
  Befördre deines Namens Ehre,
  Erhalte die gesunde Lehre
  Und segne Kanzel und Altar.

Tenor, Streicher, Bc.
110 Takte, C-Dur, 9/8 Takt

3. Aria (T)

Come, Jesus, come to this thy church now
And fill with blessing the new year!
  Advance thy name in rank and honor,
  Uphold thou ev'ry wholesome doctrine,
  The pulpit and the altar bless!

4. Recitativo
(Schöne)

*Siehe, ich stehe vor der Tür und klopfe an. So jemand
meine Stimme hören wird und die Tür auftun, zu dem
werde ich eingehen und das Abendmahl mit ihm
halten und er mit mir.*

Baß, Streicher, Bc.
10 Takte, e-Moll – G-Dur, 4/4 Takt

4. Recitative [Dictum] (B)

*See now, I stand before the door and on it knock. If
anyone my voice will now pay heed and make wide
the door, I will come into his dwelling and take with
him the evening supper, and he with me.*

5. Aria
(Donath)

Öffne dich, mein ganzes Herze,
Jesus kommt und ziehet ein.
  Bin ich gleich nur Staub und Erde,
  Will er mich doch nicht verschmähn,
  Seine Lust an mir zu sehn,
  Daß ich seine Wohnung werde,
  O wie selig werd ich sein!

Sopran, Bc.
95 Takte, G-Dur, 3/4 – 4/4 – 3/4 Takt

5. Aria (S)

Open wide, my heart and spirit,
Jesus comes and draws within.
  Though I soon be earth and ashes,
  Me he will yet not disdain,
  That his joy he find in me
  And that I become his dwelling.
  Oh, how blessèd shall I be!

6. Choral
(Gächinger Kantorei Stuttgart)

Amen, Amen.
Komm, du schöne Freudenkrone,
bleib nicht lange!
Deiner wart ich mit Verlangen.

Chor, Streicher, Fagott, Bc.
14 Takte, G-Dur, 4/4 Takt

Ausführende:
Helen Donath, Sopran
Adalbert Kraus, Tenor
Wolfgang Schöne, Baß
Hermann Herder, Fagott
Jürgen Wolf, Continuocello
Thomas Lom, Kontrabaß
Martha Schuster, Cembalo/Orgelpositiv
Gächinger Kantorei Stuttgart
Bach-Collegium Stuttgart
Leitung: Helmuth Rilling

Aufnahme: Südwest-Tonstudio, Stuttgart
Aufnahmeleitung: Richard Hauck, Friedrich
Mauermann
Aufnahmeort: Gedächtniskirche Stuttgart
Aufnahmezeit: Januar/Februar 1974
Spieldauer: 19'05"

6. Chorale (S, A, T, B)

Amen, amen!
Come, thou lovely crown of gladness, do not tarry.
Here I wait for thee with longing.

BWV 62

Serie **VII**, Nr. 98.714

Nun komm, der Heiden Heiland
Kantate zum 1. Advent
für Sopran, Alt, Tenor, Baß, vierstimmigen Chor,
Cornetto, 2 Oboen, Streicher mit Solo-Violine
und Generalbaß

1. Coro
(Gächinger Kantorei Stuttgart)

Nun komm, der Heiden Heiland,
Der Jungfrauen Kind erkannt,
Des sich wundert alle Welt,
Gott solch Geburt ihm bestellt.

Chor, Gesamtinstrumentarium
82 Takte, h-Moll, 6/4 Takt

1. Chorus [Verse 1] (S, A, T, B)

Now come, the gentiles' Savior,
As the Virgin's child revealed,
At whom marvels all the world,
That God him this birth ordained.

2. Aria
(Baldin)

Bewundert, o Menschen, dies große Geheimnis:
Der höchste Beherrscher erscheinet der Welt.

2. Aria (T)

Admire, all ye people, this mystery's grandeur:
The highest of rulers appears to the world.

Hier werden die Schätze des Himmels
entdecket,
Hier wird uns ein göttliches Manna bestellt,
O Wunder! die Keuschheit wird gar nicht
beflecket.

Tenor, 2 Oboen, Violine, Streicher, Bc.
318 Takte, G-Dur, 3/8 Takt

Here are all the treasures of heaven
discovered,
Here for us a manna divine is ordained,
O wonder! Virginity bideth unblemished.

3. Recitativo
(Huttenlocher)

So geht aus Gottes Herrlichkeit und Thron
Sein eingeborner Sohn.
Der Held aus Juda bricht herein,
Den Weg mit Freudigkeit zu laufen
Und uns Gefallne zu erkaufen.
O heller Glanz, o wunderbarer Segensschein!

Baß, Bc.
9 Takte, D-Dur – A-Dur, 4/4 Takt

3. Recitative (B)

Now comes from God's great majesty and throne
His one begotten Son.
The man from Judah now appears
To run his course with gladness
And us the fallen bring redemption.
O splendid light, O sign of grace most wonderful!

4. Aria
(Huttenlocher)

Streite, siege, starker Held!
Sei vor uns im Fleische kräftig!
    Sei geschäftig,
    Das Vermögen in uns Schwachen
    Stark zu machen!

Baß, Streicher, Bc.
126 Takte, D-Dur, 4/4 Takt

4. Aria (B)

Fight victorious, hero strong!
Show for us in flesh thy power!
    Ever striving
    Our own power, now so feeble,
    Strong to temper.

5. Recitativo
(Nielsen, Watts)

Wir ehren diese Herrlichkeit
Und nahen nun zu deiner Krippen
Und preisen mit erfreuten Lippen,
Was du uns zubereit';
Die Dunkelheit verstört' uns nicht
Und sahen dein unendlich Licht.

Sopran, Alt, Streicher, Bc.
8 Takte, A-Dur – h-Moll, 4/4 Takt

5. Recitative (S, A)

We honor this great majesty
And venture nigh now to thy cradle
And praise thee now with lips of gladness
For what thou us hast brought;
For darkness did not trouble us
When we beheld thy lasting light.

6. Choral
(Gächinger Kantorei Stuttgart)

Lob sei Gott, dem Vater, ton,
Lob sei Gott, sein'm eingen Sohn,
Lob sei Gott, dem Heilgen Geist,
Immer und in Ewigkeit!

Chor, Gesamtinstrumentarium
8 Takte, h-Moll, 4/4 Takt

6. Chorale [Verse 8] (S, A, T, B)

Praise to God, the Father, be,
Praise to God, his only Son,
Praise to God, the Holy Ghost,
Always and eternally!

Ausführende:
Inga Nielsen, Sopran
Helen Watts, Alt
Aldo Baldin, Tenor
Philippe Huttenlocher, Baß
Bernhard Schmid, Cornetto
Klaus Kärcher, Oboe
Hedda Rothweiler, Oboe
Kurt Etzold, Fagott
Georg Egger, Violine
Gerhard Mantel, Continuocello
Thomas Lom, Kontrabaß
Hans-Joachim Erhard, Cembalo/Orgelpositiv
Gächinger Kantorei Stuttgart
Bach-Collegium Stuttgart
Leitung: Helmuth Rilling

Aufnahme: Tonstudio Teije van Geest, Heidelberg
Aufnahmeleitung: Richard Hauck
Aufnahmeort: Gedächtniskirche Stuttgart
Aufnahmezeit: Februar / April 1980
Spieldauer: 19'30"

BWV 63

Serie **I**, Nr. 98.655

Christen, ätzet diesen Tag
Kantate zum 1. Weihnachtstag
für Sopran, Alt, Tenor, Baß, vierstimmigen Chor,
4 Trompeten, Pauken, 3 Oboen, Fagott, Streicher
und Generalbaß

1. Coro
(Gächinger Kantorei Stuttgart)

Christen, ätzet diesen Tag
In Metall und Marmorsteine.
  Kommt und eilt mit mir zur Krippen
  Und erweist mit frohen Lippen
  Euren Dank und eure Pflicht;
  Denn der Strahl, so da einbricht,
  Zeigt sich euch zum Gnadenscheine.

Chor, Gesamtinstrumentarium
289 Takte, C-Dur, 3/8 Takt

1. Chorus (S, A, T, B)

Christians, etch ye now this day
Both in bronze and stones of marble!
  Come, quick, join me at the manger
  And display with lips of gladness
  All your thanks and all you owe;
  For the light which here breaks forth
  Shows to you a sign of blessing.

2. Recitativo
(Hamari)

O selger Tag! o ungemeines Heute,
An dem das Heil der Welt,
Der Schilo, den Gott schon im Paradies
Dem menschlichen Geschlecht verhieß,
Nunmehro sich vollkommen dargestellt
Und suchet Israel von der Gefangenschaft und
                              Sklavenketten

2. Recitative (A)

O blessèd day! O day exceeding rare, this,
On which the world's true help,
The Shiloh, whom God in the Paradise
To mankind's race already pledged,
From this time forth was perfectly revealed
And seeketh Israel now from the prison and the
                              chains of slav'ry

Des Satans zu erretten.
Du liebster Gott, was sind wir arme doch?
Ein abgefallnes Volk, so dich verlassen;
Und dennoch willst du uns nicht hassen;
Denn eh wir sollen noch nach dem Verdienst zu
Boden liegen.
Eh muß die Gottheit sich bequemen,
Die menschliche Natur an sich zu nehmen
Und auf der Erden
Im Hirtenstall zu einem Kinde werden.
O unbegreifliches, doch seliges Verfügen!

Alt, Streicher, Bc.
32 Takte, C-Dur – a-Moll, 4/4 Takt

Of Satan to deliver.
Thou dearest God, what are we wretches then?
A people fallen low which thee forsaketh;
And even still thou wouldst not hate us;
For ere we should according to our merits lie in
ruin,
Ere that, must deity be willing,
The nature of mankind himself assuming,
Upon earth dwelling,
In shepherd's stall to be a child incarnate.
O inconceivable, yet blessèd dispensation!

3. Aria (Duetto)
(Augér, Heldwein)

Gott, du hast es wohl gefüget,
Was uns jetzo widerfährt.
   Drum laßt uns auf ihn stets trauen
   Und auf seine Gnade bauen,
   Denn er hat uns dies beschert,
   Was uns ewig nun vergnüget.

Sopran, Baß, Oboe, Bc.
69 Takte, a-Moll, 4/4 Takt

3. Aria (S, B)

God, thou hast all well accomplished
Which to us now comes to pass.
   Let us then forever trust him
   And rely upon his favor,
   For he hath on us bestowed
   What shall ever be our pleasure.

4. Recitativo
(Kraus)

So kehret sich nun heut
Das bange Leid,
Mit welchem Israel geängstet und beladen,
In lauter Heil und Gnaden.
Der Löw aus Davids Stamme ist erschienen,
Sein Bogen ist gespannt, das Schwert ist schon
gewetzt,
Womit er uns in vor'ge Freiheit setzt.

Tenor, Bc.
12 Takte, C-Dur – G-Dur, 4/4 Takt

4. Recitative (T)

Transformed be now today
The anxious pain,
Which Israel hath troubled long and sorely
burdened,
To perfect health and blessing.
Of David's stem the lion now appeareth,
His bow already bent, his sword already honed,
With which he us to former freedom brings.

5. Aria (Duetto)
(Laurich, Kraus)

Ruft und fleht den Himmel an,
Kommt, ihr Christen, kommt zum Reihen,
Ihr sollt euch ob dem erfreuen,
Was Gott hat anheut getan!
   Da uns seine Huld verpfleget
   Und mit so viel Heil beleget,
   Daß man nicht gnug danken kann.

Alt, Tenor, Streicher, Bc.
192 Takte, G-Dur, 3/8 Takt

5. Aria (A, T)

Call and cry to heaven now,
Come, ye Christians, come in order,
Ye should be in this rejoicing
Which God hath today achieved!
   For us now his grace provideth
   And with such salvation sealeth,
   More than we could thank him for.

6. Recitativo
(Schöne)

Verdoppelt euch demnach, ihr heißen
                        Andachtsflammen,
Und schlagt in Demut brünstiglich zusammen!
Steigt fröhlich himmelan,
Und danket Gott für dies, was er getan.

Baß, 3 Oboen, Streicher, Bc.
14 Takte, e-Moll – C-Dur, 4/4 Takt

6. Recitative (B)

Redouble then your strength, ye ardent flames of
                        worship,
And come in humble fervor all together!
Rise gladly heavenward
And thank your God for all this he hath done!

7. Coro
(Gächinger Kantorei Stuttgart)

Höchster, schau in Gnaden an
Diese Glut gebückter Seelen!
   Laß den Dank, den wir dir bringen,
   Angenehme vor Dir klingen,
   Laß uns stets in Segen gehn,
   Aber niemals nicht geschehn,
   Daß uns Satan möge quälen.

Chor, Gesamtinstrumentarium
107 Takte, C-Dur, 4/4 Takt

7. Chorus (S, A, T, B)

Highest, look with mercy now
At the warmth of rev'rent spirits!
   Let the thanks we bring before thee
   To thine ears resound with pleasure.
   Let us e'er in blessing walk,
   Let it never come to pass
   That we Satan's torments suffer.

Ausführende:
Arleen Augér, Sopran
Julia Hamari, Alt (Satz 2)
Hildegard Laurich, Alt (Satz 5)
Adalbert Kraus, Tenor
Walter Heldwein, Baß (Satz 3)
Wolfgang Schöne, Baß (Satz 6)
Bernhard Schmid, Trompete
Georg Rettig, Trompete
Ludwig Ebner, Trompete
Josef Hausberger, Trompete
Hans Joachim Schacht, Pauken
Diethelm Jonas, Oboe
Hedda Rothweiler, Oboe
Dietmar Keller, Oboe
Kurt Etzold, Fagott
Jakoba Muckel-Hanke, Continuocello
Harro Bertz, Kontrabaß
Martha Schuster, Cembalo
Hans-Joachim Erhard, Orgelpositiv
Gächinger Kantorei Stuttgart
Bach-Collegium Stuttgart
Leitung: Helmuth Rilling

Aufnahme Sätze 4–6: Sonopress Tontechnik,
Gütersloh
Aufnahme Sätze 1–3, 7: Tonstudio Teije van
Geest, Heidelberg
Aufnahmeleitung: Richard Hauck/Wolfram
Wehnert
Aufnahmeort: Gedächtniskirche Stuttgart
Aufnahmezeit: Februar 1971, 1981
Spieldauer: 29'40"

BWV 64

Sehet, welch eine Liebe
hat uns der Vater erzeiget

Kantate zum 3. Weihnachtstag
(Text: J. Oswald Knauer)
für Sopran, Alt, Baß, vierstimmigen Chor,
Oboe d'amore, Streicher und Generalbaß

1. Coro
(Gächinger Kantorei Stuttgart)

Sehet, welch eine Liebe hat uns der Vater erzeiget,
daß wir Gottes Kinder heißen.

Chor, Streicher, Bc.
102 Takte, e-Moll, 4/4 Takt

1. Chorus [Dictum] (S, A, T, B)

Mark ye how great a love this is that the Father hath
shown us, that we should be called God's children.

2. Choral
(Gächinger Kantorei Stuttgart)

Das hat er alles uns getan,
Sein groß Lieb zu zeigen an.
Des freu sich alle Christenheit
Und dank ihm des in Ewigkeit.
Kyrieleis!

Chor, Streicher, Bc.
10 Takte, G-Dur, 4/4 Takt

2. Chorale (S, A, T, B)

This hath he all for us now done
His great love to show alone.
Rejoice then all Christianity,
Give thanks for this eternally.
Kyrieleis!

3. Recitativo
(Murray)

Geh, Welt! behalte nur das Deine,
Ich will und mag nichts von dir haben,
Der Himmel ist nun meine,
An diesem soll sich meine Seele laben.
Dein Gold ist ein vergänglich Gut,
Dein Reichtum ist geborget,
Wer dies besitzt, der ist gar schlecht versorget.
Drum sag ich mit getrostem Mut:

Alt, Bc.
13 Takte, C-Dur – D-Dur, 4/4 Takt

3. Recitative (A)

Hence, world! Retain then thy possessions.
I seek and want to gain nought from thee,
Now heav'n is my possession,
In which my soul shall find its true refreshment.
Thy gold, it is mere passing wealth,
Thy riches are but borrowed.
Their owner hath exceeding scant provisions.
I say thus with new strength of heart:

4. Choral
(Gächinger Kantorei Stuttgart)

Was frag ich nach der Welt
Und allen ihren Schätzen,
Wenn ich mich nur an dir,
Mein Jesu, kann ergötzen!
Dich hab ich einzig mir
Zur Wollust vorgestellt:

4. Chorale (S, A, T, B)

What need I of this world
And all its idle treasures,
If I may but in thee,
My Jesus, find my pleasure!
Thee have I, only thee,
Envisioned as my joy:

Du, du bist meine Lust; Was frag ich nach der Welt!	Thou, thou art my delight; What need I of this world!

Chor, Streicher, Bc.
16 Takte, D-Dur, 4/4 Takt

5. Aria
(Augér)

Was die Welt
In sich hält,
Muß als wie ein Rauch vergehen.
  Aber was mir Jesus gibt
  Und was meine Seele liebt,
  Bleibet fest und ewig stehen.

Sopran, Streicher, Bc.
142 Takte, h-Moll, 4/4 Takt

5. Aria (S)

What the world
Doth contain
Must as though mere smoke soon vanish.
  But what I from Jesus have
  And that which my soul doth love,
  Bides secure and lasts forever.

6. Recitativo
(Huttenlocher)

Der Himmel bleibet mir gewiß,
Und den besitz ich schon im Glauben.
Der Tod, die Welt und Sünde,
Ja selbst das ganze Höllenheer
Kann mir, als einem Gotteskinde,
Denselben nun und nimmermehr
Aus meiner Seele rauben.
Nur dies, nur einzig dies macht mir noch
                        Kümmernis,
Daß ich noch länger soll auf dieser Welt
                       verweilen;
Denn Jesus will den Himmel mit mir teilen,
Und dazu hat er mich erkoren,
Deswegen ist er Mensch geboren.

Baß, Bc.
16 Takte, G-Dur, 4/4 Takt

6. Recitative (B)

That heaven waits for me is sure,
Which I possess in faith already.
Nor death, nor world, nor error,
In truth, nor all the host of hell
Can rob me, one of God's own children,
Of heaven, now or anytime,
And from my spirit take it.
But this, but this one thing doth cause me yet
                        remorse,
That I still longer here within this world
                     should linger;
For Jesus would a share of heaven grant me,
And it was for this that he chose me,
For this was he as man begotten.

7. Aria
(Murray)

Von der Welt verlang ich nichts,
Wenn ich nur den Himmel erbe.
  Alles, alles geb ich hin,
  Weil ich genug versichert bin,
  Daß ich ewig nicht verderbe.

Alt, Oboe d'amore, Bc.
120 Takte, G-Dur, 6/8 Takt

7. Aria (A)

From the world I long for nought,
If I but inherit heaven.
  All, yea, all I offer up,
  For I enough assurance have
  That I'll never know destruction.

8. Choral
(Gächinger Kantorei Stuttgart)

Gute Nacht, o Wesen,
Das die Welt erlesen!
Mir gefällst du nicht.

8. Chorale (S, A, T, B)

Now good night, existence
Which the world hath chosen!
Thou dost please me not.

Gute Nacht, ihr Sünden,	Now good night, transgression,
Bleibet weit dahinten,	Get thee far behind me,
Kommt nicht mehr ans Licht!	Come no more to light!
Gute Nacht, du Stolz und Pracht!	Now good night, thou pomp and pride!
Dir sei ganz, du Lasterleben,	Once for all, thou life of trouble,
Gute Nacht gegeben!	Thee "good night" be given!

Chor, Streicher, Bc.
19 Takte, e-Moll, 4/4 Takt

Ausführende:
Arleen Augér, Sopran
Ann Murray, Alt
Philippe Huttenlocher, Baß
Günther Passin, Oboe d'amore
Reinhard Werner, Continuocello
Thomas Lom, Kontrabaß
Hans-Joachim Erhard, Cembalo/Orgelpositiv
Gächinger Kantorei Stuttgart
Bach-Collegium Stuttgart
Leitung: Helmuth Rilling

Aufnahme: Südwest-Tonstudio, Stuttgart
Aufnahmeleitung: Richard Hauck
Toningenieur: Henno Quasthoff
Aufnahmeort: Gedächtniskirche Stuttgart
Aufnahmezeit: Dezember 1977, Januar 1978
Spieldauer: 20'50"

BWV 65

Serie V, Nr. 98.700

Sie werden aus Saba alle kommen
Kantate zum Sonntag Epiphanias
für Tenor, Baß, vierstimmigen Chor,
2 Hörner, 2 Blockflöten, 2 Oboi da caccia, Streicher
und Generalbaß

1. Coro (Concerto)
(Gächinger Kantorei Stuttgart)

*Sie werden aus Saba alle kommen, Gold und Weih-
rauch bringen, und des Herren Lob verkündigen.*

Chor, Gesamtinstrumentarium
53 Takte, C-Dur, 12/8 Takt

1. Chorus [Dictum] (S, A, T, B)

*They shall from out Sheba all be coming, gold and
incense bringing, and the Lord's great praise then tell
abroad.*

2. Choral
(Gächinger Kantorei Stuttgart)

**Die Kön'ge aus Saba kamen dar,
Gold, Weihrauch, Myrrhen brachten sie dar,
Alleluja!**

Chor, Horn, Blockflöte, 2 Oboi da caccia,
Streicher, Bc.
16 Takte, a-Moll, 3/4 Takt

2. Chorale (S, A, T, B)

**The kings from out Sheba came then forth,
Gold, incense, myrrh did they then bring forth.
Alleluia!**

3. Recitativo
(Schöne)

Was dort Jesaias vorhergesehn,
Das ist zu Bethlehem geschehn.
Hier stellen sich die Weisen
Bei Jesu Krippen ein
Und wollen ihn als ihren König preisen.
Gold, Weihrauch, Myrrhen sind
Die köstlichen Geschenke,
Womit sie dieses Jesuskind
Zu Bethlehem im Stall beehren.
Mein Jesu, wenn ich itzt an meine Pflicht
                              gedenke,
Muß ich mich auch zu deiner Krippe kehren
Und gleichfalls dankbar sein:
Denn dieser Tag ist mir ein Tag der Freuden,
Da du, o Lebensfürst,
Das Licht der Heiden
Und ihr Erlöser wirst.
Was aber bring ich wohl, du Himmelskönig?
Ist dir mein Herze nicht zuwenig,
So nimm es gnädig an,
Weil ich nichts Edlers bringen kann.

Baß, Bc.
26 Takte, F-Dur – G-Dur, 4/4 Takt

4. Aria
(Schöne)

Gold aus Ophir ist zu schlecht,
Weg, nur weg mit eitlen Gaben,
Die ihr aus der Erde brecht!
Jesus will das Herze haben.
Schenke dies, o Christenschar,
Jesu zu dem neuen Jahr!

Baß, 2 Oboi da caccia, Bc.
46 Takte, e-Moll, 4/4 Takt

5. Recitativo
(Kraus)

Verschmähe nicht,
Du, meiner Seele Licht,
Mein Herz, das ich in Demut zu dir bringe;
Es schließt ja solche Dinge
In sich zugleich mit ein,
Die deines Geistes Früchte sein.
Des Glaubens Gold, der Weihrauch des Gebets,
Die Myrrhen der Geduld sind meine Gaben,
Die sollst du, Jesu, für und für
Zum Eigentum und zum Geschenke haben.
Gib aber dich auch selber mir,
So machst du mich zum Reichsten auf der
                              Erden;

3. Recitative (B)

What there Isaiah did once foretell,
That is in Bethlehem fulfilled.
Here gather round the wise men
At Jesus' manger now,
And seek him as their very king to honor.
Gold, incense, and myrrh are
The rare and costly presents
With which they this the Jesus-child
In Bethlehem's poor stall do honor.
My Jesus, if I now my duty well consider,
Must I myself before thy manger venture
And likewise show my thanks:
For this one day I deem a day of gladness,
When thou, O Prince of life,
The light of nations
And their Redeemer art.
But what could I bring thee, thou King of heaven?
If thou my heart deem not too little,
Accept it with thy grace,
No nobler gift could I bring thee.

4. Aria (B)

Gold from Ophir is too slight,
Off, be off with empty off'rings,
Which ye from the earth have torn!
Jesus seeks the heart to own now,
Offer this, O Christian throng,
Jesus thank for the new year!

5. Recitative (T)

Disdain then not,
Thou light unto my soul,
My heart, which I now humbly to thee offer;
It doth indeed such objects
Within it now contain
Which of thy Spirit are the fruits.
The gold of faith, the frankincense of pray'r,
The myrrh of patience, these now are my
                              off'rings,
Which thou shalt, Jesus, evermore,
Have as thy property and as my presents.
But give thyself as well to me,
And thou shalt make me earth's most wealthy
                              mortal.

Denn, hab ich dich, so muß
Des größten Reichtums Überfluß
Mir dermaleinst im Himmel werden.

Tenor, Bc.
19 Takte, a-Moll – e-Moll, 4/4 Takt

6. Aria
(Kraus)

Nimm mich dir zu eigen hin,
Nimm mein Herze zum Geschenke.
Alles, alles, was ich bin,
Was ich rede, tu und denke,
Soll, mein Heiland, nur allein
Dir zum Dienst gewidmet sein.

Tenor, Gesamtinstrumentarium
148 Takte, C-Dur, 3/8 Takt

7. Choral
(Gächinger Kantorei Stuttgart)

Ei nun, mein Gott, so fall ich dir
Getrost in deine Hände.
Nimm mich und mach es so mit mir
Bis an mein letztes Ende,
Wie du wohl weißt, daß meinem Geist
Dadurch sein Nutz entstehe,
Und deine Ehr je mehr und mehr
Sich in ihr selbst erhöhe.

Chor, Horn, Blockflöte, 2 Oboi da caccia, Streicher, Bc.
19 Takte, a-Moll, 4/4 Takt

Ausführende:
Adalbert Kraus, Tenor
Wolfgang Schöne, Baß
Johannes Ritzkowsky, Horn
Friedhelm Pütz, Horn
Hartmut Strebel, Blockflöte
Barbara Schlenker, Blockflöte
Dietmar Keller, Oboe da caccia
Hedda Rothweiler, Oboe da caccia
Kurt Etzold, Fagott
Klaus-Peter Hahn, Continuocello
Thomas Lom, Kontrabaß
Hans-Joachim Erhard, Cembalo/Orgelpositiv
Gächinger Kantorei Stuttgart
Bach-Collegium Stuttgart
Leitung: Helmuth Rilling

Aufnahme: Tonstudio Teije van Geest, Heidelberg
Aufnahmeleitung: Richard Hauck
Toningenieur: Günter Appenheimer
Aufnahmeort: Gedächtniskirche Stuttgart
Aufnahmezeit: September 1978
Spieldauer: 16'05"

For, having thee, I must
The most abundant store of wealth
One day above in heav'n inherit.

6. Aria (T)

Take me for thine own now hence,
Take my heart as my true present,
All, yes, all that now I am,
All I utter, do and ponder,
Shall, my Savior, be alone
To thy service offered now.

7. Chorale (S, A, T, B)

Ah now, my God, I fall here thus
Consoled into thy bosom.
Take me and deal thou thus with me
Until my final moment,
As thou well canst, that for my soul
Thereby its good be fostered
And thy true honor more and more
Be in my soul exalted.

BWV 66

Erfreut euch, ihr Herzen
Kantate zum 2. Osterfesttag
für Alt, Tenor, Baß, vierstimmigen Chor,
Trompete, 2 Oboen, Fagott, Streicher mit Solo-Violine
und Generalbaß

1. Coro
(Laurich, Schöne,
Gächinger Kantorei Stuttgart)

Erfreut euch, ihr Herzen,
Entweichet, ihr Schmerzen,
Es lebet der Heiland und herrschet in euch.
  Ihr könnet verjagen
    Das Trauern, das Fürchten, das ängstliche
                                        Zagen,
  Der Heiland erquicket sein geistliches Reich.

Alt, Baß, Chor, Trompete, 2 Oboen, Fagott,
Streicher, Bc.
410 Takte, D-Dur, 3/8 Takt

1. Chorus (S, A, T, B)

Rejoice, all ye spirits,
Depart, all ye sorrows,
Alive is our Savior and ruling in you.
  Ye can now dispel all
    That grieving, that fearing, that faint-hearted
                                        anguish,
  Our Savior restoreth his rule o'er the soul.

2. Recitativo
(Schöne)

Es bricht das Grab und damit unsre Not,
Der Mund verkündigt Gottes Taten;
Der Heiland lebt, so ist in Not und Tod
Den Gläubigen vollkommen wohl geraten.

Baß, Streicher, Bc.
7 Takte, h-Moll – A-Dur, 4/4 Takt

2. Recitative (B)

The grave is broken and therewith our woe,
My mouth doth publish God's own labors;
Our Savior lives, and thus in woe and death
For faithful folk is all made perfect.

3. Aria
(Schöne)

Lasset dem Höchsten ein Danklied erschallen
Vor sein Erbarmen und ewige Treu.
  Jesus erscheinet, uns Friede zu geben,
  Jesus berufet uns, mit ihm zu leben.
  Täglich wird seine Barmherzigkeit neu.

Baß, 2 Oboen, Fagott, Streicher, Bc.
336 Takte, D-Dur, 3/8 Takt

3. Aria (B)

Raise to the Highest a song of thanksgiving
For his dear mercy and lasting good faith.
  Jesus appeareth with peace to endow us,
  Jesus now summons us in life to join him,
  Daily is his gracious mercy made new.

4. Dialogo
(Laurich, Kraus)

Tenor
Bei Jesu Leben freudig sein
Ist unsrer Brust ein heller Sonnenschein.
Mit Trost erfüllt auf seinen Heiland schauen
Und in sich selbst ein Himmelreich erbauen,
Ist wahrer Christen Eigentum.

4. Recitative and Arioso (T, A)

(Hope)
In Jesus' life to live with joy
Is to our breast a brilliant ray of sun.
With comfort filled to look upon their Savior,
And in themselves to build a heav'nly kingdom
Of all true Christians is the wealth.

Doch weil ich hier ein himmlisch Labsal habe,
So sucht mein Geist hier seine Lust und Ruh,
Mein Heiland ruft mir kräftig zu:
„Mein Grab und Sterben bringt euch Leben,
Mein Auferstehn ist euer Trost."
Mein Mund will zwar ein Opfer geben,
Mein Heiland, doch wie klein,
Wie wenig, wie so gar geringe
Wird es vor dir, o großer Sieger, sein,
Wenn ich vor dich ein Sieg- und Danklied
                                    bringe.

Tenor
Alt
Mein
Kein   Auge sieht den Heiland auferweckt,
Tenor
Alt
Es hält ihn nicht der Tod in Banden
          noch
Tenor
Wie, darf noch Furcht in einer Brust entstehn?
Alt
Läßt wohl das Grab die Toten aus?
Tenor
Wenn Gott in einem Grabe lieget,
So halten Grab und Tod ihn nicht.
Alt
Ach Gott! der du den Tod besieget,
Dir weicht des Grabes Stein, das Siegel bricht,
Ich glaube, aber hilf mir Schwachen,
Du kannst mich stärker machen;
Besiege mich und meinen Zweifelmut,
Der Gott, der Wunder tut,
Hat meinen Geist durch Trostes Kraft gestärket,
Daß er den auferstandnen Jesum merket.

Alt, Tenor, Bc.
68 Takte, G-Dur – D-Dur – A-Dur, 4/4 Takt

5. Aria (Duetto)
(Laurich, Kraus)

Alt
Tenor
Ich furchte zwar des Grabes Finsternissen
           nicht

Und klagete, mein Heil sei nun entrissen.
    hoffete,   nicht
beide
    Nun ist mein Herze voller Trost,
    Und wenn sich auch ein Feind erbost,
    Will ich in Gott zu siegen wissen.

Alt, Tenor, Violine, Bc.
106 Takte, A-Dur, 12/8 Takt

6. Choral
(Gächinger Kantorei Stuttgart)

Alleluja! Alleluja! Alleluja!
Des solln wir alle froh sein,

But since I here possess a heav'nly rapture,
My soul doth seek here its true joy and rest;
My Savior clearly calls to me:
"My grave and dying bring you living,
My rising is your true hope."
My mouth indeed would bring an off'ring,
My Savior, though so small,
Though meager, though so very little,
It will to thee, O mighty victor, come,
When I bring thee a song of thanks and triumph.
(Hope and Fear)
Mine
No   eye hath seen the Savior raised from sleep,

Him holdeth not that death in bondage.
             yet
(Hope)
What? Can yet fear in any breast arise?
(Fear)
Can then the grave give up the dead?
(Hope)
If God within a grave be lying,
The grave and death constrain him not.
(Fear)
Ah God! Thou who o'er death art victor,
For thee the tombstone yields, the seal doth
                                    break,
I trust thee, but support my weakness,
Thou canst my faith make stronger;
Subdue me and my weak and doubting heart;
The God of wondrous works
Hath this my soul with comfort's might so
                                    strengthened,
That it the resurrected Jesus knoweth.

5. Aria (A, T)

(Fear and Hope)
I feared in truth the grave and all its darkness,
        no whit

And made complaint my rescue was now stolen.
    kept my hope   not
    Now is my heart made full of hope,
    And though a foe should show his wrath,
    I'll find in God victorious triumph.

6. Chorale (S, A, T, B)

Alleluia! Alleluia! Alleluia!
For this we all shall be glad:

Christus will unser Trost sein,
Kyrie eleis!

Chor, 2 Oboen, Streicher, Bc.
9 Takte, fis-Moll, 4/4 Takt

Ausführende:
Hildegard Laurich, Alt
Adalbert Kraus, Tenor
Wolfgang Schöne, Baß
Hermann Sauter, Trompete
Otto Winter, Oboe
Thomas Schwarz, Oboe
Hans Mantels, Fagott
Werner Keltsch, Violine
Jürgen Wolf, Continuocello
Manfred Gräser, Kontrabaß
Martha Schuster, Cembalo/Orgelpositiv
Gächinger Kantorei Stuttgart
Bach-Collegium Stuttgart
Leitung: Helmuth Rilling

Aufnahme: Sonopress Tontechnik, Gütersloh
Aufnahmeleitung: Richard Hauck/Wolfram
Wehnert
Aufnahmeort: Gedächtniskirche Stuttgart
Aufnahmezeit: Februar 1972
Spieldauer: 31'25"

Christ shall be our true comfort.
Kyrie eleis!

BWV 67

Serie **VI**, Nr. 98.702

Halt im Gedächtnis Jesum Christ
Kantate zum Sonntag Quasimodogeniti
für Sopran, Alt, Tenor, Baß, vierstimmigen Chor,
Trompete, Flöte, 2 Oboi d'amore, Streicher und
Generalbaß

1. Coro
(Augér, Mitsui, Kraus, Heldwein,
Gächinger Kantorei Stuttgart)

*Halt im Gedächtnis Jesum Christ, der auferstanden
ist von den Toten.*

Sopran, Alt, Tenor, Baß, Chor,
Trompete, Flöte, 2 Oboi d'amore, Streicher, Bc.
130 Takte, A-Dur, ¢ Takt

2. Aria
(Kraus)

Mein Jesus ist erstanden,
Allein, was schreckt mich noch?

1. Chorus [Dictum] (S, A, T, B)

*Hold in remembrance Jesus Christ, who is arisen
from death's bondage.*

2. Aria (T)

My Jesus is arisen,
But still, why fear I yet?

Mein Glaube kennt des Heilands Sieg,
Doch fühlt mein Herze Streit und Krieg,
Mein Heil, erscheine doch!

Tenor, Oboe d'amore, Streicher, Bc.
50 Takte, E-Dur, 4/4 Takt

My faith the Savior's triumph sees,
But still my heart feels strife and war,
Appear, my Savior, now!

3. Recitativo
(Murray)

Mein Jesu, heißest du des Todes Gift
Und eine Pestilenz der Hölle:
Ach, daß mich noch Gefahr und Schrecken trifft!
Du legtest selbst auf unsre Zungen
Ein Loblied, welches wir gesungen:

Alt, Bc.
7 Takte, cis-Moll – Fis-Dur, 4/4 Takt

3. Recitative (A)

My Jesus, thou art called the bane to death,
And unto hell a plague and torment;
Ah, am I still by dread and terror struck?
Thou set upon our very tongues then
The song of praise we have been singing:

4. Choral
(Gächinger Kantorei Stuttgart)

Erschienen ist der herrlich Tag,
Dran sich niemand gnug freuen mag:
Christ, unser Herr, heut triumphiert,
All sein Feind er gefangen führt.
Alleluja!

Chor, Gesamtinstrumantarium
18 Takte, H-Dur – fis-Moll, 3/4 Takt

4. Chorale (S, A, T, B)

Appeared is now the glorious day
When no one hath his fill of joy:
Christ, he our Lord, today triumphs,
Who all his foes hath captive led.
Alleluia!

5. Recitativo
(Murray)

Doch scheinet fast,
Daß mich der Feinde Rest,
Den ich zu groß und allzu schrecklich finde,
Nicht ruhig bleiben läßt.
Doch, wenn du mir den Sieg erworben hast,
So streite selbst mit mir, mit deinem Kinde.
Ja, ja, wir spüren schon im Glauben,
Daß du, o Friedefürst,
Dein Wort und Werk an uns erfüllen wirst.

Alt, Bc.
11 Takte, cis-Moll – A-Dur, 4/4 Takt

5. Recitative (A)

It seems as though
The remnant of my foe,
Whom I too strong and frightful still consider,
Will leave me not in peace.
But if for me the vict'ry thou hast won,
Contend thyself with me, with thine own child
now:
Yes, yes, we feel in faith already
That thou, O Prince of peace,
Thy word and work in us shalt yet fulfill.

6. Aria
(Heldwein, Gächinger Kantorei Stuttgart)

Baß
Friede sei mit euch!
  Sopran, Alt, Tenor
  Wohl uns! Jesus hilft uns kämpfen
  Und die Wut der Feinde dämpfen,
  Hölle, Satan, weich!

6. Aria (S, A, T, B)

(B)
Peace be unto you!
  (S, A, T)
  O joy! Jesus helps us battle
  And the foes' great rage to dampen,
  Hell and Satan, yield!

Baß
Friede sei mit euch!
   Sopran, Alt, Tenor
   Jesus holet uns zum Frieden
   Und erquicket in uns Müden
   Geist und Leib zugleich.
Baß
Friede sei mit euch!
   Sopran, Alt, Tenor
   O Herr, hilf und laß gelingen,
   Durch den Tod hindurchzudringen
   In dein Ehrenreich!
Baß
Friede sei mit euch!

Baß, Chor (S,A,T), Flöte, 2 Oboi d'amore, Streicher, Bc.
111 Takte, A-Dur, 4/4 – 3/4 Takt

(B)
Peace be unto you!
(S, A, T)
   Jesus summons us to peace now
   And restores in us so weary
   Soul and flesh alike.
(B)
Peace be unto you!
(S, A, T)
   O Lord, help as we endeavor
   E'en through death to press our journey
   To thy glorious realm!
(B)
Peace be unto you!

7. Choral
(Gächinger Kantorei Stuttgart)

Du Friedefürst, Herr Jesu Christ,
Wahr' Mensch und wahrer Gott,
Ein starker Nothelfer du bist
Im Leben und im Tod:
Drum wir allein
Im Namen dein
Zu deinem Vater schreien.

Chor, Gesamtinstrumentarium
13 Takte, A-Dur, 4/4 Takt

7. Chorale (S, A, T, B)

Thou Prince of peace, Lord Jesus Christ,
True man and very God,
A helper strong in need thou art
In life as well as death:
So we alone
For thy name's sake
Are to thy Father crying.

Ausführende:
Arleen Augér, Sopran
Tsuyako Mitsui, Alt
Ann Murray, Alt
Adalbert Kraus, Tenor
Walter Heldwein, Baß
Hans Wolf, Trompete
Sibylle Keller-Sanwald, Flöte
Günther Passin, Oboe d'amore
Hedda Rothweiler, Oboe d'amore
Kurt Etzold, Fagott
Klaus-Peter Hahn, Continuocello
Thomas Lom, Kontrabaß
Hans-Joachim Erhard, Cembalo/Orgelpositiv
Elisabeth Maranca, Orgelpositiv
Gächinger Kantorei Stuttgart
Bach-Collegium Stuttgart
Leitung: Helmuth Rilling

Aufnahme: Tonstudio Teije van Geest, Heidelberg
Aufnahmeleitung: Richard Hauck
Toningenieur: Günter Appenheimer
Aufnahmeort: Gedächtniskirche Stuttgart
Aufnahmezeit: September 1978
Spieldauer: 14'40"

BWV 68

Also hat Gott die Welt geliebt
Kantate zum 2. Pfingsttag
(Text: Chr. M. v. Ziegler)
für Sopran, Baß, vierstimmigen Chor,
Horn, Trompete, 3 Posaunen, 2 Oboen, Oboe da cac-
cia, Violine, Violoncello, Streicher und Generalbaß

1. Choral
(Gächinger Kantorei Stuttgart)

Also hat Gott die Welt geliebt,
Daß er uns seinen Sohn gegeben.
Wer sich im Glauben ihm ergibt,
Der soll dort ewig bei ihm leben.
Wer glaubt, daß Jesus ihm geboren,
Der bleibet ewig unverloren,
Und ist kein Leid, das den betrübt,
Den Gott und auch sein Jesus liebt.

Chor, Horn, 2 Oboen, Oboe da caccia, Streicher, Bc.
54 Takte, d-Moll, 12/8 Takt

1. Chorale (S, A, T, B)

In truth hath God the world so loved
That he to us his Son hath given.
Who gives in faith himself to him
With him shall always live in heaven.
Who trusts that Jesus is born for him
Shall be forever unforsaken,
And there's no grief to make him sad,
Whom God, his very Jesus, loves.

2. Aria
(Augér)

Mein gläubiges Herze,
Frohlocke, sing, scherze,
Dein Jesus ist da!
    Weg Jammer, weg Klagen,
    Ich will euch nur sagen:
    Mein Jesus ist nah.

Sopran, Oboe, Violine, Violoncello, Bc.
79 Takte, F-Dur, ₵ Takt

2. Aria (S)

My heart ever faithful,
Exulting, sing gladly,
Thy Jesus is here!
    Hence, sorrow! Hence, grieving!
    I will simply tell you:
    My Jesus is near!

3. Recitativo
(Huttenlocher)

Ich bin mit Petro nicht vermessen,
Was mich getrost und freudig macht,
Daß mich mein Jesus nicht vergessen.
Er kam nicht nur, die Welt zu richten,
Nein, nein, er wollte Sünd und Schuld
Als Mittler zwischen Gott und Mensch vor
                    diesmal schlichten.

Baß, Bc.
10 Takte, d-Moll – G-Dur, 4/4 Takt

3. Recitative (B)

I am like Peter not mistaken,
I am consoled and filled with joy,
That I'm by Jesus not forgotten.
He came not in the world to judge it,
No, no, he wanted sin and guilt,
As arbiter 'twixt God and man, here now to
                    straighten.

4. Aria
(Huttenlocher)

Du bist geboren mir zugute,
Das glaub ich, mir ist wohl zumute,
Weil du vor mich genung getan.

4. Aria (B)

Thou art born man to my advantage,
This is my faith, I am contented,
Since thou for me hath done enough.

Das Rund der Erden mag gleich brechen,
Will mir der Satan widersprechen,
So bet ich dich, mein Heiland, an.

Baß, 2 Oboen, Oboe da caccia, Bc.
81 Takte, C-Dur, 4/4 Takt

5. Coro
(Gächinger Kantorei Stuttgart)

Wer an ihn gläubet, der wird nicht gerichtet; wer aber nicht gläubet, der ist schon gerichtet; denn er gläubet nicht an den Namen des eingebornen Sohnes Gottes.

Chor, Trompete, 3 Posaunen, 2 Oboen, Oboe da caccia, Bc.
56 Takte, a-Moll – d-Moll, ₵ Takt

Ausführende:
Arleen Augér, Sopran
Philippe Huttenlocher, Baß
Bernhard Schmid, Horn
Hans Wolf, Trompete
Gerhard Cichos, Altposaune
Hans Kuhner, Tenorposaune
Hans Rückert, Baßposaune
Ingo Goritzki, Oboe
Fumiaki Miyamoto, Oboe
Klaus Kärcher, Oboe
Dietmar Keller, Oboe da caccia
Kurt Etzold, Fagott
Walter Forchert, Konzertmeister
Martin Ostertag, Continuocello
Thomas Lom, Kontrabaß
Hans-Joachim Erhard, Cembalo/Orgelpositiv
Gächinger Kantorei Stuttgart
Bach-Collegium Stuttgart
Leitung: Helmuth Rilling

Aufnahme: Tonstudio Teije van Geest, Heidelberg
Aufnahmeleitung: Richard Hauck
Aufnahmeort: Gedächtniskirche Stuttgart
Aufnahmezeit: Dezember 1980/März 1981
Spieldauer: 17'00"

The ball of earth may soon be shattered,
And Satan arm himself against,
But I'll to thee, my Savior, pray.

5. Chorus [Dictum] (S, A, T, B)

Who in him trusteth will not be judged guilty; but who doth not trust is already judged guilty; for he trusteth not in the name of the one-born Son of God the Father.

BWV 69

Lobe den Herrn, meine Seele
Kantate zum 12. Sonntag nach Trinitatis und zur Ratswahl
für Sopran, Alt, Tenor, Baß, vierstimmigen Chor,
3 Trompeten, Pauken, 3 Oboen, Oboe d'amore,
Streicher mit Solo-Violine und Generalbaß

Serie **II**, Nr. 98.665

1. Coro
(Gächinger Kantorei Stuttgart)

Lobe den Herrn, meine Seele, und vergiß nicht, was er dir Gutes getan hat!

Chor, 3 Trompeten, Pauken, 3 Oboen, Streicher, Bc.
164 Takte, D-Dur, 3/4 Takt

2. Recitativo
(Donath)

Wie groß ist Gottes Güte doch!
Er bracht uns an das Licht,
Und er erhält uns noch.
Wo findet man nur eine Kreatur,
Der es an Unterhalt gebricht?
Betrachte doch, mein Geist,
Der Allmacht unverdeckte Spur,
Die auch im kleinen sich recht groß erweist.
Ach! möcht es mir, o Höchster, doch gelingen,
Ein würdig Danklied dir zu bringen!
Doch, sollt es mir hierbei an Kräften fehlen,
So will ich doch, Herr, deinen Ruhm erzählen.

Sopran, Bc.
17 Takte, h-Moll – G-Dur, 4/4 Takt

3. Aria
(Laurich)

Meine Seele,
Auf! erzähle,
Was dir Gott erwiesen hat!
 Rühme seine Wundertat,
 Laß, dem Höchsten zu gefallen,
 Ihm ein frohes Danklied schallen!

Alt, Oboe, Violine, Bc.
125 Takte, G-Dur, 9/8 Takt

4. Recitativo
(Kraus)

Der Herr hat große Ding an uns getan.
Denn er versorget und erhält,
Beschützet und regiert die Welt.
Er tut mehr, als man sagen kann.
Jedoch, nur eines zu gedenken:
Was könnt uns Gott wohl Beßres schenken,
Als daß er unsrer Obrigkeit
Den Geist der Weisheit gibet,
Die denn zu jeder Zeit
Das Böse straft, das Gute liebet?
Ja, die bei Tag und Nacht
Für unsre Wohlfahrt wacht?
Laßt uns dafür den Höchsten preisen;
Auf! ruft ihn an,
Daß er sich auch noch fernerhin so gnädig woll
erweisen.

1. Chorus [Dictum] (S, A, T, B)

Praise thou the Lord, O my spirit, and forget not the goodness that he hath shown thee.

2. Recitative (S)

How great is God's dear kindness though!
He brought us to the light,
And he sustains us yet.
Where can one find a single creature now
Which doth for sustenance yet lack?
Consider though, my soul,
Almighty God's unhidden trace
Which e'en in small things proves to be so great.
Ah, would that I, Most High God, had the
power
A worthy song of thanks to bring thee!
But, should in me for this the strength be
lacking,
I will e'en still, Lord, thy great fame be telling.

3. Aria (A)

O my spirit,
Rise and tell it,
All that God hath shown to thee!
 Glorify his wondrous work,
 To the Most High bring now pleasure,
 Make thy song of thanks ring gladly.

4. Recitative (T)

The Lord hath mighty things for us achieved.
For he provideth and sustains,
Protecteth and ruleth all the world.
He doth more than could e'er be told.
But still, just one thing now consider:
What better thing could God have giv'n us
Than that he to our governors
The soul of wisdom granteth,
Who then forevermore
Both ill rebuke and goodness cherish?
Yea, who both day and night
For our well-being watch?
Let us in turn the Most High praise now:
Rise! Call to him,
That he may also ever yet such favor wish
to show us.

Was unserm Lande schaden kann,
Wirst du, o Höchster, von uns wenden
Und uns erwünschte Hilfe senden.
Ja, ja, du wirst in Kreuz und Nöten
Uns züchtigen, jedoch nicht töten.

Tenor, Streicher, Bc.
26 Takte, e-Moll – fis-Moll, 4/4 Takt

5. Aria
(Schöne)

Mein Erlöser und Erhalter,
Nimm mich stets in Hut und Wacht!
Steh mir bei in Kreuz und Leiden,
Alsdann singt mein Mund mit Freuden:
Gott hat alles wohlgemacht.

Baß, Oboe d'amore, Streicher, Bc.
85 Takte, h-Moll, 3/4 Takt

6. Choral
(Gächinger Kantorei Stuttgart)

**Es danke, Gott, und lobe dich
Das Volk in guten Taten.
Das Land bringt Frucht und bessert sich,
Dein Wort ist wohl geraten.
Uns segne Vater und der Sohn,
Uns segne Gott der Heilge Geist,
Dem alle Welt die Ehre tut,
Vor ihm sich fürchte allermeist,
Und sprecht von Herzen: Amen!**

Chor, 3 Trompeten, Pauken, 3 Oboen, Streicher, Bc.
23 Takte, h-Moll – D-Dur, 4/4 Takt

Ausführende:
Helen Donath, Sopran
Hildegard Laurich, Alt
Adalbert Kraus, Tenor
Wolfgang Schöne, Baß
Hermann Sauter, Trompete
Eugen Mayer, Trompete
Heiner Schatz, Trompete
Karl Schad, Pauken
Otto Winter, Oboe
Thomas Schwarz, Oboe
Hedda Rothweiler, Oboe
Günther Passin, Oboe d'amore
Kurt Etzold, Fagott
Werner Keltsch, Violine
Jürgen Wolf, Continuocello
Manfred Gräser, Kontrabaß
Martha Schuster, Cembalo/Orgelpositiv
**Gächinger Kantorei Stuttgart
Bach-Collegium Stuttgart
Leitung: Helmuth Rilling**

From all that would our land do harm,
Wouldst thou, O Most High God, defend us,
And thy most welcome help now send us.
Indeed, though thou with cross and suff'ring
May punish us, thou wilt not slay us.

5. Aria (B)

My Redeemer and Sustainer,
Keep me in thy care and watch!
Stand by me in cross and suff'ring,
And my mouth shall sing with gladness:
God hath all things set aright!

6. Chorale (S, A, T, B)

**Let thank, O God, and honor thee
The people through good service.
The land bears fruit, amends itself,
Thy word is well commended.
Us bless the Father and the Son,
And bless us God, the Holy Ghost,
Whom all the world doth glorify
And hold in rev'rence unexcelled,
And say sincerely: Amen!**

Aufnahme: Sonopress Tontechnik, Gütersloh
Aufnahmeleitung: Richard Hauck, Wolfram
Wehnert
Aufnahmeort: Gedächtniskirche Stuttgart
Aufnahmezeit: März / April 1973
Spieldauer: 22'10"

BWV 70

Serie I, Nr. 98.653

Wachet! betet! betet! wachet!
Kantate zum 26. Sonntag nach Trinitatis
für Sopran, Alt, Tenor, Baß, vierstimmigen Chor,
Trompete, Oboe, Streicher und Generalbaß

I. Teil

First Part

1. Coro
(Gächinger Kantorei Stuttgart)

1. Chorus (S, A, T, B)

Wachet! betet! betet! wachet!
  Seid bereit
  Allezeit,
  Bis der Herr der Herrlichkeit
  Dieser Welt ein Ende machet.

Watch ye, pray ye, pray ye, watch ye!
  Keep prepared
  For the day
  When the Lord of majesty
  To this world its ending bringeth!

Chor, Trompete, Oboe, Streicher, Bc.
80 Takte, C-Dur, 4/4 Takt

2. Recitativo
(Nimsgern)

2. Recitative (B)

Erschrecket, ihr verstockten Sünder!
Ein Tag bricht an,
Vor dem sich niemand bergen kann:
Er eilt mit dir zum strengen Rechte,
O! sündliches Geschlechte,
Zum ewgen Herzeleide.
Doch euch, erwählte Gotteskinder,
Ist er ein Anfang wahrer Freude.
Der Heiland holet euch, wenn alles fällt und
                                        bricht,
Vor sein erhöhtes Angesicht;
Drum zaget nicht!

Be frightened, O ye stubborn sinners!
A day shall dawn
From which no one can hope to hide:
It speeds thee to a stringent judgment,
O sinful generation,
To lasting lamentation.
But you, God's own elected children,
It brings the onset of true gladness.
The Savior summons you, when all else shall
                                        collapse,
Before his own exalted face:
So fear ye not!

Baß, Gesamtinstrumentarium
18 Takte, F-Dur – a-Moll, 4/4 Takt

3. Aria
(Gohl)

3. Aria (A)

Wann kommt der Tag, an dem wir ziehen
Aus dem Ägypten dieser Welt?

When comes the day of our deliv'rance
From this the Egypt of our world?

Ach, laßt uns bald aus Sodom fliehen,
Eh uns das Feuer überfällt!
Wacht, Seelen, auf von Sicherheit
Und glaubt, es ist die letzte Zeit!

Alt, Violoncello, Bc.
92 Takte, a-Moll, 3/4 Takt

Ah, let us soon from Sodom flee now,
Ere us the fire hath overwhelmed!
Wake up, ye souls, from your repose,
And trust, this is the final hour!

4. Recitativo
(Altmeyer)

Auch bei dem himmlischen Verlangen
Hält unser Leib den Geist gefangen;
Es legt die Welt durch ihre Tücke
Den Frommen Netz und Stricke.
Der Geist ist willig, doch das Fleisch ist schwach;
Dies preßt uns aus ein jammervolles Ach!

Tenor, Bc.
9 Takte, d-Moll – h-Moll, 4/4 Takt

4. Recitative (T)

In spite of all our heav'nly longing
Our body holds the spirit captive;
The world doth set through all its cunning
For good men traps and meshes.
The soul is willing, but the flesh is weak;
This forces out our sorrowful "Alas!"

5. Aria
(Burns)

Laßt der Spötter Zungen schmähen,
Es wird doch und muß geschehen,
Daß wir Jesum werden sehen
Auf den Wolken, in den Höhen.
Welt und Himmel mag vergehen,
Christi Wort muß fest bestehen.
Laßt der Spötter Zungen schmähen;
Es wird doch und muß geschehen!

Sopran, Streicher, Bc.
41 Takte, e-Moll, 4/4 Takt

5. Aria (S)

Leave to mocking tongues their scorning,
For it will and has to happen
That we Jesus shall behold yet
In the clouds, in the heavens.
World and universe may perish,
Christ's word must still stand unshaken.
Leave to mocking tongues their scorning,
For it will and has to happen!

6. Recitativo
(Altmeyer)

Jedoch bei dem unartigen Geschlechte
Denkt Gott an seine Knechte,
Daß diese böse Art
Sie ferner nicht verletzet,
Indem er sie in seiner Hand bewahrt
Und in ein himmlisch Eden setzet.

Tenor, Bc.
8 Takte, D-Dur – G-Dur, 4/4 Takt

6. Recitative (T)

And yet amidst this savage generation
God careth for his servants,
That this most wicked breed
Might cease henceforth to harm them,
For he doth hold them in his hand secure
And to a heav'nly Eden bring them.

7. Choral
(Gächinger Kantorei Stuttgart)

**Freu dich sehr, o meine Seele,
Und vergiß all Not und Qual,
Weil dich nun Christus, dein Herre,
Ruft aus diesem Jammertal!**

7. Chorale (S, A, T, B)

**Now be glad, O thou my spirit,
And forget all need and fears,
For thee now doth Christ, thy Master,
Summon from this vale of tears!**

Seine Freud und Herrlichkeit
Sollt du sehn in Ewigkeit,
Mit den Engeln jubilieren,
In Ewigkeit triumphieren.

Chor, Gesamtinstrumentarium
34 Takte, G-Dur, 3/4 Takt

II. Teil

8. Aria
(Altmeyer)

Hebt euer Haupt empor
Und seid getrost, ihr Frommen,
Zu eurer Seelen Flor!
  Ihr sollt in Eden grünen,
  Gott ewiglich zu dienen.

Tenor, Oboe, Streicher, Bc.
52 Takte, G-Dur, 4/4 Takt

9. Recitativo con Choral
(Nimsgern)

Ach, soll nicht dieser große Tag,
Der Welt Verfall
Und der Posaunen Schall,
Der unerhörte letzte Schlag,
Des Richters ausgesprochne Worte,
Des Höllenrachens offne Pforte
In meinem Sinn
Viel Zweifel, Furcht und Schrecken,
Der ich ein Kind der Sünden bin,
Erwecken?
Jedoch, es gehet meiner Seelen
Ein Freudenschein, ein Licht des Trostes auf.
Der Heiland kann sein Herze nicht verhehlen,
So vor Erbarmen bricht,
Sein Gnadenarm verläßt mich nicht.
Wohlan, so ende ich mit Freuden meinen Lauf.

Baß, Trompete, Streicher, Bc.
31 Takte, e-Moll – C-Dur, 4/4 Takt

10. Aria
(Nimsgern)

Seligster Erquickungstag,
Führe mich zu deinen Zimmern!
Schalle, knalle, letzter Schlag,
Welt und Himmel, geht zu Trümmern!
Jesus führet mich zur Stille,
An den Ort, da Lust und Fülle.

Baß, Trompete, Streicher, Bc.
68 Takte, C-Dur, 3/4 Takt

His great joy and majesty
Shalt thou see eternally,
Join the angels' jubilation
In eternal exultation.

Second Part

8. Aria (T)

Lift high your heads aloft
And be consoled, ye righteous,
That now your souls may bloom!
  Ye shall in Eden flourish
  In God's eternal service.

9. Recitative (B) with instr. chorale

Ah, ought not this most awful day,
The world's collapse,
The sounding trumpet's peal,
The strange, unequaled final stroke,
The sentence which the judge proclaimeth,
The open jaws of hell's own portals
Within my heart
Much doubting, fear and terror
In me, the child of sin I am,
Awaken?
And yet, there passeth through my spirit
A glint of joy, a light of hope doth rise.
The Savior can his heart no more keep hidden,
It doth with pity break,
His mercy's arm forsakes me not.
Lead on, thus shall I end with gladness now my
course.

10. Aria (B)

O most blest refreshment day,
Lead me now into thy mansions!
Sound and crack, O final stroke,
World and heavens, fall in ruins!
Jesus leadeth me to stillness,
To that place where joy hath fullness.

11. Choral
(Gächinger Kantorei Stuttgart)

Nicht nach Welt, nach Himmel nicht
Meine Seele wünscht und sehnet,
Jesum wünsch ich und sein Licht,
Der mich hat mit Gott versöhnet,
Der mich freiet vom Gericht,
Meinen Jesum laß ich nicht.

Chor, Gesamtinstrumentarium
13 Takte, C-Cur, 4/4 Takt

Ausführende:
Nancy Burns, Sopran
Verena Gohl, Alt
Theo Altmeyer, Tenor
Siegmund Nimsgern, Baß
Hermann Sauter, Trompete,
Otto Winter, Oboe
Hans Mantels, Fagott
Werner Keltsch, Konzertmeister
Peter Simek, Continuocello
Ulrich Lau, Kontrabaß
Martha Schuster, Cembalo/Orgelpositiv
Gächinger Kantorei Stuttgart
Bach-Collegium Stuttgart
Leitung: Helmuth Rilling

Aufnahme: Sonopress Tontechnik, Gütersloh
Aufnahmeleitung: Richard Hauck/Wolfram
Wehnert
Aufnahmeort: Gedächtniskirche Stuttgart
Aufnahmezeit: Juni/Juli 1970
Spieldauer: 25'20"

11. Chorale (S, A, T, B)

Not for world, for heaven not,
Doth my spirit yearn with longing;
Jesus seek I and his light,
Who to God hath reconciled me,
Who from judgment sets me free;
My Lord Jesus I'll not leave.

BWV 71

Serie **III**, Nr. 98.676

Gott ist mein König
Kantate zur Ratswahl in Mühlhausen
für Sopran, Alt, Tenor, Baß, vierstimmigen Chor,
obligate Orgel, 3 Trompeten, Pauken, 2 Blockflöten
und Violoncello, 2 Oboen und Fagott, Streicher
und Generalbaß

1. Coro
(Graf, Gardow, Senger, Tüller,
Gächinger Kantorei Stuttgart)

Gott ist mein König von altersher, der alle Hilfe tut,
so auf Erden geschieht.

Sopran, Alt, Tenor, Baß; Chor; 3 Trompeten, Pauken;
2 Blockflöten, Violoncello; 2 Oboen, Fagott;
Streicher, Bc.
38 Takte, C-Dur, 4/4 Takt

1. Chorus [Dictum]

God is my Sov'reign since ancient days, who all
salvation brings which on earth may be found.

2. Aria con Choral
(Graf, Kraus)

Ich bin nun achtzig Jahr, warum soll dein Knecht
sich mehr beschweren?
   Soll ich auf dieser Welt
   Mein Leben höher bringen,
   Durch manchen sauren Tritt
   Hindurch ins Alter dringen,
Ich will *umkehren, daß ich sterbe in meiner Stadt,*
   So gib Geduld, vor Sünd
   Und Schanden mich bewahr,
   Auf daß ich tragen mag
bei meines Vaters und meiner Mutter Grab.
   Mit Ehren graues Haar.

Sopran, Tenor; Orgel
47 Takte, e-Moll, 4/4 Takt

2. Aria [Dictum] (T) and Chorale (S)

I have lived eighty years, wherefore shall
thy thrall still more complain, then?
   If I should in this world
   My life extend yet longer,
   Through countless bitter steps
   Into old age advancing,
I would *return now, that I die within my own town,*
   Help me forbear, from sin
   And scandal me defend,
   So that I may wear well
beside my father's and mine own mother's grave.
   With honor my gray hair.

3. Quartetto
(Graf, Gardow, Kraus, Tüller)

*Dein Alter sei wie deine Jugend, und Gott ist mit dir in
allem, das du tust.*

Sopran, Alt, Tenor, Baß; Bc.
38 Takte, a-Moll, 4/4 Takt

3. Quartet [Dictum] (S, A, T, B)

*Thine old age be like to thy childhood, and God is
with thee in ev'ry deed thou dost.*

4. Arioso
(Tüller)

*Tag und Nacht ist dein. Du machest, daß beide, Sonn
und Gestirn, ihren gewissen Lauf haben. Du setzest
einem jeglichen Lande seine Grenze.*

Baß; 2 Blockflöten, Violoncello; 2 Oboen, Fagott; Bc.
63 Takte, F-Dur, 3/2 – 4/4 – 3/2 Takt

4. Arioso [Dictum] (B)

*Day and night are thine. Thou makest them both, the
sun and the stars, their own appointed course follow.
Thou hast upon each land establishèd its own borders.*

5. Aria
(Schwarz)

Durch mächtige Kraft
Erhältst du unsre Grenzen,
Hier muß der Friede glänzen,
Wenn Mord und Kriegessturm
Sich allerorts erhebt.
Wenn Kron und Zepter bebt,
Hast du das Heil geschafft
Durch mächtige Kraft!

Alt; 3 Trompeten, Pauken; Bc.
35 Takte, C-Dur, 3/8 – 4/4 – 3/8 Takt

5. Aria (A)

With powerful might
Dost thou preserve our borders,
Here shall then peace be radiant,
Though death and raging war
May all around appear.
Though crown and scepter shake,
Hast thou salvation brought
With powerful might!

6. Coro
(Gächinger Kantorei Stuttgart)

Du wollest dem Feinde nicht geben die Seele deiner Turteltauben.

Chor; 2 Blockflöten, Violoncello; 2 Oboen, Fagott; Streicher; Bc.
37 Takte, c-Moll, 4/4 Takt

7. Coro
(Graf, Gardow, Kraus, Tüller, Gächinger Kantorei Stuttgart)

Das neue Regiment
Auf jeglichen Wegen
Bekröne mit Segen!
Friede, Ruh und Wohlergehen
Müsse stets zur Seite stehen
Dem neuen Regiment.

Glück, Heil und großer Sieg
Muß täglich von neuen
Dich, Joseph, erfreuen,
Daß an allen Ort und Landen
Ganz beständig sei vorhanden
Glück, Heil und großer Sieg!

Sopran, Alt, Tenor, Baß; Chor;
Gesamtinstrumentarium
103 Takte, C-Dur, 4/4 – 3/2 – 4/4 Takt

Ausführende:
Kathrin Graf, Sopran
Hanna Schwarz, Alt
Helrun Gardow, Alt
Adalbert Kraus, Tenor
Alexander Senger, Tenor
Niklaus Tüller, Baß
Hermann Sauter, Trompete
Eugen Mayer, Trompete
Heiner Schatz, Trompete
Karl-Heinz Peinecke, Pauken
Peter Thalheimer, Blockflöte
Christine Thalheimer, Blockflöte
Günther Passin, Oboe
Hedda Rothweiler, Oboe
Hermann Herder, Fagott
Jürgen Wolf, Continuocello
Thomas Lom, Kontrabaß
Martha Schuster, Cembalo/Orgel
Joachim Eichhorn, Orgelpositiv
Gächinger Kantorei Stuttgart
Bach-Collegium Stuttgart
Leitung: Helmuth Rilling

6. Chorus [Dictum] (S, A, T, B)

May'st thou to the foe not deliver thy turtledoves' own very spirits.

7. Chorus (S, A, T, B)

This our new government
In ev'ry endeavor
Here crown with thy blessing!
Concord, peace and prosp'rous fortune
Must alway be in attendance
On our new government

Joy, health, great victory
Must each day continue
O Joseph, to please thee,
That in ev'ry clime and country
Ever steadfast may attend thee
Joy, health, great victory!

Aufnahme: Südwest-Tonstudio, Stuttgart
Aufnahmeleitung: Richard Hauck, Heinz Jansen
Toningenieur: Henno Quasthoff
Aufnahmeort: Gedächtniskirche Stuttgart
Aufnahmezeit: Januar/Juni 1975
Spieldauer: 17'30"

BWV 72

Serie I, Nr. 98.658

Alles nur nach Gottes Willen
Kantate zum 3. Sonntag nach Epiphanias
(Text: S. Franck)
für Sopran, Alt, Baß, vierstimmigen Chor,
2 Oboen, Streicher mit 2 Solo-Violinen
und Generalbaß

1. Coro
(Figuralchor der Gedächtniskirche Stuttgart)

Alles nur nach Gottes Willen,
So bei Lust als Traurigkeit,
So bei gut als böser Zeit.
Gottes Wille soll mich stillen
Bei Gewölk und Sonnenschein.
Alles nur nach Gottes Willen!
Dies soll meine Losung sein.

Chor, 2 Oboen, Streicher, Bc.
114 Takte, a-Moll, 3/4 Takt

2a. Recitativo
(Laurich)

O selger Christ, der allzeit seinen Willen
In Gottes Willen senkt, es gehe wie es gehe,
Bei Wohl und Wehe.
Herr, so du willt, so muß sich alles fügen!
Herr, so du willt, so kannst du mich vergnügen!
Herr, so du willt, verschwindet meine Pein!
Herr, so du willt, werd ich gesund und rein!
Herr, so du willt, wird Traurigkeit zur Freude!
Herr, so du willt, find ich auf Dornen Weide!
Herr, so du willt, werd ich einst selig sein!
Herr, so du willt, – laß mich dies Wort im
                              Glauben fassen
Und meine Seele stillen! –
Herr, so du willt, so sterb ich nicht,
Ob Leib und Leben mich verlassen,
Wenn mir dein Geist dies Wort ins Herze spricht!

Alt, Bc.
59 Takte, C-Dur – d-Moll, 4/4 – 3/8 Takt

1. Chorus (S, A, T, B)

All things but as God is willing,
Both in joy and deepest grief,
Both in good and evil times.
God's own will shall be my solace
Under cloud and shining sun.
All things but as God is willing,
This shall hence my motto be.

2a. Recitative (A)

O Christian blest who always doth his own will
In God's own will submerge, no matter what may
                              happen,
In health and sickness.
Lord, if thou wilt, must all things be obedient!
Lord, if thou wilt, thou canst bring me
                              contentment!
Lord, if thou wilt, shall vanish all my pain!
Lord, if thou wilt, will I be well and clean!
Lord, if thou wilt, all sadness will be gladness!
Lord, if thou wilt, I'll find midst thorns a pasture!
Lord, if thou wilt, will I be blest at last!
Lord, if thou wilt, (let me express in faith this sen-
                              tence
To make my soul be quiet!)
Lord, if thou wilt, I'll perish not,
Though life and limb have me forsaken,
If to my heart thy Spirit speaks this word!

2b. Aria
(Laurich)

Mit allem, was ich hab und bin,
Will ich mich Jesu lassen,
   Kann gleich mein schwacher Geist und Sinn
   Des Höchsten Rat nicht fassen;
   Er führe mich nur immer hin
   Auf Dorn- und Rosenstraßen!

Alt, 2 Violinen, Bc.
92 Takte, d-Moll, 4/4 Takt

3. Recitativo
(Kunz)

So glaube nun!
Dein Heiland saget: Ich will's tun!
Er pflegt die Gnadenhand
Noch willigst auszustrecken,
Wenn Kreuz und Leiden dich erschrecken,
Er kennet deine Not und löst dein Kreuzesband.
Er stärkt, was schwach,
Und will das niedre Dach
Der armen Herzen nicht verschmähen,
Darunter gnädig einzugehen.

Baß, Bc.
13 Takte, a-Moll – G-Dur, 4/4 Takt

4. Aria
(Friesenhausen)

Mein Jesus will es tun, er will dein Kreuz
                versüßen.
Obgleich dein Herze liegt in viel
                Bekümmernissen,
Soll es doch sanft und still in seinen Armen ruhn,
Wenn ihn der Glaube faßt; mein Jesus will es tun!

Sopran, Oboe, Streicher, Bc.
98 Takte, C-Dur, 3/4 Takt

5. Choral
(Figuralchor der Gedächtniskirche Stuttgart)

Was mein Gott will, das g'scheh allzeit,
Sein Will, der ist der beste,
Zu helfen den'n er ist bereit,
Die an ihn glauben feste.
Er hilft aus Not, der fromme Gott,
Und züchtiget mit Maßen.
Wer Gott vertraut, fest auf ihn baut,
Den will er nicht verlassen.

Chor, Gesamtinstrumentarium
19 Takte, a-Moll, 4/4 Takt

2b. Aria (A)

With ev'rything I have and am
I'll trust myself to Jesus;
   E'en though my feeble soul and mind
   The will of God not fathom,
   Still may he lead me ever forth
   On roads of thorns and roses!

3. Recitative (B)

So now believe!
Thy Savior saith: "This will I!"
He shall his gracious hand
Most willingly extend thee
When cross and suff'ring thee have frightened;
He knoweth thy distress and lifts the cross's
                bond,
He helps the weak
And would, the humble roof
Of poor in spirit not despising,
Therein deign graciously to enter.

4. Aria (S)

My Jesus will do it, he will thy cross now
                sweeten.
E'en though thy heart may lie amidst much toil
                and trouble,
Shall it yet soft and still within his arms find rest
If him thy faith doth grasp! My Jesus will do it.

5. Chorale (S, A, T, B)

What my God will, be done alway,
His will, it is the best will;
To help all those he is prepared
Whose faith in him is steadfast.
He frees from want, this righteous God,
And punisheth with measure:
Who trusts in God, on him relies,
Him will he not abandon.

Ausführende:
Maria Friesenhausen, Sopran
Hildegard Laurich, Alt
Hanns-Friedrich Kunz, Baß
Helmut Koch, Oboe
Sigurd Michael, Oboe
Werner Keltsch, Violine
Uwe Hoffmann, Violine
Hannelore Michel, Continuocello
Manfred Gräser, Kontrabaß
Martha Schuster, Cembalo/Orgelpositiv
Figuralchor der Gedächtniskirche Stuttgart
Bach-Collegium Stuttgart
Leitung: Helmuth Rilling

Aufnahme: Sonopress Tontechnik, Gütersloh
Aufnahmeleitung: Richard Hauck/Wolfram
Wehnert
Aufnahmeort: Gedächtniskirche Stuttgart
Aufnahmezeit: Februar 1971
Spieldauer: 18'20"

BWV 73

Serie **II**, Nr. 98.664

Herr, wie du willt, so schick's mit mir
Kantate zum 3. Sonntag nach Epiphanias
für Sopran, Tenor, Baß, vierstimmigen Chor,
Horn, 2 Oboen, Streicher und Generalbaß

1. Coro e Recitativo
(Schreiber, Kraus, Schöne, Figuralchor
der Gedächtniskirche Stuttgart)

1. Chorale (S, A, T, B) and Recitative (T, B, S)

Herr, wie du willt, so schick's mit mir
Im Leben und im Sterben!
Tenor
Ach! aber ach! wieviel
Läßt mich dein Wille leiden!
Mein Leben ist des Unglücks Ziel,
Da Jammer und Verdruß
Mich lebend foltern muß,
Und kaum will meine Not im Sterben von mir
scheiden.
Allein zu dir steht mein Begier,
Herr, laß mich nicht verderben!
Baß
Du bist mein Helfer, Trost und Hort,
So der Betrübten Tränen zählet
Und ihre Zuversicht,
Das schwache Rohr, nicht gar zerbricht;
Und weil du mich erwählet,
So sprich ein Trost- und Freudenwort!
Erhalt mich nur in deiner Huld,
Sonst wie du willt, gib mir Geduld,
Denn dein Will ist der beste.

Lord, as thou wilt, so deal with me
In living and in dying!
(T)
Ah! Ah, alas! How much
Thy will doth let me suffer!
My life hath been misfortune's prey,
For sorrow and dismay
Must plague me all my days,
Nor will yet my distress in dying even leave me.
Alone for thee is my desire,
Lord, leave me not to perish!
(B)
Thou art my helper, strength and shield,
Who ev'ry mourner's tears dost number,
And dost their confidence,
That fragile reed, no way corrupt;
And since thou me hast chosen,
So speak to me of hope and joy!
Maintain me only in thy grace,
But as thou wilt, let me forbear,
For thy will is the best will.

Sopran
Dein Wille zwar ist ein versiegelt Buch,
Da Menschenweisheit nichts vernimmt;
Der Segen scheint uns oft ein Fluch,
Die Züchtigung ergrimmte Strafe,
Die Ruhe, so du in dem Todesschlafe
Uns einst bestimmt,
Ein Eingang zu der Hölle.
Doch macht dein Geist uns dieses Irrtums frei
Und zeigt, daß uns dein Wille heilsam sei.
Herr, wie du willt!

Sopran, Tenor, Baß, Chor, Gesamtinstrumentarium
73 Takte, g-Moll, 4/4 Takt

2. Aria
(Kraus)

Ach senke doch den Geist der Freuden
Dem Herzen ein!
    Es will oft bei mir geistlich Kranken
    Die Freudigkeit und Hoffnung wanken
    Und zaghaft sein.

Tenor, Oboe, Bc.
67 Takte, Es-Dur, 4/4 Takt

3. Recitativo
(Schöne)

Ach, unser Wille bleibt verkehrt,
Bald trotzig, bald verzagt,
Des Sterbens will er nie gedenken;
Allein ein Christ, in Gottes Geist gelehrt,
Lernt sich in Gottes Willen senken
Und sagt:

Baß, Bc.
8 Takte, c-Moll, 4/4 Takt

4. Aria
(Schöne)

Herr, so du willt,
So preßt, ihr Todesschmerzen,
Die Seufzer aus dem Herzen,
Wenn mein Gebet nur vor dir gilt.

Herr, so du willt,
So lege meine Glieder
In Staub und Asche nieder,
Dies höchst verderbte Sündenbild,

Herr, so du willt,
So schlagt, ihr Leichenglocken,
Ich folge unerschrocken,
Mein Jammer ist nunmehr gestillt.

Baß, Streicher, Bc.
75 Takte, c-Moll, 3/4 Takt

(S)
Thy will, in truth, is like a book that's sealed,
Which human wisdom cannot read;
Thy grace oft seems to us a curse,
Chastisement, oft a cruel judgment,
The rest which thou hast in our dying slumber
One day ordained,
To hell an introduction.
Thy Spirit, though, our error doth dispel
And show that thy true will doth make us well.
Lord, as thou wilt!

2. Aria (T)

Ah, pour thou yet thy joyful Spirit
Into my heart!
    For often through my spirit's sickness
    Both joyfulness and hope would falter
    And yield to fear.

3. Recitative (B)

Ah, our own will remains perverse,
Now haughty, now afraid,
With death e'er loathe to reckon.
But men of Christ, through God's own Spirit
                                    taught,
Submit themselves to God's true purpose
And say:

4. Aria (B)

Lord, if thou wilt,
Suppress, ye pains of dying,
All sighing in my bosom,
If this my pray'r thou dost approve.

Lord, if thou wilt,
Then lay to rest my body
In dust and ashes lowly,
This most corrupted shape of sin.

Lord, if thou wilt,
Then strike, ye bells of mourning,
I follow quite unfrightened,
My sorrow is forever stilled.

5. Choral
(Figuralchor der Gedächtniskirche Stuttgart)

Das ist des Vaters Wille,
Der uns erschaffen hat;
Sein Sohn hat Guts die Fülle
Erworben und Genad;
Auch Gott der Heilge Geist
Im Glauben uns regieret,
Zum Reich des Himmels führet.
Ihm sei Lob, Ehr und Preis!

Chor, Gesamtinstrumentarium
16 Takte, c-Moll, 4/4 Takt

Ausführende:
Magdalene Schreiber, Sopran
Adalbert Kraus, Tenor
Wolfgang Schöne, Baß
Johannes Ritzkowsky, Horn
Otto Winter, Oboe
Thomas Schwarz, Oboe
Jürgen Wolf, Continuocello
Hans Mantels, Fagott
Manfred Gräser, Kontrabaß
Martha Schuster, Cembalo/Orgelpositiv
Figuralchor der Gedächtniskirche Stuttgart
Bach-Collegium Stuttgart
Leitung: Helmuth Rilling

Aufnahme: Sonopress Tontechnik, Gütersloh
Aufnahmeleitung: Richard Hauck/
Wolfram Wehnert
Aufnahmeort: Gedächtniskirche Stuttgart
Aufnahmezeit: Februar 1971 und Februar 1972
Spieldauer: 16' 25"

5. Chorale (S, A, T, B)

This is the Father's purpose,
Who us created hath;
His Son hath plenteous goodness
Gained for us, and much grace;
And God the Holy Ghost
In faith o'er us yet ruleth,
To heaven's kingdom leadeth.
To him laud, honor, praise!

BWV 74

Serie **I**, Nr. 98.660

Wer mich liebet,
der wird mein Wort halten
Kantate zum 1. Pfingsttag
(Text: Chr. M. v. Ziegler)
für Sopran, Alt, Tenor, Baß, vierstimmigen Chor,
3 Trompeten, Pauken, 2 Oboen, Oboe da caccia,
Streicher mit Solo-Violine und Generalbaß

1. Coro
(Gächinger Kantorei Stuttgart)

*Wer mich liebet, der wird mein Wort halten, und
mein Vater wird ihn lieben, und wir werden zu ihm
kommen und Wohnung bei ihm machen.*

Chor, Gesamtinstrumentarium
61 Takte, C-Dur, 4/4 Takt

1. Chorus [Dictum] (S, A, T, B)

*He who loves me will keep my commandments, and
my Father, too, will love him, and we shall unto him
come then and make our dwelling with him.*

2. Aria
(Donath)

Komm, komm, mein Herze steht dir offen,
Ach, laß es deine Wohnung sein!
Ich liebe dich, so muß ich hoffen:
Dein Wort trifft jetzo bei mir ein;
Denn wer dich sucht, fürcht', liebt und ehret,
Dem ist der Vater zugetan.
Ich zweifle nicht, ich bin erhöret,
Daß ich mich dein getrösten kann.

Sopran, Oboe da caccia, Bc.
42 Takte, F-Dur, 4/4 Takt

2. Aria (S)

Come, come, my heart to thee is open,
Ah, let it now thy dwelling be!
I do love thee and must be hopeful:
Thy word is now in me fulfilled;
For who thee seeks, fears, loves and honors,
With him the Father is content.
I do not doubt that I am favored
And shall in thee my comfort find.

3. Recitativo
(Laurich)

Die Wohnung ist bereit.
Du findst ein Herz, das dir allein ergeben,
Drum laß mich nicht erleben,
Daß du gedenkst, von mir zu gehn.
Das laß ich nimmermehr, ach, nimmermehr
                                    geschehen!

Alt, Bc.
7 Takte, d-Moll – a-Moll, 4/4 Takt

3. Recitative (A)

Thy dwelling is prepared.
Thou hast my heart, to thee alone devoted,
So let me never suffer
That thou shouldst mean from me to part,
For I will never let, ah, never let it happen.

4. Aria
(Kunz)

*Ich gehe hin und komme wieder zu euch. Hättet ihr
mich lieb, so würdet ihr euch freuen.*

Baß, Bc.
77 Takte, e-Moll, 4/4 Takt

4. Aria [Dictum] (B)

*I go from here and come again unto you. If I had your
love, ye would be now rejoicing.*

5. Aria
(Kraus)

Kommt, eilet, stimmet Sait und Lieder
In muntern und erfreuten Ton.
Geht er gleich weg, so kömmt er wieder,
Der hochgelobte Gottessohn.
  Der Satan wird indes versuchen,
  Den Deinigen gar sehr zu fluchen.
  Er ist mir hinderlich,
  So glaub ich, Herr, an dich.

Tenor, Streicher, Bc.
110 Takte, G-Dur, 4/4 Takt

5. Aria (T)

Come, hasten, tune your strings and anthems
In lively and rejoicing song.
Though he now leaves, again he cometh,
The high-exalted Son of God.
  But Satan will be now attempting
  Thy people to bring condemnation.
  He is my obstacle,
  My faith is, Lord, in thee.

6. Recitativo
(Kunz)

*Es ist nichts Verdammliches an denen, die in Christo
Jesu sind.*

Baß, 2 Oboen, Oboe da caccia, Bc.
5 Takte, e-Moll – C-Dur, 4/4 Takt

6. Recitative [Dictum] (B)

*There is nought destructible in any who in Christ,
Lord Jesus, live.*

7. Aria
(Laurich)

Nichts kann mich erretten
Von höllischen Ketten
Als, Jesu, dein Blut.
   Dein Leiden, dein Sterben
   Macht mich ja zum Erben:
   Ich lache der Wut.

Alt, 2 Oboen, Oboe da caccia, Violine, Streicher, Bc.
244 Takte, C-Dur, 3/8 Takt

8. Choral
(Gächinger Kantorei Stuttgart)

Kein Menschenkind hier auf der Erd
Ist dieser edlen Gabe wert,
Bei uns ist kein Verdienen;
Hier gilt gar nichts als Lieb und Gnad,
Die Christus uns verdienet hat
Mit Büßen und Versühnen.

Chor, Trompete, 2 Oboen, Oboe da caccia, Streicher, Bc.
13 Takte, a-Moll, 4/4 Takt

Ausführende:
Helen Donath, Sopran
Hildegard Laurich, Alt
Adalbert Kraus, Tenor
Hanns-Friedrich Kunz, Baß
Hermann Sauter, Trompete
Eugen Mayer, Trompete
Heiner Schatz, Trompete
Karl Schad, Pauken
Otto Winter, Oboe
Thomas Schwarz, Oboe
Hanspeter Weber, Oboe da caccia
Hans Mantels, Fagott
Werner Keltsch, Violine
Jürgen Wolf, Continuocello
Manfred Gräser, Kontrabaß
Martha Schuster, Cembalo/Orgelpositiv
Gächinger Kantorei Stuttgart
Bach-Collegium Stuttgart
Leitung: Helmuth Rilling

Aufnahme: Sonopress Tontechnik, Gütersloh
Aufnahmeleitung: Richard Hauck/
Wolfram Wehnert
Aufnahmeort: Gedächtniskirche Stuttgart
Aufnahmezeit: Februar 1972
Spieldauer: 23' 10"

7. Aria (A)

Nought could me deliver
From hell's very shackles
But, Jesus, thy blood.
   Thy passion, thy dying
   Are mine to inherit:
   I'll laugh at hell's wrath.

8. Chorale (S, A, T, B)

No child of man here on the earth
Is worthy of this noble gift,
In us there is no merit;
Here nought doth count but love and grace
Which Christ for us hath merited
With sacrifice and healing.

BWV 75

Die Elenden sollen essen
Kantate zum 1. Sonntag nach Trinitatis
für Sopran, Alt, Tenor, Baß, vierstimmigen Chor,
Trompete, 2 Oboen, Oboe d'amore, Fagott, Streicher
und Generalbaß

I. Teil

1. Coro
(Reichelt, Gohl, Kraus, Kunz,
Frankfurter Kantorei)

*Die Elenden sollen essen, daß sie satt werden, und
die nach dem Herrn fragen, werden ihn preisen.
Euer Herz soll ewiglich leben.*

Sopran, Alt, Tenor, Baß, Chor, 2 Oboen, Fagott,
Streicher, Bc.
105 Takte, e-Moll, 3/4 – 4/4 Takt

2. Recitativo
(Kunz)

Was hilft des Purpurs Majestät,
Da sie vergeht?
Was hilft der größte Überfluß,
Weil alles, so wir sehen,
Verschwinden muß?
Was hilft der Kitzel eitler Sinnen,
Denn unser Leib muß selbst von hinnen?
Ach, wie geschwind ist es geschehen,
Daß Reichtum, Wollust, Pracht
Den Geist zur Hölle macht!

Baß, Streicher, Bc.
12 Takte, h-Moll – e-Moll, 4/4 Takt

3. Aria
(Kraus)

Mein Jesus soll mein alles sein!
  Mein Purpur ist sein teures Blut,
  Er selbst mein allerhöchstes Gut,
  Und seines Geistes Liebesglut
  Mein allersüß'ster Freudenwein.

Tenor, Oboe, Streicher, Bc.
145 Takte, G-Dur, 3/4 Takt

4. Recitativo
(Kraus)

Gott stürzet und erhöhet
In Zeit und Ewigkeit.

First Part

1. Chorus [Dictum] (S, A, T, B)

*The hungering shall be nourished till they be sated,
and they who desire the Lord shall tell his praises.
And your heart shall evermore flourish.*

2. Recitative (B)

What use is purple's majesty
When it is gone?
What use the greatest store of wealth
Since all things in our vision
Must disappear?
What use the stirring of vain yearnings,
Since this our flesh itself must perish?
Alas, how swiftly doth it happen
That riches, pleasure, pomp,
The soul to hell condemn!

3. Aria (T)

My Jesus shall be all I own!
  My purple is his precious blood,
  Himself my most exalted wealth,
  And this his Spirit's fire of love
  My most delicious wine of joy.

4. Recitative (T)

God humbleth and exalteth
Both now and for all time.

Wer in der Welt den Himmel sucht, Wird dort verflucht. Wer aber hier die Hölle übersteht, Wird dort erfreut.	Who in the world would heaven seek Shall here be cursed. However, who here hell's pow'r overcometh Shall there find joy.

Tenor, Bc.
7 Takte, a-Moll – C-Dur, 4/4 Takt

5. Aria
(Reichelt)

5. Aria (S)

Ich nehme mein Leiden mit Freuden auf mich.
  Wer Lazarus' Plagen
  Geduldig ertragen,
  Den nehmen die Engel zu sich.
	I take up my sadness with gladness to me.
	  Who Lazarus' torments
	  With patience endureth
	  Be taken by angels above.

Sopran, Oboe d'amore, Bc.
180 Takte, a-Moll, 3/8 Takt

6. Recitativo
(Reichelt)

6. Recitative (S)

Indes schenkt Gott ein gut Gewissen, Dabei ein Christe kann Ein kleines Gut mit großer Lust genießen. Ja, führt er auch durch lange Not Zum Tod, So ist es doch am Ende wohlgetan.	A conscience clear hath God provided So that a Christian can In simple things find great delight and pleasure. Yea, though he lead through long distress To death, Yet is it in the end done right and well.

Sopran, Bc.
8 Takte, G-Dur, 4/4 Takt

7. Choral
(Frankfurter Kantorei)

7. Chorale (S, A, T, B)

Was Gott tut, das ist wohlgetan; **Muß ich den Kelch gleich schmecken,** **Der bitter ist nach meinem Wahn,** **Laß ich mich doch nicht schrecken,** **Weil doch zuletzt** **Ich werd ergötzt** **Mit süßem Trost im Herzen;** **Da weichen alle Schmerzen.**	**What God doth, that is rightly done;** **Must I the cup soon savor,** **So bitter after my mad plight,** **I shall yet feel no terror,** **For at the last** **I will find joy,** **My bosom's sweetest comfort,** **And yield will ev'ry sorrow.**

Chor, 2 Oboen, Streicher, Bc.
32 Takte, G-Dur, 4/4 Takt

II. Teil

Second Part

8. Sinfonia
(Bach-Collegium Stuttgart)

8. Sinfonia

Trompete, Streicher, Bc.
53 Takte, G-Dur, ¢ Takt

9. Recitativo
(Gohl)

Nur eines kränkt
Ein christliches Gemüte:
Wenn es an seines Geistes Armut denkt.
Es gläubt zwar Gottes Güte,
Die alles neu erschafft;
Doch mangelt ihm die Kraft,
Dem überirdschen Leben
Das Wachstum und die Frucht zu geben.

Alt, Streicher, Bc.
9 Takte, e-Moll – G-Dur, 4/4 Takt

9. Recitative (A)

Just one thing grieves
A Christian in the spirit:
When he upon his soul's own want doth think.
Though he trust God's great kindness,
Which all things new doth make,
Yet doth he lack the strength,
For life above in heaven,
His increase and his fruits to offer.

10. Aria
(Gohl)

Jesus macht mich geistlich reich.
Kann ich seinen Geist empfangen,
Will ich weiter nichts verlangen;
Denn mein Leben wächst zugleich.
Jesus macht mich geistlich reich.

Alt, Violinen, Bc.
119 Takte, e-Moll, 3/8 Takt

10. Aria (A)

Jesus makes my spirit rich.
If I can receive his Spirit,
I will nothing further long for;
For my life doth grow thereby.
Jesus makes my spirit rich.

11. Recitativo
(Kunz)

Wer nur in Jesu bleibt,
Die Selbstverleugnung treibt,
Daß er in Gottes Liebe
Sich gläubig übe,
Hat, wenn das Irdische verschwunden,
Sich selbst und Gott gefunden.

Baß, Bc.
7 Takte, D-Dur – C-Dur, 4/4 Takt

11. Recitative (B)

Who bides in Christ alone
And self-denial keeps,
That he in God's affection
His faith may practise,
Hath, when all earthly things have vanished,
Himself and God discovered.

12. Aria
(Kunz)

Mein Herze glaubt und liebt.
    Denn Jesu süße Flammen,
    Aus den' die meinen stammen,
    Gehn über mich zusammen,
    Weil er sich mir ergibt.

Baß, Trompete, Streicher, Bc.
60 Takte, C-Dur, 4/4 Takt

12. Aria (B)

My heart believes and loves.
    For Jesus' flames of sweetness,
    From which mine own have risen,
    Engulf me altogether,
    Because he loveth me.

13. Recitativo
(Kraus)

O Armut, der kein Reichtum gleicht!
Wenn aus dem Herzen
Die ganze Welt entweicht

13. Recitative (T)

O poorness which no wealth can match!
When from my bosom
Shall all the world withdraw

Und Jesus nur allein regiert.
So wird ein Christ zu Gott geführt!
Gib, Gott, daß wir es nicht verscherzen!

And Jesus all alone shall rule,
Thus is a Christian led to God!
Grant, God, that we this hope not squander!

Tenor, Bc.
8 Takte, a-Moll – G-Dur, 4/4 Takt

14. Choral
(Frankfurter Kantorei)

14. Chorale (S, A, T, B)

Was Gott tut, das ist wohlgetan,
Dabei will ich verbleiben.
Es mag mich auf die rauhe Bahn
Not, Tod und Elend treiben;
So wird Gott mich
Ganz väterlich
In seinen Armen halten;
Drum laß ich ihn nur walten.

What God doth, that is rightly done,
To that will I be cleaving.
Though out upon the cruel road
Need, death and suff'ring drive me;
E'en so shall God,
All fatherhood,
In his dear arms enfold me;
So I yield him all power.

Chor, 2 Oboen, Streicher, Bc.
32 Takte, G-Dur, 4/4 Takt

Ausführende:
Ingeborg Reichelt, Sopran
Verena Gohl, Alt
Adalbert Kraus, Tenor
Hanns-Friedrich Kunz, Baß
Hermann Sauter, Trompete
Otto Winter, Oboe/Oboe d'amore
Hans Mantels, Fagott
Hannelore Michel, Continuocello
Manfred Gräser, Kontrabaß
Martha Schuster, Cembalo/Orgelpositiv
Frankfurter Kantorei
Bach-Collegium Stuttgart
Leitung: Helmuth Rilling

Aufnahme: Sonopress Tontechnik, Gütersloh
Aufnahmeleitung: Richard Hauck/
Wolfram Wehnert
Aufnahmeort: Gedächtniskirche Stuttgart
Aufnahmezeit: Juni/Juli 1970
Spieldauer: 34'25"

Serie **V**, Nr. 98.692

BWV 76

Die Himmel erzählen die Ehre Gottes
Kantate zum 2. Sonntag nach Trinitatis
für Sopran, Alt, Tenor, Baß, vierstimmigen Chor,
Trompete, 2 Oboen, Oboe d'amore, Viola da gamba,
Streicher mit Solo-Violine und Generalbaß

I. Teil

1. Coro
(Augér, Watts, Kraus, Heldwein,
Gächinger Kantorei Stuttgart)

*Die Himmel erzählen die Ehre Gottes, und die Feste
verkündiget seiner Hände Werk.
Es ist keine Sprache noch Rede, da man nicht ihre
Stimme höre.*

Sopran, Alt, Tenor, Baß, Chor, Trompete, 2 Oboen,
Streicher, Bc.
137 Takte, C-Dur, 3/4 Takt

2. Recitativo
(Kraus)

So läßt sich Gott nicht unbezeuget!
Natur und Gnade redt alle Menschen an:
Dies alles hat ja Gott getan,
Daß sich die Himmel regen
Und Geist und Körper sich bewegen.
Gott selbst hat sich zu euch geneiget
Und ruft durch Boten ohne Zahl:
Auf, kommt zu meinem Liebesmahl!

Tenor, Streicher, Bc.
17 Takte, a-Moll – e-Moll, 4/4 Takt

3. Aria
(Augér)

Hört, ihr Völker, Gottes Stimme,
Eilt zu seinem Gnadenthron!
　　Aller Dinge Grund und Ende
　　Ist sein eingeborner Sohn:
　　Daß sich alles zu ihm wende.

Sopran, Violine, Bc.
62 Takte, G-Dur, 4/4 Takt

4. Recitativo
(Nimsgern)

Wer aber hört,
Da sich der größte Haufen
Zu andern Göttern kehrt?
Der älteste Götze eigner Lust
Beherrscht der Menschen Brust.
Die Weisen brüten Torheit aus,
Und Belial sitzt wohl in Gottes Haus,
Weil auch die Christen selbst von Christo laufen.

Baß, Bc.
10 Takte, e-Moll – C-Dur, 4/4 Takt

First Part

1. Chorus [Dictum] (S, A, T, B)

*The heavens are telling the glory of God, and the
firmament publisheth all his handiwork. There is
neither language nor speaking, for one cannot perceive their voices.*

2. Recitative (T)

Himself doth God leave not unproven!
Both grace and nature to all mankind proclaim:
This, all this, did, yea, God achieve
So that the heavens waken
And soul and body have their motion.
God hath himself to you inclined
And calls through heralds passing count:
Rise, come ye to my feast of love!

3. Aria (S)

Hear, ye nations, God's voice calling,
Haste ye to his mercy's throne!
　　Of all things the root and limit
　　Is his one begotten Son:
　　That all nature to him gather.

4. Recitative (B)

Who, though, doth hear,
When now the greatest numbers
To other gods give heed?
The ancient idols' wayward lust
Controls the human breast.
The wise are brooding foolishness,
And Belial sits firm in God's own house,
For even Christians, too, from Christ are
　　　　　　　　　　　　　　　　running.

5. Aria
(Nimsgern)

Fahr hin, abgöttische Zunft!
   Sollt sich die Welt gleich verkehren,
   Will ich doch Christum verehren,
   Er ist das Licht der Vernunft.

Baß, Trompete, Streicher, Bc.
55 Takte, C-Dur, 4/4 Takt

6. Recitativo
(Watts)

Du hast uns, Herr, von allen Straßen
Zur dir geruft,
Als wir im Finsternis der Heiden saßen,
Und, wie das Licht die Luft
Belebet und erquickt,
Uns auch erleuchtet und belebet,
Ja mit dir selbst gespeiset und getränket
Und deinen Geist geschenket,
Der stets in unserm Geiste schwebet.
Drum sei dir dies Gebet demütigst zugeschickt:

Alt, Bc.
17 Takte, e-Moll, 4/4 Takt

7. Choral
(Gächinger Kantorei Stuttgart)

Es woll uns Gott genädig sein
Und seinen Segen geben;
Sein Antlitz uns mit hellem Schein
Erleucht zum ewgen Leben,
Daß wir erkennen seine Werk,
Und was ihm lieb auf Erden,
Und Jesus Christus' Heil und Stärk
Bekannt den Heiden werden
Und sie zu Gott bekehren!

Chor, Trompete, Streicher, Bc.
33 Takte, e-Moll (phrygisch), 4/4 Takt

II. Teil

8. Sinfonia
(Bach-Collegium Stuttgart)

Oboe d'amore, Viola da gamba, Bc.
65 Takte, e-Moll, 4/4 – 3/4 Takt

9. Recitativo
(Nimsgern)

Gott segne noch die treue Schar,
Damit sie seine Ehre
Durch Glauben, Liebe, Heiligkeit

---

5. Aria (B)

Get hence, idolatrous band!
   Though all the world be perverted,
   Will I still Christ render honor,
   He is the light of the mind.

6. Recitative (A)

Thou didst us, Lord, from ev'ry pathway
To thee call forth
When we in darkness sat amongst the heathen.
And, just as light the air
Makes radiant with new life,
Thou hast illumined and renewed us,
Yea, with thyself both nourished and refreshed
                            us,
And thine own Spirit given,
Who dwells within our spirits ever.
Therefore, let this our pray'r most humbly
                        come to thee:

7. Chorale (S, A, T, B)

May to us God his mercy show
And his salvation give us;
His face on us with radiant beams
Pour light for life eternal,
That we discern his handiwork;
And what on earth he loveth
And Jesus Christ's own healing strength
Be known to all the nations
And they to God converted!

Second Part

8. Sinfonia

9. Recitative (B)

God bless then all the faithful throng,
That they his fame and honor
Through faith and love and holiness

Erweise und vermehre.
Sie ist der Himmel auf der Erden
Und muß durch steten Streit
Mit Haß und mit Gefahr
In dieser Welt gereinigt werden.

Baß, Streicher, Bc.
10 Takte, h-Moll – a-Moll, 4/4 Takt

Make manifest and greater.
They are like heaven on earth dwelling
And must, through constant strife
With hate and with great dread,
Within this world be purifièd.

10. Aria
(Kraus)

10. Aria (T)

Hasse nur, hasse mich recht,
Feindlichs Geschlecht!
   Christum gläubig zu umfassen,
   Will ich alle Freude lassen.

Tenor, Bc.
94 Takte, a-Moll, 3/4 Takt

Hate me then, hate me full well,
O hostile race!
   Christ by faith to be embracing
   Would I all delights relinquish.

11. Recitativo
(Watts)

11. Recitative (A)

Ich fühle schon im Geist,
Wie Christus mir
Der Liebe Süßigkeit erweist
Und mich mit Manna speist,
Damit sich unter uns allhier
Die brüderliche Treue
Stets stärke und verneue.

Alt, Bc.
11 Takte, F-Dur – C-Dur, 4/4 Takt

I feel now in my soul
How Christ to me
His love's true sweetness doth reveal
And me with manna feed,
So that amongst us here may be
The bond of loyal brothers
E'er strengthened and renewèd.

12. Aria
(Watts)

12. Aria (A)

Liebt, ihr Christen, in der Tat!
   Jesus stirbet für die Brüder,
   Und sie sterben für sich wieder,
   Weil er sich verbunden hat.

Alt, Oboe d'amore, Viola da gamba, Bc.
64 Takte, e-Moll, 9/8 Takt

Love, ye Christians, in your works!
   Jesus dieth for his brothers,
   Now they're dying for each other,
   For he doth them bind to this.

13. Recitativo
(Kraus)

13. Recitative (T)

So soll die Christenheit
Die Liebe Gottes preisen
Und sie an sich erweisen:
Bis in die Ewigkeit
Die Himmel frommer Seelen
Gott und sein Lob erzählen.

Tenor, Bc.
9 Takte, C-Dur – e-Moll, 4/4 Takt

Thus ought Christianity
The love of God sing praises
And in themselves reveal it:
Until the end of time,
When heaven's righteous spirits
God and his praise are telling.

14. Choral
(Gächinger Kantorei Stuttgart)

Es danke, Gott, und lobe dich
Das Volk in guten Taten;
Das Land bringt Frucht und bessert sich,
Dein Wort ist wohlgeraten.
Uns segne Vater und der Sohn,
Uns segne Gott, der Heilge Geist,
Dem alle Welt die Ehre tu,
Für ihm sich fürchte allermeist
Und sprech von Herzen: Amen.

Chor, Trompete, Streicher, Bc.
33 Takte, e-Moll (phrygisch), 4/4 Takt

Ausführende:
Arleen Augér, Sopran
Helen Watts, Alt
Adalbert Kraus, Tenor
Siegmund Nimsgern, Baß
Rob Roy McGregor, Trompete
Hans Wolf, Trompete
Allan Vogel, Oboe
Hedda Rothweiler, Oboe
Günther Passin, Oboe d'amore
Kurt Etzold, Fagott
Walter Forchert, Violine
Reinhard Tüting, Viola da gamba
Jürgen Wolf, Continuocello
Thomas Lom, Kontrabaß
Hans-Joachim Erhard, Cembalo/Orgelpositiv
Gächinger Kantorei Stuttgart
Bach-Collegium Stuttgart
Leitung: Helmuth Rilling

Aufnahme: Südwest-Tonstudio, Stuttgart
Aufnahmeleitung: Richard Hauck
Toningenieur: Henno Quasthoff
Aufnahmeort: Gedächtniskirche Stuttgart
Aufnahmezeit: September/Dezember 1977,
Januar 1978
Spieldauer: 32'00"

14. Chorale (S, A, T, B)

Let thank, O God, and give thee praise
The people in good labors;
The land bears fruit, its ways it mends,
Thy word doth thrive and prosper.
Bless us the Father and the Son,
And bless us God, the Holy Ghost,
Whom all the world should glorify,
To him pay rev'rence unexcelled
And say sincerely: Amen.

BWV 77

Du sollt Gott, deinen Herren, lieben
Kantate zum 13. Sonntag nach Trinitatis
(Text: J. Osw. Knauer)
für Sopran, Alt, Tenor, Baß, vierstimmigen Chor,
Trompete, 2 Oboen, Streicher und Generalbaß

Serie **II**, Nr. 98.662

1. Coro con Choral
(Gächinger Kantorei Stuttgart)

Du sollt Gott, deinen Herren, lieben von ganzem
Herzen, von ganzer Seele, von allen Kräften und von
ganzem Gemüte und deinen Nächsten als dich selbst.

Chor, Trompete, 2 Oboen, Streicher, Bc.
77 Takte, G-Dur (mixolydisch), 4/4 Takt

2. Recitativo
(Schöne)

So muß es sein!
Gott will das Herz vor sich alleine haben.
Man muß den Herrn von ganzer Seele
Zu seiner Lust erwählen
Und sich nicht mehr erfreun,
Als wenn er das Gemüte
Durch seinen Geist entzündt,
Weil wir nur seiner Huld und Güte
Alsdann erst recht versichert sind.

Baß, Bc.
10 Takte, C-Dur, 4/4 Takt

3. Aria
(Donath)

Mein Gott, ich liebe dich von Herzen,
Mein ganzes Leben hangt dir an.
Laß mich doch dein Gebot erkennen
Und in Liebe so entbrennen,
Daß ich dich ewig lieben kann.

Sopran, 2 Oboen, Bc.
65 Takte, a-Moll, 4/4 Takt

4. Recitativo
(Kraus)

Gib mir dabei, mein Gott! ein Samariterherz,
Daß ich zugleich den Nächsten liebe
Und mich bei seinem Schmerz
Auch über ihn betrübe,
Damit ich nicht bei ihm vorübergeh
Und ihn in seiner Not nicht lasse.
Gib, daß ich Eigenliebe hasse,
So wirst du mir dereinst das Freudenleben
Nach meinem Wunsch, jedoch aus Gnade geben.

Tenor, Streicher, Bc.
13 Takte, e-Moll – G-Dur, 4/4 Takt

1. Chorus [Dictum] (S, A, T, B) with instr. chorale

Thou shalt thy God and master cherish with all thy
bosom, with all thy spirit, with all thy power and with
all thine affection, as well thy neighbor as thyself.

2. Recitative (B)

So must it be!
God would our hearts himself
              possess completely.
We must the Lord with all our spirit
Elect as he requireth,
And never be content
But when he doth our spirits
Through his own Spirit fire,
For we, of all his grace and kindness,
Are only then completely sure.

3. Aria (S)

My God, with all my heart I love thee,
And all my life depends on thee.
But help me thy great law to fathom
And with love to be so kindled
That I thee evermore may love.

4. Recitative (T)

Make me as well, my God, Samaritan in heart
That I may both my neighbor cherish
And be amidst his pain
For his sake also troubled,
That I may never merely pass him by
And him to his distress abandon.
Make me to self-concern contrary,
For then thou shalt one day the life of gladness
That I desire in thy dear mercy grant me.

5. Aria
(Watts)

Ach, es bleibt in meiner Liebe
Lauter Unvollkommenheit!
Hab ich oftmals gleich den Willen,
Was Gott saget, zu erfüllen,
Fehlt mir's doch an Möglichkeit.

Alt, Trompete, Bc.
118 Takte, d-Moll, 3/4 Takt

6. Choral
(Gächinger Kantorei Stuttgart)

**Herr, durch den Glauben wohn in mir,
Laß ihn sich immer stärken,
Daß er sei fruchtbar für und für
Und reich in guten Werken;
Daß er sei tätig durch die Lieb,
Mit Freuden und Geduld sich üb,
Dem Nächsten fort zu dienen.**

Chor, Trompete, Oboe, Streicher, Bc.
17 Takte, g-Moll – D-Dur (phrygisch), 4/4 Takt

Ausführende:
Helen Donath, Sopran
Helen Watts, Alt
Adalbert Kraus, Tenor
Wolfgang Schöne, Baß
Hermann Sauter, Trompete
Otto Winter, Oboe
Thomas Schwarz, Oboe
Hans Mantels, Fagott
Jürgen Wolf, Continuocello
Manfred Gräser, Kontrabaß
Martha Schuster, Cembalo/Orgelpositiv
Joachim Eichhorn, Orgel
**Gächinger Kantorei Stuttgart
Bach-Collegium Stuttgart
Leitung: Helmuth Rilling**

Aufnahme: Sonopress Tontechnik, Gütersloh
Aufnahmeleitung: Richard Hauck/
Wolfram Wehnert
Aufnahmeort: Gedächtniskirche Stuttgart
Aufnahmezeit: Februar 1972
Spieldauer: 17'00"

5. Aria (A)

Ah, there bideth in my loving
Nought but imperfection still!
  Though I often may be willing
  God's commandments to accomplish,
'Tis beyond my power yet.

6. Chorale (S, A, T, B)

**Lord, through my faith come dwell in me,
Make it grow ever stronger,
That it be fruitful more and more
And rich in righteous labors;
That it be active in my love,
In gladness and forbearance skilled,
My neighbor ever serving.**

Serie **VI,** Nr. 98.**709**

BWV 78

Jesu, der du meine Seele
Kantate zum 14. Sonntag nach Trinitatis
für Sopran, Alt, Tenor, Baß, vierstimmigen Chor,
Horn, Flöte, 2 Oboen, Streicher und Generalbaß

1. Coro (Choral)
(Gächinger Kantorei Stuttgart)

Jesu, der du meine Seele
Hast durch deinen bittern Tod
Aus des Teufels finstern Höhle
Und der schweren Seelennot
Kräftiglich herausgerissen
Und mich solches lassen wissen
Durch dein angenehmes Wort,
Sei doch itzt, o Gott, mein Hort!

Chor, Gesamtinstrumentarium
144 Takte, g-Moll, 3/4 Takt

2. Aria (Duetto)
(Augér, Watkinson)

Wir eilen mit schwachen, doch emsigen Schritten,
O Jesu, o Meister, zu helfen zu dir.
    Du suchest die Kranken und Irrenden treulich.
    Ach höre, wie wir
    Die Stimmen erheben, um Hülfe zu bitten!
    Es sei uns dein gnädiges Antlitz erfreulich!

Sopran, Alt, Bc.
148 Takte, B-Dur, 4/4 Takt

3. Recitativo
(Baldin)

Ach! ich bin ein Kind der Sünden,
Ach! ich irre weit und breit.
Der Sünden Aussatz, so an mir zu finden,
Verläßt mich nicht in dieser Sterblichkeit.
Mein Wille trachtet nur nach Bösen.
Der Geist zwar spricht: ach! wer wird mich
                                          erlösen?
Aber Fleisch und Blut zu zwingen
Und das Gute zu vollbringen,
Ist über alle meine Kraft.
Will ich den Schaden nicht verhehlen,
So kann ich nicht, wie oft ich fehle, zählen.
Drum nehm ich nun der Sünden Schmerz und
                                              Pein
Und meiner Sorgen Bürde,
So mir sonst unerträglich würde,
Ich liefre sie dir, Jesu, seufzend ein.
Rechne nicht die Missetat,
Die dich, Herr, erzürnet hat!

Tenor, Bc.
24 Takte, d-Moll – c-Moll, 4/4 Takt

4. Aria
(Baldin)

Das Blut, so meine Schuld durchstreicht,
Macht mir das Herze wieder leicht
Und spricht mich frei.

1. Chorus [Verse 1] (S, A, T, B)

Jesus, thou who this my spirit
Hast through thy most bitter death
From the devil's murky cavern
And that grief which plagues the soul
Forcefully brought forth to freedom
And of this hast well assured me
Through thy most endearing word,
Be e'en now, O God, my shield!

2. Aria (S, A)

We hasten with timid but diligent paces,
O Jesus, O master, to thee for thy help.
    Thou seekest the ailing and erring most
                                          faithful,
    Ah, hearken, as we
    Our voices are raising to beg thee for succor!
    Let on us thy countenance smile ever gracious!

3. Recitative (T)

Ah! I am a child of error,
Ah! I wander far and wide.
The rash of error which o'er me is coursing,
Leaves me no peace in these my mortal days.
My will attends alone to evil.
My soul, though, saith: ah, who will yet
                                          redeem me?
But both flesh and blood to conquer,
And bring goodness to fulfilment,
Surpasseth all my power and strength.
Though I my error would not bury,
Yet I cannot my many failures number.
Therefore, I take my sinful grief and pain
And all my sorrow's burden,
Which would be past my pow'r to carry:
I yield them to thee, Jesus, with a sigh.
Reckon not the sinful deed,
Which, O Lord, hath angered thee!

4. Aria (T)

That blood which through my guilt doth stream,
Doth make my heart feel light again
And sets me free.

Ruft mich der Höllen Heer zum Streite,
So stehet Jesus mir zur Seite,
Daß ich beherzt und sieghaft sei.

Tenor, Flöte, Bc.
73 Takte, g-Moll, 6/8 Takt

Should hell's own host call me to battle,
Yet Jesus will stand firm beside me,
That I take heart and vict'ry gain.

5. Recitativo
(Schöne)

Die Wunden, Nägel, Kron und Grab,
Die Schläge, so man dort dem Heiland gab,
Sind ihm nunmehro Siegeszeichen
Und können mir verneute Kräfte reichen.
Wenn ein erschreckliches Gericht
Den Fluch vor die Verdammten spricht,
So kehrst du ihn in Segen.
Mich kann kein Schmerz und keine Pein
                          bewegen,
Weil sie mein Heiland kennt;
Und da dein Herz vor mich in Liebe brennt,
So lege ich hinwieder
Das meine vor dich nieder.
Dies mein Herz, mit Leid vermenget,
So dein teures Blut besprenget,
So am Kreuz vergossen ist,
Geb ich dir, Herr Jesu Christ.

Baß, Streicher, Bc.
27 Takte, Es-Dur – f-Moll, 4/4 Takt

5. Recitative (B)

The wounding, nailing, crown and grave,
The beating, which were there the Savior giv'n
For him are now the signs of triumph
And can endow me with new strength and power.
Whene'er an awful judgment seat
A curse upon the damned doth speak,
Thou changest it to blessing.
There is no grief nor any pain to stir me,
For them my Savior knows;
And as thy heart for me with love doth burn,
So I in turn would offer
Whate'er I own before thee.
This my heart, with grief acquainted,
Which thy precious blood hath quickened,
Shed upon the cross by thee,
I give thee, Lord Jesus Christ.

6. Aria
(Schöne)

Nun du wirst mein Gewissen stillen,
So wider mich um Rache schreit,
Ja, deine Treue wird's erfüllen,
Weil mir dein Wort die Hoffnung beut.
Wenn Christen an dich glauben,
Wird sie kein Feind in Ewigkeit
Aus deinen Händen rauben.

Baß, Oboe, Streicher, Bc.
61 Takte, c-Moll, 4/4 Takt

6. Aria (B)

Now thou wilt this my conscience quiet
Which 'gainst my will for vengeance cries;
Yea, thine own faithfulness will fill it,
Because thy word bids me have hope.
When Christian folk shall trust thee,
No foe in all eternity
From thine embrace shall steal them.

7. Choral
(Gächinger Kantorei Stuttgart)

Herr, ich glaube, hilf mir Schwachen,
Laß mich ja verzagen nicht;
Du, du kannst mich stärker machen,
Wenn mich Sünd und Tod anficht.
Deiner Güte will ich trauen,
Bis ich fröhlich werde schauen
Dich, Herr Jesu, nach dem Streit
In der süßen Ewigkeit.

Chor, Gesamtinstrumentarium
16 Takte, g-Moll, 4/4 Takt

7. Chorale [Verse 12] (S, A, T, B)

Lord, I trust thee, help my weakness,
Let me, yea, not know despair;
Thou, thou canst my strength make firmer
When by sin and death I'm vexed.
Thy great goodness I'll be trusting
'Til that day I see with gladness
Thee, Lord Jesus, battle done,
In that sweet eternity.

Ausführende:
Arleen Augér, Sopran
Carolyn Watkinson, Alt
Aldo Baldin, Tenor
Wolfgang Schöne, Baß
Hans Wolf, Horn
Andras Adorján, Flöte
Klaus Kärcher, Oboe
Hedda Rothweiler, Oboe
Kurt Etzold, Fagott
Martin Ostertag, Continuocello
Thomas Lom, Kontrabaß
Hans-Joachim Erhard, Cembalo/Orgelpositiv
Gächinger Kantorei Stuttgart
Bach-Collegium Stuttgart
Leitung: Helmuth Rilling

Aufnahme: Tonstudio Teije van Geest, Heidelberg
Aufnahmeleitung: Richard Hauck
Aufnahmeort: Gedächtniskirche Stuttgart
Aufnahmezeit: Februar/Oktober 1979
Spieldauer: 21'00"

BWV 79

Serie **VIII**, Nr. 98.728

Gott der Herr ist Sonn und Schild
Kantate zur Reformation
für Sopran, Alt, Baß, vierstimmigen Chor,
2 Hörner, Pauken, 2 Flöten, 2 Oboen, Streicher und
Generalbaß

1. Coro
(Gächinger Kantorei Stuttgart)

*Gott der Herr ist Sonn und Schild. Der Herr gibt
Gnade und Ehre, er wird kein Gutes mangeln lassen
den Frommen.*

Chor, Gesamtinstrumentarium
147 Takte, G-Dur, ¢ Takt

1. Chorus [Dictum] (S, A, T, B)

*God the Lord is sun and shield. The Lord gives
blessing and honor, he will no worthy thing withhold
from the righteous.*

2. Aria
(Hamari)

Gott ist unser Sonn und Schild!
  Darum rühmet dessen Güte
Unser dankbares Gemüte,
  Die er für sein Häuflein hegt.
Denn er will uns ferner schützen,
Ob die Feinde Pfeile schnitzen
Und ein Lästerhund gleich billt.

Alt, Flöte, Bc.
72 Takte, D-Dur, 6/8 Takt

2. Aria (A)

God is our true sun and shield!
  We thus tell abroad his goodness
With our spirits ever thankful,
  For he loves us as his own.
And he shall still further guard us
Though our foes their arrows sharpen,
And the hound of hell should howl.

3. Choral
(Gächinger Kantorei Stuttgart)

Nun danket alle Gott
Mit Herzen, Mund und Händen,
Der große Dinge tut
An uns und allen Enden,
Der uns von Mutterleib
Und Kindesbeinen an
Unzählig viel zugut
Und noch itzund getan.

Chor, Gesamtinstrumentarium
62 Takte, G-Dur, ¢ Takt

3. Chorale (S, A, T, B)

Now thank ye all our God
With heart and tongue and labor,
Who mighty things doth work
For us in all endeavor,
Who since our mother's womb
And our first toddling steps
Us countless benefit
Until this day hath brought.

4. Recitativo
(Huttenlocher)

Gottlob, wir wissen
Den rechten Weg zur Seligkeit;
Denn, Jesu, du hast ihn uns durch dein Wort
gewiesen,
Drum bleibt dein Name jederzeit gepriesen.
Weil aber viele noch
Zu dieser Zeit
An fremdem Joch
Aus Blindheit ziehen müssen,
Ach! so erbarme dich
Auch ihrer gnädiglich,
Daß sie den rechten Weg erkennen
Und dich bloß ihren Mittler nennen.

Baß, Bc.
14 Takte, e-Moll – h-Moll, 4/4 Takt

4. Recitative (B)

Thank God we know it,
The proper path to blessedness,
For Jesus, thou hast shown it to us through
thy Gospel,
Wherefore thy name in ev'ry age is honored.
But since so many still
Until this day
An alien yoke
For blindness' sake must carry,
Ah, such compassion give
E'en these, Lord, graciously,
That they the proper path acknowledge
And call thee their one intercessor.

5. Aria (Duetto)
(Augér, Huttenlocher)

Gott, ach Gott, verlaß die Deinen
Nimmermehr!
Laß dein Wort uns helle scheinen;
Obgleich sehr
Wider uns die Feinde toben,
So soll unser Mund dich loben.

Sopran, Baß, Violinen, Bc.
121 Takte, h-Moll, ¢ Takt

5. Aria (S, B)

God, O God, forsake thy people
Nevermore!
Let thy word o'er us shine brightly;
Even though
Sorely rage our foes against us,
Yet shall these our mouths extol thee.

6. Choral
(Gächinger Kantorei Stuttgart)

Erhalt uns in der Wahrheit,
Gib ewigliche Freiheit,
Zu preisen deinen Namen
Durch Jesum Christum. Amen.

Chor, Gesamtinstrumentarium
16 Takte, G-Dur, 3/4 Takt

6. Chorale (S, A, T, B)

Preserve us in the true path,
Grant everlasting freedom
To raise thy name in glory
Through our Christ Jesus. Amen.

Ausführende:
Arleen Augér, Sopran
Julia Hamari, Alt
Philippe Huttenlocher, Baß
Johannes Ritzkowsky, Horn
Friedhelm Pütz, Horn
Norbert Schmitt, Pauken
Peter-Lukas Graf, Flöte
Sibylle Keller-Sanwald, Flöte
Diethelm Jonas, Oboe
Hedda Rothweiler, Oboe
Kurt Etzold, Fagott
Walter Forchert, Konzertmeister
Helmut Veihelmann, Continuocello
Thomas Lom, Kontrabaß
Hans-Joachim Erhard, Cembalo/Orgelpositiv
Gächinger Kantorei Stuttgart
Bach-Collegium Stuttgart
Leitung: Helmuth Rilling

Aufnahme: Tonstudio Teije van Geest, Heidelberg
Aufnahmeleitung: Richard Hauck
Aufnahmeort: Gedächtniskirche Stuttgart
Aufnahmezeit: November 1981
Spieldauer: 15'30"

BWV 80

Ein feste Burg ist unser Gott
Kantate zum Reformationsfest
für Sopran, Alt, Tenor, Baß, vierstimmigen Chor,
obligate Orgel, 3 Trompeten, Pauken, 2 Oboen,
2 Oboi d'amore, Oboe da caccia, Streicher mit Solo-
Violine und Generalbaß

1. Coro (Choral)
(Indiana University Chamber Singers)

Ein feste Burg ist unser Gott,
Ein gute Wehr und Waffen;
Er hilft uns frei aus aller Not,
Die uns itzt hat betroffen.
Der alte böse Feind,
Mit Ernst er's jetzt meint,
Groß Macht und viel List
Sein grausam Rüstung ist,
Auf Erd ist nicht seinsgleichen.

Chor, 3 Trompeten, Pauken, 2 Oboen,
Streicher, Orgel, Bc.
228 Takte, D-Dur, 4/4 Takt

1. Chorus [Verse 1] (S, A, T, B)

A mighty fortress is our God,
A sure defense and armor;
He helps us free from ev'ry need
Which us till now hath stricken.
The ancient wicked foe,
Grim is his intent,
Vast might and deceit
His cruel weapons are,
On earth is not his equal.

2. Aria con Choral
(Augér, Tüller)

Alles, was von Gott geboren,
Ist zum Siegen auserkoren.
   Mit unsrer Macht ist nichts getan,
   Wir sind gar bald verloren.
   Es streit' vor uns der rechte Mann,
   Den Gott selbst hat erkoren.
Wer bei Christi Blutpanier
In der Taufe Treu geschworen,
Siegt im Geiste für und für.
   Fragst du, wer er ist?
   Er heißt Jesus Christ,
   Der Herre Zebaoth,
   Und ist kein andrer Gott,
   Das Feld muß er behalten.
Alles, was von Gott geboren,
Ist zum Siegen auserkoren.

Sopran, Baß, Oboe, Streicher, Bc.
77 Takte, D-Dur, 4/4 Takt

2. Aria (B) and Chorale [Verse 2] (S)

All that which of God is fathered
Is for victory intended.
   With our own might is nothing done,
   We face so soon destruction.
   He strives for us, the righteous man,
   Whom God himself hath chosen.
Who hath Christ's own bloodstained flag
In baptism sworn allegiance
Wins in spirit ever more.
   Ask thou who he is?
   His name: Jesus Christ,
   The Lord of Sabaoth,
   There is no other god,
   The field is his forever.
All that which of God is fathered
Is for victory intended.

3. Recitativo
(Tüller)

Erwäge doch, Kind Gottes, die so große Liebe,
Da Jesus sich
Mit seinem Blute dir verschriebe,
Wormit er dich
Zum Kriege wider Satans Heer und wider Welt
       und Sünde
Geworben hat!
Gib nicht in deiner Seele
Dem Satan und den Lastern statt!
Laß nicht dein Herz,
Den Himmel Gottes auf der Erden,
Zur Wüste werden!
Bereue deine Schuld mit Schmerz,
Daß Christi Geist mit dir sich fest verbinde!

Baß, Bc.
25 Takte, h-Moll – fis-Moll, 4/4 Takt

3. Recitative (B)

Consider well, O child of God, this love so
       mighty,
Which Jesus hath
In his own blood for thee now written;
By which he thee
For war opposing Satan's host, opposing world
       and error,
Enlisted thee!
Yield not within thy spirit
To Satan and his viciousness!
Let not thy heart,
Which is on earth God's heav'nly kingdom,
Become a wasteland!
Confess thy guilt with grief and pain,
That Christ's own soul to thine be firm united!

4. Aria
(Augér)

Komm in mein Herzenshaus,
Herr Jesu, mein Verlangen!
   Treib Welt und Satan aus
   Und laß dein Bild in mir erneuert prangen!
   Weg, schnöder Sündengraus!

Sopran, Bc.
36 Takte, h-Moll, 12/8 Takt

4. Aria (S)

Come in my heart's abode,
Lord Jesus, my desiring!
   Drive world and Satan out,
   And let thine image find in me new glory!
   Hence, prideful cloud of sin!

5. Choral
(Indiana University Chamber Singers)

Und wenn die Welt voll Teufel wär
Und wollten uns verschlingen,
So fürchten wir uns nicht so sehr,
Es soll uns doch gelingen.
Der Fürst dieser Welt,
Wie saur er sich stellt,
Tut er uns doch nicht,
Das macht, er ist gericht',
Ein Wörtlein kann ihn fällen.

Chor, 3 Trompeten, Pauken, 2 Oboi d'amore,
Oboe da caccia, Streicher, Bc.
119 Takte, D-Dur, 6/8 Takt

6. Recitativo
(Equiluz)

So stehe dann bei Christi blutgefärbten Fahne,
O Seele, fest
Und glaube, daß dein Haupt dich nicht verläßt,
Ja, daß sein Sieg
Auch dir den Weg zu deiner Krone bahne!
Tritt freudig an den Krieg!
Wirst du nur Gottes Wort
So hören als bewahren,
So wird der Feind gezwungen auszufahren,
Dein Heiland bleibt dein Hort!

Tenor, Bc.
17 Takte, h-Moll – D-Dur, 4/4 Takt

7. Duetto
(Rogers, Equiluz)

Wie selig sind doch die, die Gott im Munde
tragen,
Doch selger ist das Herz, das ihn im Glauben
trägt!
Es bleibet unbesiegt und kann die Feinde
schlagen
Und wird zuletzt gekrönt, wenn es den Tod erlegt.

Alt, Tenor, Oboe da caccia, Violine, Bc.
106 Takte, G-Dur, 3/4 Takt

8. Choral
(Indiana University Chamber Singers)

Das Wort sie sollen lassen stahn
Und kein' Dank dazu haben.
Er ist bei uns wohl auf dem Plan
Mit seinem Geist und Gaben.
Nehmen sie uns den Leib,
Gut, Ehr, Kind und Weib,
Laß fahren dahin,

5. Chorale [Verse 3] (S, A, T, B)

And were the world with devils filled,
Intending to devour us,
Our fear e'en yet would be not great,
For we shall win the vict'ry.
The prince of this world,
How grim may he be,
Worketh us no ill,
That is, he is destroyed.
One little word can fell him.

6. Recitative (T)

So stand then under Christ's own bloodstained
flag and banner,
O spirit, firm,
And trust that this thy head betrays thee not,
His victory
E'en thee the way to gain thy crown prepareth!
March gladly on to war!
If thou but God's own word
Obey as well as hearken,
Then shall the foe be forced to leave the battle;
Thy Savior is thy shield.

7. Aria (A, T)

How blessèd though are those who God hold in
their voices,
More blessèd still the heart which him in faith
doth hold!
Unconquered it abides, can deal the foe
destruction,
And shall at last be crowned when it shall death
defeat.

8. Chorale [Verse 4] (S, A, T, B)

That word they must allow to stand,
No thanks to all their efforts.
He is with us by his own plan,
With his own gifts and Spirit.
Our body let them take,
Wealth, rank, child and wife,
Let them all be lost,

Sie habens kein' Gewinn;
Das Reich muß uns doch bleiben.

And still they cannot win;
His realm is ours forever.

Chor, Trompete, 2 Oboen, Oboe da caccia,
Streicher, Bc.
16 Takte, D-Dur, 4/4 Takt

Ausführende:
Arleen Augér, Sopran
Alyce Rogers, Alt
Kurt Equiluz, Tenor
Niklaus Tüller, Baß
Hermann Sauter, Trompete
Eugen Mayer, Trompete
Heiner Schatz, Trompete
Karl Schad, Pauken
Günther Passin, Oboe/Oboe d'amore
Hedda Rothweiler, Oboe/
Oboe d'amore/Oboe da caccia
Dietmar Keller, Oboe da caccia
Günther Pfitzenmaier, Fagott
Albert Boesen, Violine
Hans Häublein, Continuocello
Thomas Lom, Kontrabaß
Hans-Joachim Erhard, Cembalo
Martha Schuster, Cembalo
Thomas Jaber, Orgel/Orgelpositiv
Indiana University Chamber Singers
Bach-Collegium Stuttgart
Leitung: Helmuth Rilling

Aufnahme: Südwest-Tonstudio, Stuttgart
Aufnahmeleitung: Richard Hauck
Toningenieur: Henno Quasthoff
Aufnahmeort: Gedächtniskirche Stuttgart/
Südwest-Tonstudio Stuttgart
Aufnahmezeit: Dezember 1975, April/Mai 1976
Spieldauer: 27'35"

BWV 81

Serie **I**, Nr. 98.659

Jesus schläft, was soll ich hoffen
Kantate zum 4. Sonntag nach Epiphanias
für Alt, Tenor, Baß, vierstimmigen Chor,
2 Blockflöten, 2 Oboi d'amore, Streicher und
Generalbaß

1. Aria
(Lerer)

Jesus schläft, was soll ich hoffen?
　Seh ich nicht
　Mit erblaßtem Angesicht
　Schon des Todes Abgrund offen?

1. Aria (A)

Jesus sleeps, what should my hope be?
　See I not
　With an ashen countenance
　Death's abyss e'en now stand open?

Alt, 2 Blockflöten, Streicher, Bc.
53 Takte, e-Moll, 4/4 Takt

2. Recitativo
(Melzer)

Herr! warum trittest du so ferne?
Warum verbirgst du dich zur Zeit der Not,
Da alles mir ein kläglich Ende droht?
Ach, wird dein Auge nicht durch meine Not
                                 beweget,
So sonsten nie zu schlummern pfleget?
Du wiesest ja mit einem Sterne
Vordem den neubekehrten Weisen,
Den rechten Weg zu reisen.
Ach leite mich durch deiner Augen Licht,
Weil dieser Weg nichts als Gefahr verspricht.

Tenor, Bc.
14 Takte, a-Moll – G-Dur, 4/4 Takt

3. Aria
(Melzer)

Die schäumenden Wellen von Belials Bächen
Verdoppeln die Wut.
   Ein Christ soll zwar wie Felsen stehn,
   Wenn Trübsalswinde um ihn gehn,
   Doch suchet die stürmende Flut
   Die Kräfte des Glaubens zu schwächen.

Tenor, Streicher, Bc.
116 Takte, G-Dur, 3/8 Takt

4. Arioso
(Nimsgern)

Ihr Kleingläubigen, warum seid ihr so furchtsam?

Baß, Bc.
21 Takte, h-Moll, 4/4 Takt

5. Aria
(Nimsgern)

Schweig, aufgetürmtes Meer!
Verstumme, Sturm und Wind!
   Dir sei dein Ziel gesetzet,
   Damit mein auserwähltes Kind
   Kein Unfall je verletzet.

Baß, 2 Oboi d'amore, Streicher, Bc.
123 Takte, e-Moll, 4/4 Takt

6. Recitativo
(Schwarz)

Wohl mir, mein Jesus spricht ein Wort,
Mein Helfer ist erwacht,

2. Recitative (T)

Lord, why dost thou remain so distant?
Why dost thou hide thyself in time of need?
When all doth me a dreadful end portend?
Ah, will thine eye then not by my distress be
                                 troubled,
Whose wont is ne'er to rest in slumber?
Thou showed indeed with one star's brightness
Ere now the newly convert wise men
The proper path to travel.
Ah, lead then me with thine own eyes' bright
                                 light,
Because this course doth nought but woe
                                 forebode.

3. Aria (T)

The foam-crested billows of Belial's waters
Redoubled their rage.
   A Christian, true, like waves must rise
   When winds of sadness him surround,
   And strive doth the waters' storm
   The strength of faith to diminish.

4. Arioso [Dictum] (B)

Ye of little faith, wherefore are ye so fearful?

5. Aria (B)

Still, O thou tow'ring sea!
Be silent, storm and wind!
   On thee is set thy limit,
   So that this mine own chosen child
   No mishap e'er may injure.

6. Recitative (A)

I'm blest, my Jesus speaks a word,
My helper is awake;

So muß der Wellen Sturm, des Unglücks Nacht
Und aller Kummer fort.

Alt, Bc.
6 Takte, G-Dur – h-Moll, 4/4 Takt

7. Choral
(Gächinger Kantorei Stuttgart)

Unter deinen Schirmen
Bin ich vor den Stürmen
Aller Feinde frei.
Laß den Satan wittern,
Laß den Feind erbittern,
Mir steht Jesus bei.
Ob es jetzt gleich kracht und blitzt,
Ob gleich Sünd und Hölle schrecken,
Jesus will mich decken.

Chor, 2 Oboi d'amore, Streicher, Bc.
19 Takte, e-Moll, 4/4 Takt

Ausführende:
Norma Lerer, Alt
Hanna Schwarz, Alt
Friedreich Melzer, Tenor
Siegmund Nimsgern, Baß
Peter Thalheimer, Blockflöte
Christine Thalheimer, Blockflöte
Helmut Koch, Oboe d'amore
Hanspeter Weber, Oboe d'amore
Hannelore Michel, Continuocello
Manfred Gräser, Kontrabaß
Martha Schuster, Cembalo/Orgelpositiv
Gächinger Kantorei Stuttgart
Bach-Collegium Stuttgart
Leitung: Helmuth Rilling

Aufnahme: Sonopress Tontechnik, Gütersloh
Aufnahmeleitung: Richard Hauck/
Wolfram Wehnert
Aufnahmeort: Gedächtniskirche Stuttgart
Aufnahmezeit: Februar 1971
Spieldauer: 18'00"

7. Chorale (S, A, T, B)

Under thy protection
Am I midst the tempests
Of all foes set free.
Leave then Satan raging,
Let the foe grow bitter,
By me Jesus stands.
Though at once the lightning crack
Though both sin and hell strike terror,
Jesus will protect me.

Now must the waters' storm, misfortune's night
And ev'ry woe depart.

BWV 82

Ich habe genug
Kantate zu Mariae Reinigung
für Baß, Oboe, Streicher und Generalbaß

Serie **IX**, Nr. 98.739

1. Aria
(Fischer-Dieskau)

Ich habe genug,
Ich habe den Heiland, das Hoffen der Frommen,
Auf meine begierigen Arme genommen;
Ich habe genug!
 Ich hab ihn erblickt,
 Mein Glaube hat Jesum ans Herze gedrückt;
 Nun wünsch ich, noch heute mit Freuden
 Von hinnen zu scheiden.

Baß, Oboe, Streicher, Bc.
208 Takte, c-Moll, 3/8 Takt

2. Recitativo
(Fischer-Dieskau)

Ich habe genug.
Mein Trost ist nur allein,
Daß Jesus mein und ich sein eigen möchte sein.
Im Glauben halt ich ihn,
Da seh ich auch mit Simeon
Die Freude jenes Lebens schon.
Laßt uns mit diesem Manne ziehn!
Ach! möchte mich von meines Leibes Ketten
Der Herr erretten;
Ach! wäre doch mein Abschied hier,
Mit Freuden sagt ich, Welt, zu dir:
Ich habe genug.

Baß, Bc.
14 Takte, As-Dur – B-Dur, 4/4 Takt

3. Aria
(Fischer-Dieskau)

Schlummert ein, ihr matten Augen,
Fallet sanft und selig zu!
 Welt, ich bleibe nicht mehr hier,
 Hab ich doch kein Teil an dir,
 Das der Seele könnte taugen.
 Hier muß ich das Elend bauen,
 Aber dort, dort werd ich schauen
 Süßen Frieden, stille Ruh.

Baß, Streicher, Bc.
121 Takte, Es-Dur, 4/4 Takt

4. Recitativo
(Fischer-Dieskau)

Mein Gott! wenn kömmt das schöne: Nun!
Da ich im Friede fahren werde
Und in dem Sande kühler Erde
Und dort bei dir im Schoße ruhn?
Der Abschied ist gemacht,
Welt, gute Nacht!

Baß, Bc.
7 Takte, c-Moll, 4/4 Takt

1. Aria (B)

I have now enough,
I have now my Savior, the hope of the faithful
Within my desiring embrace now enfolded;
I have now enough!
 On him have I gazed,
 My faith now hath Jesus impressed on my
 heart;
 I would now, today yet, with gladness
 Make hence my departure.

2. Recitative (B)

I have now enough.
My hope is this alone,
That Jesus might belong to me and I to him.
In faith I hold to him,
For I, too, see with Simeon
The gladness of that life beyond.
Let us in this man's burden join!
Ah! Would that from the bondage of my body
The Lord might free me.
Ah! My departure, were it here,
With joy I'd say to thee, O world:
I have now enough.

3. Aria (B)

Slumber now, ye eyes so weary,
Fall in soft and calm repose!
 World, I dwell no longer here,
 Since I have no share in thee
 Which my soul could offer comfort.
 Here I must with sorrow reckon,
 But yet, there, there I shall witness
 Sweet repose and quiet rest.

4. Recitative (B)

My God! When comes that blessed "Now!"
When I in peace shall walk forever
Both in the sand of earth's own coolness
And there within thy bosom rest?
My parting is achieved,
O world, good night!

5. Aria
(Fischer-Dieskau)

Ich freue mich auf meinen Tod,
Ach, hätt' er sich schon eingefunden.
  Da entkomm ich aller Not,
  Die mich noch auf der Welt gebunden.

Baß, Oboe, Streicher, Bc.
188 Takte, c-Moll, 3/8 Takt

Ausführende:
Dietrich Fischer-Dieskau, Baß
Günther Passin, Oboe
Kurt Etzold, Fagott
Walter Forchert, Konzertmeister
Helmut Veihelmann, Violoncello
Harro Bertz, Kontrabaß
Hans-Joachim Erhard, Orgelpositiv
Bach-Collegium Stuttgart
Leitung: Helmuth Rilling

Aufnahme: Tonstudio Teije van Geest, Heidelberg
Aufnahmeleitung: Richard Hauck
Aufnahmeort: Gedächtniskirche Stuttgart
Aufnahmezeit: Juli 1983
Spieldauer: 23' 25"

5. Aria (B)

Rejoicing do I greet my death,
Ah, would that it had come already.
  I'll escape then all the woe
  Which doth here in the world confine me.

BWV 83

Serie **VI**, Nr. 98.701

Erfreute Zeit im neuen Bunde
Kantate zu Mariae Reinigung
für Alt, Tenor, Baß, vierstimmigen Chor,
2 Hörner, 2 Oboen, Streicher mit Solo-Violine
und Generalbaß

1. Aria
(Watts)

Erfreute Zeit im neuen Bunde,
Da unser Glaube Jesum hält.
  Wie freudig wird zur letzten Stunde
  Die Ruhestatt, das Grab bestellt!

Alt, 2 Hörner, 2 Oboen, Violine, Streicher, Bc.
148 Takte, F-Dur, 4/4 Takt

1. Aria (A)

O joyous day of the new order,
When our belief doth Jesus hold.
  How gladly is at that last moment
  That resting place, the grave, prepared!

2. Aria (Choral) e Recitativo
(Heldwein)

*Herr, nun lässest du deinen Diener in Frieden
fahren, wie du gesagt hast.*

2. Aria [Dictum] and Recitative (B)

*Lord, now lettest thou this thy servant in peace depart
now, according to thy word.*

Was uns als Menschen schrecklich scheint,
Ist uns ein Eingang zu dem Leben.
Es ist der Tod
Ein Ende dieser Zeit und Not,
Ein Pfand, das uns der Herr gegeben
Zum Zeichen, daß er's herzlich meint
Und uns will nach vollbrachtem Ringen
Zum Frieden bringen.
Und weil der Heiland nun
Der Augen Trost, der Herzen Labsal ist,
Was Wunder, daß ein Herz der Todes Furcht
vergißt!
Es kann erfreut den Ausspruch tun:

Denn meine Augen haben deinen Heiland gesehen,
welchen du bereitet hast vor allen Völkern.

Baß, Streicher, Bc.
85 Takte, B-Dur, 6/8 – 4/4 Takt

What to us mortals seems so dire
Gives us an entrance unto living.
In truth is death
A limit to this time and woe,
A pledge to us the Lord hath given,
A token that he meaneth well
And then, when once the fight is over,
To peace would lead us.
And since the Savior now
The eyes' true hope, the heart's refreshment is,
What wonder that a heart the fear of death for-
gets?
It can with joy this utt'rance make:

For mine own eyes now have indeed thy Savior regard-
ed, him whom thou hast here brought forth before
all nations.

3. Aria
(Kraus)

Eile, Herz, voll Freudigkeit
Vor den Gnadenstuhl zu treten!
  Du sollst deinen Trost empfangen
  Und Barmherzigkeit erlangen,
  Ja, bei kummervoller Zeit,
  Stark am Geiste, kräftig beten.

Tenor, Violine, Streicher, Bc.
96 Takte, F-Dur, 4/4 Takt

3. Aria (T)

Hasten, heart, with joyfulness
'Fore the throne of grace to venture!
  Thou must now receive salvation
  And compassion's grace discover,
  Yea, when trouble fills thy days,
  Strong in spirit, pray with vigor.

4. Recitativo
(Watts)

Ja, merkt dein Glaube noch viel Finsternis,
Dein Heiland kann der Zweifel Schatten trennen;
Ja, wenn des Grabes Nacht
Die letzte Stunde schrecklich macht,
So wirst du doch gewiß
Sein helles Licht im Tode selbst erkennen.

Alt, Bc.
8 Takte, d-Moll – a-Moll, 4/4 Takt

4. Recitative (A)

Yea, if thy faith doth see much darkness yet,
Thy Savior can the doubting shadows scatter;
Yea, when the tomb's dark night
The final hour fills with dread,
Then shalt thou, still secure,
His radiant light in death itself encounter.

5. Choral
(Gächinger Kantorei Stuttgart)

Er ist das Heil und selig Licht
Für die Heiden,
Zu erleuchten, die dich kennen nicht,
Und zu weiden.
Er ist deins Volks Israel
Der Preis, Ehr, Freud und Wonne.

Chor, Horn, 2 Oboen, Streicher, Bc.
12 Takte, d-Moll (dorisch), 4/4 Takt

5. Chorale (S, A, T, B)

He is salvation's blessèd light
To the gentiles,
To illumine those who know thee not,
And give nurture.
He's thy people's Israel,
The praise, fame, joy, and glory.

Ausführende:
Helen Watts, Alt
Adalbert Kraus, Tenor
Walter Heldwein, Baß
Johannes Ritzkowsky, Horn
Friedhelm Pütz, Horn
Günther Passin, Oboe
Hedda Rothweiler, Oboe
Kurt Etzold, Fagott
Albert Boesen, Violine
Klaus-Peter Hahn, Continuocello
Thomas Lom, Kontrabaß
Hans-Joachim Erhard, Cembalo/Orgelpositiv
Gächinger Kantorei Stuttgart
Bach-Collegium Stuttgart
Leitung: Helmuth Rilling

Aufnahme: Tonstudio Teije van Geest, Heidelberg
Aufnahmeleitung: Richard Hauck
Toningenieur: Günter Appenheimer
Aufnahmeort: Gedächtniskirche Stuttgart
Aufnahmezeit: September 1978
Spieldauer: 18'50"

BWV 84

Serie **X**, Nr. 98.741

Ich bin vergnügt mit meinem Glücke
Kantate zum Sonntag Septuagesimae
(Text: Picander)
für Sopran, vierstimmigen Chor,
Oboe, Streicher mit Solo-Violine und Generalbaß

1. Aria
(Augér)

Ich bin vergnügt mit meinem Glücke,
Das mir der liebe Gott beschert.
  Soll ich nicht reiche Fülle haben,
  So dank ich ihm vor kleine Gaben
  Und bin auch nicht derselben wert.

Sopran, Oboe, Streicher, Bc.
158 Takte, e-Moll, 3/4 Takt

1. Aria (S)

I am content with my good fortune,
On me by God himself bestowed.
  Should I possess no sumptuous treasures,
  I'll thank him just for simple favors
  Yet merit not the worth of these.

2. Recitativo
(Augér)

Gott ist mir ja nichts schuldig,
Und wenn er mir was gibt,
So zeigt er mir, daß er mich liebt;
Ich kann mir nichts bei ihm verdienen,
Denn was ich tu, ist meine Pflicht.
Ja! wenn mein Tun gleich noch so gut
                                   geschienen,
So hab ich doch nichts Rechtes ausgericht'.

2. Recitative (S)

Indeed God owes me nothing,
And with his ev'ry gift
He shows to me his love for me;
I can acquire nought in his service,
For what I do I owe to him.
Indeed, however good my deeds' appearance,
I have, no less, nought worthy brought to pass.

214

Doch ist der Mensch so ungeduldig,
Daß er sich oft betrübt,
Wenn ihm der liebe Gott nicht überflüssig gibt.
Hat er uns nicht so lange Zeit
Umsonst ernähret und gekleidt
Und will uns einsten seliglich
In seine Herrlichkeit erhöhn?
Es ist genug vor mich,
Daß ich nicht hungrig darf zu Bette gehn.

However, man is so impatient,
That he is often sad
If on him God above excessive wealth not shed.
Hath he not us through all these years
Both freely nourished and beclothed?
And will he us one day to bliss
Before his majesty not raise?
It is enough for me
That I not hungry must to bed retire.

Sopran, Bc.
21 Takte, h-Moll – d-Moll, 4/4 Takt

3. Aria
(Augér)

Ich esse mit Freuden mein weniges Brot
Und gönne dem Nächsten von Herzen das
Seine.

Ein ruhig Gewissen, ein fröhlicher Geist,
Ein dankbares Herze, das lobet und preist,
Vermehret den Segen, verzuckert die Not.

3. Aria (S)

I eat now with gladness my humblest of bread
And grant to my neighbor sincerely what he hath.
A conscience e'er quiet, a spirit e'er gay,
A heart ever thankful, exalting with praise,
Increaseth one's blessings and sweetens one's
need.

Sopran, Oboe, Violine, Bc.
256 Takte, G-Dur, 3/8 Takt

4. Recitativo
(Augér)

Im Schweiße meines Angesichts
Will ich indes mein Brot genießen,
Und wenn mein Lebenslauf,
Mein Lebensabend wird beschließen,
So teilt mir Gott den Groschen aus,
Da steht der Himmel drauf.
O! wenn ich diese Gabe
Zu meinem Gnadenlohne habe,
So brauch ich weiter nichts.

4. Recitative (S)

With sweat upon my countenance
I will meanwhile my bread now savor,
And when my life's full course,
My life's last evening, once is finished,
Then God will deal me all my pence,
As sure as heaven stands!
Oh, if I may this favor
As my reward of mercy savor
I shall nought further need.

Sopran, Streicher, Bc.
11 Takte, e-Moll – fis-Moll, 4/4 Takt

5. Choral
(Gächinger Kantorei Stuttgart)

**Ich leb indes in dir vergnüget
Und sterb ohn alle Kümmernis,
Mir gnüget, wie es mein Gott füget,
Ich glaub und bin es ganz gewiß:
Durch deine Gnad und Christi Blut
Machst du's mit meinem Ende gut.**

5. Chorale (S, A, T, B)

**I live meanwhile in thee contented
And die, all troubles laid aside;
Sufficient is what my God gives me,
Of this I am in faith convinced:
Through thy dear grace and Christ's own blood
Mak'st thou mine own life's finish good.**

Chor, Gesamtinstrumentarium
14 Takte, h-Moll, 4/4 Takt

Ausführende:
Arleen Augér, Sopran
Günther Passin, Oboe
Hubert Buchberger, Violine
Stefan Trauer, Violoncello
Claus Zimmermann, Kontrabaß
Michael Behringer, Cembalo
Hans-Joachim Erhard, Orgelpositiv
Gächinger Kantorei Stuttgart
Württembergisches Kammerorchester Heilbronn
Leitung: Helmuth Rilling

Aufnahme: Tonstudio Teije van Geest, Heidelberg
Aufnahmeleitung: Richard Hauck
Aufnahmeort: Gedächtniskirche Stuttgart
Aufnahmezeit: Juni 1983
Spieldauer: 14'35"

BWV 85

Ich bin ein guter Hirt
Kantate zum Sonntag Misericordias Domini
für Sopran, Alt, Tenor, Baß, vierstimmigen Chor,
2 Oboen, Violoncello piccolo, Streicher und Generalbaß

1. Aria
(Heldwein)

*Ich bin ein guter Hirt, ein guter Hirt läßt sein Leben
für die Schafe.*

Baß, Oboe, Streicher, Bc.
44 Takte, c-Moll, 4/4 Takt

1. Aria [Dictum] (B)

*I am a shepherd true, a shepherd true will give up his
life for his sheep.*

2. Aria
(Schreckenbach)

Jesus ist ein guter Hirt;
Denn er hat bereits sein Leben
Für die Schafe hingegeben,
Die ihm niemand rauben wird.
Jesus ist ein guter Hirt.

Alt, Violoncello piccolo, Bc.
61 Takte, g-Moll, 4/4 Takt

2. Aria (A)

Jesus is a shepherd true,
For he hath his life already
For his sheep now freely given,
Which shall no man steal from him.
Jesus is a shepherd true.

3. Choral
(Augér)

Der Herr ist mein getreuer Hirt,
Dem ich mich ganz vertraue,
Zur Weid er mich, sein Schäflein, führt
Auf schöner grüner Aue,

3. Chorale (S)

The Lord my faithful shepherd is,
Him do I trust entirely,
He leads to pasture me, his lamb,
To green and lovely meadow,

Zum frischen Wasser leit er mich,
Mein Seel zu laben kräftiglich
Durchs sel'ge Wort der Gnaden.

Sopran, 2 Oboen, Bc.
131 Takte, B-Dur, 3/4 Takt

To waters fresh he leadeth me,
My soul to nourish with his strength
And gracious word of blessing.

4. Recitativo
(Kraus)

Wenn die Mietlinge schlafen,
Da wachet dieser Hirt bei seinen Schafen,
So daß ein jedes in gewünschter Ruh
Die Trift und Weide kann genießen,
In welcher Lebensströme fließen.
Denn sucht der Höllenwolf gleich einzudringen,
Die Schafe zu verschlingen,
So hält ihm dieser Hirt doch seinen Rachen zu.

Tenor, Streicher, Bc.
12 Takte, Es-Dur – As-Dur, 4/4 Takt

4. Recitative (T)

If e'er the hirelings slumber,
There watcheth o'er the flock this faithful
shepherd,
So that each member in most welcome rest
Enjoyment have of mead and pasture,
In which life's streams are ever flowing.
For should the wolf of hell strive there to enter,
The sheep for to devour,
Is he by this good shepherd from his wrath
restrained.

5. Aria
(Kraus)

Seht, was die Liebe tut.
Mein Jesus hält in guter Hut
Die Seinen feste eingeschlossen
Und hat am Kreuzesstamm vergossen
Für sie sein teures Blut.

Tenor, Streicher, Bc.
65 Takte, Es-Dur, 9/8Takt

5. Aria (T)

See what his love hath wrought!
My Jesus holds with kindly care
His flock securely in his keeping
And on the cross's branch hath poured out
For them his precious blood.

6. Choral
(Gächinger Kantorei Stuttgart)

Ist Gott mein Schutz und treuer Hirt,
Kein Unglück mich berühren wird:
Weicht, alle meine Feinde,
Die ihr mir stiftet Angst und Pein,
Es wird zu eurem Schaden sein,
Ich habe Gott zum Freunde.

Chor, 2 Oboen, Streicher, Bc.
14 Takte, c-Moll, 4/4 Takt

6. Chorale (S, A, T, B)

With God my refuge, shepherd true,
No danger will me e'er befall:
Yield, all ye who despise me,
All ye who cause me dread and pain,
It will to your own harm yet lead,
For God is my companion.

Ausführende:
Arleen Augér, Sopran
Gabriele Schreckenbach, Alt
Adalbert Kraus, Tenor
Walter Heldwein, Baß
Günther Passin, Oboe
Hedda Rothweiler, Oboe
Klaus Thunemann, Fagott
Martin Ostertag, Violoncello piccolo/
Continuocello

Thomas Lom, Kontrabaß
Hans-Joachim Erhard, Cembalo/Orgelpositiv
Gächinger Kantorei Stuttgart
Bach-Collegium Stuttgart
Leitung: Helmuth Rilling

Aufnahme: Tonstudio Teije van Geest, Heidelberg
Aufnahmeleitung: Richard Hauck
Aufnahmeort: Gedächtniskirche Stuttgart
und Große Aula der Alten Universität Salzburg
Aufnahmezeit: August und Dezember 1980/
April 1981
Spieldauer: 18'45"

BWV 86

Serie **VI**, Nr. 98.704

Wahrlich, wahrlich, ich sage euch
Kantate zum Sonntag Rogate
für Sopran, Alt, Tenor, Baß, vierstimmigen Chor,
2 Oboi d'amore, Streicher mit Solo-Violine
und Generalbaß

1. Aria
(Heldwein)

*Wahrlich, wahrlich, ich sage euch, so ihr den Vater
etwas bitten werdet in meinem Namen, so wird er's
euch geben.*

Baß, Gesamtinstrumentarium
100 Takte, E-Dur, ₵ Takt

1. Aria [Dictum] (B)

*Truly, truly, I say to you, if any ask for something
from the Father, and ask in my name, he will give it to
you.*

2. Aria
(Watts)

Ich will doch wohl Rosen brechen,
Wenn mich gleich die / itzt / Dornen stechen.
 Denn ich bin der Zuversicht,
 Daß mein Bitten und mein Flehen
 Gott gewiß zu Herzen gehen,
 Weil es mir sein Wort verspricht.

Alt, Violine, Bc.
110 Takte, A-Dur, 3/4 Takt

2. Aria (A)

I in truth would roses gather,
Even though the /now/ thorns should prick me.
 For of this I'm confident:
 My petition and my prayer
 God most sure to heart is taking,
 For this me his word hath pledged.

3. Choral
(Augér)

Und was der ewig gütig Gott
In seinem Wort versprochen hat,
Geschworn bei seinem Namen,
Das hält und gibt er g'wiß fürwahr.

3. Chorale (S)

And what the ever gracious God
In his own word hath promised us,
And sworn on his name's honor,
This keeps and gives he verily.

Der helf uns zu der Engel Schar
Durch Jesum Christum, amen!

Sopran, 2 Oboi d'amore, Bc.
51 Takte, fis-Moll, 6/8 Takt

His help lift us to angel-choirs
Through Jesus Christ, Lord. Amen!

4. Recitativo
(Kraus)

Gott macht es nicht gleichwie die Welt,
Die viel verspricht und wenig hält;
Denn was er zusagt, muß geschehen,
Daß man daran kann seine Lust und Freude
                                    sehen.

Tenor, Bc.
6 Takte, h-Moll – E-Dur, 4/4 Takt

4. Recitative (T)

God doth not act as doth the world,
Which much doth pledge and little keep;
For what he pledgeth must be granted,
That we thereby may his true will and pleasure
                                    witness.

5. Aria
(Kraus)

Gott hilft gewiß;
Wird gleich die Hülfe aufgeschoben,
Wird sie doch drum nicht aufgehoben.
Denn Gottes Wort bezeiget dies:
Gott hilft gewiß!

Tenor, Streicher, Bc.
44 Takte, E-Dur, 4/4 Takt

5. Aria (T)

God's help is sure;
Although that help may sometimes tarry,
It will e'en still not be abolished.
For God's own word declareth this:
God's help is sure!

6. Choral
(Gächinger Kantorei Stuttgart)

Die Hoffnung wart' der rechten Zeit,
Was Gottes Wort zusaget;
Wenn das geschehen soll zur Freud,
Setzt Gott kein g'wisse Tage.
Er weiß wohl, wenn's am besten ist,
Und braucht an uns kein arge List;
Des solln wir ihm vertrauen.

Chor, Gesamtinstrumentarium
14 Takte, E-Dur, 4/4 Takt

6. Chorale (S, A, T, B)

Our hope awaits the proper time
For what God's word doth promise;
When that should happen to our joy
Gods sets no certain moment.
He knows well when it best shall be
And treats us not with cruel guile;
For this we ought to trust him.

Ausführende:
Arleen Augér, Sopran
Helen Watts, Alt
Adalbert Kraus, Tenor
Walter Heldwein, Baß
Günther Passin, Oboe d'amore
Hedda Rothweiler, Oboe d'amore
Klaus Thunemann, Fagott
Albert Boesen, Violine
Klaus-Peter Hahn, Continuocello
Thomas Lom, Kontrabaß
Hans-Joachim Erhard, Cembalo/Orgelpositiv
Gächinger Kantorei Stuttgart
Bach-Collegium Stuttgart
Leitung: Helmuth Rilling

Aufnahme: Tonstudio Teije van Geest, Heidelberg
Aufnahmeleitung: Richard Hauck
Aufnahmeort: Gedächtniskirche Stuttgart
Aufnahmezeit: Februar 1979
Spieldauer: 15'45"

BWV 87

Bisher habt ihr nichts gebeten in meinem Namen
Kantate zum Sonntag Rogate
(Text: Chr. M. v. Ziegler)
für Alt, Tenor, Baß, vierstimmigen Chor,
2 Oboen, 2 Oboi da caccia, Streicher und Generalbaß

1. Aria
(Heldwein)

Bisher habt ihr nichts gebeten in meinem Namen.

Baß, 2 Oboen, Oboe da caccia, Streicher, Bc.
32 Takte, d-Moll, 4/4 Takt

1. Aria [Dictum] (B)

Till now have ye nought been asking in my name's honor.

2. Recitativo
(Hamari)

O Wort, das Geist und Seel erschreckt!
Ihr Menschen, merkt den Zuruf, was dahinter
steckt!
Ihr habt Gesetz und Evangelium vorsätzlich
übertreten,
Und diesfalls möcht' ihr ungesäumt
In Buß und Andacht beten.

Alt, Bc.
7 Takte, a-Moll – g-Moll, 4/4 Takt

2. Recitative (A)

O word that heart and soul alarms!
Ye mortals, mark his bidding, what behind it lies!
Ye have both Law and Gospel message with
purpose sore offended
And therefore ought ye not delay
To pray with grief and worship.

3. Aria
(Hamari)

Vergib, o Vater, unsre Schuld
Und habe noch mit uns Geduld,
Wenn wir in Andacht beten
    Und sagen: Herr, auf dein Geheiß,
    Ach, rede nicht mehr sprüchwortsweis,
    Hilf uns vielmehr vertreten!

Alt, 2 Oboi da caccia, Bc.
111 Takte, g-Moll, 4/4 Takt

3. Aria (A)

Forgive, O Father, all our sin
And even still with us forbear,
As we in worship pray now
    And ask thee: Lord to thy command,
    (Ah, speak no more in figures now),
    Help us much more be faithful!

4. Recitativo
(Baldin)

Wenn unsre Schuld bis an den Himmel steigt,
Du siehst und kennest ja mein Herz, das nichts
       vor dir verschweigt;
Drum suche mich zu trösten!

Tenor, Streicher, Bc.
8 Takte, d-Moll – c-Moll, 4/4 Takt

5. Aria
(Heldwein)

*In der Welt habt ihr Angst; aber seid getrost, ich habe
die Welt überwunden.*

Baß, Bc.
75 Takte, c-Moll, 3/8 Takt

6. Aria
(Baldin)

Ich will leiden, ich will schweigen,
Jesus wird mir Hülf erzeigen,
Denn er tröst' mich nach dem Schmerz.
Weicht, ihr Sorgen, Trauer, Klagen,
Denn warum sollt ich verzagen?
Fasse dich, betrübtes Herz!

Tenor, Streicher, Bc.
46 Takte, B-Dur, 12/8 Takt

7. Choral
(Gächinger Kantorei Stuttgart)

Muß ich sein betrübet?
So mich Jesus liebet,
Ist mir aller Schmerz
Über Honig süße,
Tausend Zuckerküsse
Drücket er ans Herz.
Wenn die Pein sich stellet ein,
Seine Liebe macht zur Freuden
Auch das bittre Leiden.

Chor, Oboe, 2 Oboi da caccia, Streicher, Bc.
19 Takte, d-Moll, 4/4 Takt

Ausführende:
Julia Hamari, Alt
Aldo Baldin, Tenor
Walter Heldwein, Baß
Günther Passin, Oboe
Hedda Rothweiler, Oboe
Helmut Koch, Oboe da caccia
Dietmar Keller, Oboe da caccia
Klaus Thunemann, Fagott

4. Recitative (T)

When all our guilt e'en unto heaven climbs,
Thou seest and knowest, too, my heart,
      which nought from thee conceals;
Thus, seek to bring me comfort!

5. Aria [Dictum] (B)

*In the world ye have fear; but ye should be glad, I have
now the world overpowered.*

6. Aria (T)

I will suffer, I'll keep silent,
Jesus shall his comfort show me.
For he helps me in my pain.
Yield, ye sorrows, sadness, grieving,
For wherefore should I lose courage?
Calm thyself, o troubled heart!

7. Chorale (S, A, T, B)

Must I be so troubled?
For if Jesus loves me,
Is my ev'ry grief
Sweeter e'en than honey,
Countless dulcet kisses
Plants he on my heart.
And whenever pain appears,
His dear love doth turn to gladness
Even bitter sadness.

Jakoba Hanke, Continuocello
Harro Bertz, Kontrabaß
Hans-Joachim Erhard, Cembalo/Orgelpositiv
Gächinger Kantorei Stuttgart
Bach-Collegium Stuttgart
Leitung: Helmuth Rilling

Aufnahme: Tonstudio Teije van Geest, Heidelberg
Aufnahmeleitung: Richard Hauck
Aufnahmeort: Gedächtniskirche Stuttgart
Aufnahmezeit: Dezember 1980, Februar/März 1981
Spieldauer: 20'10"

BWV 88

Serie **I**, Nr. 98.654

Siehe, ich will viel Fischer aussenden
Kantate zum 5. Sonntag nach Trinitatis
für Sopran, Alt, Tenor, Baß, vierstimmigen Chor,
2 Hörner, 2 Oboi d'amore, Oboe da caccia,
Streicher und Generalbaß

I. Teil

First Part

1. Aria
(Schöne)

Siehe, ich will viel Fischer aussenden, spricht der Herr, die sollen sie fischen. Und darnach will ich viel Jäger aussenden, die sollen sie fahen auf allen Bergen und auf allen Hügeln und in allen Steinritzen.

Baß, Gesamtinstrumentarium
197 Takte, D-Dur – G-Dur, 6/8 – ¢ Takt

1. Aria [Dictum] (B)

See now, I will send out many fishers, saith the Lord, whose work is to catch them. And then I will many hunters send also, whose work is to catch them on all the mountains and on all the highlands and in all of the hollows.

2. Recitativo
(Kraus)

Wie leichtlich könnte doch der Höchste uns
             entbehren
Und seine Gnade von uns kehren,
Wenn der verkehrte Sinn sich böslich von ihm
             trennt
Und mit verstocktem Mut
In sein Verderben rennt.
Was aber tut
Sein vatertreu Gemüte?
Tritt er mit seiner Güte
Von uns, gleich so wie wir von ihm, zurück,
Und überläßt er uns der Feinde List und Tück?

Tenor, Bc.
12 Takte, h-Moll – e-Moll, 4/4 Takt

2. Recitative (T)

How easily, though, could the Highest do without
             us
And turn away his mercy from us,
When our perverted hearts in evil from him part
And in their stubbornness
To their destruction run.
But what response
From his paternal spirit?
Withhold his loving kindness
From us, and, just as we from him, withdraw,
And then betray us to the foe's deceit and spite?

3. Aria
(Kraus)

Nein, Gott ist allezeit geflissen,
Uns auf gutem Weg zu wissen
Unter seiner Gnade Schein.
Ja, wenn wir verirret sein
Und die rechte Bahn verlassen,
Will er uns gar suchen lassen.

Tenor, 2 Oboi d'amore, Streicher, Bc.
132 Takte, e-Moll, 3/8 Takt

3. Aria (T)

No, God is all the time intending
On the proper path to keep us,
Sheltered by his glory's grace.
Yea, when we have gone astray
And the proper way abandon,
He will even have us sought for.

II. Teil

4. Recitativo ed Arioso
(Kraus, Schöne)

Tenor
Jesus sprach zu Simon:
Baß
*Fürchte dich nicht; denn von nun an wirst du
Menschen fahen.*

Tenor, Baß, Streicher, Bc.
57 Takte, G-Dur – D-Dur, 4/4 – 3/4 Takt

Second Part

4. Arioso [Dictum] (T, B)

(T)
Jesus spake to Simon:
(B)
*Fear have thou none; for from now on men wilt thou
be catching.*

5. Aria (Duetto)
(Reichelt, Gohl)

Beruft Gott selbst, so muß der Segen
Auf allem unsern Tun
Im Übermaße ruhn,
Stünd uns gleich Furcht und Sorg entgegen.
Das Pfund, so er uns ausgetan,
Will er mit Wucher wiederhaben;
Wenn wir es nur nicht selbst vergraben,
So hilft er gern, damit es fruchten kann.

Sopran, Alt, 2 Oboi d'amore, Violinen, Bc.
94 Takte, A-Dur, 4/4 Takt

5. Aria (S, A)

If God commands, then must his blessing
In all that we may do
Abundantly endure,
E'en though both fear and care oppose us.
The talent he hath given us
Would he with int'rest have returned him;
If only we ourselves not hide it,
He gladly helps, that it may bear its fruit.

6. Recitativo
(Reichelt)

Was kann dich denn in deinem Wandel
schrecken,
Wenn dir, mein Herz, Gott selbst die Hände
reicht?
Vor dessen bloßem Wink schon alles Unglück
weicht,
Und der dich mächtiglich kann schützen und
bedecken.
Kommt Mühe, Überlast, Neid, Plag und
Falschheit her
Und trachtet, was du tust, zu stören und zu
hindern,
Laß Trug und Ungemach den Vorsatz nicht
vermindern;
Das Werk, so er bestimmt, wird keinem je zu
schwer.

6. Recitative (S)

What can then thee in all thy dealings frighten,
If thee, my heart, God doth his hands extend?
Before his merest nod doth all misfortune yield,
And he, most huge in might, can shelter and
protect thee.
When trouble, hardship's toil, grudge, plague and
falsehood come,
Intending all thou dost to harass and to hinder,
Let passing discontent thy purpose not diminish;
The work which he assigns will be for none too
hard.

Geh allzeit freudig fort, du wirst am Ende sehen,
Daß, was dich eh gequält, dir sei zu Nutz
geschehen!

Sopran, Bc.
21 Takte, fis-Moll – h-Moll, 4/4 Takt

7. Choral
(Figuralchor der Gedächtniskirche Stuttgart)

Sing, bet und geh auf Gottes Wegen,
Verricht das Deine nur getreu
Und trau des Himmels reichem Segen,
So wird er bei dir werden neu;
Denn welcher seine Zuversicht
Auf Gott setzt, den verläßt er nicht.

Chor, Horn, 2 Oboi d'amore, Oboe da caccia,
Streicher, Bc.
14 Takte, h-Moll, 4/4 Takt

Ausführende:
Ingeborg Reichelt, Sopran
Verena Gohl, Alt
Adalbert Kraus, Tenor
Wolfgang Schöne, Baß
Johannes Ritzkowsky, Horn
Willy Rütten, Horn
Otto Winter, Oboe d'amore
Thomas Schwarz, Oboe d'amore
Hanspeter Weber, Oboe da caccia
Hans Mantels, Fagott
Hannelore Michel, Continuocello
Manfred Gräser, Kontrabaß
Martha Schuster, Cembalo/Orgelpositiv
Figuralchor der
Gedächtniskirche Stuttgart
Bach-Collegium Stuttgart
Leitung: Helmuth Rilling

Aufnahme: Sonopress Tontechnik, Gütersloh
Aufnahmeleitung: Richard Hauck/
Wolfram Wehnert
Aufnahmeort: Gedächtniskirche Stuttgart
Aufnahmezeit: Juni/Juli 1970
Spieldauer: 22'35"

With steadfast joy go forth, thou shalt see at the
finish
That what before caused pain occurred to bring
thee blessing.

7. Chorale (S, A, T, B)

Sing, pray, and walk in God's own pathways,
Perform thine own work ever true,
And trust in heaven's ample blessing,
Then shall he stand by thee anew;
For him who doth his confidence
Rest in God, he forsaketh not.

BWV 89

Serie **V**, Nr. 98.697

Was soll ich aus dir machen, Ephraim
Kantate zum 22. Sonntag nach Trinitatis
für Sopran, Alt, Baß, vierstimmigen Chor,
Horn, 2 Oboen, Streicher und Generalbaß

1. Aria
(Huttenlocher)

Was soll ich aus dir machen, Ephraim? Soll ich dich schützen, Israel? Soll ich nicht billig ein Adama aus dir machen und dich wie Zeboim zurichten? Aber mein Herz ist anders Sinnes, meine Barmherzigkeit ist zu brünstig.

Baß, Gesamtinstrumentarium
61 Takte, c-Moll, 4/4 Takt

2. Recitativo
(Watts)

Ja, freilich sollte Gott
Ein Wort zum Urteil sprechen
Und seines Namens Spott
An seinen Feinden rächen.
Unzählbar ist die Rechnung deiner Sünden,
Und hätte Gott auch gleich Geduld,
Verwirft doch dein feindseliges Gemüte
Die angebotne Güte
Und drückt den Nächsten um die Schuld;
So muß die Rache sich entzünden.

Alt, Bc.
11 Takte, g-Moll – d-Moll, 4/4 Takt

3. Aria
(Watts)

Ein unbarmherziges Gerichte
Wird über dich gewiß ergehn.
  Die Rache fängt bei denen an,
  Die nicht Barmherzigkeit getan,
  Und machet sie wie Sodom ganz zunichte.

Alt, Bc.
43 Takte, d-Moll, 4/4 Takt

4. Recitativo
(Augér)

Wohlan! mein Herze legt Zorn, Zank und
                            Zwietracht hin;
Es ist bereit, dem Nächsten zu vergeben.
Allein, wie schrecket mich mein
                        sündenvolles Leben,
Daß ich vor Gott in Schulden bin!
Doch Jesu Blut
Macht diese Rechnung gut,
Wenn ich zu ihm, als des Gesetzes Ende,
Mich gläubig wende.

Sopran, Bc.
14 Takte, F-Dur – B-Dur, 4/4 Takt

1. Aria [Dictum] (B)

What shall I make of thee now, Ephraim? Shall I protect thee, Israel? Shall I not simply an Admah make out of thee now, and like a Zeboim transform thee? But this my heart is other-minded, and my compassion's love is too ardent.

2. Recitative (A)

Yea, surely oweth God
To speak his word of judgment
And for his name's disdain
Against his foes take vengeance.
Past counting is the sum of thy transgressions,
And even though God should forbear,
Rejecteth yet the ill-will of thy spirit
The offer of his kindness
And to thy neighbor shifts the guilt;
For this his vengeance must be kindled.

3. Aria (A)

An unforgiving word of judgment
Will over thee most surely come.
  For vengeance will with those begin
  Who have not mercy exercised,
  Reducing them like Sodom to mere nothing.

4. Recitative (S)

Well, then, my heart will lay wrath, rage, and
                                    strife aside;
It is prepared my neighbor to forgive now.
But yet, what terror doth my sinful life afford me,
That I 'fore God in debt must stand!
But Jesus' blood
Doth my account make good,
If I to him, who is the law's foundation,
In faith take refuge.

5. Aria
(Augér)

Gerechter Gott, ach, rechnest du?
So werde ich zum Heil der Seelen
Die Tropfen Blut von Jesu zählen.
Ach! rechne mir die Summe zu!
Ja, weil sie niemand kann ergründen,
Bedeckt sie meine Schuld und Sünden.

Sopran, Oboe, Bc.
59 Takte, B-Dur, 6/8 Takt

6. Choral
(Gächinger Kantorei Stuttgart)

Mir mangelt zwar sehr viel,
Doch, was ich haben will,
Ist alles mir zugute
Erlangt mit deinem Blute,
Damit ich überwinde
Tod, Teufel, Höll und Sünde.

Chor, Horn, Oboe, Streicher, Bc.
12 Takte, g-Moll, 4/4 Takt

Ausführende:
Arleen Augér, Sopran
Helen Watts, Alt
Philippe Huttenlocher, Baß
Rob Roy McGregor, Horn
Günther Passin, Oboe
Hedda Rothweiler, Oboe
Kurt Etzold, Fagott
Jürgen Wolf, Continuocello
Thomas Lom, Kontrabaß
Hans-Joachim Erhard, Cembalo/Orgelpositiv
Gächinger Kantorei Stuttgart
Bach-Collegium Stuttgart
Leitung: Helmuth Rilling

Aufnahme: Südwest-Tonstudio, Stuttgart
Aufnahmeleitung: Richard Hauck
Toningenieur: Henno Quasthoff
Aufnahmeort: Gedächtniskirche Stuttgart
Aufnahmezeit: September/Dezember 1977
Spieldauer: 12'00"

5. Aria (S)

O righteous God, ah, judgest thou?
I shall then for my soul's salvation
The drops of Jesus' blood be counting.
Ah! Put the sum to my account!
Yea, since no one can ever tell them,
They cover now my debt and failings.

6. Chorale (S, A, T, B)

My failings are so great,
But all that I would have
Is fully in my favor
By thine own blood accomplished,
So that I shall now conquer
Death, devil, hell, and error.

BWV 90

Es reißet euch ein schrecklich Ende
Kantate zum 25. Sonntag nach Trinitatis
für Alt, Tenor, Baß, vierstimmigen Chor,
Trompete, Streicher mit Solo-Violine und Generalbaß

Serie V, Nr. 98.698

1. Aria
(Kraus)

Es reißet euch ein schrecklich Ende,
Ihr sündlichen Verächter, hin.
   Der Sünden Maß ist voll gemessen,
   Doch euer ganz verstockter Sinn
   Hat seines Richters ganz vergessen.

Tenor, Violine, Streicher, Bc.
315 Takte, d-Moll, 3/8 Takt

1. Aria (T)

To ruin you an end of terror,
Ye blasphemous disdainers, brings.
   Your store of sin is full in measure,
   But your completely stubborn minds
   Have him, your judge, now quite forgotten.

2. Recitativo
(Watts)

Des Höchsten Güte wird von Tag zu Tage neu,
Der Undank aber sündigt stets auf Gnade.
O, ein verzweifelt böser Schade,
So dich in dein Verderben führt.
Ach! wird dein Herze nicht gerührt?
Daß Gottes Güte dich
Zur wahren Buße leitet?
Sein treues Herze lässet sich
Zu ungezählter Wohltat schauen:
Bald läßt er Tempel auferbauen,
Bald wird die Aue zubereitet,
Auf die des Wortes Manna fällt,
So dich erhält.
Jedoch, o! Bosheit dieses Lebens,
Die Wohltat ist an dir vergebens.

Alt, Bc.
19 Takte, B-Dur – d-Moll, 4/4 Takt

2. Recitative (A)

The Highest's kindness is from day to day
                    renewed,
But ingrates always sin against such mercy.
Oh, what a desp'rate act of mischief
Which thee to thy destruction leads.
Ah! Is thy heart not to be touched?
That God's dear kindness may
To true repentance guide thee?
His faithful heart reveals itself
In countless works of grace appearing:
Now doth he build the lofty temples,
Now is the verdant pasture readied
On which the word's true manna falls
To give thee strength.
And yet, O wicked life of mortals,
Good deeds are spent on thee for nothing.

3. Aria
(Nimsgern)

So löschet im Eifer der rächende Richter
Den Leuchter des Wortes zur Strafe doch aus.
   Ihr müsset, o Sünder, durch euer Verschulden
   Den Greuel an heiliger Stätte erdulden,
   Ihr machet aus Tempeln ein mörderisch Haus.

Baß, Gesamtinstrumentarium
60 Takte, B-Dur, 4/4 Takt

3. Aria (B)

Extinguish with haste will the judge in his
                    vengeance
The lamp of his word as his sentence in full.
   Ye must then, O sinners, for your own
                  transgressions
   The outrage on your sacred places now suffer,
   Ye make of the temples a house full of death.

4. Recitativo
(Kraus)

Doch Gottes Auge sieht auf uns als
                    Auserwählte:
Und wenn kein Mensch der Feinde Menge
                    zählte,
So schützt uns doch der Held in Israel,
Es hemmt sein Arm der Feinde Lauf
Und hilft uns auf;

4. Recitative (T)

Yet God's observant eye regards us as his
                    chosen:
And though no man the hostile host may
                    number,
The hero shields us yet in Israel,
His arm restrains the foe's attack
And helps us stand;

Des Wortes Kraft wird in Gefahr
Um so viel mehr erkannt und offenbar.

In peril is his word's great strength
Just that much more perceived and manifest.

Tenor, Bc.
10 Takte, g-Moll – d-Moll, 4/4 Takt

5. Choral
(Gächinger Kantorei Stuttgart)

5. Chorale (S, A, T, B)

Leit uns mit deiner rechten Hand
Und segne unser Stadt und Land;
Gib uns allzeit dein heilges Wort,
Behüt vor Teufels List und Mord;
Verleih ein selges Stündelein,
Auf daß wir ewig bei dir sein!

Lead us with thine own righteous hand
And bless our city and our land,
Give us alway thy holy word,
Protect from Satan's craft and death;
And send a blessèd hour of peace,
That we forever be with thee!

Chor, Gesamtinstrumentarium
12 Takte, d-Moll, 4/4 Takt

Ausführende:
Helen Watts, Alt
Adalbert Kraus, Tenor
Siegmund Nimsgern, Baß
Rob Roy McGregor, Trompete
Walter Forchert, Violine
Jürgen Wolf, Continuocello
Thomas Lom, Kontrabaß
Hans-Joachim Erhard, Cembalo/Orgelpositiv
Gächinger Kantorei Stuttgart
Bach-Collegium Stuttgart
Leitung: Helmuth Rilling

Aufnahme: Südwest-Tonstudio, Stuttgart
Aufnahmeleitung: Richard Hauck
Toningenieur: Henno Quasthoff
Aufnahmeort: Gedächtniskirche Stuttgart
Aufnahmezeit: Dezember 1977, Januar 1978
Spieldauer: 12'50"

BWV 91

Serie II, Nr. 98.663

Gelobet seist du, Jesu Christ
Kantate zum 1. Weihnachtstag
für Sopran, Alt, Tenor, Baß, vierstimmigen Chor,
2 Hörner, Pauken, 3 Oboen, Streicher und Generalbaß

1. Coro (Choral)
(Frankfurter Kantorei)

1. Chorus [Verse 1] (S, A, T, B)

Gelobet seist du, Jesu Christ,
Daß du Mensch geboren bist
Von einer Jungfrau, das ist wahr,

All glory to thee, Jesus Christ,
For thou man today wast born,
Born of a virgin, that is sure,

Des freuet sich der Engel Schar.
Kyrie eleis!

Chor, Gesamtinstrumentarium
69 Takte, G-Dur, ₵ Takt

2. Recitativo e Choral
(Donath, Frankfurter Kantorei)

Der Glanz der höchsten Herrlichkeit,
Das Ebenbild von Gottes Wesen,
Hat in bestimmter Zeit
Sich einen Wohnplatz auserlesen.
Des ewgen Vaters einigs Kind,
Das ewge Licht von Licht geboren,
Itzt man in der Krippe findt.
O Menschen, schauet an,
Was hier der Liebe Kraft getan!
In unser armes Fleisch und Blut,
(Und war denn dieses nicht verflucht, verdammt,
verloren?)
Verkleidet sich das ewge Gut.
So wird es ja zum Segen auserkoren.

Sopran, Chor-Sopran, Bc.
24 Takte, e-Moll, 4/4 Takt

3. Aria
(Kraus)

Gott, dem der Erden Kreis zu klein,
Den weder Welt noch Himmel fassen,
Will in der engen Krippe sein.
  Erscheinet uns dies ewge Licht,
  So wird hinfüro Gott uns nicht
  Als dieses Lichtes Kinder hassen.

Tenor, 3 Oboen, Bc.
87 Takte, a-Moll, 3/4 Takt

4. Recitativo
(Schöne)

O Christenheit!
Wohlan, so mache dich bereit,
Bei dir den Schöpfer zu empfangen.
Der große Gottessohn
Kömmt als ein Gast zu dir gegangen.
Ach, laß dein Herz durch diese Liebe rühren;
Er kömmt zu dir, um dich vor seinen Thron
Durch dieses Jammertal zu führen.

Baß, Streicher, Bc.
13 Takte, G-Dur – C-Dur, 4/4 Takt

Thus joyful is the angel host.
Kyrie eleis!

2. Recitative and Chorale [Verse 2] (S)

The light of highest majesty,
The image of God's very being,
Hath, when the time was full,
Himself a dwelling found and chosen.
Th'eternal Father's only child
Th'eternal light of light begotten,
Who now in the crib is found.
Ye mortals, now behold
What here the pow'r of love hath done!
Within our wretched flesh and blood,
(And was this flesh then not accursed,
condemned, and fallen?)
Doth veil itself eternal good.
Yet is it, yea, for grace and blessing chosen.

3. Aria (T)

God, for whom earth's orb is too small,
Whom neither world nor heaven limits,
Would in the narrow crib now lie.
  Revealed to us this lasting light,
  Thus henceforth will us God not hate,
  For of this light we are the children.

4. Recitative (B)

O Christian world,
Now rise and get thyself prepared
To thee thy maker now to welcome.
The mighty Son of God
Comes as a guest to thee descended.
Ah, let thy heart by this his love be smitten;
He comes to thee, that he before his throne
Through this deep vale of tears may lead thee.

5. Aria (Duetto)
(Donath, Watts)

Die Armut, so Gott auf sich nimmt,
Hat uns ein ewig Heil bestimmt,
Den Überfluß an Himmelsschätzen.
  Sein menschlich Wesen machet euch
  Den Engelsherrlichkeiten gleich,
  Euch zu der Engel Chor zu setzen.

Sopran, Alt, Violinen, Bc.
108 Takte, e-Moll, 4/4 Takt

6. Choral
(Frankfurter Kantorei)

Das hat er alles uns getan,
Sein groß Lieb zu zeigen an;
Des freu sich alle Christenheit
Und dank ihm des in Ewigkeit.
Kyrie eleis!

Chor, Gesamtinstrumentarium
10 Takte, G-Dur, 4/4 Takt

Ausführende:
Helen Donath, Sopran
Helen Watts, Alt
Adalbert Kraus, Tenor
Wolfgang Schöne, Baß
Johannes Ritzkowsky, Horn
Willy Rütten, Horn
Karl Schad, Pauken
Otto Winter, Oboe
Thomas Schwarz, Oboe
Hanspeter Weber, Oboe
Hans Mantels, Fagott
Jürgen Wolf, Continuocello
Manfred Gräser, Kontrabaß
Martha Schuster, Cembalo/Orgelpositiv
Frankfurter Kantorei
Bach-Collegium Stuttgart
Leitung: Helmuth Rilling

Aufnahme: Sonopress Tontechnik, Gütersloh
Aufnahmeleitung: Richard Hauck/
Wolfram Wehnert
Aufnahmeort: Gedächtniskirche Stuttgart
Aufnahmezeit: Februar 1972
Spieldauer: 18'30"

5. Aria (S, A)

The weakness which God hath assumed
On us eternal health bestowed,
The richest store of heaven's treasures.
  His mortal nature maketh you
  The angels' glory now to share,
  You to the angels' choir appointeth.

6. Chorale [Verse 7] (S, A, T, B)

All this he hath for us achieved,
His great love to manifest;
Rejoice then all Christianity
And thank him for this evermore.
Kyrie eleis!

BWV 92

Serie **VII**, Nr. 98.717

Ich hab in Gottes Herz und Sinn
Kantate zum Sonntag Septuagesimae
für Sopran, Alt, Tenor, Baß, vierstimmigen Chor,
2 Oboi d'amore, Streicher und Generalbaß

1. Coro (Choral)
(Gächinger Kantorei Stuttgart)

Ich hab in Gottes Herz und Sinn
Mein Herz und Sinn ergeben,
Was böse scheint, ist mein Gewinn,
Der Tod selbst ist mein Leben.
Ich bin ein Sohn des, der den Thron
Des Himmels aufgezogen;
Ob er gleich schlägt und Kreuz auflegt,
Bleibt doch sein Herz gewogen.

Chor, Gesamtinstrumentarium
136 Takte, h-Moll, 6/8 Takt

2. Choral e Recitativo
(Huttenlocher)

Es kann mir fehlen nimmermehr!
Es müssen eh'r,
Wie selbst der treue Zeuge spricht,
Mit Prasseln und mit grausem Knallen
Die Berge und die Hügel fallen:
Mein Heiland aber trüget nicht,
Mein Vater muß mich lieben.
Durch Jesu rotes Blut bin ich in seine Hand
geschrieben;
Er schützt mich doch!
Wenn er mich auch gleich wirft ins Meer,
So lebt der Herr auf großen Wassern noch,
Der hat mir selbst mein Leben zugeteilt,
Drum werden sie mich nicht ersäufen.
Wenn mich die Wellen schon ergreifen
Und ihre Wut mit mir zum Abgrund eilt,
So will er mich nur üben,
Ob ich an Jonam werde denken,
Ob ich den Sinn mit Petro auf ihn werde lenken.
Er will mich stark im Glauben machen,
Er will vor meine Seele wachen
Und mein Gemüt,
Das immer wankt und weicht,
in seiner Güt,
Der an Beständigkeit nichts gleicht,
Gewöhnen festzustehen.
Mein Fuß soll fest
Bis an der Tage letzten Rest
Sich hier auf diesen Felsen gründen.
Halt ich denn Stand,
Und lasse mich in felsenfestem Glauben finden,
weiß seine Hand,
Die er mir schon vom Himmel beut,
Zu rechter Zeit
Mich wieder zu erhöhen.

Baß, Bc.
48 Takte, e-Moll, 4/4 Takt

1. Chorus [Verse 1] (S, A, T, B)

I have to God's own heart and mind
My heart and mind surrendered;
What seemeth ill is for my gain,
E'en death itself, my living.
I am a son of who the throne
Of heaven hath laid open;
Though he strike me and cross impose,
His heart keeps yet its favor.

2. Chorale [Verse 2] and Recitative (B)

It cannot fail me anytime!
Needs be ere that,
As e'en our truthful witness saith,
With cracking and with awesome thunder
The mountains and the hills have fallen:
My Savior, though, betrayeth not,
My Father surely loves me.
Through Jesus' crimson blood am I into his
hand committed;
He guards me well!
Though he should cast me in the sea,
The Lord doth live on mighty waters, too,
He did to me himself my life allot,
The waters therefore shall not drown me.
Although the waves already hold me
And in their wrath rush with me to the depths,
Yet would he only test me,
If I of Jonah shall be mindful,
Or if I shall like Peter to him turn my spirit.
He would me strong in faith establish,
He would for my soul's sake be watchful
And this my heart,
Which ever faints and yields,
in his dear care,
Which in steadfastness nought can match,
Accustom to stand firmly.
My foot shall firm
Until the end of all the days
Be here upon this rock established.
If I stand sure,
And gird myself in faith as firm as craggy
mountains,
his hand will know,
Which he to me from heav'n extends,
The proper time
For me to be exalted.

3. Aria
(Baldin)

Seht, seht! wie reißt, wie bricht, wie fällt,
Was Gottes starker Arm nicht hält.
Seht aber fest und unbeweglich prangen,
Was unser Held mit seiner Macht umfangen.
Laßt Satan wüten, rasen, krachen,
Der starke Gott wird uns unüberwindlich
                                          machen.

Tenor, Streicher, Bc.
56 Takte, h-Moll, 4/4 Takt

3. Aria (T)

Mark, mark! it snaps, it breaks, it falls,
What God's own mighty arm holds not.
Mark, though, the firm and unremitting glory
Of all our hero with his might surroundeth.
Leave Satan furious, raving, raging,
Our mighty God will us unconquered ever
                                          render.

4. Choral
(Watts)

Zudem ist Weisheit und Verstand
Bei ihm ohn alle Maßen,
Zeit, Ort und Stund ist ihm bekannt,
Zu tun und auch zu lassen.
Er weiß, wenn Freud, er weiß, wenn Leid
Uns, seinen Kindern, diene,
Und was er tut, ist alles gut,
Ob's noch so traurig schiene.

Alt, 2 Oboi d'amore, Bc.
55 Takte, fis-Moll, 4/4 Takt

4. Chorale [Verse 5] (A)

And too are wisdom and judgment
With him beyond all measure;
Time, place, and hour him are known
For action and inaction.
He knows when joy, he knows when grief,
Would us his children profit,
And what he doth is always good,
However sad it seemeth.

5. Recitativo
(Baldin)

Wir wollen nun nicht länger zagen
Und uns mit Fleisch und Blut,
Weil wir in Gottes Hut,
So furchtsam wie bisher befragen.
Ich denke dran,
Wie Jesus nicht gefürcht' das tausendfache Leiden;
Er sah es an
Als eine Quelle ewger Freuden.
Und dir, mein Christ,
Wird deine Angst und Qual, dein bitter Kreuz
                                          und Pein
Um Jesu willen Heil und Zucker sein.
Vertraue Gottes Huld
Und merke noch, was nötig ist:
Geduld! Geduld!

Tenor, Bc.
16 Takte, D-Dur – h-Moll, 4/4 Takt

5. Recitative (T)

We therefore would no longer falter
And us with flesh and blood,
While we're in God's own care,
So sorely as till now be bothered.
I think on this,
How Jesus had no fear of all his myriad
                                          sorrows;
He looked to them
As but a source of endless pleasure.
My Christian, thee
Shall thine own fear and grief, thy bitter
                                          cross and pain
For Jesus' sake thy health and sweetness be.
So trust the grace of God
And mark henceforth what thou must do:
Forbear! Forbear!

6. Aria
(Huttenlocher)

Das Stürmen von den rauhen Winden
Macht, daß wir volle Ähren finden.
    Des Kreuzes Ungestüm schafft bei den
                                          Christen Frucht,

6. Aria (B)

The raging /storming/ of the winds so cruel
Lets us the richest harvest gather.
    The cross's turbulence doth yield the Christians
                                          fruit,

232

Drum laßt uns alle unser Leben
Dem weisen Herrscher ganz ergeben.
Küßt seines Sohnes Hand, verehrt die treue
                                    Zucht.

So let us, ev'ryone, our living
To our wise ruler fully offer.
Kiss ye his own Son's hand, revere his faithful
                                    care.

Baß, Bc.
142 Takte, D-Dur, 3/4 Takt

7. Choral e Recitativo
(Augér, Schreckenbach, Baldin, Huttenlocher,
Gächinger Kantorei Stuttgart)

Ei nun, mein Gott, so fall ich dir
Getrost in deine Hände.
Baß
So spricht der gottgelaßne Geist,
Wenn er des Heilands Brudersinn
Und Gottes Treue gläubig preist.
Nimm mich, und mache es mit mir
Bis an mein letztes Ende.
Tenor
Ich weiß gewiß,
Daß ich ohnfehlbar selig bin,
Wenn meine Not und mein Bekümmernis
Von dir so wird geendigt werden:
Wie du wohl weißt, daß meinem Geist
Dadurch sein Nutz entstehe,
Alt
Daß schon auf dieser Erden,
Dem Satan zum Verdruß,
Dein Himmelreich sich in mir zeigen muß
Und deine Ehr je mehr und mehr
Sich in ihr selbst erhöhe.
Sopran
So kann mein Herz nach deinem Willen
Sich, o mein Jesu, selig stillen,
Und ich kann bei gedämpften Saiten
Dem Friedensfürst ein neues Lied bereiten.

Sopran, Alt, Tenor, Baß, Chor, Bc.
36 Takte, h-Moll – D-Dur, 4/4 Takt

7. Chorale [Verse 10] and Recitative
(S, A, T, B)

(S, A, T, B)
Ah now, my God, thus do I fall
Assured into thy bosom.
(B)
Thus speaks the soul which trusts in God
When he the Savior's brotherhood
And God's good faith in faith doth praise.
Take me and work thy will with me
Until my life is finished.
(T)
I know for sure
That I unfailing blest shall be
If my distress, and this my grief and woe,
By thee will thus an end be granted:
For thou dost know that to my soul
Thereby its help ariseth,
(A)
That in my earthly lifetime,
To Satan's discontent,
Thy heav'nly realm in me be manifest
And thine own honor more and more
Be of itself exalted.
(S)
Thus may my heart as thou commandest
Find, O my Jesus, blessed stillness,
And I may to these muted lyres
The Prince of peace a new refrain now offer.

8. Aria
(Augér)

Meinem Hirten bleib ich treu.
Will er mir den Kreuzkelch füllen,
Ruh ich ganz in seinem Willen,
Er steht mir im Leiden bei.
Es wird dennoch, nach dem Weinen,
Jesu Sonne wieder scheinen.
Meinem Hirten bleib ich treu.
Jesu leb ich, der wird walten,
Freu dich, Herz, du sollst erkalten,
Jesus hat genug getan.
Amen: Vater, nimm mich an!

Sopran, Oboe d'amore, Streicher, Bc.
112 Takte, D-Dur, 3/8 Takt

8. Aria (S)

To my shepherd I'll be true.
Though he fill my cross's chalice,
I'll rest fully in his pleasure,
He stands in my sorrow near.
One day, surely, done my weeping,
Jesus' sun again will brighten.
To my shepherd I'll be true.
Live in Jesus, who will rule me;
Heart, be glad, though thou must perish,
Jesus hath enough achieved.
Amen: Father, take me now!

9. Choral
(Gächinger Kantorei Stuttgart)

Soll ich denn auch des Todes Weg
Und finstre Straße reisen,
Wohlan! ich tret auf Bahn und Steg,
Den mir dein Augen weisen.
Du bist mein Hirt, der alles wird
Zu solchem Ende kehren,
Daß ich einmal in deinem Saal
Dich ewig möge ehren.

Chor, Gesamtinstrumentarium
19 Takte, h-Moll, 4/4 Takt

Ausführende:
Arleen Augér, Sopran
Helen Watts, Alt
Gabriele Schreckenbach, Alt
Aldo Baldin, Tenor
Philippe Huttenlocher, Baß
Klaus Kärcher, Oboe d'amore
Hedda Rothweiler, Oboe d'amore
Kurt Etzold, Fagott
Gerhard Mantel, Continuocello
Thomas Lom, Kontrabaß
Bärbel Schmid, Orgelpositiv
Hans-Joachim Erhard, Cembalo
Gächinger Kantorei Stuttgart
Bach-Collegium Stuttgart
Leitung: Helmuth Rilling

Aufnahme: Tonstudio Teije van Geest, Heidelberg
Aufnahmeleitung: Richard Hauck
Aufnahmeort: Gedächtniskirche Stuttgart
Aufnahmezeit: Februar/April 1980
Spieldauer: 30'35"

9. Chorale [Verse 12] (S, A, T, B)

If I then, too, the way of death
And its dark journey travel,
Lead on! I'll walk the road and path
Which thine own eyes have shown me.
Thou art my shepherd, who all things
Will bring to such conclusion,
That I one day within thy courts
Thee ever more may honor.

BWV 93

Serie **VI,** Nr. 98.**707**

Wer nur den lieben Gott läßt walten
Kantate zum 5. Sonntag nach Trinitatis
für Sopran, Alt, Tenor, Baß, vierstimmigen Chor,
2 Oboen, Streicher und Generalbaß

1. Coro (Choral)
(Augér, Murray, Kraus, Heldwein,
Gächinger Kantorei Stuttgart)

Wer nur den lieben Gott läßt walten
Und hoffet auf ihn allezeit,
Den wird er wunderlich erhalten
In allem Kreuz und Traurigkeit.

1. Chorus [Verse 1] (S, A, T, B)

The man who leaves to God all power
And hopeth in him all his days,
He will most wondrously protect him
Through ev'ry cross and sad distress.

Wer Gott, dem Allerhöchsten, traut,
Der hat auf keinen Sand gebaut.

Sopran, Alt, Tenor, Baß, Chor,
Gesamtinstrumentarium
75 Takte, c-Moll, 12/8 Takt

2. Recitativo e Choral
(Heldwein)

Was helfen uns die schweren Sorgen?
Sie drücken nur das Herz
Mit Zentnerpein, mit tausend Angst und
Schmerz.
Was hilft uns unser Weh und Ach?
Es bringt nur bittres Ungemach.
Was hilft es, daß wir alle Morgen
Mit Seufzen von dem Schlaf aufstehn
Und mit beträntem Angesicht des Nachts zu
Bette gehn?
Wir machen unser Kreuz und Leid
Durch bange Traurigkeit nur größer.
Drum tut ein Christ viel besser,
Er trägt sein Kreuz mit christlicher Gelassenheit.

Baß, Bc.
21 Takte, g-Moll, 4/4 Takt

3. Aria
(Kraus)

Man halte nur ein wenig stille,
Wenn sich die Kreuzesstunde naht,
Denn unsres Gottes Gnadenwille
Verläßt uns nie mit Rat und Tat.
Gott, der die Auserwählten kennt,
Gott, der sich uns ein Vater nennt,
Wird endlich allen Kummer wenden
Und seinen Kindern Hilfe senden.

Tenor, Streicher, Bc.
112 Takte, Es-Dur, 3/8 Takt

4. Aria (Duetto) con Choral
(Augér, Murray)

Er kennt die rechten Freudenstunden,
Er weiß wohl, wenn es nützlich sei;
Wenn er uns nur hat treu erfunden
Und merket keine Heuchelei,
So kömmt Gott, eh wir uns versehn,
Und lässet uns viel Guts geschehn.

Sopran, Alt, Streicher, Bc.
50 Takte, c-Moll, 4/4 Takt

Who doth in God Almighty trust
Builds not upon the sand his house.

2. Recitative and Chorale [Verse 2] (B)

What help to us are grievous worries?
They just oppress the heart
With heavy woe, with untold fear and pain.
What help to us our "woe and ah"?
It just brings bitter, sad distress.
What help to us that ev'ry morning
With sighing from our sleep to rise
And with our tearstained countenance at night
to go to bed?
We make ourselves our cross and grief
Through anxious sadness only greater.
So fares a Christian better;
He bears his cross with Christ-like confidence and
calm.

3. Aria (T)

If we be but a little quiet,
Whene'er the cross's hour draws nigh,
For this our God's dear sense of mercy
Forsakes us ne'er in word or deed.
God, who his own elected knows,
God, who himself our "Father" names,
Shall one day ev'ry trouble banish
And to his children send salvation.

4. Aria [Verse 4] (S, A) with instr. chorale

He knows the proper time for gladness,
He knows well when it profit brings;
If he hath only faithful found us
And marketh no hypocrisy,
Then God comes, e'en before we know,
And leaves to us much good result.

5. Recitativo e Choral
(Kraus)

Denk nicht in deiner Drangsalshitze,
Wenn Blitz und Donner kracht
Und dir ein schwüles Wetter bange macht,
Daß du von Gott verlassen seist.
Gott bleibt auch in der größten Not,
Ja gar bis in den Tod
Mit seiner Gnade bei den Seinen.
Du darfst nicht meinen,
Daß dieser Gott im Schoße sitze,
Der täglich, wie der reiche Mann,
In Lust und Freuden leben kann.
Der sich mit stetem Glücke speist,
Bei lauter guten Tagen,
Muß oft zuletzt,
Nachdem er sich an eitler Lust ergötzt,
«Der Tod in Töpfen!» sagen.
Die Folgezeit verändert viel!
Hat Petrus gleich die ganze Nacht
Mit leerer Arbeit zugebracht
Und nichts gefangen:
Auf Jesu Wort kann er noch einen Zug erlangen.
Drum traue nur in Armut, Kreuz und Pein
Auf deines Jesu Güte
Mit gläubigem Gemüte.
Nach Regen gibt er Sonnenschein
Und setzet jeglichem sein Ziel.

Tenor, Bc.
29 Takte, Es-Dur – g-Moll, 4/4 Takt

6. Aria
(Augér)

Ich will auf den Herren schaun
Und stets meinem Gott vertraun.
Er ist der rechte Wundermann.
Der die Reichen arm und bloß
Und die Armen reich und groß
Nach seinem Willen machen kann.

Sopran, Oboe, Bc.
45 Takte, g-Moll, 4/4 Takt

7. Choral
(Gächinger Kantorei Stuttgart)

Sing, bet und geh auf Gottes Wegen,
Verricht das Deine nur getreu
Und trau des Himmels reichem Segen,
So wird er bei dir werden neu;
Denn welcher seine Zuversicht
Auf Gott setzt, den verläßt er nicht.

Chor, Streicher, Bc.
15 Takte, c-Moll, 4/4 Takt

5. Recitative and Chorale [Verse 5] (T)

Think not within thy trial by fire,
When fire and thunder crack
And thee a sultry tempest anxious makes,
That thou by God forsaken art.
God bides e'en in the greatest stress,
Yea, even unto death
With his dear mercy midst his people.
Thou may'st not think then
That this man is in God's lap sitting
Who daily, like the wealthy man,
In joy and rapture life can lead.
Whoe'er on constant fortune feeds,
Midst nought but days of pleasure,
Must oft at last,
When once he hath of idle lust his fill,
"The pot is poisoned!" utter.
Pursuing time transformeth much!
Did Peter once the whole night long
With empty labors pass the time
And take in nothing?
At Jesus' word he can e'en yet a catch discover.
Midst poverty then trust, midst cross and pain,
Trust in thy Jesus' kindness
With faithful heart and spirit.
When rains have gone, he sunshine brings,
Appointing ev'ry man his end.

6. Aria (S)

I will to the Lord now look
And e'er in my God put trust.
He worketh truly wonders rare.
He can wealthy, poor and bare,
And the poor, both rich and great,
According to his pleasure make.

7. Chorale [Verse 7] (S, A, T, B)

Sing, pray, and walk in God's own pathways,
Perform thine own work ever true
And trust in heaven's ample blessing,
Then shall he stand by thee anew;
For who doth all his confidence
Rest in God, he forsaketh not.

Ausführende:
Arleen Augér, Sopran
Ann Murray, Alt
Adalbert Kraus, Tenor
Walter Heldwein, Baß
Günther Passin, Oboe
Hedda Rothweiler, Oboe
Klaus Thunemann, Fagott
Reiner Ginzel, Continuocello
Thomas Lom, Kontrabaß
Hans-Joachim Erhard, Cembalo/Orgelpositiv
Fritz Walther, Orgelpositiv
Gächinger Kantorei Stuttgart
Bach-Collegium Stuttgart
Leitung: Helmuth Rilling

Aufnahme: Tonstudio Teije van Geest, Heidelberg
Aufnahmeleitung: Richard Hauck
Aufnahmeort: Gedächtniskirche Stuttgart
Aufnahmezeit: Februar 1979
Spieldauer: 19'50"

BWV 94

Serie **III**, Nr. 98.673

Was frag ich nach der Welt
Kantate zum 9. Sonntag nach Trinitatis
für Sopran, Alt, Tenor, Baß, vierstimmigen Chor,
Flöte, 2 Oboen, Oboe d'amore, Streicher und
Generalbaß

1. Coro (Choral)
(Gächinger Kantorei Stuttgart)

Was frag ich nach der Welt
Und allen ihren Schätzen,
Wenn ich mich nur an dir,
Mein Jesu, kann ergötzen!
Dich hab ich einzig mir
Zur Wollust vorgestellt,
Du, du bist meine Ruh:
Was frag ich nach der Welt!

Chor, Flöte, 2 Oboen, Streicher, Bc.
57 Takte, D-Dur, 4/4 Takt

2. Aria
(Kunz)

Die Welt ist wie ein Rauch und Schatten,
Der bald verschwindet und vergeht,
Weil sie nur kurze Zeit besteht.
Wenn aber alles fällt und bricht,
Bleibt Jesus meine Zuversicht,

1. Chorus [Verse 1] (S, A, T, B)

What need I of this world
And all its idle treasures,
If I may but in thee,
My Jesus, find my pleasure?
Thee have I, only thee,
Envisioned as my joy;
Thou, thou art my delight;
What need I of this world!

2. Aria (B)

The world is like a haze and shadow,
Which soon doth vanish and subside,
For it but briefly doth endure.
When, though, the world shall fall and break,
Shall Jesus bide my confidence,

An dem sich meine Seele hält.
Darum: was frag ich nach der Welt!

Baß, Bc.
47 Takte, h-Moll, 4/4 Takt

3. Recitativo e Choral
(Baldin, Gächinger Kantorei Stuttgart)

Die Welt sucht Ehr und Ruhm
Bei hocherhabnen Leuten.
Ein Stolzer baut die prächtigsten Paläste,
Er sucht das höchste Ehrenamt,
Er kleidet sich aufs beste
In Purpur, Gold, in Silber, Seid und Samt.
Sein Name soll vor allem
In jedem Teil der Welt erschallen.
Sein Hochmuts-Turm
Soll durch die Luft bis an die Wolken dringen,
Er trachtet nur nach hohen Dingen
Und denkt nicht einmal dran,
Wie bald doch diese gleiten.
Oft bläset eine schale Luft
Den stolzen Leib auf einmal in die Gruft,
Und da verschwindet alle Pracht,
Womit der arme Erdenwurm
Hier in der Welt so großen Staat gemacht.
Ach! solcher eitler Tand
Wird weit von mir aus meiner Brust verbannt.
Dies aber, was mein Herz
Vor anderm rühmlich hält,
Was Christen wahren Ruhm und rechte Ehre
gibet,
Und was mein Geist,
Der sich der Eitelkeit entreißt,
Anstatt der Pracht und Hoffart liebet,
Ist Jesus nur allein,
Und dieser soll's auch ewig sein.
Gesetzt, daß mich die Welt
Darum vor töricht hält:
Was frag ich nach der Welt!

Tenor, Chor-Tenor, 2 Oboen, Bc.
99 Takte, G-Dur, 3/8 – 4/4 Takt

4. Aria
(Paaske)

Betörte Welt, betörte Welt!
Auch dein Reichtum, Gut und Geld
Ist Betrug und falscher Schein.
Du magst den eitlen Mammon zählen,
Ich will dafür mir Jesum wählen;
Jesus, Jesus soll allein
Meiner Seele Reichtum sein.
Betörte Welt, betörte Welt!

Alt, Flöte, Bc.
54 Takte, e-Moll, 4/4 Takt

To whom my very soul shall cleave.
Therefore: what care I for the world!

3. Recitative and Chorale [Verse 3] (T)

The world seeks praise and fame
Midst high and lofty people.
The proud man buildeth palaces most splendid,
He seeks the highest offices,
He dresses in the finest,
In purple, gold, in silver, velvet, silk.
His name before all people
In ev'ry region must be echoed.
His tow'r of pride
Must through the air unto the clouds be
pressing,
His aim is on but lofty matters
And thinks not once on this:
How soon indeed these vanish.
Oft bloweth sear and vapid air
The prideful flesh asudden to the grave,
And therewith vanisheth all pomp
Of which this wretched earthly worm
Here in the world so much display hath made.
Ah! All such idle trash
Is far from me, from this my breast, now
banned.
However, what my heart
Before all else exalts,
Which Christians true respect and proper honor
giveth,
And which my soul,
As it from vanity breaks free,
Instead of pride and splendor loveth,
Is Jesus, him alone,
And this one shall it ever be.
Although I by the world
For this a fool be deemed,
What need I of this world!

4. Aria (A)

Deluded world, deluded world!
E'en thy riches, wealth, and gold
Are a snare and false pretense.
Thou may'st thine idle mammon treasure,
I will instead my Jesus favor;
Jesus, Jesus shall alone
Of my soul the treasure be.
Deluded world, deluded world!

5. Recitativo e Choral
(Schöne, Gächinger Kantorei Stuttgart)

Die Welt bekümmert sich.
Was muß doch wohl der Kummer sein?
O Torheit! dieses macht ihr Pein:
Im Fall sie wird verachtet.
Welt, schäme dich!
Gott hat dich ja so sehr geliebet,
Daß er sein eingebornes Kind
Vor deine Sünd
Zur größten Schmach um deine Ehre gibet,
Und du willst nicht um Jesu willen leiden?
Die Traurigkeit der Welt ist niemals größer,
Als wenn man ihr mit List
Nach ihren Ehren trachtet.
Es ist ja besser,
Ich trage Christi Schmach,
Solang es ihm gefällt.
Es ist ja nur ein Leiden dieser Zeit,
Ich weiß gewiß, daß mich die Ewigkeit
Dafür mit Preis und Ehren krönet;
Ob mich die Welt
Verspottet und verhöhnet,
Ob sie mich gleich verächtlich hält,
Wenn mich mein Jesus ehrt:
Was frag ich nach der Welt!

Baß, Chor-Baß, Bc.
27 Takte, D-Dur, 4/4 Takt

5. Recitative and Chorale [Verse 5] (B)

The world is sore distressed.
What must, indeed, its trouble be?
O folly! This doth cause it pain:
Lest it should be dishonored.
World, shame on thee!
For God indeed so much did love thee,
That he his one begotten child
For all thy sin
To worst disgrace for thy fame's sake subjecteth,
And yet thou wouldst for Jesus' sake not suffer?
The sadness of the world is never greater,
Than when one doth with guile
For all its honors try it.
Indeed, much better
I suffer Christ's disgrace
As long it doth him please.
It is, indeed, but sorrow for a time,
I know full well that once eternity,
For this, with praise and fame will crown me;
Though me the world
Despiseth and derideth,
Though it as well put me to scorn,
If me my Jesus praise,
What need I of this world!

6. Aria
(Baldin)

Die Welt kann ihre Lust und Freud,
Das Blendwerk schnöder Eitelkeit,
Nicht hoch genug erhöhen.
    Sie wühlt, nur gelben Kot zu finden,
    Gleich einem Maulwurf in den Gründen
    Und läßt dafür den Himmel stehen.

Tenor, Streicher, Bc.
84 Takte, A-Dur, 4/4 (12/8) Takt

6. Aria (T)

The world can its delight and joy,
The tricks of scornful vanity,
Not high enough pay honor.
    It gnaws, mere yellow rot to gather,
    Just like a mole within its burrow
    And leaves for its sake heav'n untended.

7. Aria
(Donath)

Es halt es mit der blinden Welt,
Wer nichts auf seine Seele hält,
Mir ekelt vor der Erden.
    Ich will nur meinen Jesum lieben
    Und mich in Buß und Glauben üben,
    So kann ich reich und selig werden.

Sopran, Oboe d'amore, Bc.
53 Takte, fis-Moll, 4/4 Takt

7. Aria (S)

Let him tend to the world so blind
Who nought for his own soul doth care,
With earth I am disgusted.
    I will alone my Jesus love now
    And works of faith and penance practise,
    That I may be both rich and blessèd.

8. Choral
(Gächinger Kantorei Stuttgart)

Was frag ich nach der Welt!
Im Hui muß sie verschwinden,
Ihr Ansehn kann durchaus
Den blassen Tod nicht binden.
Die Güter müssen fort,
Und alle Lust verfällt;
Bleibt Jesus nur bei mir:
Was frag ich nach der Welt!

Was frag ich nach der Welt!
Mein Jesus ist mein Leben,
Mein Schatz, mein Eigentum,
Dem ich mich ganz ergeben,
Mein ganzes Himmelreich,
Und was mir sonst gefällt.
Drum sag ich noch einmal:
Was frag ich nach der Welt!

Chor, Flöte, 2 Oboen, Streicher, Bc.
32 Takte, D-Dur, 4/4 Takt

Ausführende:
Helen Donath, Sopran
Else Paaske, Alt
Aldo Baldin, Tenor
Hanns-Friedrich Kunz, Baß
Wolfgang Schöne, Baß
Peter-Lukas Graf, Flöte
Günther Passin, Oboe/Oboe d'amore
Hedda Rothweiler, Oboe
Klaus Thunemann, Fagott
Jürgen Wolf, Continuocello
Manfred Gräser, Kontrabaß
Martha Schuster, Cembalo/Orgelpositiv
Joachim Eichhorn, Orgelpositiv
Gächinger Kantorei Stuttgart
Bach-Collegium Stuttgart
Leitung: Helmuth Rilling

Aufnahme: Südwest-Tonstudio, Stuttgart
Aufnahmeleitung: Richard Hauck,
Friedrich Mauermann
Aufnahmeort: Gedächtniskirche Stuttgart
Aufnahmezeit: Januar/Februar 1974
Spieldauer: 28'45"

8. Chorale [Verses 7 and 8] (S, A, T, B)

What need I of this world!
Asudden must it vanish,
Its pose cannot at all
Put pallid death in bondage.
Possessions must give way,
And ev'ry pleasure fade;
If Jesus bide with me,
What need I of this world!

What need I of this world!
My Jesus is my being,
My store, my property,
To whom I am devoted,
My realm of heav'nly bliss,
And all else I hold dear.
Thus do I say once more:
What need I of this world!

BWV 95

Serie **V**, Nr. 98696

Christus, der ist mein Leben
Kantate zum 16. Sonntag nach Trinitatis
für Sopran, Tenor, Baß, vierstimmigen Chor,
Horn, 2 Oboen, 2 Oboi d'amore,
Streicher und Generalbaß

1. Coro (Choral) e Recitativo
(Kraus, Gächinger Kantorei Stuttgart)

Christus, der ist mein Leben,
Sterben ist mein Gewinn;
Dem tu ich mich ergeben,
Mit Freud fahr ich dahin.
Mit Freuden,
Ja mit Herzenslust
Will ich von hinnen scheiden.
Und hieß es heute noch: Du mußt!
So bin ich willig und bereit,
Den armen Leib, die abgezehrten Glieder,
Das Kleid der Sterblichkeit
Der Erde wieder
In ihren Schoß zu bringen.
Mein Sterbelied ist schon gemacht;
Ach, dürft ich's heute singen!
Mit Fried und Freud ich fahr dahin,
Nach Gottes Willen,
Getrost ist mir mein Herz und Sinn,
Sanft und stille.
Wie Gott mir verheißen hat:
Der Tod ist mein Schlaf worden.

Tenor, Chor, Horn, 2 Oboi d'amore, Streicher, Bc.
141 Takte, G-Dur – g-Moll, 3/4 – 4/4 – ¢ Takt

1. Chorale (S, A, T, B)

Lord Christ, he is my being,
My death is my reward;
To it I will surrender,
With joy will I depart.
With gladness,
Yea, with joyful heart,
I'll take hence my departure.
E'en if today were said: "Thou must!"
Yet am I willing and prepared
My wretched flesh, my fully wasted members,
The dress of mortal rank,
To earth returning,
Into her lap to offer.
My dying song e'en now is made;
Ah, I today would sing it!
With peace and joy do I depart,
As God doth will it;
Consoled am I in heart and mind,
Calm and quiet,
As God me his promise gave:
My death is to sleep altered.

2. Recitativo
(Augér)

Nun, falsche Welt!
Nun hab ich weiter nichts mit dir zu tun;
Mein Haus ist schon bestellt,
Ich kann weit sanfter ruhn,
Als da ich sonst bei dir,
An deines Babels Flüssen,
Das Wollustsalz verschlucken müssen,
Wenn ich an deinem Lustrevier
Nur Sodomsäpfel konnte brechen.
Nein, nein! nun kann ich mit gelaßnerm Mute
               sprechen:

Sopran, Bc.
12 Takte, d-Moll – h-Moll, 4/4 Takt

2. Recitative (S)

Now, treach'rous world!
Now I'll have nothing more with thee to do;
My house is now prepared,
I'll much more softly rest
There than I could with thee,
Beside thy Babel's waters,
Where passion's salt I'm forced to swallow,
And when within thy paradise
Mere Sodom's apples I could gather.
No, no! I can now with collected courage say it:

3. Choral
(Augér)

Valet will ich dir geben,
Du arge, falsche Welt,
Dein sündlich böses Leben
Durchaus mir nicht gefällt.
Im Himmel ist gut wohnen,
Hinauf steht mein Begier.
Da wird Gott ewig lohnen
Dem, der ihm dient allhier.

Sopran, Oboe d'amore, Bc.
48 Takte, D-Dur, 3/4 Takt

3. Chorale (S)

"Valet" would I now give thee,
Thou wicked, treach'rous world;
Thy sinful, evil, living
Doth fully me displease.
In heav'n is my fair dwelling,
Whereto my hopes arise.
There will God ever favor
Those who have served him here.

4. Recitativo
(Kraus)

Ach könnte mir doch bald so wohl geschehn,
Daß ich den Tod,
Das Ende aller Not,
In meinen Gliedern könnte sehn;
Ich wollte ihn zu meinem Leibgedinge wählen
Und alle Stunden nach ihm zählen.

Tenor, Bc.
8 Takte, h-Moll – A-Dur, 4/4 Takt

5. Aria
(Kraus)

Ach, schlage doch bald, selge Stunde,
Den allerletzten Glockenschlag!
  Komm, komm, ich reiche dir die Hände,
  Komm, mache meiner Not ein Ende,
  Du längst erseufzter Sterbenstag!

Tenor, 2 Oboi d'amore, Streicher, Bc.
177 Takte, D-Dur, 3/4 Takt

6. Recitativo
(Heldwein)

Denn ich weiß dies
Und glaub es ganz gewiß,
Daß ich aus meinem Grabe
Ganz einen sichern Zugang zu dem Vater habe.
Mein Tod ist nur ein Schlaf,
Dadurch der Leib, der hier von Sorgen
          abgenommen,
Zur Ruhe kommen.
Sucht nun ein Hirte sein verlornes Schaf,
Wie sollte Jesus mich nicht wieder finden,
Da er mein Haupt und ich sein Gliedmaß bin!
So kann ich nun mit frohen Sinnen
Mein selig Auferstehn auf meinen Heiland
          gründen.

Baß, Bc.
17 Takte, h-Moll – G-Dur, 4/4 Takt

7. Choral
(Gächinger Kantorei Stuttgart)

Weil du vom Tod erstanden bist,
Werd ich im Grab nicht bleiben;
Dein letztes Wort mein Auffahrt ist,
Todsfurcht kannst du vertreiben.
Denn wo du bist, da komm ich hin,
Daß ich stets bei dir leb und bin;
Drum fahr ich hin mit Freuden.

Chor, Horn, Oboe d'amore, Streicher, Bc.
15 Takte, G-Dur, 4/4 Takt

4. Recitative (T)

Ah, if it could for me now quickly come to pass
That I my death,
The end of all my woe,
Within my body could behold,
I would, indeed, for my own body's dwelling
          choose it
And ev'ry moment by it number.

5. Aria (T)

Ah, strike thou, then, soon, happy hour,
That last and final tolling stroke!
  Come, come, to thee I reach my hands out,
  Come, set to all my woe an ending,
  Thou long desirèd day of death.

6. Recitative (B)

For I know this
And hold it ever true,
That from my very grave I
Have a most certain entrance to my heav'nly
          Father.
My death is but a sleep
Through which my flesh, which here by sorrow
          was diminished,
To rest might journey.
If here the shepherd seeks his errant sheep,
How could then Jesus once again not find me,
For he's my head, and I his form possess!
So I can now with happy spirit
My blessèd resurrection ground upon my
          Savior.

7. Chorale (S, A, T, B)

Since thou from death arisen art,
I'll in the grave not tarry;
Thy final word my rising is,
Death's fear canst thou now banish.
For where thou art, there will I come,
That I e'er with thee live and be;
So I depart with pleasure.

Ausführende:
Arleen Augér, Sopran
Adalbert Kraus, Tenor
Walter Heldwein, Baß
Johannes Ritzkowsky, Horn
Günther Passin, Oboe d'amore
Allan Vogel, Oboe d'amore
Kurt Etzold, Fagott
Hans Häublein, Continuocello
Thomas Lom, Kontrabaß
Hans-Joachim Erhard, Orgelpositiv
Gächinger Kantorei Stuttgart
Bach-Collegium Stuttgart
Leitung: Helmuth Rilling

Aufnahme: Südwest-Tonstudio, Stuttgart
Aufnahmeleitung: Richard Hauck
Toningenieur: Henno Quasthoff
Aufnahmeort: Gedächtniskirche Stuttgart
Aufnahmezeit: September 1977, Januar 1978
Spieldauer: 21'45"

BWV 96

Serie II, Nr. 98.666

Herr Christ, der einge Gottessohn
Kantate zum 18. Sonntag nach Trinitatis
für Sopran, Alt, Tenor, Baß, vierstimmigen Chor,
Posaune, Blockflöte, Flöte, 2 Oboen, Streicher
und Generalbaß

1. Coro (Choral)
(Gächinger Kantorei Stuttgart)

Herr Christ, der einge Gottessohn,
Vaters in Ewigkeit,
Aus seinem Herz'n entsprossen,
Gleichwie geschrieben steht.
Er ist der Morgensterne,
Sein' Glanz streckt er so ferne
Vor andern Sternen klar.

Chor, Posaune, Blockflöte, 2 Oboen, Streicher, Bc.
120 Takte, F-Dur, 9/8 Takt

1. Chorus [Verse 1] (S, A, T, B)

Lord Christ, the only Son of God,
Father's, eternally,
From his own heart descended,
Just as the scripture saith;
He is the star of morning,
Whose light he spreads so broadly,
Beyond all stars, more bright.

2. Recitativo
(Hoeffgen)

O Wunderkraft der Liebe,
Wenn Gott an sein Geschöpfe denket,
Wenn sich die Herrlichkeit
Im letzten Teil der Zeit
Zur Erde senket;
O unbegreifliche, geheime Macht!
Es trägt ein auserwählter Leib

2. Recitative (A)

O love of wondrous power,
When God for his own creatures careth,
When now his majesty
Until the end of time
To earth is bending;
O inconceivable, mysterious might!
A chosen body now doth bear

243

Den großen Gottessohn,
Den David schon
Im Geist als seinen Herrn verehrte,
Da dies gebenedeite Weib
In unverletzter Keuschheit bliebe.
O reiche Segenskraft! so sich auf uns ergossen,
Da er den Himmel auf, die Hölle zugeschlossen.

Alt, Bc.
17 Takte, B-Dur – F-Dur, 4/4 Takt

The mighty Son of God,
Whom David's heart
Already as his Lord did honor,
While this, a woman favored well,
In chastity unsullied bideth.
O gen'rous saving pow'r! which is on us
o'erflowing,
For he hath opened heav'n, and hell he hath
shut tightly.

3. Aria
(Kraus)

Ach, ziehe die Seele mit Seilen der Liebe,
O Jesu, ach zeige dich kräftig in ihr!
  Erleuchte sie, daß sie dich gläubig erkenne,
  Gib, daß sie mit heiligen Flammen entbrenne,
  Ach wirke ein gläubiges Dürsten nach dir!

Tenor, Flöte, Bc.
146 Takte, C-Dur, 4/4 Takt

3. Aria (T)

Ah, draw close my spirit with bonds of affection,
O Jesus, show thyself strongly in it!
  Illumine it that it in faith thee acknowledge,
  Grant that it with holiest passion grow ardent,
  Ah, make it in faith ever thirst to find thee!

4. Recitativo
(Donath)

Ach, führe mich, o Gott, zum rechten Wege,
Mich, der ich unerleuchtet bin,
Der ich nach meines Fleisches Sinn
So oft zu irren pflege;
Jedoch gehst du nur mir zur Seiten,
Willst du mich nur mit deinen Augen leiten,
So gehet meine Bahn
Gewiß zum Himmel an.

Sopran, Bc.
11 Takte, F-Dur, 4/4 Takt

4. Recitative (S)

Ah, lead thou me, O God, to righteous pathways,
Me, for I am in darkness now
And, seeking what my flesh desires,
So oft in error wander;
But yet, if thou but walk beside me,
If thou wouldst only with thine eyes now
guide me,
Then surely will my course
Secure to heaven lead.

5. Aria
(Nimsgern)

Bald zur Rechten, bald zur Linken
Lenkt sich mein verirrter Schritt.
Gehe doch, mein Heiland, mit,
Laß mich in Gefahr nicht sinken,
Laß mich ja dein weises Führen
Bis zur Himmelspforte spüren!

Baß, 2 Oboen, Streicher, Bc.
73 Takte, d-Moll, 3/4 Takt

5. Aria (B)

To the right side, to the left side,
Wend their way my wayward steps.
Walk with me, my Savior, still,
Let me not in peril falter,
Make me, yea, of thy wise guidance
Until heaven's portals conscious!

6. Choral
(Gächinger Kantorei Stuttgart)

Ertöt uns durch dein Güte,
Erweck uns durch dein Gnad;
Den alten Menschen kränke,
Daß der neu' leben mag

6. Chorale [Verse 5] (S, A, T, B)

O'erwhelm us with thy kindness,
Arouse us with thy grace;
The ancient man now weaken,
So that the new may live,

Wohl hier auf dieser Erden,
Den Sinn und all Begierden
Und G'danken hab'n zu dir.

Chor, 2 Oboen, Streicher, Bc.
14 Takte, F-Dur, 4/4 Takt

Ausführende:
Helen Donath, Sopran
Marga Hoeffgen, Alt
Adalbert Kraus, Tenor
Siegmund Nimsgern, Baß
Armin Rosin, Altposaune
Peter Thalheimer, Blockflöte
Peter-Lukas Graf, Flöte
Günther Passin, Oboe
Otto Winter, Oboe
Hanspeter Weber, Oboe
Kurt Etzold, Fagott
Jürgen Wolf, Continuocello
Manfred Gräser, Kontrabaß
Martha Schuster, Cembalo/Orgelpositiv
Gächinger Kantorei Stuttgart
Bach-Collegium Stuttgart
Leitung: Helmuth Rilling

Aufnahme: Sonopress Tontechnik, Gütersloh
Aufnahmeleitung: Richard Hauck,
Wolfram Wehnert
Aufnahmeort: Gedächtniskirche Stuttgart
Aufnahmezeit: März/April 1973
Spieldauer: 20'25"

And, here on earth now dwelling,
His mind and ev'ry yearning
And thought may raise to thee.

BWV 97

Serie **III**, Nr. 98.672

In allen meinen Taten
Kantate
für Sopran, Alt, Tenor, Baß, vierstimmigen Chor,
2 Oboen, Streicher mit Solo-Violine
und Generalbaß

1. Coro (Choral) [Versus I]
(Gächinger Kantorei Stuttgart)

In allen meinen Taten
Laß ich den Höchsten raten,
Der alles kann und hat;
Er muß zu allen Dingen,
Soll's anders wohl gelingen,
Selbst geben Rat und Tat.

Chor, Gesamtinstrumentarium
95 Takte, B-Dur, 4/4 Takt

1. Chorus [Verse 1] (S, A, T, B)

In all my undertakings
I let the Master counsel,
Who all things can and owns;
He must in ev'ry matter,
If it's to be accomplished,
Himself advise and act.

2. Aria [Versus II]
(Huttenlocher)

Nichts ist es spat und frühe
Um alle meine Mühe,
Mein Sorgen ist umsonst.
Er mag's mit meinen Sachen
Nach seinem Willen machen,
Ich stell's in seine Gunst.

Baß, Bc.
96 Takte, g-Moll, 6/8 Takt

3. Recitativo [Versus III]
(Kraus)

Es kann mir nichts geschehen,
Als was er hat ersehen,
Und was mir selig ist:
Ich nehm es, wie er's gibet;
Was ihm von mir beliebet,
Das hab ich auch erkiest.

Tenor, Bc.
8 Takte, Es-Dur – d-Moll, 4/4 Takt

4. Aria [Versus IV]
(Kraus)

Ich traue seiner Gnaden,
Die mich vor allem Schaden,
Vor allem Übel schützt.
Leb ich nach seinen Gesetzen,
So wird mich nichts verletzen,
Nichts fehlen, was mir nützt.

Tenor, Violine, Bc.
61 Takte, B-Dur, 4/4 Takt

5. Recitativo [Versus V]
(Gardow)

Er wolle meiner Sünden
In Gnaden mich entbinden,
Durchstreichen meine Schuld!
Er wird auf mein Verbrechen
Nicht stracks das Urteil sprechen
Und haben noch Geduld.

Alt, Streicher, Bc.
8 Takte, g-Moll – c-Moll, 4/4 Takt

6. Aria [Versus VI]
(Gardow)

Leg ich mich späte nieder,
Erwache frühe wieder,
Lieg oder ziehe fort,

2. Aria [Verse 2] (B)

Nought is too late or early
Despite my toil and labor,
My worry is in vain.
He may with all my dealings
Dispose as he is willing,
I give it to his care.

3. Recitative [Verse 3] (T)

For I can nought accomplish
But what he hath provided,
And what shall make me blest:
I take it as he gives it;
What he of me desireth
Is also what I choose.

4. Aria [Verse 4] (T)

I trust in his dear mercy,
Which me from ev'ry danger,
From ev'ry evil guards.
If I love by his commandments,
There will be nought to harm me,
Nought lacking that I need.

5. Recitative [Verse 5] (A)

May he seek from my error
In mercy to release me,
Extinguish all my wrongs!
He will for my transgressions
Not strict be in his judgment
And yet with me forbear.

6. Aria [Verse 6] (A)

Though I be late retiring,
Arise in early morning,
Rest or continue on,

In Schwachheit und in Banden,
Und was mir stößt zuhanden,
So tröstet mich sein Wort.

Alt, Streicher, Bc.
65 Takte, c-Moll, 4/4 Takt

7. Aria (Duetto) [Versus VII]
(Donath, Huttenlocher)

Hat er es denn beschlossen,
So will ich unverdrossen
An mein Verhängnis gehn!
Kein Unfall unter allen
Wird mir zu harte fallen,
Ich will ihn überstehn.

Sopran, Baß, Bc.
101 Takte, Es-Dur, 3/4 Takt

8. Aria [Versus VIII]
(Donath)

Ihm hab ich mich ergeben
Zu sterben und zu leben,
Sobald er mir gebeut.
Es sei heut oder morgen,
Dafür laß ich ihn sorgen;
Er weiß die rechte Zeit.

Sopran, 2 Oboen, Bc.
100 Takte, F-Dur, 2/4 Takt

9. Choral [Versus ultimus]
(Gächinger Kantorei Stuttgart)

So sei nun, Seele, deine
Und traue dem alleine,
Der dich erschaffen hat;
Es gehe, wie es gehe,
Dein Vater in der Höhe
Weiß allen Sachen Rat.

Chor, Gesamtinstrumentarium
12 Takte, B-Dur, 4/4 Takt

Ausführende:
Helen Donath, Sopran
Helrun Gardow, Alt
Adalbert Kraus, Tenor
Philippe Huttenlocher, Baß
Günther Passin, Oboe
Thomas Schwarz, Oboe
Klaus Thunemann, Fagott
Albert Boesen, Violine
Jürgen Wolf, Continuocello
Manfred Gräser, Kontrabaß
Martha Schuster, Cembalo/Orgelpositiv

In weakness and in bondage,
With ev'ry blow about me,
Yet comforts me his word.

7. Aria [Verse 7] (S, B)

For if he hath decided,
Then will I uncomplaining
Unto my fate press on!
No mishap midst the many
Will seem to me too cruel,
I will them overcome.

8. Aria [Verse 8] (S)

To him I am committed
For dying and for living
Whene'er he me doth bid.
If this day or tomorrow
I leave to his attention;
He knows the proper time.

9. Chorale [Verse 9] (S, A, T, B)

To thee be true, O spirit,
And trust in him alone now
Who hath created thee;
Let happen what may happen,
Thy Father who's in heaven
In all things counsels well.

Gächinger Kantorei Stuttgart
Bach-Collegium Stuttgart
Leitung: Helmuth Rilling

Aufnahme: Südwest-Tonstudio, Stuttgart
Aufnahmeleitung: Richard Hauck,
Friedrich Mauermann
Aufnahmeort: Gedächtniskirche Stuttgart
Aufnahmezeit: Januar/Februar 1974
Spieldauer: 29'50"

BWV 98

Serie IX, Nr. 98.737

Was Gott tut, das ist wohlgetan
Kantate zum 21. Sonntag nach Trinitatis
für Sopran, Alt, Tenor, Baß, vierstimmigen Chor,
2 Oboen, Oboe da caccia, Streicher mit Solo-Violine und
Generalbaß

1. Coro (Choral)
(Gächinger Kantorei Stuttgart)

Was Gott tut, das ist wohlgetan,
Es bleibt gerecht sein Wille;
Wie er fängt meine Sachen an,
Will ich ihm halten stille.
Er ist mein Gott,
Der in der Not
Mich wohl weiß zu erhalten;
Drum laß ich ihn nur walten.

Chor, Gesamtinstrumentarium
108 Takte, B-Dur, 3/4 Takt

2. Recitativo
(Harder)

Ach Gott! wenn wirst du mich einmal
Von meiner Leidensqual,
Von meiner Angst befreien?
Wie lange soll ich Tag und Nacht
Um Hilfe schreien?
Und ist kein Retter da!
Der Herr ist denen allen nah,
Die seiner Macht
Und seiner Huld vertrauen.
Drum will ich meine Zuversicht
Auf Gott alleine bauen,
Denn er verläßt die Seinen nicht.

Tenor, Bc.
14 Takte, g-Moll – Es-Dur, 4/4 Takt

1. Chorale (S, A, T, B)

What God doth, that is rightly done,
His will is just forever;
Whatever course he sets my life,
I will trust him with calmness.
He is my God,
Who in distress
Knows well how to support me;
So I yield him all power.

2. Recitative (T)

Ah, God! When shalt thou me at last
From my torment and pain,
And from my fear deliver?
How long then must I day and night
For help be crying?
And there's no savior here!
The Lord is to them all so near
Who in his might
And in his grace are trusting.
So I will all my confidence
On God alone establish,
For he betrays his people not.

3. Aria
(Augér)

Hört, ihr Augen, auf zu weinen!
Trag ich doch
Mit Geduld mein schweres Joch.
Gott der Vater lebet noch,
Von den Seinen
Läßt er keinen.
Hört, ihr Augen, auf zu weinen!

Sopran, Oboe, Bc.
120 Takte, c-Moll, 3/8 Takt

4. Recitativo
(Hamari)

Gott hat ein Herz, das des Erbarmens Überfluß;
Und wenn der Mund vor seinen Ohren klagt
Und ihm des Kreuzes Schmerz
Im Glauben und Vertrauen sagt,
So bricht in ihm das Herz,
Daß er sich über uns erbarmen muß.
Er hält sein Wort;
Er saget: Klopfet an,
So wird euch aufgetan!
Drum laßt uns alsofort,
Wenn wir in höchsten Nöten schweben,
Das Herz zu Gott allein erheben!

Alt, Bc.
15 Takte, g-Moll – d-Moll, 4/4 Takt

5. Aria
(Heldwein)

Meinen Jesum laß ich nicht,
Bis mich erst sein Angesicht
Wird erhören oder segnen.
    Er allein
    Soll mein Schutz in allem sein,
    Was mir Übels kann begegnen.

Baß, Violine, Bc.
95 Takte, B-Dur, ₵ Takt

Ausführende:
Arleen Augér, Sopran
Julia Hamari, Alt
Lutz-Michael Harder, Tenor
Walter Heldwein, Baß
Günther Passin, Oboe
Hedda Rothweiler, Oboe
Daisuke Mogi, Oboe da caccia
Kurt Etzold, Fagott
Walter Forchert, Konzertmeister & Solo-Violine
Helmut Veihelmann, Violoncello
Harro Bertz, Kontrabaß
Martha Schuster, Orgelpositiv

3. Aria (S)

Cease, ye eyes now, all your weeping!
For I bear
And endure my heavy yoke.
God, the Father, liveth still,
Of his people
None betraying.
Cease, ye eyes now, all your weeping!

4. Recitative (A)

God hath a heart which with forgiveness
                                    overflows;
And when our voices in his hearing moan
And him the cross's pain
In faith and confidence recall,
So doth his heart then break,
That he must for our sake then pity take.
He keeps his word;
He saith: Knock ye here,
And opened will it be!
So let us from this day,
When in supreme distress we hover,
Our hearts to God alone be lifting!

5. Aria (B)

I my Jesus shall not leave
Till me first his countenance
Shall give favor or its blessing.
    He alone
    Shall my shield in all things be
    Which with danger may confront me.

Gächinger Kantorei Stuttgart
Bach-Collegium Stuttgart
Leitung: Helmuth Rilling

Aufnahme: Tonstudio Teije van Geest, Heidelberg
Aufnahmeleitung: Richard Hauck
Aufnahmeort: Gedächtniskirche Stuttgart
Aufnahmezeit: Oktober 1982, Juli 1983
Spieldauer: 14'30"

BWV 99

Was Gott tut, das ist wohlgetan
Kantate zum 15. Sonntag nach Trinitatis
für Sopran, Alt, Tenor, Baß, vierstimmigen Chor,
Horn, Flöte, Oboe d'amore, Streicher mit Solo-Violine
und Generalbaß

1. Coro (Choral)
(Gächinger Kantorei Stuttgart)

Was Gott tut, das ist wohlgetan,
Es bleibt gerecht sein Wille;
Wie er fängt meine Sachen an,
Will ich ihm halten stille.
Er ist mein Gott,
Der in der Not
Mich wohl weiß zu erhalten;
Drum laß ich ihn nur walten.

Chor, Gesamtinstrumentarium
mit Solo-Violine
116 Takte, G-Dur, 4/4 Takt

2. Recitativo
(Bröcheler)

Sein Wort der Wahrheit stehet fest
Und wird mich nicht betrügen,
Weil es die Gläubigen nicht fallen noch
                            verderben laßt.
Ja, weil es mich den Weg zum Leben führet,
So faßt mein Herze sich und lässet sich
                            begnügen
An Gottes Vatertreu und Huld
Und hat Geduld,
Wenn mich ein Unfall rühret.
Gott kann mit seinen Allmachtshänden
Mein Unglück wenden.

Baß, Bc.
15 Takte, h-Moll, 4/4 Takt

1. Chorus [Verse 1] (S, A, T, B)

What God doth, that is rightly done,
His will is just forever;
Whatever course he sets my life,
I will trust him with calmness.
He is my God,
Who in distress
Knows well how to support me.
So I yield him all power.

2. Recitative (B)

His word of truth doth stand secure
And will not e'er betray me,
For it the faithful lets not fall or to their ruin go.
Yea, since it on the path to life doth lead me,
My heart doth calm itself and findeth satisfaction
In God's paternal faith and care
And shall forbear
When I'm by mishap stricken.
God can with his own hands almighty
Change my misfortune.

3. Aria
(Harder)

Erschüttre dich nur nicht, verzagte Seele,
Wenn dir der Kreuzeskelch so bitter schmeckt!
   Gott ist dein weiser Arzt und Wundermann,
   So dir kein tödlich Gift einschenken kann,
   Obgleich die Süßigkeit verborgen steckt.

Tenor, Flöte, Bc.
196 Takte, e-Moll, 3/8 Takt

4. Recitativo
(Watts)

Nun, der von Ewigkeit geschloß'ne Bund
Bleibt meines Glaubens Grund.
Er spricht mit Zuversicht
Im Tod und Leben:
Gott ist mein Licht,
Ihm will ich mich ergeben.
Und haben alle Tage
Gleich ihre eigne Plage,
Doch auf das überstandne Leid,
Wenn man genug geweinet,
Kommt endlich die Errettungszeit,
Da Gottes treuer Sinn erscheinet.

Alt, Bc.
14 Takte, h-Moll – D-Dur, 4/4 Takt

5. Aria (Duetto)
(Augér, Watts)

Wenn des Kreuzes Bitterkeiten
Mit des Fleisches Schwachheit streiten,
Ist es dennoch wohlgetan.
Wer das Kreuz durch falschen Wahn
Sich vor unerträglich schätzet,
Wird auch künftig nicht ergötzet.

Sopran, Alt, Flöte, Oboe d'amore, Bc.
51 Takte, h-Moll, 4/4 Takt

6. Choral
(Gächinger Kantorei Stuttgart)

Was Gott tut, das ist wohlgetan,
Dabei will ich verbleiben.
Es mag mich auf die rauhe Bahn
Not, Tod und Elend treiben,
So wird Gott mich
Ganz väterlich
In seinen Armen halten;
Drum laß ich ihn nur walten.

Chor, Gesamtinstrumentarium
14 Takte, G-Dur, 4/4 Takt

3. Aria (T)

Disturb thyself do not, discouraged spirit,
If thee the cross's cup so bitter tastes!
   God is thy wise physician, his wonders great,
   Who can no fatal poison pour for thee,
   E'en though its sweetness may quite hidden lie.

4. Recitative (A)

Now, the eternally contracted bond
Bides e'er my faith's firm base.
It saith with confidence
In death and living:
God is my light,
To him I am committed.
And though each day should offer
Its own peculiar torment,
Yet for the pain which is endured,
When we have done with weeping,
At last shall come salvation's day,
When God's true loyal will appeareth.

5. Aria (S, A)

When the cross's bitter sorrows
With the flesh's weakness struggle,
It is ne'erless rightly done.
Who the cross through folly base
For himself too heavy reckons
Will e'en later have no pleasure.

6. Chorale [Verse 6] (S, A, T, B)

What God doth, that is rightly done,
To that will I be cleaving.
Though out upon the cruel road
Need, death and suff'ring drive me,
E'en so will God,
All fatherhood,
Within his arms enfold me;
So I yield him all power.

Ausführende:
Arleen Augér, Sopran
Helen Watts, Alt
Lutz-Michael Harder, Tenor
John Bröcheler, Baß
Bernhard Schmid, Horn
Peter-Lukas Graf, Flöte
Andras Adorján, Flöte
Klaus Kärcher, Oboe d'amore
Kurt Etzold, Fagott
Albert Boesen, Violine
Peter Buck, Continuocello
Thomas Lom, Kontrabaß
Hans-Joachim Erhard, Cembalo/Orgelpositiv
Gächinger Kantorei Stuttgart
Bach-Collegium Stuttgart
Leitung: Helmuth Rilling

Aufnahme: Tonstudio Teije van Geest, Heidelberg
Aufnahmeleitung: Richard Hauck
Aufnahmeort: Gedächtniskirche Stuttgart
Aufnahmezeit: Februar/Oktober 1979
Spieldauer: 17'00"

BWV 100

Serie **X**, Nr. 98.747

Was Gott tut, das ist wohlgetan
Kantate
für Sopran, Alt, Tenor, Baß, vierstimmigen Chor,
2 Hörner, Pauken, Flöte, Oboe d'amore,
Streicher mit Solo-Violine und Generalbaß

1. Coro [Versus I]
(Gächinger Kantorei Stuttgart)

Was Gott tut, das ist wohlgetan,
Es bleibt gerecht sein Wille;
Wie er fängt meine Sachen an,
Will ich ihm halten stille.
Er ist mein Gott,
Der in der Not
Mich wohl weiß zu erhalten;
Drum laß ich ihn nur walten.

Chor, Gesamtinstrumentarium mit Solo-Violine
116 Takte, G-Dur, ¢ Takt

1. Chorus [Verse 1] (S, A, T, B)

What God doth, that is rightly done,
His will is just forever;
Whatever course he sets my life,
I will trust him with calmness.
He is my God,
Who in distress
Knows well how to support me;
So I yield him all power.

2. Duetto [Versus II]
(Hamari, Kraus)

Was Gott tut, das ist wohlgetan,
Er wird mich nicht betrügen;
Er führet mich auf rechter Bahn,
So laß ich mich begnügen

2. Aria [Verse 2] (A, T)

What God doth, that is rightly done,
He will not e'er betray me;
He leads me on the proper path,
So I will find contentment

An seiner Huld
Und hab Geduld,
Er wird mein Unglück wenden,
Es steht in seinen Händen.

Alt, Tenor, Bc.
63 Takte, D-Dur, 4/4 Takt

Within his care
And then forbear,
He shall turn my misfortune,
In his hands rests the outcome.

3. Aria [Versus III]
(Augér)

Was Gott tut, das ist wohlgetan,
Er wird mich wohl bedenken;
Er, als mein Arzt und Wundermann,
Wird mir nicht Gift einschenken
Vor Arzenei.
Gott ist getreu,
Drum will ich auf ihn bauen
Und seiner Gnade trauen.

Sopran, Flöte, Bc.
82 Takte, h-Moll, 6/8 Takt

3. Aria [Verse 3] (S)

What God doth, that is rightly done,
He will me well consider;
He doth, my healer, wonders work
And will no poison give me
As healing balm.
God keepeth faith,
I'll make him my foundation
And to his mercy trust me.

4. Aria [Versus IV]
(Huttenlocher)

Was Gott tut, das ist wohlgetan,
Er ist mein Licht, mein Leben,
Der mir nichts Böses gönnen kann,
Ich will mich ihm ergeben
In Freud und Leid!
Es kommt die Zeit,
Da öffentlich erscheinet,
Wie treulich er es meinet.

Baß, Streicher, Bc.
161 Takte, G-Dur, 2/4 Takt

4. Aria [Verse 4] (B)

What God doth, that is rightly done,
He is my light, my being,
Who me no evil can allow;
I'll be to him committed
In joy and woe!
The time is nigh
When manifest appeareth
How faithful is his favor.

5. Aria [Versus V]
(Hamari)

Was Gott tut, das ist wohlgetan,
Muß ich den Kelch gleich schmecken,
Der bitter ist nach meinem Wahn,
Laß ich mich doch nicht schrecken,
Weil doch zuletzt
Ich werd ergötzt
Mit süßem Trost im Herzen;
Da weichen alle Schmerzen.

Alt, Oboe d'amore, Bc.
62 Takte, e-Moll, 12/8 Takt

5. Aria [Verse 5] (A)

What God doth, that is rightly done;
Though I the cup must savor
Soon, bitter to my maddened sense,
I will yet be not frightened,
For at the last
I will find joy
And sweet hope in my bosom;
And yield shall all my sorrow.

6. Choral [Versus ultimus]
(Gächinger Kantorei Stuttgart)

Was Gott tut, das ist wohlgetan,
Darbei will ich verbleiben.

6. Chorale [Verse 6] (S, A, T, B)

What God doth, that is rightly done,
To that will I be cleaving.

Es mag mich auf die rauhe Bahn
Not, Tod und Elend treiben,
So wird Gott mich
Ganz väterlich
In seinen Armen halten;
Drum laß ich ihn nur walten.

Chor, Gesamtinstrumentarium
39 Takte, G-Dur, 4/4 Takt

Ausführende:
Arleen Augér, Sopran
Julia Hamari, Alt
Adalbert Kraus, Tenor
Philippe Huttenlocher, Baß
Johannes Ritzkowsky, Horn
Bruno Schneider, Horn
Norbert Schmitt, Pauken
Peter-Lukas Graf, Flöte
Sibylle Keller-Sanwald, Flöte
Diethelm Jonas, Oboe d'amore
Günther Passin, Oboe d'amore
Günther Pfitzenmaier, Fagott
Georg Egger, Violine
Martin Ostertag, Violoncello
Harro Bertz, Kontrabaß
Hans-Joachim Erhard, Orgelpositiv
Gächinger Kantorei Stuttgart
Württembergisches Kammerorchester Heilbronn
Leitung: Helmuth Rilling

Aufnahme: Tonstudio Teije van Geest, Heidelberg
Aufnahmeleitung: Richard Hauck
Aufnahmeort: Gedächtniskirche Stuttgart
Aufnahmezeit: Oktober 1983 / März 1984
Spieldauer: 22'10"

Though out upon the cruel road
Need, death, and suff'ring drive me,
E'en so God will,
All fatherhood,
Within his arms enfold me;
So I yield him all power.

BWV 101

Serie **VI**, Nr. 98.708

Nimm von uns, Herr, du treuer Gott
Kantate zum 10. Sonntag nach Trinitatis
für Sopran, Alt, Tenor, Baß, vierstimmigen Chor,
Trompete, 3 Posaunen, Flöte, 2 Oboen, Oboe da caccia,
Streicher mit Solo-Violine und Generalbaß

1. Coro (Choral)
(Gächinger Kantorei Stuttgart)

Nimm von uns, Herr, du treuer Gott,
Die schwere Straf und große Not,
Die wir mit Sünden ohne Zahl
Verdienet haben allzumal.

1. Chorus [Verse 1] (S, A, T, B)

Take from us, Lord, thou faithful God,
The punishment and great distress
Which we for sins beyond all count
Have merited through all our days.

Behüt für Krieg und teurer Zeit,
Für Seuchen, Feur und großem Leid.

Chor, Gesamtinstrumentarium
262 Takte, d-Moll, ₵ Takt

Protect from war and times of dearth,
Contagion, fire and grievous pain.

2. Aria
(Baldin)

Handle nicht nach deinen Rechten
Mit uns bösen Sündenknechten,
Laß das Schwert der Feinde ruhn!
Höchster, höre unser Flehen,
Daß wir nicht durch sündlich Tun
Wie Jerusalem vergehen!

Tenor, Violine, Bc.
90 Takte, g-Moll, 3/4 Takt

2. Aria (T)

Do not deal by thine own justice
With us wicked thralls of error,
Let the hostile sword now rest!
Master, hearken to our crying,
That we not through sinful deeds,
Like Jerusalem, be ruined.

3. Recitativo e Choral
(Augér)

Ach! Herr Gott, durch die Treue dein
Wird unser Land in Fried und Ruhe sein.
Wenn uns ein Unglückswetter droht,
So rufen wir,
Barmherzger Gott, zu dir
In solcher Not:
Mit Trost und Rettung uns erschein!
Du kannst dem feindlichen Zerstören
Durch deine Macht und Hilfe wehren.
Beweis an uns deine große Gnad
Und straf uns nicht auf frischer Tat,
Wenn unsre Füße wanken wollten
Und wir aus Schwachheit straucheln sollten.
Wohn uns mit deiner Güte bei
Und gib, daß wir
Nur nach dem Guten streben,
Damit allhier
Und auch in jenem Leben
Dein Zorn und Grimm fern von uns sei.

Sopran, Bc.
46 Takte, d-Moll, 3/4 – 4/4 Takt

3. Recitative and Chorale [Verse 3] (S)

Ah, Lord God, through thy faithfulness
Will this our land in peace and quiet bide.
When us misfortune's storms approach,
Then so we call,
O gracious God, to thee
In such distress:
Appear with saving strength to us!
Thou canst the foe and his destruction
Through thy great might and help keep from us.
Reveal in us thy great store of grace,
Us punish not amidst our deeds,
If e'er our feet would stagger,
And in our weakness we should stumble.
Attend us with thy favor dear,
And grant that we
Strive only after goodness,
So that in this life,
And in the life hereafter
Thy wrath and rage far from us stay.

4. Aria
(Bröcheler)

Warum willst du so zornig sein?
Es schlagen deines Eifers Flammen
Schon über unserm Haupt zusammen.
Ach, stelle doch die Strafen ein
Und trag aus väterlicher Huld
Mit unserm schwachen Fleisch Geduld!

Baß, 2 Oboen, Oboe da caccia, Bc.
74 Takte, a-Moll, ₵ Takt

4. Aria (B) with instr. chorale

Wherefore wouldst thou so wrathful be?
The flames of thy great zeal and ardor
Already o'er our heads are falling.
Ah, moderate thy sentence now
And from a father's loving grace
With this our feeble flesh forbear!

5. Recitativo e Choral
(Baldin)

Die Sünd hat uns verderbet sehr.
So müssen auch die Frömmsten sagen
Und mit betränten Augen klagen:
Der Teufel plagt uns noch viel mehr.
Ja, dieser böse Geist,
Der schon von Anbeginn ein Mörder heißt,
Sucht uns um unser Heil zu bringen
Und als ein Löwe zu verschlingen
Die Welt, auch unser Fleisch und Blut
Uns allezeit verführen tut.
Wir treffen hier auf dieser schmalen Bahn
Sehr viele Hindernis im Guten an.
Solch Elend kennst du, Herr, allein:
Hilf, Helfer, hilf uns Schwachen,
Du kannst uns stärker machen!
Ach, laß uns dir befohlen sein.

Tenor, Bc.
31 Takte, d-Moll, 4/4 Takt

6. Aria (Duetto)
(Augér, Watts)

Gedenk an Jesu bittern Tod!
Nimm, Vater, deines Sohnes Schmerzen
Und seiner Wunden Pein zu Herzen,
Die sind ja für die ganze Welt
Die Zahlung und das Lösegeld;
Erzeig auch mir zu aller Zeit,
Barmherzger Gott, Barmherzigkeit!
Ich seufze stets in meiner Not:
Gedenk an Jesu bittern Tod!

Sopran, Alt, Flöte, Oboe da caccia, Bc.
67 Takte, d-Moll, 12/8 Takt

7. Choral
(Gächinger Kantorei Stuttgart)

Leit uns mit deiner rechten Hand
Und segne unser Stadt und Land;
Gib uns allzeit dein heilges Wort,
Behüt für's Teufels List und Mord;
Verleih ein selges Stündelein,
Auf daß wir ewig bei dir sein.

Chor, Gesamtinstrumentarium
12 Takte, d-Moll, 4/4 Takt

Ausführende:
Arleen Augér, Sopran
Helen Watts, Alt
Aldo Baldin, Tenor
John Bröcheler, Baß
Bernhard Schmid, Trompete

5. Recitative and Chorale [Verse 5] (T)

Our sin hath us corrupted much.
E'en must the godliest admit it
And with their tearful eyes bewail it:
The devil plagues us still much more.
Yea, this most evil soul,
Who was e'en from the start a murderer,
Seeks to deprive us of salvation
And like a lion to devour us.
The world, our very flesh and blood,
Doth all the time lead us astray.
Here we encounter on this narrow path
So many obstacles against the good.
Such sorrow know'st thou, Lord, alone:
Help, helper, help us weak ones,
For thou canst make us stronger!
Ah, let us thee commended be!

6. Aria (S, A)

Consider Jesus' bitter death!
Take, Father, these thy Son's great sorrows
And this his wounds' great pain to heart now,
They are in truth for all the world
The payment and the ransom price;
And show me, too, through all my days,
Forgiving God, forgiving ways!
I sigh alway in my distress:
Consider Jesus' bitter death!

7. Chorale [Verse 7] (S, A, T, B)

Lead us with thine own righteous hand
And bless our city and our land,
Give us alway thy holy word,
Protect from Satan's craft and death;
And send a blessèd hour of peace,
That we forever be with thee.

Gerhard Cichos, Posaune
Ehrhard Wetz, Posaune
Manfred Eichhorst, Posaune
Peter-Lukas Graf, Flöte
Klaus Kärcher, Oboe
Hedda Rothweiler, Oboe
Dietmar Keller, Oboe da caccia
Kurt Etzold, Fagott
Wilhelm Melcher, Violine
Peter Buck, Continuocello
Thomas Lom, Kontrabaß
Hans-Joachim Erhard, Cembalo/Orgelpositiv
Bärbel Schmid, Orgelpositiv
Gächinger Kantorei Stuttgart
Bach-Collegium Stuttgart
Leitung: Helmuth Rilling

Aufnahme: Tonstudio Teije van Geest, Heidelberg
Aufnahmeleitung: Richard Hauck
Aufnahmeort: Gedächtniskirche Stuttgart
Aufnahmezeit: Februar/Oktober 1979
Spieldauer: 24'00"

BWV 102

Serie II, Nr. 98.661

Herr, deine Augen sehen nach dem Glauben

Kantate zum 10. Sonntag nach Trinitatis
für Alt, Tenor, Baß, vierstimmigen Chor,
Flöte, 2 Oboen, Streicher und Generalbaß

I. Teil

1. Coro
(Gächinger Kantorei Stuttgart)

Herr, deine Augen sehen nach dem Glauben! Du schlägest sie, aber sie fühlen's nicht; du plagest sie, aber sie bessern sich nicht. Sie haben ein härter Angesicht denn ein Fels und wollen sich nicht bekehren.

Chor, 2 Oboen, Streicher, Bc.
118 Takte, g-Moll, 4/4 Takt

2. Recitativo
(Schöne)

Wo ist das Ebenbild, das Gott uns eingepräget,
Wenn der verkehrte Will sich ihm zuwiderleget?
Wo ist die Kraft von seinem Wort,
Wenn alle Besserung weicht aus dem Herzen
fort?

First Part

1. Chorus [Dictum] (S, A, T, B)

Lord, thine own eyes see after true believing! Thou smitest them, but they feel not the blow; thou vexest them, but they reform themselves not. Their countenance is more obstinate than a rock and they would not be converted.

2. Recitative (B)

Where is the image true which God hath
stamped within us,
If our perverted will hath set itself against it?
Where is the power of his word,
If all amelioration doth the heart desert?

257

Der Höchste suchet uns durch Sanftmut zwar zu zähmen, Ob der verirrte Geist sich wollte noch bequemen; Doch, fährt er fort in dem verstockten Sinn, So gibt er ihn in's Herzens Dünkel hin.	The Highest doth in truth with mildness seek to tame us, So that the errant soul wish yet to be obedient; But if it doth maintain its stubborn will, He yieldeth it unto the heart's conceit.

Baß, Bc.
13 Takte, B-Dur, 4/4 Takt

3. Aria
(Randova)

3. Aria (A)

Weh der Seele, die den Schaden
Nicht mehr kennt
    Und, die Straf auf sich zu laden,
    Störrig rennt,
    Ja von ihres Gottes Gnaden
    Selbst sich trennt.
	Woe that spirit which its mischief
	No more knows,
	    And, inviting its own judgment,
	    Pell-mell runs,
	    Yea, from its God's very mercy stands apart.

Alt, Oboe, Bc.
55 Takte, f-Moll, 4/4 Takt

4. Arioso
(Schöne)

4. Arioso [Dictum] (B)

Verachtest du den Reichtum seiner Gnade, Geduld und Langmütigkeit? Weißest du nicht, daß dich Gottes Güte zur Buße locket? Du aber nach deinem verstockten und unbußfertigen Herzen häufest dir selbst den Zorn auf den Tag des Zorns und der Offenbarung des gerechten Gerichts Gottes.	*Despisest thou the richness of his mercy, his patience and forbearance? Knowest thou not that God's kindness thee to repentance calleth? But thou dost, because of thy stubbornness and impenitent spirit, store for thyself great wrath on the day of wrath and the revelation of the righteous judgment of God.*

Baß, Streicher, Bc.
147 Takte, Es-Dur, 3/8 Takt

II. Teil

Second Part

5. Aria
(Equiluz)

5. Aria (T)

Erschrecke doch, Du allzu sichre Seele! Denk, was dich würdig zähle Der Sünden Joch. Die Gotteslangmut geht auf einem Fuß von Blei, Damit der Zorn hernach dir desto schwerer sei.	Be frightened yet, Thou all too trusting spirit! Think what it shall once cost thee, This sinful yoke. For God's forbearance walketh with a foot of lead, So that his wrath at last o'er thee much graver fall.

Tenor, Flöte, Bc.
104 Takte, g-Moll, 3/4 Takt

6. Recitativo
(Randova)

6. Recitative (A)

Beim Warten ist Gefahr; Willst du die Zeit verlieren? Der Gott, der ehmals gnädig war, Kann leichtlich dich vor seinen Richtstuhl führen.	In waiting danger lurks; Wouldst thou this chance then forfeit? The God who e'er was merciful With ease can lead thee to his seat of judgment.

Wo bleibt sodann die Buß? Es ist ein Augenblick,
Der Zeit und Ewigkeit, der Leib und Seele
                                              scheidet;
Verblendter Sinn, ach kehre doch zurück,
Daß dich dieselbe Stund nicht finde unbereitet!

Alt, 2 Oboen, Bc.
14 Takte, c-Moll – G-Dur, 4/4 Takt

7. Choral
(Gächinger Kantorei Stuttgart)

**Heut lebst du, heut bekehre dich,
Eh morgen kommt, kann's ändern sich;
Wer heut ist frisch, gesund und rot,
Ist morgen krank, ja wohl gar tot.
So du nun stirbest ohne Buß,
Dein Leib und Seel dort brennen muß.**

**Hilf, o Herr Jesu, hilf du mir,
Daß ich noch heute komm zu dir
Und Buße tu den Augenblick,
Eh mich der schnelle Tod hinrück,
Auf daß ich heut und jederzeit
Zu meiner Heimfahrt sei bereit.**

Chor, Gesamtinstrumentarium
24 Takte, c-Moll, 4/4 Takt

Ausführende:
Eva Randova, Alt
Kurt Equiluz, Tenor
Wolfgang Schöne, Baß
Peter-Lukas Graf, Flöte
Otto Winter, Oboe
Thomas Schwarz, Oboe
Hans Mantels, Fagott
Jürgen Wolf, Continuocello
Manfred Gräser, Kontrabaß
Martha Schuster, Cembalo/Orgelpositiv
Gächinger Kantorei Stuttgart
Bach-Collegium Stuttgart
Leitung: Helmuth Rilling

Aufnahme: Sonopress Tontechnik, Gütersloh
Aufnahmeleitung: Richard Hauck/
Wolfram Wehnert
Aufnahmeort: Gedächtniskirche Stuttgart
Aufnahmezeit: Februar 1972
Spieldauer: 23'10"

Where is thy penitence? A twinkle of an eye
Eternity and time, the flesh and soul divideth;
O blinded sense, ah, turn thyself around,
Lest thee this very hour discover unpreparèd.

7. Chorale (S, A, T, B)

**Alive today, today repent,
Ere morning comes, the times can change;
Today who's fresh and safe and sound
Tomorrow's sick or even dead.
If thou now diest uncontrite,
Thy soul and body there must burn.
Help, O Lord Jesus, help thou me,
That I e'en this day come to thee,
Contrition in that moment make
Before me sudden death should take,
That I today and evermore
For my home-coming be prepared.**

Ihr werdet weinen und heulen
Kantate zum Sonntag Jubilate
(Text: Chr. M. v. Ziegler)
für Alt, Tenor, Baß, vierstimmigen Chor,
Trompete, Flauto piccolo, 2 Oboi d'amore, Streicher
und Generalbaß

1. Coro e Basso solo
(Heldwein, Gächinger Kantorei Stuttgart, Harras)

Chor
Ihr werdet weinen und heulen, aber die Welt wird sich
freuen.
Baß
Ihr aber werdet traurig sein.
Doch eure Traurigkeit soll in Freude verkehret
werden.

Baß, Chor, Flauto piccolo, 2 Oboi d'amore,
Streicher, Bc.
155 Takte, h-Moll, 3/4 – 4/4 – 3/4 Takt

1. Chorus (S, A, T, B) and Bass Solo

(S, A, T, B)
Ye will be weeping and wailing, although the world
will be joyful.
(B)
But ye will be most sorrowful.
Yet all your sadness shall into gladness find
transformation.

2. Recitativo
(Schreier)

Wer sollte nicht in Klagen untergehn,
Wenn uns der Liebste wird entrissen?
Der Seele Heil, die Zuflucht kranker Herzen
Acht nicht auf unsre Schmerzen.

Tenor, Bc.
7 Takte, fis-Moll – cis-Moll, 4/4 Takt

2. Recitative (T)

Who ought then not in lamentation sink,
If our belovèd is torn from us?
Our souls' true health, the refuge of sick spirits,
Pays no heed to our sorrow.

3. Aria
(Soffel, Strebel)

Kein Arzt ist außer dir zu finden,
Ich suche durch ganz Gilead;
Wer heilt die Wunden meiner Sünden,
Weil man hier keinen Balsam hat?
Verbirgst du dich, so muß ich sterben.
Erbarme dich, ach, höre doch!
Du suchest ja nicht mein Verderben,
Wohlan, so hofft mein Herze noch.

Alt, Flauto piccolo, Bc.
69 Takte, fis-Moll, 6/8 Takt

3. Aria (A)

There is besides thee no physician,
Though I should search all Gilead;
Who'll heal the wounds of my transgressions,
While here there is no balm for me?
If thou dost hide, then I must perish.
Have mercy now, ah, hear my prayer!
Thou seekest, yea, not my destruction,
So come, in hope my heart's yet firm.

4. Recitativo
(Soffel)

Du wirst mich nach der Angst auch wiederum
                                        erquicken;
So will ich mich zu deiner Ankunft schicken,

4. Recitative (A)

When once my fear is past, thou shalt again
                                        restore me;
Thus will I me for thine approach get ready,

Ich traue dem Verheißungswort,
Daß meine Traurigkeit
In Freude soll verkehret werden.

Alt, Bc.
9 Takte, h-Moll – D-Dur, 4/4 Takt

I trust in what thy word assures,
That all my sadness now
To gladness shall find transformation.

5. Aria
(Schreier)

Erholet euch, betrübte Sinnen,
Ihr tut euch selber allzu weh.
Laßt von dem traurigen Beginnen,
Eh ich in Tränen untergeh,
Mein Jesus läßt sich wieder sehen,
O Freude, der nichts gleichen kann!
Wie wohl ist mir dadurch geschehen,
Nimm, nimm mein Herz zum Opfer an!

Tenor, Trompete, Oboe, Streicher, Bc.
66 Takte, D-Dur, 4/4 Takt

5. Aria (T)

Recover now, O troubled feelings,
Ye cause yourselves excess of woe.
Leave off your sorrowful beginning,
Ere I in tears collapse and fall,
My Jesus is again appearing,
O gladness which nought else can match!
What good to me thereby is given,
Take, take my heart, my gift to thee!

6. Choral
(Gächinger Kantorei Stuttgart)

**Ich hab dich einen Augenblick,
O liebes Kind, verlassen:
Sieh aber, sieh, mit großem Glück
Und Trost ohn alle Maßen
Will ich dir schon die Freudenkron
Aufsetzen und verehren;
Dein kurzes Leid soll sich in Freud
Und ewig Wohl verkehren.**

Chor, Gesamtinstrumentarium
16 Takte, h-Moll, 4/4 Takt

6. Chorale (S, A, T, B)

**I have thee but a little while,
O dearest child, forsaken;
But lo, now, lo, with fortune fair
And comfort past all measure,
Will I for sure the crown of joy
Put on thee for thine honor.
And thy brief pain shall be to joy
And lasting health converted.**

Ausführende:
Doris Soffel, Alt
Peter Schreier, Tenor
Walter Heldwein, Baß
Hans Wolf, Trompete
Manfred Harras, Flauto piccolo
Hartmut Strebel, Flauto piccolo
Diethelm Jonas, Oboe d'amore
Hedda Rothweiler, Oboe d'amore
Kurt Etzold, Fagott
Jakoba Hanke, Continuocello
Harro Bertz, Kontrabaß
Hans-Joachim Erhard, Cembalo/Orgelpositiv
**Gächinger Kantorei Stuttgart
Bach-Collegium Stuttgart
Leitung: Helmuth Rilling**

Aufnahme: Tonstudio Teije van Geest, Heidelberg
Aufnahmeleitung: Richard Hauck
Aufnahmeort: Gedächniskirche Stuttgart
Aufnahmezeit: Dezember 1980, März/Mai 1981
Spieldauer: 16'15"

Du Hirte Israel, höre

Kantate zum Sonntag Misericordias Domini
für Tenor, Baß, vierstimmigen Chor,
2 Oboen, 2 Oboi d'amore, Oboe da caccia,
Streicher und Generalbaß

1. Coro
(Gächinger Kantorei Stuttgart)

*Du Hirte Israel, höre, der du Joseph hütest wie der
Schafe, erscheine, der du sitzest über Cherubim.*

Chor, 2 Oboen, Oboe da caccia, Streicher, Bc.
114 Takte, G-Dur, 3/4 Takt

1. Chorus [Dictum] (S, A, T, B)

*Thou guide of Israel, hear me, thou who like the
sheep dost shelter Joseph, appear thou who dost sit
above the Cherubim.*

2. Recitativo
(Kraus)

Der höchste Hirte sorgt vor mich,
Was nützen meine Sorgen?
Es wird ja alle Morgen
Des Hirten Güte neu.
Mein Herz, so fasse dich,
Gott ist getreu.

Tenor, Bc.
8 Takte, e-Moll – h-Moll, 4/4 Takt

2. Recitative (T)

The highest shepherd cares for me,
What use is all my sorrow?
Appear will ev'ry morning
The shepherd's kindness new.
My heart, compose thyself,
For God is true.

3. Aria
(Kraus)

Verbirgt mein Hirte sich zu lange,
Macht mir die Wüste allzu bange,
Mein schwacher Schritt eilt dennoch fort.
  Mein Mund schreit nach dir,
  Und du, mein Hirte, wirkst in mir
  Ein gläubig Abba durch dein Wort.

Tenor, 2 Oboi d'amore, Bc.
63 Takte, h-Moll, 4/4 Takt

3. Aria (T)

Whene'er my shepherd too long hideth,
The desert makes me all too anxious,
My feeble steps run ever on.
  My tongue cries to thee,
  And thou, my shepherd, stirr'st in me
  A faithful "Abba" through thy word.

4. Recitativo
(Schöne)

Ja, dieses Wort ist meiner Seelen Speise,
Ein Labsal meiner Brust,
Die Weide, die ich meine Lust,
Des Himmels Vorschmack, ja mein alles heiße.
Ach! sammle nur, o guter Hirte,
Uns Arme und Verirrte;
Ach laß den Weg nur bald geendet sein
Und führe uns in deinen Schafstall ein!

Baß, Bc.
12 Takte, D-Dur, 4/4 Takt

4. Recitative (B)

Yea, this same word is to my soul its nurture,
A balm unto my breast,
The pasture which I call my joy,
A taste of heaven, yea, my very being.
Ah! Gather then, O kindly shepherd,
Thy wretched, straying people;
Ah, bring our path straightway unto its end
And lead thou us into thy sheepfold soon!

5. Aria
(Schöne)

Beglückte Herde, Jesu Schafe,
Die Welt ist euch ein Himmelreich.
   Hier schmeckt ihr Jesu Güte schon
   Und hoffet noch des Glaubens Lohn
   Nach einem sanften Todesschlafe.

Baß, 2 Oboi d'amore, Oboe da caccia, Streicher, Bc.
82 Takte, D-Dur, 12/8 Takt

5. Aria (B)

Ye herds, so blessèd, sheep of Jesus,
The world is now your kingdom come.
   Here taste ye Jesus' goodness now.
   And hope ye, too, for faith's reward,
   When once ye rest in death's soft slumber.

6. Choral
(Gächinger Kantorei Stuttgart)

Der Herr ist mein getreuer Hirt,
Dem ich mich ganz vertraue,
Zur Weid er mich, sein Schäflein, führt,
Auf schöner grünen Aue,
Zum frischen Wasser leit' er mich,
Mein Seel zu laben kräftiglich
Durchs selig Wort der Gnaden.

Chor, 2 Oboen, Oboe da caccia, Streicher, Bc.
14 Takte, A-Dur, 4/4 Takt

6. Chorale (S, A, T, B)

The Lord my faithful shepherd is,
Him do I trust entirely,
He leads to pasture me, his lamb,
To green and lovely meadow,
To waters fresh he leadeth me,
My soul to nourish with his strength
And gracious word of blessing.

Ausführende:
Adalbert Kraus, Tenor
Wolfgang Schöne, Baß
Allan Vogel, Oboe
Günther Passin, Oboe d'amore
Hedda Rothweiler, Oboe/Oboe d'amore
Dietmar Keller, Oboe da caccia
Kurt Etzold, Fagott
Klaus-Peter Hahn, Continuocello
Peter Nitsche, Kontrabaß
Hans-Joachim Erhard, Cembalo/Orgelpositiv
Gächinger Kantorei Stuttgart
Bach-Collegium Stuttgart
Leitung: Helmuth Rilling

Aufnahme: Tonstudio Teije van Geest, Heidelberg
Aufnahmeleitung: Richard Hauck
Toningenieur: Günter Appenheimer
Aufnahmeort: Gedächtniskirche Stuttgart
Aufnahmezeit: September 1978
Spieldauer: 16'40"

BWV 105

Serie **V**, Nr. 98.694

Herr, gehe nicht ins Gericht mit deinem Knecht

Kantate zum 9. Sonntag nach Trinitatis
für Sopran, Alt, Tenor, Baß, vierstimmigen Chor,
Horn, 2 Oboen, Streicher mit Solo-Violine
und Generalbaß

1. Coro
(Augér, Watts, Kraus, Heldwein,
Gächinger Kantorei Stuttgart)

*Herr, gehe nicht ins Gericht mit deinem Knecht. Denn
vor dir wird kein Lebendiger gerecht.*

Sopran, Alt, Tenor, Baß, Chor, 2 Oboen, Streicher, Bc.
128 Takte, g-Moll, 4/4 – ¢ Takt

2. Recitativo
(Watts)

Mein Gott, verwirf mich nicht,
Indem ich mich in Demut vor dir beuge,
Von deinem Angesicht.
Ich weiß, wie groß dein Zorn und mein Ver-
                                              brechen ist,
Daß du zugleich ein schneller Zeuge
Und ein gerechter Richter bist.
Ich lege dir ein frei Bekenntnis dar
Und stürze mich nicht in Gefahr,
Die Fehler meiner Seelen
Zu leugnen, zu verhehlen!

Alt, Bc.
13 Takte, c-Moll – B-Dur, 4/4 Takt

3. Aria
(Augér)

Wie zittern und wanken
Der Sünder Gedanken,
Indem sie sich untereinander verklagen
Und wiederum sich zu entschuldigen wagen.
So wird ein geängstigt Gewissen
Durch eigene Folter zerrissen.

Sopran, Oboe, Violinen, Violen
110 Takte, Es-Dur, 3/4 Takt

4. Recitativo
(Heldwein)

Wohl aber dem, der seinen Bürgen weiß,
Der alle Schuld ersetzet,
So wird die Handschrift ausgetan,
Wenn Jesus sie mit Blute netzet.
Er heftet sie ans Kreuze selber an,
Er wird von deinen Gütern, Leib und Leben,
Wenn deine Sterbestunde schlägt,
Dem Vater selbst die Rechnung übergeben.
So mag man deinen Leib, den man zum Grabe
                                              trägt,
Mit Sand und Staub beschütten,
Dein Heiland öffnet dir die ewgen Hütten.

Baß, Streicher, Bc.
19 Takte, B-Dur – Es-Dur, 4/4 Takt

1. Chorus [Dictum] (S, A, T, B)

*Lord, go thou not into court with this thy thrall, since
with thee there is no living person just.*

2. Recitative (A)

My, God, reject me not,
While I myself now humbly bow before thee,
From thine own countenance.
I know, though great thy wrath and mine own
                                              wickedness,
That thou art both a ready witness
And a most righteous judge as well.
I give to thee my free confession now
And cast myself not in great risk,
That I my soul's own failings
Disclaim now, or keep hidden.

3. Aria (S)

How tremble and waver
The sinners' intentions,
In that they do often accuse one another
And then turn around and would dare make
                                              excuses.
Just so is the scrupulous conscience
Because of its own torments shattered.

4. Recitative (B)

Blest though is he who doth his bonder know,
Who ev'ry debt redeemeth;
Then is the mortgage cancelled out,
When Jesus with his blood doth drench it.
He doth it on the cross himself affix,
He will of thy possessions, life and body,
When once thy dying hour doth strike,
Himself transmit the record to his Father.
E'en though thy body will, when borne unto the
                                              grave,
With sand and dust be covered,
Thy Savior opens thee eternal shelter.

5. Aria
(Kraus)

Kann ich nur Jesum mir zum Freunde machen,
So gilt der Mammon nichts bei mir.
   Ich finde kein Vergnügen hier
    Bei dieser eitlen Welt und irdschen Sachen.

Tenor, Horn, Violine, Streicher, Bc.
94 Takte, B-Dur, 4/4 Takt

6. Choral
(Gächinger Kantorei Stuttgart)

Nun, ich weiß, du wirst mir stillen
Mein Gewissen, das mich plagt.
Es wird deine Treu erfüllen,
Was du selber hast gesagt:
Daß auf dieser weiten Erden
Keiner soll verloren werden,
Sondern ewig leben soll,
Wenn er nur ist Glaubens voll.

Chor, Streicher, Bc.
24 Takte, g-Moll, 4/4 – 12/8 Takt

Ausführende:
Arleen Augér, Sopran
Helen Watts, Alt
Adalbert Kraus, Tenor
Walter Heldwein, Baß
Rob Roy McGregor, Horn
Günther Passin, Oboe
Hedda Rothweiler, Oboe
Günther Pfitzenmaier, Fagott
Albert Boesen, Violine
Jürgen Wolf, Continuocello
Thomas Lom, Kontrabaß
Hans-Joachim Erhard, Orgelpositiv
Gächinger Kantorei Stuttgart
Bach-Collegium Stuttgart
Leitung: Helmuth Rilling

Aufnahme: Südwest-Tonstudio, Stuttgart
Aufnahmeleitung: Richard Hauck
Toningenieur: Henno Quasthoff
Aufnahmeort: Gedächtniskirche Stuttgart
Aufnahmezeit: September/Dezember 1977,
Januar 1978
Spieldauer: 24'50"

5. Aria (T)

If I but Jesus as my friend may number,
Then counteth Mammon nought with me.
   For I can find no pleasure here
    Amidst this empty world and earthly treasures.

6. Chorale (S, A, T, B)

Now, I know, thou shalt make quiet
This my conscience, plaguing me.
Thy good faith will bring fulfillment
To what thou thyself hast said:
That in all these earthly reaches
No one shall be lost forever,
But instead have life eternal,
If he but with faith be full.

Gottes Zeit ist die allerbeste Zeit

Actus tragicus · Kantate zu einer Trauerfeier
für Sopran, Alt, Tenor, Baß, vierstimmigen Chor,
2 Blockflöten, 2 Viole da gamba und Generalbaß

1. Sonatina
(Bach-Ensemble Helmuth Rilling)

2 Blockflöten, 2 Viole da gamba, Bc.
20 Takte, Es-Dur, 4/4 Takt

1. Sonatina

2a. Coro
(Gächinger Kantorei Stuttgart)

Gottes Zeit ist die allerbeste Zeit.
In ihm leben, weben und sind wir, solange er will. In
ihm sterben wir zur rechten Zeit, wenn er will.

Chor, Gesamtinstrumentarium
47 Takte, Es-Dur – c-Moll, 4/4 – 3/4 – 4/4 Takt

2a. Chorus [Dictum] (S, A, T, B)

God's own time is the very best of times.
In him living, moving, we exist, as long as he wills.
In him shall we die at the right time, when he wills.

2b. Arioso
(Kraus)

Ach, Herr, *lehre uns bedenken, daß wir sterben müssen, auf daß wir klug werden.*

Tenor, Blockflöte, 2 Viole da gamba, Bc.
23 Takte, c-Moll, 4/4 Takt

2b. Arioso [Dictum] (T)

Ah, Lord, *teach us to remember that our death is
certain, that we might gain wisdom.*

2c. Aria
(Schöne)

*Bestelle dein Haus; denn du wirst sterben und nicht
lebendig bleiben!*

Baß, Blockflöte, Bc.
60 Takte, c-Moll – f-Moll, 3/8 Takt

2c. Aria [Dictum] (B)

*Set ready thine house; for thou shalt perish and not
continue living!*

2d. Coro ed Arioso con Choral
(Csapò, Gächinger Kantorei Stuttgart)

Es ist der alte Bund: Mensch, *du mußt sterben!*
Sopran
Ja, komm, Herr Jesu!

Chor (Alt, Tenor, Baß), Sopran, Gesamtinstrumentarium
55 Takte, f-Moll, 4/4 Takt

**2d. Chorus and Arioso [Dictum] (A, T, B and S)
with instr. chorale**

This is the ancient law: man, *thou must perish!*
(S)
Yes, come, Lord Jesus!

3a. Aria
(Schwarz)

In deine Hände befehl ich meinen Geist; du hast mich erlöset, Herr, du getreuer Gott.

Alt, Bc.
24 Takte, b-Moll, 4/4 Takt

3b. Arioso con Choral
(Schöne, Gächinger Kantorei Stuttgart)

Heute wirst du mit mir im Paradies sein.
Mit Fried und Freud ich fahr dahin
In Gottes Willen,
Getrost ist mir mein Herz und Sinn,
Sanft und stille.
Wie Gott mir verheißen hat:
Der Tod ist mein Schlaf worden.

Baß, Chor-Alt, 2 Viole da gamba, Bc.
46 Takte, As-Dur – c-Moll, 4/4 Takt

4. Coro (Choral)
(Gächinger Kantorei Stuttgart)

Glorie, Lob, Ehr und Herrlichkeit
Sei dir, Gott Vater und Sohn bereit',
Dem Heilgen Geist mit Namen!
Die göttlich Kraft
Mach uns sieghaft
Durch Jesum Christum, Amen.

Chor, Gesamtinstrumentarium
51 Takte, Es-Dur, 4/4 Takt

Ausführende:
Eva Csapò, Sopran
Hanna Schwarz, Alt
Adalbert Kraus, Tenor
Wolfgang Schöne, Baß
Peter Thalheimer, Blockflöte
Hella Karpa, Blockflöte
Alfred Lessing, Viola da gamba
Heinrich Haferland, Viola da gamba
Jürgen Wolf, Continuocello
Thomas Lom, Kontrabaß
Martha Schuster, Cembalo/Orgelpositiv
Joachim Eichhorn, Orgelpositiv
Gächinger Kantorei Stuttgart
Leitung: Helmuth Rilling

Aufnahme: Südwest-Tonstudio, Stuttgart
Aufnahmeleitung: Richard Hauck, Heinz Jansen
Toningenieur: Henno Quasthoff
Aufnahmeort: Gedächtniskirche Stuttgart
Aufnahmezeit: Januar 1975
Spieldauer: 21'45"

3a. Aria [Dictum] (A)

Into thine hands now do I commit my soul; for thou hast redeemed me, Lord, thou my faithful God.

3b. Arioso [Dictum] (B) and Chorale (A)

This day shalt thou with me in paradise be.
In peace and joy do I depart,
As God doth will it;
Consoled am I in heart and mind,
Calm and quiet.
As God me his promise gave:
My death is changed to slumber.

4. Chorus (Chorale) (S, A, T, B)

Glory, laud, praise and majesty
To thee, God, Father, and Son, be giv'n,
The Holy Ghost, with these names!
May godly strength
Make us triumph
Through Jesus Christ, Lord, Amen.

BWV 107

Was willst du dich betrüben
Kantate zum 7. Sonntag nach Trinitatis
für Sopran, Tenor, Baß, vierstimmigen Chor,
Horn, 2 Flöten, 2 Oboi d'amore,
Streicher mit Solo-Violine und Generalbaß

1. Choral [Versus I]
(Gächinger Kantorei Stuttgart)

Was willst du dich betrüben,
O meine liebe Seel?
Ergib dich, den zu lieben,
Der heißt Immanuel!
Vertraue ihm allein,
Er wird gut alles machen
Und fördern deine Sachen,
Wie dir's wird selig sein!

Chor, Gesamtinstrumentarium
51 Takte, h-Moll, 4/4 Takt

1. Chorale [Verse 1] (S, A, T, B)

Why wouldst thou then be saddened,
O thou my very soul?
Devote thyself to love him
Who's called Immanuel!
Put trust in him alone,
He will set all in order
And further what concerns thee
As thee will blessèd make

2. Recitativo [Versus II]
(Bröcheler)

Denn Gott verlässet keinen,
Der sich auf ihn verläßt,
Er bleibt getreu den Seinen,
Die ihm vertrauen fest.
Läßt sich's an wunderlich,
So laß dir doch nicht grauen!
Mit Freuden wirst du schauen,
Wie Gott wird retten dich.

Baß, 2 Oboi d'amore, Bc.
13 Takte, fis-Moll, 4/4 Takt

2. Recitative [Verse 2] (B)

For God forsaketh no one
Who doth in him put trust;
He bides true to his people
Who in him firmly trust.
Though life deal strange with thee,
Yet thou ought not be frightened!
With gladness wilt thou marvel
How God will rescue thee.

3. Aria [Versus III]
(Bröcheler)

Auf ihn magst du es wagen
Mit unerschrocknem Mut,
Du wirst mit ihm erjagen,
Was dir ist nütz und gut.
Was Gott beschlossen hat,
Das kann niemand hindern
Aus allen Menschenkindern;
Es geht nach seinem Rat.

Baß, Violine, Streicher, Bc.
50 Takte, A-Dur, 4/4 Takt

3. Aria [Verse 3] (B)

With him thou canst act boldly,
E'er undismayed at heart,
Thou wilt with him discover
What thee doth serve and help.
What God resolves to do,
That can no one hinder
Of all of mankind's children;
All goes as he commands.

4. Aria [Versus IV]
(Baldin)

Wenn auch gleich aus der Höllen
Der Satan wollte sich
Dir selbst entgegenstellen
Und toben wider dich,
So muß er doch mit Spott
Von seinen Ränken lassen,
Damit er dich will fassen;
Denn dein Werk fördert Gott.

Tenor, Bc.
79 Takte, e-Moll, 3/4 Takt

5. Aria [Versus V]
(Augér)

Er richt's zu seinen Ehren
Und deiner Seligkeit;
Soll's sein, kein Mensch kann's wehren,
Und wär's ihm noch so leid.
Will's denn Gott haben nicht,
So kann's niemand forttreiben,
Es muß zurückebleiben,
Was Gott will, das geschicht.

Sopran, 2 Oboi d'amore, Bc.
27 Takte, h-Moll, 12/8 Takt

6. Aria [Versus VI]
(Baldin)

Drum ich mich ihm ergebe,
Ihm sei es heimgestellt;
Nach nichts ich sonst mehr strebe,
Denn nur, was ihm gefällt.
Drauf wart ich und bin still,
Sein Will, der ist der beste,
Das glaub ich steif und feste,
Gott mach es, wie er will!

Tenor, 2 Flöten, Violinen, Bc.
47 Takte, D-Dur, 4/4 Takt

7. Choral [Versus VII]
(Gächinger Kantorei Stuttgart)

Herr, gib, daß ich dein Ehre
Ja all mein Leben lang
Von Herzengrund vermehre,
Dir sage Lob und Dank!
O Vater, Sohn und Geist,
Der du aus lauter Gnaden
Abwendest Not und Schaden,
Sei immerdar gepreist!

Chor, Gesamtinstrumentarium
55 Takte, h-Moll, 6/8 Takt

4. Aria [Verse 4] (T)

Although soon from hell's cavern
The devil should himself
Desire to rise against thee
And rage before thy face,
Yet must he, put to scorn,
Desist from his deceptions,
With which he hopes to catch thee;
For thy cause God assists.

5. Aria [Verse 5] (S)

He sets all for his honor
And for thy blessedness;
God's will no man can hinder,
Him though it bring much pain.
But what God will not have,
This can no one continue,
It must remain unfinished,
For what God wills is done.

6. Aria [Verse 6] (T)

Thus I'm to him devoted,
On him will I rely;
For nought would I yet struggle
But what he doth approve.
Awaiting this, I rest,
For his will is the best way,
I hold this sure and firmly,
God act howe'er he would!

7. Chorale [Verse 7] (S, A, T, B)

Lord, grant that I thine honor,
Yea, all my living days,
With heart unfeigned may augment,
And give thee praise and thanks!
O Father, Spirit, Son,
Thou, who with purest mercy
Avertest need and danger,
For evermore be praised!

Ausführende:
Arleen Augér, Sopran
Aldo Baldin, Tenor
John Bröcheler, Baß
Hans Wolf, Horn
Peter-Lukas Graf, Flöte
Sibylle Keller-Sanwald, Flöte
Klaus Kärcher, Oboe d'amore
Hedda Rothweiler, Oboe d'amore
Kurt Etzold, Fagott
Wilhelm Melcher, Violine
Martin Ostertag, Continuocello
Thomas Lom, Kontrabaß
Hans-Joachim Erhard, Cembalo/Orgelpositiv
Gächinger Kantorei Stuttgart
Bach-Collegium Stuttgart
Leitung: Helmuth Rilling

Aufnahme: Tonstudio Teije van Geest, Heidelberg
Aufnahmeleitung: Richard Hauck
Aufnahmeort: Gedächtniskirche Stuttgart
Aufnahmezeit: Februar/Oktober 1979
Spieldauer: 17'00"

BWV 108

Serie **VIII**, Nr. 98.723

Es ist euch gut, daß ich hingehe
Kantate zum Sonntag Cantate
(Text: Chr. M. v. Ziegler)
für Alt, Tenor, Baß, vierstimmigen Chor,
2 Oboi d'amore, Streicher mit Solo-Violine und
Generalbaß

1. Aria
(Huttenlocher)

1. Aria [Dictum] (B)

*Es ist euch gut, daß ich hingehe; denn so ich nicht
hingehe, kömmt der Tröster nicht zu euch. So ich aber
gehe, will ich ihn zu euch senden.*

*It is for you that I depart now, for were I not depart-
ing, would your Comforter not come. But since I am
leaving, I will send him unto you.*

Baß, Oboe d'amore, Streicher, Bc.
48 Takte, A-Dur, 4/4 Takt

2. Aria
(Schreier)

2. Aria (T)

Mich kann kein Zweifel stören,
Auf dein Wort, Herr, zu hören.
Ich glaube, gehst du fort,
So kann ich mich getrösten,
Daß ich zu den Erlösten
Komm an gewünschten Port.

There shall no doubt deter me,
To thy word, Lord, I'll hearken.
I trust that if thou go'st,
I can in this find comfort,
That I'll amongst the rescued
Come, at the welcome port.

Tenor, Violine, Bc.
87 Takte, fis-Moll, 3/4 Takt

3. Recitativo
(Schreier)

Dein Geist wird mich also regieren,
Daß ich auf rechter Bahne geh;
Durch deinen Hingang kommt er ja zu mir,
Ich frage sorgensvoll: Ach, ist er nicht schon
hier?

Tenor, Bc.
7 Takte, h-Moll – A-Dur, 4/4 Takt

3. Recitative (T)

Thy Spirit will in such wise rule me
That I the proper road shall walk;
Through thy departure he shall come to me,
I ask, though, anxiously: Ah, is he not now here?

4. Coro
(Gächinger Kantorei Stuttgart)

*Wenn aber jener, der Geist der Wahrheit, kommen
wird, der wird euch in alle Wahrheit leiten. Denn er
wird nicht von ihm selber reden, sondern was er hören
wird, das wird er reden; und was zukünftig ist, wird er
verkündigen.*

Chor, Gesamtinstrumentarium
56 Takte, D-Dur, ₵ Takt

4. Chorus [Dictum] (S, A, T, B)

*When he, however, truth's very Spirit, will have come,
will he into every truth then lead you. For he will not of
himself be speaking, rather all that he hath heard will
he be speaking; and what the future holds will he
proclaim abroad.*

5. Aria
(Watkinson)

Was mein Herz von dir begehrt,
Ach, das wird mir wohl gewährt.
Überschütte mich mit Segen,
Führe mich auf deinen Wegen,
Daß ich in der Ewigkeit
Schaue deine Herrlichkeit!

Alt, Violine, Streicher, Bc.
54 Takte, h-Moll, 6/8 Takt

5. Aria (A)

What my heart of thee doth seek,
Ah, shall on me be bestowed.
Pour upon me thy rich blessing,
Lead me now upon thy pathways,
That I in eternity
Look upon thy majesty!

6. Choral
(Gächinger Kantorei Stuttgart)

**Dein Geist, den Gott vom Himmel gibt,
Der leitet alles, was ihn liebt,
Auf wohl gebähntem Wege.
Er setzt und richtet unsren Fuß,
Daß er nicht anders treten muß,
Als wo man findt den Segen.**

Chor, Gesamtinstrumentarium
13 Takte, h-Moll, 4/4 Takt

6. Chorale (S, A, T, B)

**Thy Spirit God from heaven sends,
He leadeth all that him do love
Upon a well-laid pathway.
He sets and ruleth all our steps,
That they not elswhere ever tread
But where we find salvation.**

Ausführende:
Carolyn Watkinson, Alt
Peter Schreier, Tenor
Philippe Huttenlocher, Baß
Diethelm Jonas, Oboe d'amore
Jochen Müller-Brincken, Oboe d'amore
Kurt Etzold, Fagott

Walter Forchert, Violine
Johannes Fink, Continuocello
Thomas Lom, Kontrabaß
Hans-Joachim Erhard, Orgelpositiv
Gächinger Kantorei Stuttgart
Bach-Collegium Stuttgart
Leitung: Helmuth Rilling

Aufnahme: Tonstudio Teije van Geest, Heidelberg
Aufnahmeleitung: Richard Hauck
Aufnahmeort: Gedächtniskirche Stuttgart
und Große Aula der Alten Universität Salzburg
Aufnahmezeit: August/Dezember 1980, Februar/
März 1981
Spieldauer: 16'30"

BWV 109

Serie **I**, Nr. 98.656

Ich glaube, lieber Herr
Kantate zum 21. Sonntag nach Trinitatis
für Alt, Tenor, vierstimmigen Chor,
Horn, 2 Oboen, Streicher und Generalbaß

1. Coro
(Gächinger Kantorei Stuttgart)

Ich glaube, lieber Herr, hilf meinem Unglauben!

Chor, Gesamtinstrumentarium
95 Takte, d-Moll, 4/4 Takt

1. Chorus [Dictum] (S, A, T, B)

I have faith, O dear Lord, help my unbelieving.

2. Recitativo
(Equiluz)

Des Herren Hand ist ja noch nicht verkürzt,
Mir kann geholfen werden.
Ach nein, ich sinke schon zur Erden
Vor Sorge, daß sie mich zu Boden stürzt.
Der Höchste will, sein Vaterherze bricht.
Ach nein! er hört die Sünder nicht.
Er wird, er muß dir bald zu helfen eilen,
Um deine Not zu heilen.
Ach nein, es bleibet mir um Trost sehr bange;
Ach Herr, wie lange?

Tenor, Bc.
17 Takte, B-Dur – e-Moll, 4/4 Takt

2. Recitative (T)

The Lord's own hand, indeed, has not grown
short,
I can receive his help yet.
Ah no, I sink to earth already
With sorrow, to the ground am I cast down.
The Highest yearns, his father's heart doth
break.
Ah no! He hears the sinners not.
He will, he must come to thy rescue quickly
And to thy need bring healing.
Ah no, I still remain for help most anxious;
Ah Lord, how long then?

3. Aria
(Equiluz)

Wie zweifelhaftig ist mein Hoffen,
Wie wanket mein geängstigt Herz!

3. Aria (T)

How filled with doubting is my hoping,
How wavering my anxious heart!

Des Glaubens Docht glimmt kaum hervor,
Es bricht dies fast zerstoßne Rohr,
Die Furcht macht stetig neuen Schmerz.

Tenor, Streicher, Bc.
74 Takte, e-Moll, 4/4 Takt

Of faith the wick but dimly glows,
Now snaps the almost broken reed,
And fear doth ever cause new grief.

4. Recitativo
(Laurich)

O fasse dich, du zweifelhafter Mut,
Weil Jesus jetzt noch Wunder tut!
Die Glaubensaugen werden schauen
Das Heil des Herrn;
Scheint die Erfüllung allzufern,
So kannst du doch auf die Verheißung bauen.

Alt, Bc.
8 Takte, C-Dur – d-Moll, 4/4 Takt

4. Recitative (A)

Compose thyself, thou doubt-beridden heart,
For Jesus still doth wonders work!
The eyes of faith e'en yet shall witness
God's healing pow'r;
Though the fulfilment distant seem,
Thou canst, indeed, rely upon his promise.

5. Aria
(Laurich)

Der Heiland kennet ja die Seinen,
Wenn ihre Hoffnung hilflos liegt.
    Wenn Fleisch und Geist in ihnen streiten,
    So steht er ihnen selbst zur Seiten,
    Damit zuletzt der Glaube siegt.

Alt, 2 Oboen, Bc.
188 Takte, F-Dur, 3/4 Takt

5. Aria (A)

The Savior knows, indeed, his people,
Whene'er their hope doth helpless lie.
    When flesh and will within them quarrel,
    He shall himself yet stand beside them,
    That at the last their faith triumph.

6. Choral
(Gächinger Kantorei Stuttgart)

**Wer hofft in Gott und dem vertraut,
Der wird nimmer zuschanden;
Denn wer auf diesen Felsen baut,
Ob ihm gleich geht zuhanden
Viel Unfalls hie, hab ich doch nie
Den Menschen sehen fallen,
Der sich verläßt auf Gottes Trost;
Er hilft sein' Gläubgen allen.**

Chor, Gesamtinstrumentarium
89 Takte, d-Moll – a-Moll (äolisch), 4/4 Takt

6. Chorale (S, A, T, B)

**Who hopes in God and in him trusts
Shall never be confounded;
For who upon this rock doth build,
E'en though there may surround him
Great danger here, I've yet known ne'er
That man to fall in ruin,
Who doth rely upon God's help;
He helps his faithful always.**

Ausführende:
Hildegard Laurich, Alt
Kurt Equiluz, Tenor
Hermann Sauter, Horn
Otto Winter, Oboe
Helmut Koch, Oboe
Hanspeter Weber, Oboe
Hans Mantels, Fagott
Werner Keltsch, Violine
Hannelore Michel, Continuocello

Manfred Gräser, Kontrabaß
Martha Schuster, Cembalo/Orgelpositiv
Gächinger Kantorei Stuttgart
Bach-Collegium Stuttgart
Leitung: Helmuth Rilling

Aufnahme: Sonopress Tontechnik, Gütersloh
Aufnahmeleitung: Richard Hauck/
Wolfram Wehnert
Aufnahmeort: Gedächtniskirche Stuttgart
Aufnahmezeit: Februar 1971
Spieldauer: 25'00"

BWV 110

Serie **II**, Nr. 98.670

Unser Mund sei voll Lachens
Kantate zum 1. Weihnachtstag
(Text: G. Chr. Lehms)
für Sopran, Alt, Tenor, Baß, vierstimmigen Chor,
3 Trompeten, Pauken, 2 Flöten, 3 Oboen,
Oboe d'amore, Oboe da caccia, Fagott, Streicher und
Generalbaß

1. Coro
(Gächinger Kantorei Stuttgart)

Unser Mund sei voll Lachens und unsre Zunge
voll Rühmens. Denn der Herr hat Großes an uns
getan.

Chor, 3 Trompeten, Pauken, 2 Flöten, 3 Oboen,
Fagott, Streicher, Bc.
189 Takte, D-Dur, ¢ – 9/8 (3/4) – ¢ Takt

2. Aria
(Baldin)

Ihr Gedanken und ihr Sinnen,
Schwinget euch anitzt von hinnen,
Steiget schleunig himmelan
Und bedenkt, was Gott getan!
Er wird Mensch, und dies allein,
Daß wir Himmels Kinder sein.

Tenor, 2 Flöten, Bc.
60 Takte, h-Moll, 4/4 Takt

3. Recitativo
(Schöne)

*Dir, Herr, ist niemand gleich. Du bist groß, und dein
Name ist groß und kannst's mit der Tat beweisen.*

Baß, Streicher, Bc.
5 Takte, fis-Moll – A-Dur, 4/4 Takt

1. Chorus [Dictum] (S, A, T, B)

Make our mouth full with laughter and make
our tongue full with praises. For the Lord
hath great things for us achieved.

2. Aria (T)

All ye thoughts and all ye senses,
Lift yourselves aloft this moment,
Soaring swiftly heavenward,
And bethink what God hath done!
He is man for this alone,
That we heaven's children be.

3. Recitative [Dictum] (B)

*Thee, Lord, is no one like. Thou art great and thy
name, too, is great and thou with thy works canst
prove it.*

4. Aria
(Gardow)

Ach Herr, was ist ein Menschenkind,
Daß du sein Heil so schmerzlich suchest?
Ein Wurm, den du verfluchest,
Wenn Höll und Satan um ihm sind;
Doch auch dein Sohn, den Seel und Geist
Aus Liebe seinen Erben heißt.

Alt, Oboe d'amore, Bc.
88 Takte, fis-Moll, 3/4 Takt

5. Duetto
(Graf, Baldin)

Ehre sei Gott in der Höhe und Friede auf Erden und
den Menschen ein Wohlgefallen!

Sopran, Tenor, Bc.
51 Takte, A-Dur, 12/8 Takt

6. Aria
(Schöne)

Wacht auf, ihr Adern und ihr Glieder,
Und singt dergleichen Freudenlieder,
Die unserm Gott gefällig sein.
    Und ihr, ihr andachtsvollen Saiten,
    Sollt ihm ein solches Lob bereiten,
    Dabei sich Herz und Geist erfreun.

Baß, Trompete, 2 Oboen, Oboe da caccia, Streicher, Bc.
86 Takte, D-Dur, 4/4 Takt

7. Choral
(Gächinger Kantorei Stuttgart)

Alleluja! Alleluja! Gelobt sei Gott,
Singen wir all aus unsers Herzens Grunde.
Denn Gott hat heut gemacht solch Freud,
Die wir vergessen solln zu keiner Stunde.

Chor, Trompete, 2 Flöten, 2 Oboen,
Oboe da caccia, Streicher, Bc.
11 Takte, h-Moll, 4/4 Takt

Ausführende:
Kathrin Graf, Sopran
Helrun Gardow, Alt
Aldo Baldin, Tenor
Wolfgang Schöne, Baß
Hermann Sauter, Trompete
Eugen Mayer, Trompete
Heiner Schatz, Trompete
Karl Schad, Pauken

4. Aria (A)

Ah Lord, what is a child of man
That thou wouldst through such pain redeem
                                                          him?
A worm thy curse tormenteth
While hell and Satan round him stand;
But yet, thy Son, whom heart and soul
In love call their inheritance.

5. Duet [Dictum] (S, T)

Glory to God in the highest and peace be on earth,
now, and to mankind a sign of favor!

6. Aria (B)

Wake up, ye nerves and all ye members,
And sing those very hymns of gladness
Which to our God with favor come.
    And ye, ye strings of deep devotion,
    To him a song of praise now offer
    In which the heart and soul rejoice.

7. Chorale (S, A, T, B)

Alleluia! Alleluia! All praise to God
We all sing forth now from our heart's foundation.
For God today hath wrought that joy
Which we shall not forget at any moment.

Peter-Lukas Graf, Flöte
Martin Wendel, Flöte
Sibylle Keller-Sanwald, Flöte
Günther Passin, Oboe/Oboe d'amore
Thomas Schwarz, Oboe
Hedda Rothweiler, Oboe
Hanspeter Weber, Oboe da caccia
Klaus Thunemann, Fagott
Jürgen Wolf, Continuocello
Manfred Gräser, Kontrabaß
Martha Schuster, Cembalo/Orgelpositiv
Gächinger Kantorei Stuttgart
Bach-Collegium Stuttgart
Leitung: Helmuth Rilling

Aufnahme: Südwest-Tonstudio, Stuttgart
Aufnahmeleitung: Richard Hauck, Friedrich
Mauermann
Aufnahmeort: Gedächtniskirche Stuttgart
Aufnahmezeit: Januar/Februar 1974
Spieldauer: 26'35"

BWV 111

Serie **VII**, Nr. 98.717

Was mein Gott will, das g'scheh allzeit
Kantate zum 3. Sonntag nach Epiphanias
für Sopran, Alt, Tenor, Baß, vierstimmigen Chor,
2 Oboen, Streicher mit Solo-Violine und Generalbaß

1. Coro (Choral)
(Gächinger Kantorei Stuttgart)

Was mein Gott will, das g'scheh allzeit,
Sein Will, der ist der beste;
Zu helfen den'n er ist bereit,
Die an ihn gläuben feste.
Er hilft aus Not, der fromme Gott,
Und züchtiget mit Maßen:
Wer Gott vertraut, fest auf ihn baut,
Den will er nicht verlassen.

Chor, Gesamtinstrumentarium
136 Takte, a-Moll, ₵ Takt

2. Aria
(Huttenlocher)

Entsetze dich, mein Herze, nicht,
Gott ist dein Trost und Zuversicht
Und deiner Seele Leben.

1. Chorus [Verse 1] (S, A, T, B)

What my God will, be done alway,
His will, it is the best will;
To help all those he is prepared
Whose faith in him is steadfast.
He frees from want, this righteous God,
And punisheth with measure:
Who trusts in God, on him relies,
Him will he not abandon.

2. Aria (B)

Be frightened, O my bosom, not,
God is thy strength and confidence
And to thy soul life bringeth.

276

Ja, was sein weiser Rat bedacht,
Dem kann die Welt und Menschenmacht
Unmöglich widerstreben.

Baß, Bc.
55 Takte, e-Moll, 4/4 Takt

3. Recitativo
(Watts)

O Törichter! der sich von Gott entzieht
Und wie ein Jonas dort
Vor Gottes Angesichte flieht;
Auch unser Denken ist ihm offenbar,
Und unsers Hauptes Haar
Hat er gezählet.
Wohl dem, der diesen Schutz erwählet
Im gläubigen Vertrauen,
Auf dessen Schluß und Wort
Mit Hoffnung und Geduld zu schauen.

Alt, Bc.
12 Takte, h-Moll, 4/4 Takt

4. Aria (Duetto)
(Watts, Harder)

So geh ich mit beherzten Schritten,
Auch wenn mich Gott zum Grabe führt.
    Gott hat die Tage aufgeschrieben,
    So wird, wenn seine Hand mich rührt,
    Des Todes Bitterkeit vertrieben.

Alt, Tenor, Violine, Streicher, Bc.
222 Takte, G-Dur, 3/4 Takt

5. Recitativo
(Augér)

Drum wenn der Tod zuletzt den Geist
Noch mit Gewalt aus seinem Körper reißt,
So nimm ihn, Gott, in treue Vaterhände!
Wenn Teufel, Tod und Sünde mich bekriegt
Und meine Sterbekissen
Ein Kampfplatz werden müssen,
So hilf, damit in dir mein Glaube siegt!
O seliges, gewünschtes Ende!

Sopran, 2 Oboen, Bc.
12 Takte, F-Dur – a-Moll, 4/4 Takt

6. Choral
(Gächinger Kantorei Stuttgart)

Noch eins, Herr, will ich bitten dich,
Du wirst mir's nicht versagen:
Wann mich der böse Geist anficht,
Laß mich doch nicht verzagen.

3. Recitative (A)

O foolish one, who doth from God withdraw
And, like a Jonah once,
Before the face of God doth flee!
Our very thoughts to him are manifest,
And of our head's own hairs
He hath the number.
Blest he who this protection chooseth
In faithfulness and trusting:
To look to his command
With patience and with expectation.

4. Aria (A, T)

I'll walk, then, with emboldened paces,
E'en when me God to grave shall lead.
    As God my days hath set in writing,
    So shall, when me his hand hath touched,
    The bitterness of death be banished.

5. Recitative (S)

So when by death at last my soul
Is with great force hence from its body torn,
Receive it, God, in faithful hands paternal!
When devil, death and sin on me make war,
And my own deathbed's pillow
Must be a field of battle,
Bring help, so that in thee my faith triumph!
O fortunate and long-sought finish!

6. Chorale [Verse 4] (S, A, T, B)

Just this, Lord, will I ask of thee,
Thou wilt me not deny it:
When me the evil spirit tries,
Let me still not be anxious.

Hilf, steur und wehr, ach Gott, mein Herr,
Zu Ehren deinem Namen.
Wer das begehrt, dem wird's gewährt;
Drauf sprech ich fröhlich: Amen.

Help, guide, defend, ah God, my Lord,
To thy name's fame and honor.
Who this doth seek, him is it giv'n;
And I say gladly: Amen.

Chor, Gesamtinstrumentarium
20 Takte, a-Moll, 4/4 Takt

Ausführende:
Arleen Augér, Sopran
Helen Watts, Alt
Lutz-Michael Harder, Tenor
Philippe Huttenlocher, Baß
Klaus Kärcher, Oboe
Hedda Rothweiler, Oboe
Kurt Etzold, Fagott
Walter Forchert, Violine
Hans Häublein, Continuocello
Thomas Lom, Kontrabaß
Hans-Joachim Erhard, Cembalo/Orgelpositiv
Gächinger Kantorei Stuttgart
Bach-Collegium Stuttgart
Leitung: Helmuth Rilling

Aufnahme: Tonstudio Teije van Geest, Heidelberg
Aufnahmeleitung: Richard Hauck
Aufnahmeort: Gedächtniskirche Stuttgart
Aufnahmezeit: Februar/April 1980
Spieldauer: 19'55"

BWV 112

Serie **X**, Nr. 98.744

Der Herr ist mein getreuer Hirt
Kantate zu Misericordias Domini
für Sopran, Alt, Tenor, Baß, vierstimmigen Chor,
2 Hörner, 2 Oboi d'amore, Streicher und
Generalbaß

1. Coro [Versus I]
(Gächinger Kantorei Stuttgart)

1. Chorus [Verse 1] (S, A, T, B)

Der Herr ist mein getreuer Hirt,
Hält mich in seiner Hute,
Darin mir gar nichts mangeln wird
Irgend an einem Gute,
Er weidet mich ohn Unterlaß,
Darauf wächst das wohlschmeckend Gras
Seines heilsamen Wortes.

The Lord is now my shepherd true,
He holds me in his shelter,
Wherein for nothing shall I want,
Possessing any value;
He gives me pasture endlessly,
Whereon grows the sweet-tasting grass
Of his word's healing Gospel.

Chor, Gesamtinstrumentarium
73 Takte, G-Dur, ₵ Takt

2. Aria [Versus II]
(Schreckenbach)

Zum reinen Wasser er mich weist,
Das mich erquicken tue.
Das ist sein fronheiliger Geist,
Der macht mich wohlgemute.
Er führet mich auf rechter Straß
Seiner Geboten ohn Ablaß
Von wegen seines Namens willen.

Alt, Oboe d'amore, Bc.
82 Takte, e-Moll, 6/8 Takt

3. Arioso e Recitativo [Versus III]
(Heldwein)

Und ob ich wandert im finstern Tal,
Fürcht ich kein Ungelücke
In Verfolgung, Leiden, Trübsal
Und dieser Welte Tücke;
Denn du bist bei mir stetiglich,
Dein Stab und Stecken trösten mich,
Auf dein Wort ich mich lasse.

Baß, Streicher, Bc.
20 Takte, C-Dur – G-Dur, 4/4 Takt

4. Duetto [Versus IV]
(Nielsen, Baldin)

Du bereitest für mir einen Tisch
Vor mein' Feinden allenthalben,
Machst mein Herze unverzagt und frisch,
Mein Haupt tust du mir salben
Mit deinem Geist, der Freuden Öl,
Und schenkest voll ein meiner Seel
Deiner geistlichen Freuden.

Sopran, Tenor, Streicher, Bc.
125 Takte, D-Dur, 2/2 Takt

5. Choral [Versus V]
(Gächinger Kantorei Stuttgart)

Gutes und die Barmherzigkeit
Folgen mir nach im Leben,
Und ich werd bleiben allezeit
Im Haus des Herren eben,
Auf Erd in christlicher Gemein
Und nach dem Tod da werd ich sein
Bei Christo, meinem Herren.

Chor, Gesamtinstrumentarium
14 Takte, G-Dur, 4/4 Takt

2. Aria [Verse 2] (A)

To water pure he leadeth me,
Which me refreshment bringeth.
It is his sacred Holy Ghost,
Which makes me strong in courage.
He guides me on the proper road
Of his commandments evermore
For sake of his own name and honor.

3. Recitative [Verse 3] (B)

And though I wander in darkness' vale,
I'll fear no evil fortune,
Persecution, suff'ring, sadness,
Nor this world's callous whimsy;
For thou art with me constantly,
Thy staff and rod, they comfort me,
To thy word I commend me.

4. Aria [Verse 4] (S, T)

Thou preparest a table for me
Midst the foes which stand about me,
Dost my heart make unafraid and fresh,
My head hast thou anointed
With thine own Spirit's joyful oil,
And thou dost pour full this my soul
With thy spiritual gladness.

5. Chorale [Verse 5] (S, A, T, B)

His goodness and his mercy shall
Attend me through my lifetime,
And I will evermore abide
Within the Lord's own dwelling,
On earth in Christian company,
And after death there will I be
With Christ, my Lord and Master.

Ausführende:
Inga Nielsen, Sopran
Gabriele Schreckenbach, Alt
Aldo Baldin, Tenor
Walter Heldwein, Baß
Johannes Ritzkowsky, Horn
Friedhelm Pütz, Horn
Diethelm Jonas, Oboe d'amore
Günther Passin, Oboe d'amore (Satz 2)
Hedda Rothweiler, Oboe d'amore
Kurt Etzold, Fagott
Walter Forchert, Konzertmeister
Jakoba Hanke, Violoncello
Thomas Lom, Kontrabaß
Hans-Joachim Erhard, Orgelpositiv
Gächinger Kantorei Stuttgart
Bach-Collegium Stuttgart
Leitung: Helmuth Rilling

Aufnahme: Tonstudio Teije van Geest, Heidelberg
Aufnahmeleitung: Richard Hauck
Aufnahmeort: Gedächtniskirche Stuttgart
Aufnahmezeit: Dezember 1980/Februar 1981
Spieldauer: 14'00"

BWV 113

Serie II, Nr. 98.669

Herr Jesu Christ, du höchstes Gut
Kantate zum 11. Sonntag nach Trinitatis
für Sopran, Alt, Tenor, Baß, vierstimmigen Chor,
Flöte, 2 Oboen, 2 Oboi d'amore,
Streicher und Generalbaß

1. Coro (Choral)
(Frankfurter Kantorei)

Herr Jesu Christ, du höchstes Gut,
Du Brunnquell aller Gnaden,
Sieh doch, wie ich in meinem Mut
Mit Schmerzen bin beladen
Und in mir hab der Pfeile viel,
Die im Gewissen ohne Ziel
Mich armen Sünder drücken.

Chor, 2 Oboen, Streicher, Bc.
86 Takte, h-Moll, 3/4 Takt

2. Choral
(Frankfurter Kantorei)

Erbarm dich mein in solcher Last,
Nimm sie aus meinem Herzen,
Dieweil du sie gebüßet hast
Am Holz mit Todesschmerzen,

1. Chorus [Verse 1] (S, A, T, B)

Lord Jesus Christ, thou highest good,
Thou wellspring of all mercy,
O see how I within my heart
With sorrows am sore laden
And bear the pangs of many darts,
Which in my conscience endlessly
Oppress this wretched sinner.

2. Chorale [Verse 2] (A)

Have mercy on me in such grief,
This weight lift from my bosom,
Since thou for it hast paid in full
Upon death's tree of sorrow,

Auf daß ich nicht für großem Weh
In meinen Sünden untergeh,
Noch ewiglich verzage.

Chor-Alt, Violinen, Bc.
84 Takte, fis-Moll, 4/4 Takt

3. Aria
(Tüller)

Fürwahr, wenn mir das kommet ein,
Daß ich nicht recht vor Gott gewandelt
Und täglich wider ihn mißhandelt,
So quält mich Zittern, Furcht und Pein.
Ich weiß, daß mir das Herze bräche,
Wenn mir dein Wort nicht Trost verspräche.

Baß, 2 Oboi d'amore, Bc.
48 Takte, A-Dur, 12/8 Takt

4. Recitativo e Choral
(Tüller)

Jedoch dein heilsam Wort, das macht
Mit seinem süßen Singen,
Daß meine Brust,
Der vormals lauter Angst bewußt,
Sich wieder kräftig kann erquicken.
Das jammervolle Herz
Empfindet nun nach tränenreichem Schmerz
Den hellen Schein von Jesu Gnadenblicken;
Sein Wort hat mir so vielen Trost gebracht,
Daß mir das Herze wieder lacht,
Als wenn's beginnt zu springen.
Wie wohl ist meiner Seelen!
Das nagende Gewissen kann mich nicht länger
                                                        quälen,
Dieweil Gott alle Gnad verheißt,
Hiernächst die Gläubigen und Frommen
Mit Himmelsmanna speist,
Wenn wir nur mit zerknirschtem Geist
Zu unserm Jesu kommen.

Baß, Bc.
32 Takte, e-Moll, 4/4 Takt

5. Aria
(Kraus)

Jesus nimmt die Sünder an:
Süßes Wort voll Trost und Leben!
Er schenkt die wahre Seelenruh
Und rufet jedem tröstlich zu:
Dein Sünd ist dir vergeben.

Tenor, Flöte, Bc.
88 Takte, D-Dur, 4/4 Takt

That I may not with grievous woe
Amidst my sins to ruin go,
Nor evermore lose courage.

3. Aria (B)

In truth, when I before me see
The wrongs I unto God committed,
How daily I've him sore offended,
I'm vexed by trembling, fear and pain.
I know my heart would now be broken,
If me thy word no hope did promise.

4. Recitative and Chorale [Verse 4] (B)

But now thy healing word assures,
Within me sweetly singing,
That this my breast,
Which once did nought but anguish know,
Shall find again new strength and courage.
My sorrow-laden heart
Perceiveth now, the many tears of pain now past,
The radiant beams of Jesus' eyes of mercy;
His word to me hath so much comfort brought,
That once again my heart doth laugh
As though it would be dancing.
How blest is now my spirit!
My conscience, faint and fearful, can me no
                                                        longer torture,
Since now God all his grace hath pledged,
Who soon the faithful and the righteous
Shall heaven's manna feed,
If we but with remorseful souls
Draw nigh to Jesus' presence.

5. Aria (T)

Jesus sinners doth accept:
Soothing word of life and comfort!
    He gives to all their soul's true peace
    And calls with comfort to each one:
    Thy sin is thee forgiven.

6. Recitativo
(Kraus)

Der Heiland nimmt die Sünder an:
Wie lieblich klingt das Wort in meinen Ohren!
Es ruft: Kommt her zu mir,
Die ihr mühselig und beladen,
Kommt her zum Brunnquell aller Gnaden,
Ich hab euch mir zu Freunden auserkoren!
Auf dieses Wort will ich zu dir
Wie der bußfertge Zöllner treten
Und mit demütgem Geist »Gott, sei mir gnädig!«
                                          beten.
Ach, tröste meinen blöden Mut
Und mache mich durch dein vergoßnes Blut
Von allen Sünden rein,
So werd ich auch wie David und Manasse,
Wenn ich dabei
Dich stets in Lieb und Treu
Mit meinem Glaubensarm umfasse,
Hinfort ein Kind des Himmels sein.

Tenor, Streicher, Bc.
23 Takte, G-Dur – e-Moll, 4/4 Takt

6. Recitative (T)

The Savior sinners doth accept:
How lovely to mine ears this sentence ringeth!
He calls: Come unto me,
All ye who labor and are burdened,
Come to the wellspring of all mercy,
For I have chosen you as my companions!
Upon this word I would to thee
Come forth just like the contrite taxman
And with a humble heart "God grant me mercy!"
                                           beg thee.
Ah, comfort this my foolish mind
And make me through the blood which thou
                                        hast poured
From all my sins now clean,
And I will follow David and Manasseh,
When I like them
Have e'er in love and trust
Within mine arms of faith embraced thee
And shall a child of heaven be.

7. Aria (Duetto)
(Donath, Laurich)

Ach Herr, mein Gott, vergibt mir's doch,
Womit ich deinen Zorn erreget,
Zerbrich das schwere Sündenjoch,
Das mir der Satan auferleget,
Daß sich mein Herz zufriedengebe
Und dir zum Preis und Ruhm hinfort
Nach deinem Wort
In kindlichem Gehorsam lebe.

Sopran, Alt, Bc.
70 Takte, e-Moll, 3/4 Takt

7. Aria (S, A)

Ah Lord, my God, forgive me still,
For all I've done to stir thine anger,
And break the heavy yoke of sin
Which Satan now hath laid upon me,
So that my heart may rest contented
And to thy praise and fame henceforth
Be to thy word
With childlike faith and trust obedient.

8. Choral
(Frankfurter Kantorei)

Stärk mich mit deinem Freudengeist,
Heil mich mit deinen Wunden,
Wasch mich mit deinem Todesschweiß
In meiner letzten Stunden;
Und nimm mich einst, wenn dir's gefällt,
In wahrem Glauben von der Welt
Zu deinen Auserwählten!

Chor, Oboe, Streicher, Bc.
15 Takte, h-Moll, 4/4 Takt

Ausführende:
Helen Donath, Sopran
Hildegard Laurich, Alt
Adalbert Kraus, Tenor
Niklaus Tüller, Baß

8. Chorale [Verse 8] (S, A, T, B)

Firm me with thine own Spirit's joy,
Heal me with thine own wounding,
Wash me with thine own sweat of death
At my last hour's coming;
And take me then, when thou dost please,
Sincere in faith hence from the world
Unto thy chosen people!

Peter-Lukas Graf, Flöte
Günther Passin, Oboe/Oboe d'amore
Thomas Schwarz, Oboe/Oboe d'amore
Kurt Etzold, Fagott
Jürgen Wolf, Continuocello
Manfred Gräser, Kontrabaß
Martha Schuster, Cembalo/Orgelpositiv
Joachim Eichhorn, Orgelpositiv
Frankfurter Kantorei
Bach-Collegium Stuttgart
Leitung: Helmuth Rilling

Aufnahme: Sonopress Tontechnik, Gütersloh
Aufnahmeleitung: Richard Hauck,
Wolfram Wehnert
Aufnahmeort: Gedächtniskirche Stuttgart
Aufnahmezeit: März/April 1973
Spieldauer: 26'20"

BWV 114

Serie **III**, Nr. 98.674

Ach, lieben Christen, seid getrost
Kantate zum 17. Sonntag nach Trinitatis
für Sopran, Alt, Tenor, Baß, vierstimmigen Chor,
Horn, Flöte, 2 Oboen, Streicher und Generalbaß

1. Coro (Choral)
(Frankfurter Kantorei)

1. Chorus [Verse 1] (S, A, T, B)

Ach, lieben Christen, seid getrost,
Wie tut ihr so verzagen!
Weil uns der Herr heimsuchen tut,
Laßt uns von Herzen sagen:
Die Straf wir wohl verdienet han,
Solchs muß bekennen jedermann,
Niemand darf sich ausschließen.

Ah, fellow Christians, be consoled,
Why are ye so despondent!
Since now the Lord doth punish us,
Let us sincerely say it:
Chastisement have we well deserved,
This must we one and all confess,
Let no one be excepted.

Chor, Horn, 2 Oboen, Streicher, Bc.
80 Takte, g-Moll, 6/4 Takt

2. Aria
(Equiluz)

2. Aria (T)

Wo wird in diesem Jammertale
Für meinen Geist die Zuflucht sein?
  Allein zu Jesu Vaterhänden
  Will ich mich in der Schwachheit wenden;
  Sonst weiß ich weder aus noch ein.

Where will within this vale of sorrow
My spirit find its refuge now?
  Alone in Jesus' hands paternal
  Will I in weakness seek my refuge;
  I know no other place to go.

Tenor, Flöte, Bc.
132 Takte, d-Moll, 3/4 – 12/8 – 3/4 Takt

3. Recitativo
(Schöne)

O Sünder, trage mit Geduld,
Was du durch deine Schuld
Dir selber zugezogen!
Das Unrecht säufst du ja
Wie Wasser in dich ein,
Und diese Sündenwassersucht
Ist zum Verderben da
Und wird dir tödlich sein.
Der Hochmut aß vordem von der verbotnen
                         Frucht,
Gott gleich zu werden;
Wie oft erhebst du dich mit schwülstigen
                        Gebärden,
Daß du erniedrigt werden mußt.
Wohlan, bereite deine Brust,
Daß sie den Tod und Grab nicht scheut,
So kommst du durch ein selig Sterben
Aus diesem sündlichen Verderben
Zur Unschuld und zur Herrlichkeit.

Baß, Bc.
21 Takte, g-Moll – d-Moll, 4/4 Takt

4. Choral
(Schnaut)

Kein Frucht das Weizenkörnlein bringt,
Es fall denn in die Erden;
So muß auch unser irdscher Leib
Zu Staub und Aschen werden,
Eh er kömmt zu der Herrlichkeit,
Die du, Herr Christ, uns hast bereit'
Durch deinen Gang zum Vater.

Sopran, Bc.
37 Takte, g-Moll, 4/4 Takt

5. Aria
(Paaske)

Du machst, o Tod, mir nun nicht ferner bange,
Wenn ich durch dich die Freiheit nur erlange,
Es muß ja so einmal gestorben sein.
  Mit Simeon will ich in Friede fahren,
  Mein Heiland will mich in der Gruft
                       bewahren
Und ruft mich einst zu sich verklärt und rein.

Alt, Oboe, Streicher, Bc.
83 Takte, B-Dur, 4/4 Takt

3. Recitative (B)

O sinner, bear with patient heart
What thou through thine own fault
Upon thyself hast summoned!
Injustice dost thou drink
Like water to thyself,
And this, thy thirsting after sin,
Is for corruption made
And will lead thee to death.
For pride did long ago eat of forbidden fruit,
To be God's equal;
How oft thou risest up with proud and pompous
                        bearing,
And must be humbled in thy turn!
Go forth, make ready now thy heart
That it may death and grave not fear,
Then shalt thou come through death most
                        blessèd
Forth from thy sin's corrupt condition
To innocence and majesty.

4. Chorale [Verse 3] (S)

No fruit the grain of wheat will bear
Unless to earth it falleth;
So must as well our earthly flesh
Be changed to dust and ashes,
Before it gain that majesty
Which thou, Lord Christ, for us hast made
Through thy path to the Father.

5. Aria (A)

Thou shalt, O death, make me no longer anxious.
If I through thee my freedom would accomplish,
Then I, indeed, one day must death endure.
  With Simeon will I in peace then journey,
  My Savior shall within the grave protect me
  And summon me at last transformed and pure.

6. Recitativo
(Equiluz)

Indes bedenke deine Seele
Und stelle sie dem Heiland dar;
Gib deinen Leib und deine Glieder
Gott, der sie dir gegeben, wieder.
Er sorgt und wacht,
Und so wird seiner Liebe Macht
Im Tod und Leben offenbar.

Tenor, Bc.
9 Takte, g-Moll, 4/4 Takt

7. Choral
(Frankfurter Kantorei)

Wir wachen oder schlafen ein,
So sind wir doch des Herren;
Auf Christum wir getaufet sein,
Der kann dem Satan wehren.
Durch Adam auf uns kömmt der Tod,
Christus hilft uns aus aller Not.
Drum loben wir den Herren.

Chor, Horn, 2 Oboen, Streicher, Bc.
14 Takte, g-Moll, 4/4 Takt

Ausführende:
Gabriele Schnaut, Sopran
Else Paaske, Alt
Kurt Equiluz, Tenor,
Wolfgang Schöne, Baß
Peter-Lukas Graf, Flöte
Hermann Sauter, Horn
Günther Passin, Oboe
Hedda Rothweiler, Oboe
Hermann Herder, Fagott
Jürgen Wolf, Continuocello
Manfred Gräser, Kontrabaß
Thomas Lom, Kontrabaß
Martha Schuster, Cembalo/Orgelpositiv
Frankfurter Kantorei
Bach-Collegium Stuttgart
Leitung: Helmuth Rilling

Aufnahme: Südwest-Tonstudio, Stuttgart
Aufnahmeleitung: Richard Hauck,
Friedrich Mauermann
Aufnahmeort: Gedächtniskirche Stuttgart
Aufnahmezeit: Januar/Februar 1974
Spieldauer: 26'00"

6. Recitative (T)

Till then be mindful of thy spirit
And give it to thy Savior's care;
Return thy body and thy limbs to
God, who himself did give them to thee.
He cares and tends.
And thus will his own love's great might
In death and life be manifest.

7. Chorale [Verse 6] (S, A, T, B)

In waking or in slumbering
We are, indeed, God's children;
In Christ baptism we receive,
And he can ward off Satan.
Through Adam to us cometh death,
But Christ frees us from all our need.
For this we praise the Master.

BWV 115

Mache dich, mein Geist, bereit
Kantate BWV 115 zum 22. Sonntag nach Trinitatis
für Sopran, Alt, Tenor, Baß, vierstimmigen Chor,
Cornetto, Flöte, Oboe d'amore, Violine,
Violoncello piccolo, Streicher und Generalbaß

1. Coro (Choral)
(Gächinger Kantorei Stuttgart)

Mache dich, mein Geist, bereit,
Wache, fleh und bete,
Daß dich nicht die böse Zeit
Unverhofft betrete;
Denn es ist
Satans List
Über viele Frommen
Zur Versuchung kommen.

Chor, Cornetto, Flöte, Oboe d'amore, Violine, Bc.
75 Takte, G-Dur, 6/4 Takt

1. Chorus [Verse 1] (S, A, T, B)

Get thyself, my soul, prepared,
Watching, begging, praying,
Lest thou let the evil day
Unforeseen o'ertake thee.
For in truth
Satan's guile
Often to the righteous
With temptation cometh.

2. Aria
(Watts)

Ach schläfrige Seele, wie? ruhest du noch?
Ermuntre dich doch!
    Es möchte die Strafe dich plötzlich erwecken
    Und, wo du nicht wachest,
    Im Schlafe des ewigen Todes bedecken.

Alt, Oboe d'amore, Streicher, Bc.
260 Takte, e-Moll, 3/8 Takt

2. Aria (A)

Ah slumbering spirit, what? Still at thy rest?
Arouse thyself now!
    For well may damnation thee sudden awaken
    And, if thou not watchest,
    In slumber of lasting perdition obscure thee.

3. Recitativo
(Schöne)

Gott, so vor deine Seele wacht,
Hat Abscheu an der Sünden Nacht;
Er sendet dir sein Gnadenlicht
Und will vor diese Gaben,
Die er so reichlich dir verspricht,
Nur offne Geistesaugen haben.
Des Satans List ist ohne Grund,
Die Sünder zu bestricken;
Brichst du nun selbst den Gnadenbund,
Wirst du die Hülfe nie erblicken.
Die ganze Welt und ihre Glieder
Sind nichts als falsche Brüder;
Doch macht dein Fleisch und Blut hiebei
Sich lauter Schmeichelei.

Baß, Bc.
16 Takte, G-Dur – h-Moll, 4/4 Takt

3. Recitative (B)

God, who for this thy soul doth watch,
Hath loathing for the night of sin;
He sendeth thee his gracious light
And wants for all these blessings,
Which he so richly thee assures,
Alone the open eyes of spirit.
In Satan's craft there is no end
Of charm to snare the sinner;
If thou dost break the bond of grace,
Thou shalt salvation ne'er discover.
The whole wide world and all its members
Are nought but untrue brothers;
Yet doth thy flesh and blood from them
Seek nought but flattery.

4. Aria
(Augér)

Bete aber auch dabei
Mitten in dem Wachen!
  Bitte bei der großen Schuld
  Deinen Richter um Geduld,
  Soll er dich von Sünden frei
  Und gereinigt machen!

Sopran, Flöte, Violoncello piccolo, Bc.
64 Takte, h-Moll, 4/4 Takt

4. Aria (S)

Pray though even now as well,
Even in thy waking!
  Beg now in thy grievous guilt
  That thy Judge with thee forbear,
  That he thee from sin set free
  And unspotted render.

5. Recitativo
(Harder)

Er sehnet sich nach unserm Schreien,
Er neigt sein gnädig Ohr hierauf;
Wenn Feinde sich auf unsern Schaden freuen,
So siegen wir in seiner Kraft:
Indem sein Sohn, in dem wir beten,
Uns Mut und Kräfte schafft
Und will als Helfer zu uns treten.

Tenor, Bc.
10 Takte, h-Moll – G-Dur, 4/4 Takt

5. Recitative (T)

He yearneth after all our crying
He bends his gracious ear to us;
When foes respond to all our woe with gladness,
We shall triumph within his might:
For this his Son, in whom we ask it,
Us strength and courage sends
And will advance to be our Helper.

6. Choral
(Gächinger Kantorei Stuttgart)

Drum so laßt uns immerdar
Wachen, flehen, beten,
Weil die Angst, Not und Gefahr
Immer näher treten;
Denn die Zeit
Ist nicht weit,
Da uns Gott wird richten
Und die Welt vernichten.

Chor, Gesamtinstrumentarium
14 Takte, G-Dur, 4/4 Takt

6. Chorale [Verse 10] (S, A, T, B)

Therefore let us ever be
Watching, begging, praying,
Since our fear, need, and great dread
Press on ever nearer;
For the day
Is not far
When our God will judge us
And the world demolish.

Ausführende:
Arleen Augér, Sopran
Helen Watts, Alt
Lutz-Michael Harder, Tenor
Wolfgang Schöne, Baß
Bernhard Schmid, Cornetto
Peter-Lukas Graf, Flöte
Günther Passin, Oboe d'amore
Kurt Etzold, Fagott
Walter Forchert, Violine
August Wenzinger, Violoncello piccolo
Gerhard Mantel, Continuocello
Thomas Lom, Kontrabaß
Hans-Joachim Erhard, Orgelpositiv
Gächinger Kantorei Stuttgart
Bach-Collegium Stuttgart
Leitung: Helmuth Rilling

Aufnahme: Tonstudio Teije van Geest, Heidelberg
Aufnahmeleitung: Richard Hauck
Aufnahmeort: Gedächtniskirche Stuttgart
Aufnahmezeit: Februar/April 1980
Spieldauer: 21'15"

BWV 116

Serie VII, Nr. 98.714

Du Friedefürst, Herr Jesu Christ
Kantate zum 25. Sonntag nach Trinitatis
für Sopran, Alt, Tenor, Baß, vierstimmigen Chor,
Cornetto, 2 Oboi d'amore, Streicher und Generalbaß

1. Coro (Choral)
(Gächinger Kantorei Stuttgart)

Du Friedefürst, Herr Jesu Christ,
Wahr' Mensch und wahrer Gott,
Ein starker Nothelfer du bist
Im Leben und im Tod.
Drum wir allein
Im Namen dein
Zu deinem Vater schreien.

Chor, Gesamtinstrumentarium
100 Takte, A-Dur, ₵ Takt

1. Chorus [Verse 1] (S, A, T, B)

Thou Prince of peace, Lord Jesus Christ,
True man and very God,
A helper strong in need thou art
In life as well as death.
So we alone
In thy dear name
Are to thy Father crying.

2. Aria
(Watts, Kärcher)

Ach, unaussprechlich ist die Not
Und des erzürnten Richters Dräuen!
  Kaum, daß wir noch in dieser Angst,
  Wie du, o Jesu, selbst verlangst,
  Zu Gott in deinem Namen schreien.

Alt, Oboe d'amore, Bc.
85 Takte, fis-Moll, 3/4 Takt

2. Aria (A)

Ah, past all telling is our woe
And this our angry judge's menace!
  Scarce may we, while in our great fear,
  As thou, O Jesus, dost command,
  To God in thy dear name be crying.

3. Recitativo
(Harder)

Gedenke doch,
O Jesu, daß du noch
Ein Fürst des Friedens heißest!
Aus Liebe wolltest du dein Wort uns senden.
Will sich dein Herz auf einmal von uns wenden,
Der du so große Hülfe sonst beweisest?

Tenor, Bc.
10 Takte, A-Dur – E-Dur, 4/4 Takt

3. Recitative (T)

Remember though,
O Jesus, thou art still
A Prince of peace considered!
For love thou didst desire thy word to send us.
Would then thy heart so suddenly turn from us,
Thou who such mighty help before didst show
                                    us?

4. Terzetto
(Augér, Harder, Huttenlocher)

Ach, wir bekennen unsre Schuld
Und bitten nichts als um Geduld
Und um dein unermeßlich Lieben.
    Es brach ja dein erbarmend Herz,
    Als der Gefallnen Schmerz
    Dich zu uns in die Welt getrieben.

Sopran, Tenor, Baß, Bc.
152 Takte, E-Dur, 3/4 Takt

4. Trio (S, T, B)

Ah, we acknowledge all our guilt
And pray for nought but to forbear
And for thy love surpassing measure.
    For broke, yea, thy forgiving heart,
    As then the fallen's pain
    To us into the world did drive thee.

5. Recitativo
(Watts)

Ach, laß uns durch die scharfen Ruten
Nicht allzu heftig bluten!
O Gott, der du ein Gott der Ordnung bist,
Du weißt, was bei der Feinde Grimm
Vor Grausamkeit und Unrecht ist.
Wohlan, so strecke deine Hand
Auf ein erschreckt geplagtes Land,
Die kann der Feinde Macht bezwingen
Und uns beständig Friede bringen!

Alt, Streicher, Bc.
12 Takte, cis-Moll – A-Dur, 4/4 Takt

5. Recitative (A)

Ah, let us through the stinging lashes
Not all too fiercely bleed now!
O God, thou who a God of order art,
Thou know'st within our foe's vast rage
What cruelty and wrong abide.
Come then, and stretch out thine own hand
O'er this alarmed and harried land.
It can the foe's great might now conquer
And us a lasting peace then offer!

6. Choral
(Gächinger Kantorei Stuttgart)

**Erleucht auch unser Sinn und Herz
Durch den Geist deiner Gnad,
Daß wir nicht treiben draus ein Scherz,
Der unsrer Seelen schad.
O Jesu Christ,
Allein du bist,
Der solch's wohl kann ausrichten.**

Chor, Gesamtinstrumentarium
13 Takte, A-Dur, 4/4 Takt

6. Chorale [Verse 7] (S, A, T, B)

**Illumine, too, our minds and hearts
With grace thy Spirit sends,
That we not be a cause for scorn
Unto our souls' regret.
O Jesus Christ,
Alone thou art
Who can such good accomplish.**

Ausführende:
Arleen Augér, Sopran
Helen Watts, Alt
Lutz-Michael Harder, Tenor
Philippe Huttenlocher, Baß
Bernhard Schmid, Cornetto
Klaus Kärcher, Oboe d'amore
Günther Passin, Oboe d'amore
Hedda Rothweiler, Oboe d'amore
Kurt Etzold, Fagott
Hans Häublein, Continuocello
Peter Nitsche, Kontrabaß
Hans-Joachim Erhard, Orgelpositiv
**Gächinger Kantorei Stuttgart
Bach-Collegium Stuttgart
Leitung: Helmuth Rilling**

Aufnahme: Tonstudio Teije van Geest, Heidelberg
Aufnahmeleitung: Richard Hauck
Aufnahmeort: Gedächtniskirche Stuttgart
Aufnahmezeit: Februar/April 1980
Spieldauer 17'55"

BWV 117

Serie X, Nr. 98.745

Sei Lob und Ehr dem höchsten Gut
Kantate
für Alt, Tenor, Baß, vierstimmigen Chor,
2 Flöten, 2 Oboen, 2 Oboi d'amore,
Streicher mit Solo-Violine und Generalbaß

1. Coro [Versus I]
(Gächinger Kantorei Stuttgart)

Sei Lob und Ehr dem höchsten Gut,
Dem Vater aller Güte,
Dem Gott, der alle Wunder tut,
Dem Gott, der mein Gemüte
Mit seinem reichen Trost erfüllt,
Dem Gott, der allen Jammer stillt.
Gebt unserm Gott die Ehre!

Chor, 2 Flöten, 2 Oboen, Streicher, Bc.
100 Takte, G-Dur, 6/8 Takt

1. Chorus [Verse 1] (S, A, T, B)

Give laud and praise the highest good,
The Father of all kindness,
The God who ev'ry wonder works,
The God who doth my spirit
With his rich consolation fill,
The God who makes all sorrow still.
Give to our God all honor!

2. Recitativo [Versus II]
(Schmidt)

Es danken dir die Himmelsheer,
O Herrscher aller Thronen,
Und die auf Erden, Luft und Meer
In deinem Schatten wohnen,
Die preisen deine Schöpfermacht,
Die alles also wohl bedacht.
Gebt unserm Gott die Ehre!

Baß, Bc.
33 Takte, C-Dur – G-Dur, 4/4 – 3/8 Takt

2. Recitative [Verse 2] (B)

To thee give thanks the heav'nly host,
O ruler o'er all thrones, thou,
And those on earth and air and sea,
Within thy shadow dwelling,
These honor thy creative pow'r,
Which all things hath so well designed.
Give to our God all honor!

3. Aria [Versus III]
(Kraus)

Was unser Gott geschaffen hat,
Das will er auch erhalten;
Darüber will er früh und spat
Mit seiner Gnade walten.
In seinem ganzen Königreich
Ist alles recht und alles gleich.
Gebt unserm Gott die Ehre!

Tenor, 2 Oboi d'amore, Bc.
66 Takte, e-Moll, 6/8 Takt

3. Aria [Verse 3] (T)

Whate'er our God created hath,
This, too, would he keep safely;
O'er all this shall he morn and night
With his dear grace be master.
Within his kingdom far and wide
Are all things just and all things fair.
Give to our God all honor!

4. Choral [Versus IV]
(Gächinger Kantorei Stuttgart)

Ich rief dem Herrn in meiner Not:
Ach Gott, vernimm mein Schreien!
Da half mein Helfer mir vom Tod
Und ließ mir Trost gedeihen.
Drum dank, ach Gott, drum dank ich dir;
Ach danket, danket Gott mit mir!
Gebt unserm Gott die Ehre!

Chor, 2 Flöten, 2 Oboen, Streicher, Bc.
14 Takte, G-Dur, 4/4 Takt

5. Recitativo [Versus V]
(Georg)

Der Herr ist noch und nimmer nicht
Von seinem Volk geschieden,
Er bleibet ihre Zuversicht,
Ihr Segen, Heil und Frieden;
Mit Mutterhänden leitet er
Die Seinen stetig hin und her.
Gebt unserm Gott die Ehre!

Alt, Streicher, Bc.
22 Takte, D-Dur, 4/4 Takt

6. Aria [Versus VI]
(Schmidt)

Wenn Trost und Hülf ermangeln muß,
Die alle Welt erzeiget,
So kommt, so hilft der Überfluß,
Der Schöpfer selbst, und neiget
Die Vateraugen denen zu,
Die sonsten nirgend finden Ruh.
Gebt unserm Gott die Ehre!

Baß, Violine, Bc.
57 Takte, h-Moll, 4/4 Takt

7. Aria [Versus VII]
(Georg)

Ich will dich all mein Leben lang,
O Gott, von nun an ehren;
Man soll, o Gott, den Lobgesang
An allen Orten hören.
Mein ganzes Herz ermuntre sich,
Mein Geist und Leib erfreue sich.
Gebt unserm Gott die Ehre!

Alt, Flöte, Streicher, Bc.
84 Takte, D-Dur, 3/4 Takt

4. Chorale [Verse 4] (S, A, T, B)

I called to God in my distress:
Ah Lord, pay heed my crying!
Then saved my Savior me from death
And let my comfort flourish.
My thanks, O God, my thanks to thee;
Ah thank ye, thank ye God with me!
Give to our God all honor!

5. Recitative [Verse 5] (A)

The Lord is not and never was
From his own people severed;
He bideth e'er their confidence,
Their blessing, peace, and rescue;
With mother's hands he leadeth sure
His people ever here and there.
Give to our God all honor!

6. Aria [Verse 6] (B)

When strength and help must fail at times,
As all the world doth witness,
He comes, he helps abundantly,
The maker comes, inclining
His father's eyes below to them
Who else would nowhere find repose.
Give to our God all honor!

7. Aria [Verse 7] (A)

I will thee all my life's extent,
O God, from henceforth honor;
One shall, O God, the song of praise
In ev'ry region hearken.
My heart be fully stirred with life,
My soul and body let rejoice.
Give to our God all honor!

8. Recitativo [Versus VIII]
(Kraus)

Ihr, die ihr Christi Namen nennt,
Gebt unserm Gott die Ehre!
Ihr, die ihr Gottes Macht bekennt,
Gebt unserm Gott die Ehre!
Die falschen Götzen macht zu Spott,
Der Herr ist Gott, der Herr ist Gott:
Gebt unserm Gott die Ehre!

Tenor, Bc.
10 Takte, h-Moll – G-Dur, 4/4 Takt

9. Coro [Versus IX]
(Gächinger Kantorei Stuttgart)

So kommet vor sein Angesicht
Mit jauchzenvollem Springen;
Bezahlet die gelobte Pflicht
Und laßt uns fröhlich singen:
Gott hat es alles wohl bedacht
Und alles, alles recht gemacht.
Gebt unserm Gott die Ehre!

Chor, 2 Flöten, 2 Oboen, Streicher, Bc.
100 Takte, G-Dur, 6/8 Takt

Ausführende:
Mechthild Georg, Alt
Adalbert Kraus, Tenor
Andreas Schmidt, Baß
Sibylle Keller-Sanwald, Flöte
Wiltrud Böckheler, Flöte
Fabian Menzel, Oboe
Günther Passin, Oboe d'amore
Hedda Rothweiler, Oboe/Oboe d'amore
Christoph Carl, Fagott
Klaus Thunemann, Fagott
Georg Egger, Violine
Stefan Trauer, Violoncello
Claus Zimmermann, Kontrabaß
Hans-Joachim Erhard, Cembalo/Orgelpositiv
Gächinger Kantorei Stuttgart
Württembergisches Kammerorchester Heilbronn
Leitung: Helmuth Rilling

Aufnahme: Tonstudio Teije van Geest, Heidelberg
Aufnahmeleitung: Richard Hauck
Aufnahmeort: Gedächtniskirche Stuttgart
Aufnahmezeit: Februar 1984
Spieldauer: 21'45"

8. Recitative [Verse 8] (T)

Ye, who on Christ's own name do call,
Give to our God all honor!
Ye, who do God's great might confess,
Give to our God all honor!
All those false idols put to scorn,
The Lord is God, the Lord is God:
Give to our God all honor!

9. Chorus [Verse 9] (S, A, T, B)

So come before his countenance
With glad, triumphant dancing;
Discharge ye now your solemn oath
And let us sing with gladness;
God hath all things so well designed
And all things, all things rightly done,
Give to our God all honor!

BWV 119

Preise, Jerusalem, den Herrn
Kantate zum Ratswechsel
für Sopran, Alt, Tenor, Baß, vierstimmigen Chor,
4 Trompeten, Pauken, 2 Blockflöten, 3 Oboen,
2 Oboi da caccia, Streicher und Generalbaß

1. Coro
(Gächinger Kantorei Stuttgart)

*Preise, Jerusalem, den Herrn, lobe, Zion, deinen Gott!
Denn er machet fest die Riegel deiner Tore und segnet
deine Kinder drinnen, er schaffet deinen Grenzen
Frieden.*

Chor, 4 Trompeten, Pauken, 2 Blockflöten,
3 Oboen, Streicher, Bc.
88 Takte, C-Dur, 4/4 – 12/8 – 4/4 Takt

2. Recitativo
(Kraus)

Gesegnet Land, glückselge Stadt,
Woselbst der Herr sein Herd und Feuer hat!
Wie kann Gott besser lohnen,
Als wo er Ehre läßt in einem Lande wohnen?
Wie kann er eine Stadt
Mit reicherm Nachdruck segnen,
Als wo er Güt und Treu einander läßt begegnen,
Wo er Gerechtigkeit und Friede
Zu küssen niemals müde,
Nicht müde, niemals satt
Zu werden teur verheißen, auch in der Tat
                    erfüllet hat?
Da ist der Schluß gemacht: Gesegnet Land,
                glückselge Stadt!

Tenor, Bc.
16 Takte, G-Dur, 4/4 Takt

3. Aria
(Kraus)

Wohl dir, du Volk der Linden,
Wohl dir, du hast es gut!
  Wieviel an Gottes Segen
  Und seiner Huld gelegen,
  Die überschwenglich tut,
  Kannst du an dir befinden.

Tenor, 2 Oboi da caccia, Bc.
63 Takte, G-Dur, 4/4 Takt

1. Chorus [Dictum] (S, A, T, B)

*Praise, O Jerusalem, the Lord, laud, O Zion, him thy
God! For he maketh fast the bars across thy doorway
and blesseth all thy children therein, he bringeth
peace within thy borders.*

2. Recitative (T)

O happy land, O city blest,
Where e'en the Lord his hearth and fire doth
                keep!
Can God show greater favor
Than where he honor gives within a land a
                dwelling?
Can he a city give
With richer force his blessing
Than where he troth and kindness cause to meet
                each other,
And where, that righteousness and peace
To kiss, he never tireth,
Untiring, never done,
That they be ever cherished, and hath his
              promise here fulfilled?
Therefore we must conclude: O happy land, O
              city blest!

3. Aria (T)

Well thee, thou linden people,
Well thee, thou art well off!
  How much of God's true blessing
  And of his gracious favor,
  Which overfloweth here,
  Thou canst in thee discover.

4. Recitativo
(Schöne)

So herrlich stehst du, liebe Stadt!
Du Volk, das Gott zum Erbteil sich erwählet hat!
Doch wohl! und aber wohl! wo man's zu
                Herzen fassen
Und recht erkennen will,
Durch wen der Herr den Segen wachsen lassen.
Ja!
Was bedarf es viel?
Das Zeugnis ist schon da,
Herz und Gewissen wird uns überzeugen,
Daß, was wir Gutes bei uns sehn,
Nächst Gott durch kluge Obrigkeit
Und durch ihr weises Regiment geschehn.
Drum sei, geliebtes Volk, zu treuem Dank bereit,
Sonst würden auch davon nicht deine Mauern
                schweigen!

Baß, 4 Trompeten, Pauken, 2 Blockflöten,
2 Oboi da caccia, Bc.
23 Takte, C-Dur, 4/4 Takt

4. Recitative (B)

Thou dost in glory stand, dear town!
Thou folk which God did choose for his
                inheritance!
How good! How very good! Where one to heart
                would take it
And rightly recognize
Through whom the Lord his blessing's increase
                sponsored.
True!
Need there more be said?
The witness is at hand,
The heart and conscience will convince us
                quickly
That all the good we near us see,
First God, then wise authority
By means of prudent government inspired.
So now, belovèd folk, thy steadfast thanks
                prepare,
Else would of all these things not e'en thy
                walls keep silent!

5. Aria
(Murray)

Die Obrigkeit ist Gottes Gabe,
Ja selber Gottes Ebenbild.
    Wer ihre Macht nicht will ermessen,
    Der muß auch Gottes gar vergessen:
    Wie würde sonst sein Wort erfüllt?

Alt, Blockflöte, Bc.
72 Takte, g-Moll, 6/8 Takt

5. Aria (A)

Authority is God's endowment,
Indeed, of God an image true.
    Who would its might not duly measure
    Must also be of God unmindful:
    How would else be his word fulfilled?

6. Recitativo
(Augér)

Nun! wir erkennen es und bringen dir,
O höchster Gott, ein Opfer unsers Danks dafür.
Zumal, nachdem der heutge Tag,
Der Tag, den uns der Herr gemacht,
Euch, teure Väter, teils von eurer Last
                entbunden,
Teils auch auf euch
Schlaflose Sorgenstunden
Bei einer neuen Wahl gebracht,
So seufzt ein treues Volk mit Herz und Mund
                zugleich:

Sopran, Bc.
11 Takte, F-Dur – C-Dur, 4/4 Takt

6. Recitative (S)

Now! We acknowledge this and bring to thee,
O God on high, an off'ring of our thanks for this.
And so, whereas this very day,
The day which us the Lord hath made,
You, cherished elders, partly from your charge
                delivered
And partly, too,
Brought sleepless hours of worry
Which with a new election come,
Thus sighs a loyal throng with heart and tongue
                alike:

7. Coro
(Gächinger Kantorei Stuttgart)

Der Herr hat Guts an uns getan,
Des sind wir alle fröhlich.

7. Chorus [S, A, T, B]

The Lord hath good for us achieved,
For this we're all rejoicing.

Er seh die teuren Väter an
Und halte auf unzählig
Und späte lange Jahre naus
In ihrem Regimente Haus,
So wollen wir ihn preisen.

Chor, 4 Trompeten, Pauken, 2 Blockflöten,
3 Oboen, Streicher, Bc.
128 Takte, C-Dur, 4/4 Takt

May he our cherished elders tend
And keep them for uncounted
And long-enduring years on end
Within their house of government,
And we will gladly praise him.

8. Recitativo
(Murray)

Zuletzt!
Da du uns, Herr, zu deinem Volk gesetzt,
So laß von deinen Frommen
Nur noch ein arm Gebet vor deine Ohren
                    kommen
Und höre! ja erhöre!
Der Mund, das Herz und Seele seufzet sehre.

Alt, Bc.
8 Takte, F-Dur – e-Moll, 4/4 Takt

8. Recitative (A)

And last!
Since thou didst, Lord, us to thy people join,
Then let from these thy faithful
Still one more humble pray'r before thine ears
                    to come now.
And hear us! Oh yes, hear us!
The mouth, the heart and soul are sighing
                    deeply.

9. Choral
(Gächinger Kantorei Stuttgart)

**Hilf deinem Volk, Herr Jesu Christ,
Und segne, was dein Erbteil ist.
Wart und pfleg ihr' zu aller Zeit
Und heb sie hoch in Ewigkeit!
Amen.**

Chor, Trompete, Blockflöte, 2 Oboen, Oboe da caccia,
Streicher, Bc.
20 Takte, C-Dur, 4/4 Takt

9. Chorale (S, A, T, B)

**Thy people help, Lord Jesus Christ,
And bless them, thine inheritance.
Guard and tend them at ev'ry hour
And raise them high forever more!
Amen.**

Ausführende:
Arleen Augér, Sopran
Ann Murray, Alt
Adalbert Kraus, Tenor
Wolfgang Schöne, Baß
Bernhard Schmid, Trompete
Georg Rettig, Trompete
Josef Hausberger, Trompete
Ivo Preis, Trompete
Karl Schad, Pauken
Hartmut Strebel, Blockflöte
Barbara Schlenker, Blockflöte
Allan Vogel, Oboe
Hedda Rothweiler, Oboe/Oboe da caccia
Dietmar Keller, Oboe/Oboe da caccia
Paul Gerhard Leihenseder, Fagott
Hans Häublein, Continuocello
Manfred Gräser, Kontrabaß
Hans-Joachim Erhard, Cembalo/Orgelpositiv
**Gächinger Kantorei Stuttgart
Bach-Collegium Stuttgart
Leitung: Helmuth Rilling**

Aufnahme: Südwest-Tonstudio, Stuttgart
Aufnahmeleitung: Richard Hauck
Toningenieur: Henno Quasthoff
Aufnahmeort: Gedächtniskirche Stuttgart
Aufnahmezeit: September/Dezember 1977,
Januar 1978
Spieldauer: 25'10"

BWV 120

Gott, man lobet dich in der Stille
Kantate zum Ratswechsel
für Sopran, Alt, Tenor, Baß, vierstimmigen Chor,
3 Trompeten, Pauken, 2 Oboi d'amore,
Streicher mit Solo-Violine und Generalbaß

1. Aria
(Laurich)

*Gott, man lobet dich in der Stille zu Zion, und dir
bezahlet man Gelübde.*

Alt, 2 Oboi d'amore, Streicher, Bc.
97 Takte, A-Dur, 6/8 Takt

1. Aria [Dictum] (A)

*God, we praise thee now in the stillness of Zion, and
thee we pay our solemn pledges.*

2. Coro
(Gächinger Kantorei Stuttgart)

Jauchzet, ihr erfreuten Stimmen,
Steiget bis zum Himmel nauf!
  Lobet Gott im Heiligtum
Und erhebet seinen Ruhm;
  Seine Güte,
Sein erbarmendes Gemüte
Hört zu keinen Zeiten auf!

Chor, 3 Trompeten, Pauken, 2 Oboi d'amore,
Streicher, Bc.
151 Takte, D-Dur, 4/4 Takt

2. Chorus (S, A, T, B)

Triumph, all ye joyous voices,
Soaring into heaven, rise!
  Praise God in his holy shrine
And exalt ye his great fame;
  All his kindness,
His forgiving heart of mercy,
Shall at no time ever cease!

3. Recitativo
(Schöne)

Auf, du geliebte Lindenstadt,
Komm, falle vor dem Höchsten nieder,
Erkenne, wie er dich
In deinem Schmuck und Pracht
So väterlich
Erhält, beschützt, bewacht
Und seine Liebeshand
Noch über dir beständig hat.
Wohlan,
Bezahle die Gelübde, die du dem Höchsten hast
               getan,
Und singe Dank- und Demutslieder!
Komm, bitte, daß er Stadt und Land

3. Recitative (B)

Wake, thou belovèd linden town,
Come, fall before thy master humbly,
Acknowledge how he thee,
In all thy splendor's state,
So fatherly
Supports, protects, and guards,
And doth his hand of love
Still over thee steadfastly hold.
Rise up,
And pay thy solemn pledges, which thou the
               Highest now hast vowed,
And sing thy songs of thanks most humble!
Come, pray now that he town and land

Unendlich wolle mehr erquicken
Und diese werte Obrigkeit,
So heute Sitz und Wahl verneut,
Mit vielem Segen wolle schmücken!

Baß, Bc.
17 Takte, h-Moll, 4/4 Takt

Unending wish e'en more to foster
And this its honored government,
Today with seats and vote renewed,
Through many splendors wish to favor.

4. Aria
(Donath)

Heil und Segen
Soll und muß zu aller Zeit
Sich auf unsre Obrigkeit
In erwünschter Fülle legen,
    Daß sich Recht und Treue müssen
    Miteinander freundlich küssen.

Sopran, Violine, Streicher, Bc.
90 Takte, G-Dur, 6/8 Takt

4. Aria (S)

Health and blessing
Shall and must at ev'ry hour
Bide with our high government,
In their proper fullness dwelling,
    So that faith and justice shall be
    Led as friends to kiss each other.

5. Recitativo
(Kraus)

Nun, Herr, so weihe selbst das Regiment mit
                        deinem Segen ein,
Daß alle Bosheit von uns fliehe
Und die Gerechtigkeit in unsern Hütten blühe,
Daß deines Vaters reiner Same
Und dein gebenedeiter Name
Bei uns verherrlicht möge sein!

Tenor, Streicher, Bc.
9 Takte, D-Dur – fis-Moll, 4/4 Takt

5. Recitative (T)

O Lord, so consecrate this government with
                        thine own blessing now,
That ev'ry malice may flee from us,
And that true righteousness within our
                        dwellings flourish,
That thine own Father's seed unspotted
And thy most blessèd name's due honor
With us in glory ever reign!

6. Choral
(Gächinger Kantorei Stuttgart)

Nun hilf uns, Herr, den Dienern dein,
Die mit deinm Blut erlöset sein!
Laß uns im Himmel haben teil
Mit den Heilgen im ewgen Heil!
Hilf deinem Volk, Herr Jesu Christ,
Und segne, was dein Erbteil ist;
Wart und pfleg ihr' zu aller Zeit
Und heb sie hoch in Ewigkeit!

Chor, Oboe d'amore, Streicher, Bc.
16 Takte, h-Moll – D-Dur, 4/4 Takt

6. Chorale (S, A, T, B)

Now help us, Lord, these servants thine,
Whom with thy blood thou hast redeemed!
Let us in heaven have a share
With the saints forever saved!
Thy people help, Lord Jesus Christ,
And bless them, thine inheritance;
Guard and tend them at ev'ry hour
And raise them high forever more!

Ausführende:
Helen Donath, Sopran
Hildegard Laurich, Alt
Adalbert Kraus, Tenor
Wolfgang Schöne, Baß
Hermann Sauter, Trompete
Eugen Mayer, Trompete
Heiner Schatz, Trompete

Karl Schad, Pauken
Otto Winter, Oboe d'amore
Hedda Rothweiler, Oboe d'amore
Kurt Etzold, Fagott
Werner Keltsch, Violine
Jürgen Wolf, Continuocello
Manfred Gräser, Kontrabaß
Martha Schuster, Cembalo/Orgelpositiv
Gächinger Kantorei Stuttgart
Bach-Collegium Stuttgart
Leitung: Helmuth Rilling

Aufnahme: Sonopress Tontechnik, Gütersloh
Aufnahmeleitung: Richard Hauck,
Wolfram Wehnert
Aufnahmeort: Gedächtniskirche Stuttgart
Aufnahmezeit: März/April 1973
Spieldauer: 22'20"

BWV 121

Serie **VII**, Nr. 98.7**15**

Christum wir sollen loben schon
Kantate zum 2. Weihnachtstag
für Sopran, Alt, Tenor, Baß, vierstimmigen Chor,
Trompete, 3 Posaunen, Oboe d'amore,
Streicher und Generalbaß

1. Coro (Choral)
(Gächinger Kantorei Stuttgart)

Christum wir sollen loben schon,
Der reinen Magd Marien Sohn,
So weit die liebe Sonne leucht
Und an aller Welt Ende reicht.

Chor, Gesamtinstrumentarium
112 Takte, e-Moll – Fis (phrygisch), ¢ Takt

1. Chorus [Verse 1] (S, A, T, B)

To Christ we should sing praises now,
The spotless maid Maria's Son,
As far as our dear sun gives light
And out to all the world doth reach.

2. Aria
(Kraus, Kärcher)

O du von Gott erhöhte Kreatur,
Begreife nicht, nein, nein, bewundre nur:
Gott will durch Fleisch des Fleisches Heil
                                     erwerben.
   Wie groß ist doch der Schöpfer aller Dinge,
   Und wie bist du verachtet und geringe,
   Um dich dadurch zu retten vom Verderben.

Tenor, Oboe d'amore, Bc.
132 Takte, h-Moll, 3/4 Takt

2. Aria (T)

O thou whom God created and extolled,
With reason not, no, no, with wonder see:
God would through flesh the flesh's health
                                    accomplish.
   Though great is he, the maker of all nature,
   And though thou art despisèd and unworthy,
   That thou by this be rescued from corruption.

3. Recitativo
(Soffel)

Der Gnade unermeßlich's Wesen
Hat sich den Himmel nicht
Zur Wohnstatt auserlesen,
Weil keine Grenze sie umschließt.
Was Wunder, daß allhie Verstand und Witz
         gebricht,
Ein solch Geheimnis zu ergründen,
Wenn sie sich in ein keusches Herze gießt.
Gott wählet sich den reinen Leib zu einem
       Tempel seiner Ehren,
Um zu den Menschen sich mit wundervoller Art
         zu kehren.

Alt, Bc.
15 Takte, D-Dur – C-Dur, 4/4 Takt

4. Aria
(Schöne)

Johannis freudenvolles Springen
Erkannte dich, mein Jesu, schon.
 Nun da ein Glaubensarm dich hält,
 So will mein Herze von der Welt
 Zu deiner Krippe brünstig dringen.

Baß, Streicher, Bc.
176 Takte, C-Dur, 4/4 Takt

5. Recitativo
(Augér)

Doch wie erblickt es dich in deiner Krippe?
Es seufzt mein Herz: mit bebender und fast
       geschloßner Lippe
Bringt es sein dankend Opfer dar.
Gott, der so unermeßlich war,
Nimmt Knechtsgestalt und Armut an.
Und weil er dieses uns zugutgetan,
So lasset mit der Engel Chören
Ein jauchzend Lob- und Danklied hören!

Sopran, Bc.
13 Takte, G-Dur – h-Moll, 4/4 Takt

6. Choral
(Gächinger Kantorei Stuttgart)

Lob, Ehr und Dank sei dir gesagt,
Christ, geborn von der reinen Magd,
Samt Vater und dem Heilgen Geist
Von nun an bis in Ewigkeit.

Chor, Gesamtinstrumentarium
16 Takte, e-Moll – Fis (phrygisch), 4/4 Takt

3. Recitative (A)

The nature of unbounded favor
Hath chosen heaven not
To be its only dwelling,
For it no limits can contain.
Why wonder that in this all sense and reason fail
So great a mystery to fathom,
When grace into a virgin heart is poured?
God chooseth him this body pure to make a
       temple for his honor,
That to mankind he might in awe-inspiring form
        be present.

4. Aria (B)

Then John's own glad and joyful leaping
Acknowledged thee, my Jesus, first.
 Now while an arm of faith holds thee,
 So would my heart escape this world
 And to thy cradle press with fervor.

5. Recitative (S)

But how doth it regard thee in thy cradle?
My heart doth sigh: with trembling and almost
       unopened lips now
It brings its grateful sacrifice.
God, who all limits did transcend,
Bore servile form and poverty.
And since he did this for our benefit,
Thus raise now with the choirs of angels
Triumphant sounds of thankful singing!

6. Chorus [Verse 8] (S, A, T, B)

Laud, praise, and thanks to thee be giv'n,
Christ, now born of the spotless maid,
With Father and the Holy Ghost
From now until eternity.

Ausführende:
Arleen Augér, Sopran
Doris Soffel, Alt
Adalbert Kraus, Tenor
Wolfgang Schöne, Baß
Bernhard Schmid, Trompete
Gerhard Cichos, Posaune
Hans Kuhner, Posaune
Hans Rückert, Posaune
Klaus Kärcher, Oboe d'amore
Günther Passin, Oboe d'amore
Kurt Etzold, Fagott
Gerhard Mantel, Continuocello
Harro Bertz, Kontrabaß
Thomas Lom, Kontrabaß
Hans-Joachim Erhard, Cembalo/Orgelpositiv
Gächinger Kantorei Stuttgart
Bach-Collegium Stuttgart
Leitung: Helmuth Rilling

Aufnahme: Tonstudio Teije van Geest, Heidelberg
Aufnahmeleitung: Richard Hauck
Aufnahmeort: Gedächtniskirche Stuttgart
Aufnahmezeit: Februar/April 1980
Spieldauer: 20'40"

BWV 122

Serie **II**, Nr. 98.**663**

Das neugeborne Kindelein
Kantate zum Sonntag nach Weihnachten
für Sopran, Alt, Tenor, Baß, vierstimmigen Chor,
3 Blockflöten, 2 Oboen, Oboe da caccia, Streicher und
Generalbaß

1. Coro (Choral)
(Frankfurter Kantorei)

1. Chorus [Verse 1] (S, A, T, B)

Das neugeborne Kindelein,
Das herzeliebe Jesulein
Bringt abermal ein neues Jahr
Der auserwählten Christenschar.

The newly born, the tiny child,
The darling, little Jesus-child,
Doth once again the year renew
For this the chosen Christian throng.

Chor, 2 Oboen, Oboe da caccia, Streicher, Bc.
128 Takte, g-Moll, 3/8 Takt

2. Aria
(Tüller)

2. Aria (B)

O Menschen, die ihr täglich sündigt,
Ihr sollt der Engel Freude sein.
  Ihr jubilierendes Geschrei,
  Daß Gott mit euch versöhnet sei,
  Hat euch den süßen Trost verkündigt.

O mortals, ye each day transgressing,
Ye ought the angels' gladness share.
  Your jubilation's joyful shout
  That God to you is reconciled
  Hath you the sweetest comfort published.

Baß, Bc.
112 Takte, c-Moll, ₵ Takt

3. Recitativo
(Donath)

Die Engel, welche sich zuvor
Vor euch als vor Verfluchten scheuen,
Erfüllen nun die Luft im höhern Chor,
Um über euer Heil sich zu erfreuen.
Gott, so euch aus dem Paradies
Aus englischer Gemeinschaft stieß,
Läßt euch nun wiederum auf Erden
Durch seine Gegenwart vollkommen selig
                                    werden:
So danket nun mit vollem Munde
Für die gewünschte Zeit im neuen Bunde.

Sopran, 3 Blockflöten, Bc.
16 Takte, g-Moll, 4/4 Takt

3. Recitative (S) with instr. chorale

The angels all who did before
Shun you, as though the cursed avoiding,
Make swell the air now in that higher choir,
That they at your salvation tell their gladness.
God, who did you from paradise
And angels' sweet communion thrust,
Lets you again, on earth now dwelling,
Through his own presence perfect blessedness
                                    recover:
So thank him now with hearty voices
For this awaited day in his new order.

4. Terzetto con Choral
(Donath, Watts, Kraus, Frankfurter Kantorei)

Ist Gott versöhnt und unser Freund,
O wohl uns, die wir an ihn glauben,
Was kann uns tun der arge Feind?
Sein Grimm kann unsern Trost nicht rauben;
Trotz Teufel und der Höllen Pfort,
Ihr Wüten wird sie wenig nützen,
Das Jesulein ist unser Hort.
Gott ist mit uns und will uns schützen.

Sopran, Alt, Tenor, Chor-Alt, Streicher, Bc.
62 Takte, d-Moll, 6/8 Takt

4. Trio (S, A, T) with Chorale [Verse 3] (A)

If God, appeased, is now our friend,
How blest are we in him believing,
How can us harm the cruel foe?
His rage our comfort cannot ravish;
'Spite devil and the gate of hell,
Their fury will them little profit,
The Jesus-child is now our shield.
God is with us and shall protect us.

5. Recitativo
(Tüller)

Dies ist ein Tag, den selbst der Herr gemacht,
Der seinen Sohn in diese Welt gebracht.
O selge Zeit, die nun erfüllt!
O gläubigs Warten, das nunmehr gestillt!
O Glaube, der sein Ende sieht!
O Liebe, die Gott zu sich zieht!
O Freudigkeit, so durch die Trubsal dringt
Und Gott der Lippen Opfer bringt!

Baß, Streicher, Bc.
14 Takte, B-Dur – g-Moll, 4/4 Takt

5. Recitative (B)

This is a day himself the Lord hath made,
Which hath his Son into this world now brought.
O blessèd day, here now fulfilled!
O faithful waiting, which henceforth is past!
O faith here, which its goal doth see!
O love here, which doth draw God nigh!
O joyfulness, which doth through sadness press
And God our lips' glad off'ring bring.

6. Choral
(Frankfurter Kantorei)

Es bringt das rechte Jubeljahr,
Was trauern wir denn immerdar?
Frisch auf! itzt ist es Singenszeit,
Das Jesulein wendt alles Leid.

Chor, 2 Oboen, Oboe da caccia, Streicher, Bc.
16 Takte, g-Moll, 3/4 Takt

6. Chorale [Verse 4] (S, A, T, B)

It brings the year of Jubilee,
Why do we mourn then anymore?
Quick, rise! Now is the time for song,
The Jesus-child fends off all woe.

Ausführende:
Helen Donath, Sopran
Helen Watts, Alt
Adalbert Kraus, Tenor
Niklaus Tüller, Baß
Peter Thalheimer, Blockflöte
Christine Thalheimer, Blockflöte
Verena Herb, Blockflöte
Otto Winter, Oboe
Thomas Schwarz, Oboe
Hanspeter Weber, Oboe da caccia
Hans Mantels, Fagott
Jürgen Wolf, Continuocello
Manfred Gräser, Kontrabaß
Martha Schuster, Cembalo/Orgelpositiv
Frankfurter Kantorei
Bach-Collegium Stuttgart
Leitung: Helmuth Rilling

Aufnahme: Sonopress Tontechnik, Gütersloh
Aufnahmeleitung: Richard Hauck,
Wolfram Wehnert
Aufnahmeort: Gedächtniskirche Stuttgart
Aufnahmezeit: Februar 1972
Spieldauer: 16'15"

BWV 123

Serie **VII**, Nr. 98.716

Liebster Immanuel, Herzog der Frommen

Kantate zu Epiphanias
für Alt, Tenor, Baß, vierstimmigen Chor, 2 Flöten,
2 Oboi d'amore, Streicher und Generalbaß

1. Coro (Choral)
(Gächinger Kantorei Stuttgart)

Liebster Immanuel, Herzog der Frommen,
Du, meiner Seele Heil, komm, komm nur bald!
Du hast mir, höchster Schatz, mein Herz
                  genommen,
So ganz vor Liebe brennt und nach dir wallt.
Nichts kann auf Erden
Mir liebers werden,
Als wenn ich meinen Jesum stets behalt.

Chor, Gesamtinstrumentarium
143 Takte, h-Moll, 9/8 Takt

1. Chorus [Verse 1] (S, A, T, B)

Dearest Emanuel, Lord of the faithful,
Thou Savior of my soul, come, come now soon!
Thou hast, my highest store, my heart won over;
So much its love doth burn and for thee seethe.
On earth can nothing
Be dearer to me
Than that I my Jesus e'er may hold.

2. Recitativo
(Watts)

Die Himmelssüßigkeit, der Auserwählten Lust
Erfüllt auf Erden schon mein Herz und Brust,

2. Recitative (A)

Now heaven's sweet delight, the chosen people's
                    joy,
Doth fill e'en here on earth my heart and breast,

Wenn ich den Jesusnamen nenne
Und sein verborgnes Manna kenne:
Gleichwie der Tau ein dürres Land erquickt,
So ist mein Herz
Auch bei Gefahr und Schmerz
In Freudigkeit durch Jesu Kraft entzückt.

Alt, Bc.
10 Takte, fis-Moll – A-Dur, 4/4 Takt

3. Aria
(Kraus)

Auch die harte Kreuzesreise
Und der Tränen bittre Speise
Schreckt mich nicht.
   Wenn die Ungewitter toben,
   Sendet Jesus mir von oben
   Heil und Licht.

Tenor, 2 Oboi d'amore, Bc.
56 Takte, fis-Moll, 4/4 Takt

4. Recitativo
(Huttenlocher)

Kein Höllenfeind kann mich verschlingen,
Das schreiende Gewissen schweigt.
Was sollte mich der Feinde Zahl umringen?
Der Tod hat selbsten keine Macht,
Mir aber ist der Sieg schon zugedacht,
Weil sich mein Helfer mir, mein Jesus, zeigt.

Baß, Bc.
10 Takte, A-Dur – D-Dur, 4/4 Takt

5. Aria
(Huttenlocher)

Laß, o Welt, mich aus Verachtung
In betrübter Einsamkeit!
   Jesus, der ins Fleisch gekommen
   Und mein Opfer angenommen,
   Bleibet bei mir allezeit.

Baß, Flöte, Bc.
111 Takte, D-Dur, 4/4 Takt

6. Choral
(Gächinger Kantorei Stuttgart)

Drum fahrt nur immer hin, ihr Eitelkeiten,
Du, Jesu, du bist mein, und ich bin dein;
Ich will mich von der Welt zu dir bereiten;
Du sollst in meinem Herz und Munde sein.
Mein ganzes Leben
Sei dir ergeben,
Bis man mich einsten legt ins Grab hinein.

Chor, Gesamtinstrumentarium
32 Takte, h-Moll, 3/2 Takt

When I the name of Jesus utter
And recognize his secret manna:
Like as the dew an arid land revives,
Just so my heart
In peril and in pain
To joyfulness doth Jesus pow'r transport.

3. Aria (T)

E'en the cruel cross's journey
And my fare of bitter weeping
Daunt me not.
   When the raging tempests bluster,
   Jesus sends to me from heaven
   Saving light.

4. Recitative (B)

No fiend of hell can e'er devour me,
The crying conscience now is still.
How shall indeed the hostile host surround me?
E'n death itself hath lost its might,
And to my side the vict'ry now inclines,
For Jesus is to me, my Savior, shown.

5. Aria (B)

Leave me, world, for thou dost scorn me,
In my grievous loneliness!
   Jesus, now in flesh appearing
   And my sacrifice accepting,
   Shall be with me all my days.

6. Chorale [Verse 6] (S, A, T, B)

Be gone, then, evermore, ye idle fancies!
Thou, Jesus, thou art mine, and I am thine;
I would depart this world and come before thee;
Thou shalt within my heart and mouth be found.
My whole existence
Shall thee be offered,
Until at last they lay me in the grave.

Ausführende:
Helen Watts, Alt
Adalbert Kraus, Tenor
Philippe Huttenlocher, Baß
Peter-Lukas Graf, Flöte
Sibylle Keller-Sanwald, Flöte
Klaus Kärcher, Oboe d'amore
Hedda Rothweiler, Oboe d'amore
Kurt Etzold, Fagott
Hans Häublein, Continuocello
Thomas Lom, Kontrabaß
Hans-Joachim Erhard, Cembalo/Orgelpositiv
Gächinger Kantorei Stuttgart
Bach-Collegium Stuttgart
Leitung: Helmuth Rilling

Aufnahme: Tonstudio Teije van Geest, Heidelberg
Aufnahmeleitung: Richard Hauck
Aufnahmeort: Gedächtniskirche Stuttgart
Aufnahmezeit: Februar/April 1980
Spieldauer: 19'45"

BWV 124

Serie **VII**, Nr. 98.716

Meinen Jesum laß ich nicht
Kantate zum 1. Sonntag nach Epiphanias
für Sopran, Alt, Tenor, Baß, vierstimmigen Chor,
Horn, Oboe d'amore, Streicher und Generalbaß

1. Coro (Choral)
(Gächinger Kantorei Stuttgart)

1. Chorus [Verse 1] (S, A, T, B)

Meinen Jesum laß ich nicht,
Weil er sich für mich gegeben,
So erfordert meine Pflicht,
Klettenweis an ihm zu kleben.
Er ist meines Lebens Licht,
Meinen Jesum laß ich nicht.

This my Jesus I'll not leave,
Since his life for me he offered;
Thus by duty I am bound
Limpet-like to him forever.
He is light unto my life,
This my Jesus I'll not leave.

Chor, Gesamtinstrumentarium
123 Takte, E-Dur, 3/4 Takt

2. Recitativo
(Baldin)

2. Recitative (T)

Solange sich ein Tropfen Blut
In Herz und Adern reget,
Soll Jesus nur allein
Mein Leben und mein alles sein.
Mein Jesus, der an mir so große Dinge tut:
Ich kann ja nichts als meinen Leib und Leben
Ihm zum Geschenke geben.

As long as yet a drop of blood
In heart and veins is stirring,
Shall Jesus, he alone,
My life and my existence be.
My Jesus, who for me such wond'rous things
                                    hath done.
I can, indeed, nought but my life and body
To him as presents offer.

Tenor, Bc.
10 Takte, A-Dur – cis-Moll, 4/4 Takt

3. Aria
(Baldin)

Und wenn der harte Todesschlag
Die Sinnen schwächt, die Glieder rühret,
Wenn der dem Fleisch verhaßte Tag
Nur Furcht und Schrecken mit sich führet,
Doch tröstet sich die Zuversicht:
Ich lasse meinen Jesum nicht.

Tenor, Oboe d'amore, Streicher, Bc.
71 Takte, fis-Moll, 3/4 Takt

3. Aria (T)

And when the cruel stroke of death
My thoughts corrupt, my members weaken,
And comes the flesh's hated day,
Which only fear and terror follow,
My comfort is my firm resolve:
I will my Jesus never leave.

4. Recitativo
(Schöne)

Doch ach!
Welch schweres Ungemach
Empfindet noch allhier die Seele?
Wird nicht die hart gekränkte Brust
Zu einer Wüstenei und Marterhöhle
Bei Jesu schmerzlichstem Verlust?
Allein mein Geist sieht gläubig auf
Und an den Ort, wo Glaub und Hoffnung
                                    prangen,
Allwo ich nach vollbrachtem Lauf
Dich, Jesu, ewig soll umfangen.

Baß, Bc.
13 Takte, A-Dur, 4/4 Takt

4. Recitative (B)

Alas!
What grievous toil and woe
Perceiveth here e'en now my spirit?
Will not my sore-offended breast
Become a wilderness and den of yearning
For Jesus, its most painful loss?
But still, my soul with faith looks up,
E'en to that place where faith and hope
                                    shine radiant,
And where I, once my course is run,
Shall, Jesus, evermore embrace thee.

5. Aria (Duetto)
(Augér, Watts)

Entziehe dich eilends, mein Herze, der Welt,
Du findest im Himmel dein wahres Vergnügen.
    Wenn künftig dein Auge den Heiland erblickt,
    So wird erst dein sehnendes Herze erquickt,
    So wird es in Jesu zufriedengestellt.

Sopran, Alt, Bc.
219 Takte, A-Dur, 3/8 Takt

5. Aria (S, A)

Withdraw thyself quickly, my heart, from the
                                    world,
Thou shalt find in heaven thy true satisfaction.
    When one day thine eye shall the Savior
                                    behold,
    At last shall thy passionate heart be restored,
    Where it will in Jesus contentment receive.

6. Choral
(Gächinger Kantorei Stuttgart)

Jesum laß ich nicht von mir,
Geh ihm ewig an der Seiten;
Christus läßt mich für und für
Zu den Lebensbächlein leiten.
Selig, der mit mir so spricht:
Meinen Jesum laß ich nicht.

Chor, Gesamtinstrumentarium
13 Takte, E-Dur, 4/4 Takt

6. Chorale [Verse 6] (S, A, T, B)

Jesus I'll not let leave me,
I will ever walk beside him;
Christ doth let me more and more
To the spring of life be guided.
Blessèd he who saith with me:
This my Jesus I'll not leave.

Ausführende:
Arleen Augér, Sopran
Helen Watts, Alt
Aldo Baldin, Tenor
Wolfgang Schöne, Baß
Bernhard Schmid, Horn
Simon Dent, Oboe d'amore
Kurt Etzold, Fagott
Jakoba Hanke, Continuocello
Albert Locher, Kontrabaß
Hans-Joachim Erhard, Cembalo/Orgelpositiv
Gächinger Kantorei Stuttgart
Bach-Collegium Stuttgart
Leitung: Helmuth Rilling

Aufnahme: Tonstudio Teije van Geest, Heidelberg
Aufnahmeleitung: Richard Hauck
Aufnahmeort: Gedächtniskirche Stuttgart
Aufnahmezeit: Februar/April 1980
Spieldauer: 14'05"

BWV 125

Serie **II**, Nr. 98.6**68**

Mit Fried und Freud ich fahr dahin
Kantate zu Mariae Reinigung
für Alt, Tenor, Baß, vierstimmigen Chor,
Horn, Flöte, Oboe, Oboe d'amore,
Streicher mit 2 Solo-Violinen und Generalbaß

1. Coro (Choral)
(Figuralchor der Gedächtniskirche Stuttgart)

Mit Fried und Freud ich fahr dahin
In Gottes Willen;
Getrost ist mir mein Herz und Sinn,
Sanft und stille;
Wie Gott mir verheißen hat,
Der Tod ist mein Schlaf worden.

Chor, Horn, Flöte, Oboe, Streicher, Bc.
87 Takte, e-Moll, 12/8 Takt

1. Chorus [Verse 1] (S, A, T, B)

In peace and joy do I depart,
As God doth will it;
Consoled am I in mind and heart,
Calm and quiet;
As God me his promise gave,
My death is to sleep altered.

2. Aria
(Hoeffgen)

Ich will auch mit gebrochnen Augen
Nach dir, mein treuer Heiland, sehn.
  Wenngleich des Leibes Bau zerbricht,
  Doch fällt mein Herz und Hoffen nicht.
  Mein Jesus sieht auf mich im Sterben
  Und lässet mir kein Leid geschehn.

Alt, Flöte, Oboe d'amore, Bc.
147 Takte, h-Moll, 3/4 Takt

2. Aria (A)

I would e'en with my broken vision
To thee, my faithful Savior, look.
  When once my body's form shall break,
  Yet shall my heart and hope not fall.
  My Jesus cares for me in dying
  And shall let me no grief attend.

3. Recitativo e Choral
(Schöne, Figuralchor der Gedächtniskirche Stuttgart)

O Wunder, daß ein Herz
Vor der dem Fleisch verhaßten Gruft und gar
     des Todes Schmerz
Sich nicht entsetzet!
Das macht Christus, wahr' Gottes Sohn,
Der treue Heiland,
Der auf dem Sterbebette schon
Mit Himmelssüßigkeit den Geist ergötzet,
Den du mich, Herr, hast sehen lan,
Da in erfüllter Zeit ein Glaubensarm das Heil
     des Herrn umfinge;
Und machst bekannt
Von dem erhabnen Gott, dem Schöpfer aller
     Dinge,
Daß er sei das Leben und Heil,
Der Menschen Trost und Teil,
Ihr Retter vom Verderben
Im Tod und auch im Sterben.

Baß, Chor-Baß, Streicher, Bc.
27 Takte, a-Moll – h-Moll, 4/4 Takt

3. Recitative and Chorale [Verse 2] (B)

O wonder, that one's heart
Before the flesh's hated tomb and even death's
     distress
Should not be frightened!
This Christ hath done, God's own true son,
The faithful Savior,
Who o'er my dying bed now stands
With heaven's sweet repose my soul to comfort,
Whom thou, O Lord, hast let me see,
When at the final hour an arm of faith shall
     grasp the Lord's salvation;
Thou hast revealed
Of the Almighty God, creator of all nature,
That he salvation is and life,
Of men the hope and share,
Their Savior from corruption
In death as well in dying.

4. Aria (Duetto)
(Equiluz, Schöne)

Ein unbegreiflich Licht erfüllt den ganzen Kreis
     der Erden.
 Es schallet kräftig fort und fort
 Ein höchst erwünscht Verheißungswort:
 Wer glaubt, soll selig werden.

Tenor, Baß, 2 Violinen, Bc.
113 Takte, G-Dur, 4/4 Takt

4. Aria (T, B)

A great mysterious light hath filled the orb of all
     the earth now.
 There echoes strongly on and on
 A word of promise most desired:
 In faith shall all be blessèd.

5. Recitativo
(Hoeffgen)

O unerschöpfter Schatz der Güte,
So sich uns Menschen aufgetan: es wird der
     Welt,
So Zorn und Fluch auf sich geladen,
Ein Stuhl der Gnaden
Und Siegeszeichen aufgestellt,
Und jedes gläubige Gemüte
Wird in sein Gnadenreich geladen.

Alt, Bc.
8 Takte, e-Moll, 4/4 Takt

5. Recitative (A)

O unexhausted store of kindness,
Which to us mortals is revealed: one day the
     world,
Which wrath's curse on itself hath summoned,
A throne of mercy
And sign of triumph shall receive,
And ev'ry faithful heart and spirit
Shall to his realm of grace be summoned.

6. Choral
(Figuralchor der Gedächtniskirche Stuttgart)

Er ist das Heil und selig Licht
Für die Heiden,
Zu erleuchten, die dich kennen nicht,

6. Chorale [Verse 4] (S, A, T, B)

He is that grace and blessèd light,
Which the nations
Shall illumine, all who know thee not,

Und zu weiden. **Er ist deins Volks Israel** **Der Preis, Ehr, Freud und Wonne.**	And shall nurture; To Israel, thy people, The praise, laud, joy and gladness.

Chor, Horn, Flöte, Oboe, Streicher, Bc.
12 Takte, e-Moll, 4/4 Takt

Ausführende:
Marga Hoeffgen, Alt
Kurt Equiluz, Tenor
Wolfgang Schöne, Baß
Johannes Ritzkowsky, Horn
Peter-Lukas Graf, Flöte
Günther Passin, Oboe
Hanspeter Weber, Oboe d'amore
Kurt Etzold, Fagott
Werner Keltsch, Violine
Albert Boesen, Violine
Jürgen Wolf, Continuocello
Manfred Gräser, Kontrabaß
Martha Schuster, Cembalo/Orgelpositiv
Joachim Eichhorn, Orgelpositiv
Figuralchor der
Gedächtniskirche Stuttgart
Bach-Collegium Stuttgart
Leitung: Helmuth Rilling

Aufnahme: Sonopress Tontechnik, Gütersloh
Aufnahmeleitung: Richard Hauck,
Wolfram Wehnert
Aufnahmeort: Gedächtniskirche Stuttgart
Aufnahmezeit: März/April 1973
Spieldauer: 24'25"

BWV 126 Serie **VII**, Nr. 98.**718**

Erhalt uns, Herr, bei deinem Wort
Kantate zum Sonntag Sexagesimae
für Alt, Tenor, Baß, vierstimmigen Chor,
Trompete, 2 Oboen, Streicher und Generalbaß

1. Coro (Choral) (Gächinger Kantorei Stuttgart)	**1. Chorus [Verse 1] (S, A, T, B)**
Erhalt uns, Herr, bei deinem Wort, **Und steur' des Papsts und Türken Mord,** **Die Jesum Christum, deinen Sohn,** **Stürzen wollen von seinem Thron.**	**Maintain us, Lord, within thy word,** **And fend off murd'rous Pope and Turk,** **Who Jesus Christ, thy very Son,** **Strive to bring down from his throne.**

Chor, Gesamtinstrumentarium
62 Takte, a-Moll, 4/4 Takt

2. Aria
(Kraus)

Sende deine Macht von oben,
Herr der Herren, starker Gott!
  Deine Kirche zu erfreuen
  Und der Feinde bittern Spott
  Augenblicklich zu zerstreuen.

Tenor, 2 Oboen, Bc.
64 Takte, e-Moll, 4/4 Takt

3. Recitativo e Choral
(Watts, Kraus)

Alt
Der Menschen Gunst und Macht wird wenig
                           nützen,
Wenn du nicht willt das arme Häuflein schützen,
beide
Gott Heilger Geist, du Tröster wert,
Tenor
Du weißt, daß die verfolgte Gottesstadt
Den ärgsten Feind nur in sich selber hat
Durch die Gefährlichkeit der falschen Brüder.
beide
Gib dein'm Volk einerlei Sinn auf Erd,
Alt
Daß wir, an Christi Leibe Glieder,
Im Glauben eins, im Leben einig sei'n.
beide
Steh bei uns in der letzten Not!
Tenor
Es bricht alsdann der letzte Feind herein
Und will den Trost von unsern Herzen trennen;
Doch laß dich da als unsern Helfer kennen.
beide
G'leit uns ins Leben aus dem Tod!

Alt, Tenor, Bc.
22 Takte, a-Moll – e-Moll, 4/4 Takt

4. Aria
(Schöne)

Stürze zu Boden, schwülstige Stolze!
Mache zunichte, was sie erdacht!
  Laß sie den Abgrund plötzlich verschlingen,
  Wehre dem Toben feindlicher Macht,
  Laß ihr Verlangen nimmer gelingen!

Baß, Bc.
226 Takte, C-Dur, 3/8 Takt

2. Aria (T)

Send down thy great strength from heaven,
Prince of princes, mighty God,
  This thy church to fill with gladness
  And the foe's most bitter scorn
  In an instant far to scatter!

3. Recitative and Chorale [Verse 3] (A, T)

(A)
All human will and might will little help us,
If thou wouldst not protect thy wretched people,
(Both)
God, Holy Ghost, dear comforter;
(T)
Thou see'st that this tormented city of God
The worst of foes but in itself doth have
Through the great danger posed by untrue
                             brothers.
(Both)
Thy people make of one mind on earth,
(A)
That we, the members of Christ's body,
In faith agree, in life united be.
(Both)
Stand by us in extremity!
(T)
Although e'en now the final foe break in
And seek thy comfort from our hearts to sever,
Yet in that moment show thyself our helper.
(Both)
Lead us to life and free from death!

4. Aria (B)

Crash down in ruin, arrogant bombast!
Hurl to destruction what it conceives!
  Let the abyss now quickly devour them,
  Fend off the raging of the foe's might,
  Let their desires ne'er find satisfaction!

5. Recitativo
(Kraus)

So wird dein Wort und Wahrheit offenbar
Und stellet sich im höchsten Glanze dar,
Daß du vor deine Kirche wachst,
Daß du des heilgen Wortes Lehren
Zum Segen fruchtbar machst;
Und willst du dich als Helfer zu uns kehren,
So wird uns denn in Frieden
Des Segens Überfluß beschieden.

Tenor, Bc.
11 Takte, a-Moll – d-Moll, 4/4 Takt

5. Recitative (T)

Thus will thy word and truth be manifest
And set themselves in highest glory forth,
Since thou dost for thy church keep watch,
Since thou thy holy Gospel's teachings
To prosp'rous fruit dost bring;
And if thou dost as helper seek our presence,
To us will then in peacetime
Abundant blessing be apportioned.

6. Choral
(Gächinger Kantorei Stuttgart)

**Verleih uns Frieden gnädiglich,
Herr Gott, zu unsern Zeiten;
Es ist doch ja kein andrer nicht,
Der für uns könnte streiten,
Denn du, unser Gott, alleine.**

**Gib unsern Fürst'n und aller Obrigkeit
Fried und gut Regiment,
Daß wir unter ihnen
Ein geruh'g und stilles Leben führen mögen
In aller Gottseligkeit und Ehrbarkeit.
Amen.**

Chor, Gesamtinstrumentarium
27 Takte, a-Moll, 4/4 Takt

6. Chorale (S, A, T, B)

**Grant to us peace most graciously,
Lord God, in our own season;
For there is surely no one else
Who for us could do battle
Than thou who our God art only.**

**Give to our lords and all authority
Peace and good governance,
So that we beneath them
A most calm and quiet life may lead forever
In godliest devotion and honesty.
Amen.**

Ausführende:
Helen Watts, Alt
Adalbert Kraus, Tenor
Wolfgang Schöne, Baß
Rodney Miller, Trompete
Simon Dent, Oboe
Hedda Rothweiler, Oboe
Kurt Etzold, Fagott
Jakoba Hanke, Continuocello
Harro Bertz, Kontrabaß
Bärbel Schmid, Orgelpositiv
Hans-Joachim Erhard, Cembalo
**Gächinger Kantorei Stuttgart
Bach-Collegium Stuttgart
Leitung: Helmuth Rilling**

Aufnahme: Tonstudio Teije van Geest, Heidelberg
Aufnahmeleitung: Richard Hauck
Aufnahmeort: Gedächtniskirche Stuttgart
Aufnahmezeit: Februar/April 1980
Spieldauer: 17'40"

BWV 127

Herr Jesu Christ, wahr' Mensch und Gott

Kantate zum Sonntag Estomihi
für Sopran, Tenor, Baß, vierstimmigen Chor, Trompete,
2 Blockflöten, 2 Oboen, Streicher und Generalbaß

1. Coro (Choral)
(Gächinger Kantorei Stuttgart)

**Herr Jesu Christ, wahr' Mensch und Gott,
Der du littst Marter, Angst und Spott,
Für mich am Kreuz auch endlich starbst
Und mir deins Vaters Huld erwarbst,
Ich bitt durchs bittre Leiden dein:
Du wollst mir Sünder gnädig sein.**

Chor, 2 Blockflöten, 2 Oboen, Streicher, Bc.
80 Takte, F-Dur, 4/4 Takt

2. Recitativo
(Harder)

Wenn alles sich zur letzten Zeit entsetzet,
Und wenn ein kalter Todesschweiß
Die schon erstarrten Glieder netzet,
Wenn meine Zunge nichts, als nur durch
                        Seufzer spricht
Und dieses Herze bricht:
Genung, daß da der Glaube weiß,
Daß Jesus bei mir steht,
Der mit Geduld zu seinem Leiden geht
Und diesen schweren Weg auch mich geleitet
Und mir die Ruhe zubereitet.

Tenor, Bc.
14 Takte, B-Dur – F-Dur, 4/4 Takt

3. Aria
(Augér)

Die Seele ruht in Jesu Händen,
Wenn Erde diesen Leib bedeckt.
    Ach ruft mich bald, ihr Sterbeglocken,
    Ich bin zum Sterben unerschrocken,
    Weil mich mein Jesus wieder weckt.

Sopran, 2 Blockflöten, Oboe, Streicher, Bc.
67 Takte, c-Moll, 4/4 Takt

4. Recitativo ed Aria
(Schöne)

Wenn einstens die Posaunen schallen,
Und wenn der Bau der Welt

1. Chorus [Verse 1] (S, A, T, B)

Lord Jesus Christ, true man and God,
Thou, who bore torture, fear and scorn,
For me on cross at last didst die
And me thy Father's grace didst win,
I beg by thy most bitter pain:
For all my sins be merciful.

2. Recitative (T)

When ev'rything at that last hour strikes terror,
And when a chilling sweat of death
My limbs, all stiff with torpor, moistens,
When this my tongue can nought but feeble
                        sighing speak,
And this my heart doth break:
Enough is it that faith doth know
That Jesus by me stands,
Who with great patience to his passion goes
And through this toilsome way doth lead me also
And my repose is now preparing.

3. Aria (S)

My soul shall rest in Jesus' bosom,
When earth doth this my body hide.
    Ah, call me soon, O deathly tolling,
    I am at dying undismayed,
    For me my Jesus shall awake.

4. Recitative and Aria (B)

When once at last the trumps have sounded,
And when the world's own frame

Nebst denen Himmelsfesten
Zerschmettert wird zerfallen,
So denke mein, mein Gott, im besten;
Wenn sich dein Knecht einst vors Gerichte stellt,
Da die Gedanken sich verklagen,
So wollest du allein,
O Jesu, mein Fürsprecher sein
Und meiner Seele tröstlich sagen:

Fürwahr, fürwahr, euch sage ich:
Wenn Himmel und Erde im Feuer vergehen,
So soll doch ein Gläubiger ewig bestehen.
   Er wird nicht kommen ins Gericht
   Und den Tod ewig schmecken nicht.
   Nur halte dich,
   Mein Kind, an mich:
Ich breche mit starker und helfender Hand
Des Todes gewaltig geschlossenes Band.

Baß, Trompete, Streicher, Bc.
67 Takte, C-Dur, 4/4 Takt

5. Choral
(Gächinger Kantorei Stuttgart)

Ach, Herr, vergib all unsre Schuld,
Hilf, daß wir warten mit Geduld,
Bis unser Stündlein kömmt herbei,
Auch unser Glaub stets wacker sei,
Dein'm Wort zu trauen festiglich,
Bis wir einschlafen seliglich.

Chor, 2 Blockflöten, 2 Oboen, Streicher, Bc.
12 Takte, F-Dur, 4/4 Takt

Ausführende:
Arleen Augér, Sopran
Lutz-Michael Harder, Tenor
Wolfgang Schöne, Baß
Hans Wolf, Trompete
Hartmut Strebel, Blockflöte
Barbara Schlenker, Blockflöte
Simon Dent, Oboe
Hedda Rothweiler, Oboe
Jakoba Hanke, Continuocello
Peter Nitsche, Kontrabaß
Hans-Joachim Erhard, Orgelpositiv
Gächinger Kantorei Stuttgart
Bach-Collegium Stuttgart
Leitung: Helmuth Rilling

Aufnahme: Tonstudio Teije van Geest, Heidelberg
Aufnahmeleitung: Richard Hauck
Aufnahmeort: Gedächtniskirche Stuttgart
Aufnahmezeit: Februar/April 1980
Spieldauer: 20'00"

With heaven's firm foundation
Is smashed and sunk in ruin,
Then think on me, my God, with favor;
When once thy thrall before thy court doth
                    stand,
Where e'en my thoughts seek to accuse me,
Then may'st thou wish alone,
O Jesus, my defense to be
And to my spirit speak with comfort:

In truth, in truth, I say to you:
When heaven and earth shall in fire have
                    perished,
Yet shall all believers eternally prosper.
   They will not come into the court
   And death eternal shall not taste.
   But ever cleave,
   My child, to me:
I'll break with my mighty and rescuing hand
The violent bonds of encompassing death.

5. Chorale [Verse 8] (S, A, T, B)

Ah, Lord, forgive us all our sins,
Help us with patience to abide
Until our hour of death shall come,
And help our faith e'er steadfast be,
Thy word to trust tenaciously,
Until we rest in blessèd sleep.

BWV 128

Auf Christi Himmelfahrt allein
Kantate zu Himmelfahrt
(Text: Chr. M. v. Ziegler)
für Alt, Tenor, Baß, vierstimmigen Chor,
2 Hörner, Trompete, 2 Oboen, Oboe d'amore,
Oboe da caccia, Streicher und Generalbaß

1. Coro (Choral)
(Gächinger Kantorei Stuttgart)

Auf Christi Himmelfahrt allein
Ich meine Nachfahrt gründe
Und allen Zweifel, Angst und Pein
Hiermit stets überwinde;
Denn weil das Haupt im Himmel ist,
Wird seine Glieder Jesus Christ
Zu rechter Zeit nachholen.

Chor, 2 Hörner, Oboe, Oboe d'amore, Oboe da caccia,
Streicher, Bc.
99 Takte, G-Dur, 4/4 Takt

2. Recitativo
(Baldin)

Ich bin bereit, komm, hole mich!
Hier in der Welt
Ist Jammer, Angst und Pein;
Hingegen dort, in Salems Zelt,
Werd ich verkläret sein.
Da seh ich Gott von Angesicht zu Angesicht,
Wie mir sein heilig Wort verspricht.

Tenor, Bc.
8 Takte, e-Moll – h-Moll, 4/4 Takt

3. Aria e Recitativo
(Schöne)

Auf, auf, mit hellem Schall
Verkündigt überall:
Mein Jesus sitzt zur Rechten!
Wer sucht mich anzufechten?
Ist er von mir genommen,
Ich werd einst dahin kommen,
Wo mein Erlöser lebt.
Meine Augen werden ihn in größter Klarheit
          schauen.
O könnt ich im voraus mir eine Hütte bauen!
Wohin? Vergebner Wunsch!
Er wohnet nicht auf Berg und Tal,
Sein Allmacht zeigt sich überall;
So schweig, verwegner Mund,
Und suche nicht dieselbe zu ergründen!

Baß, Trompete, Streicher, Bc.
88 Takte, D-Dur, 3/4 – 4/4 – 3/4 Takt

1. Chorus [Chorale] (S, A, T, B)

On Christ's ascent to heav'n alone
I base my journey to him,
And all my doubting, fear and pain
Thereby I'll ever conquer;
For as the head in heaven dwells,
So shall its members Jesus Christ
In all due time recover.

2. Recitative (T)

I am prepared, come, summon me!
Here in the world
Is trouble, fear and pain;
But there instead, in Salem's tent,
Will I transfigured dwell.
There I'll see God from countenance to
          countenance,
As me his holy word assures.

3. Aria and Recitative (B)

Up, up, with lively sound
Announced to all the world:
My Jesus sits beside him!
Who seeks now to oppose me?
Though he is taken from me,
I shall one day come thither
Where my redeemer lives.
With mine own eyes will I in perfect clearness
          see him.
If I could but before that time a shelter
          build me!
But why? O useless wish!
He dwelleth not on hill, in vale,
His power is o'er all revealed;
So hush, presumptuous mouth,
And do not strive this very might to fathom!

4. Aria (Duetto)
(Schreckenbach, Baldin)

Sein Allmacht zu ergründen,
Wird sich kein Mensche finden,
Mein Mund verstummt und schweigt.
   Ich sehe durch die Sterne,
   Daß er sich schon von ferne
   Zur Rechten Gottes zeigt.

Alt, Tenor, Oboe d'amore, Bc.
146 Takte, h-Moll, 6/8 Takt

5. Choral
(Gächinger Kantorei Stuttgart)

Alsdenn so wirst du mich
Zu deiner Rechten stellen
Und mir als deinem Kind
Ein gnädig Urteil fällen,
Mich bringen zu der Lust,
Wo deine Herrlichkeit
Ich werde schauen an
In alle Ewigkeit.

Chor, 2 Hörner, 2 Oboen, Oboe da caccia, Streicher, Bc.
16 Takte, G-Dur, 4/4 Takt

Ausführende:
Gabriele Schreckenbach, Alt
Aldo Baldin, Tenor
Wolfgang Schöne, Baß
Johannes Ritzkowsky, Horn
Friedhelm Pütz, Horn
Friedemann Immer, Trompete
Diethelm Jonas, Oboe
Klaus Kärcher, Oboe d'amore
Hedda Rothweiler, Oboe/Oboe d'amore
Dietmar Keller, Oboe da caccia
Kurt Etzold, Fagott
Walter Forchert, Konzertmeister
Helmut Veihelmann, Continuocello
Harro Bertz, Kontrabaß
Hans-Joachim Erhard, Cembalo/Orgelpositiv
Gächinger Kantorei Stuttgart
Bach-Collegium Stuttgart
Leitung: Helmuth Rilling

Aufnahme: Tonstudio Teije van Geest, Heidelberg
Aufnahmeleitung: Richard Hauck
Aufnahmeort: Gedächtniskirche Stuttgart
Aufnahmezeit: Dezember 1980/März 1981
Spieldauer: 16'20"

4. Aria (A, T)

His boundless might to fathom
No mortal will be able,
My mouth falls dumb and still.
   I see, though, through the heavens
   That he e'en at this distance
   At God's right hand appears.

5. Chorale (S, A, T, B)

Therefore then shalt thou me
Upon thy right hand station
And me as to thy child
A gracious judgment render,
Bring me into that joy
Where on thy majesty
I will hold fast my gaze
For all eternity.

BWV 129

Gelobet sei der Herr, mein Gott

Kantate zum Sonntag Trinitatis
für Sopran, Alt, Baß, vierstimmigen Chor,
3 Trompeten, Pauken, Flöte, 2 Oboen, Oboe d'amore,
Streicher mit Solo-Violine und Generalbaß

1. Coro [Versus I]
(Gächinger Kantorei Stuttgart)

Gelobet sei der Herr,
Mein Gott, mein Licht, mein Leben,
Mein Schöpfer, der mir hat
Mein Leib und Seel gegeben,
Mein Vater, der mich schützt
Von Mutterleibe an,
Der alle Augenblick
Viel Guts an mir getan.

Chor, 3 Trompeten, Pauken, Flöte, 2 Oboen, Streicher,
Bc.
90 Takte, D-Dur, 4/4 Takt

1. Chorus [Verse 1] (S, A, T, B)

Give honor to the Lord,
My God, my light, my being,
My maker, who hath me
My soul and body given,
My Father, who hath kept
Me since my mother's womb,
Who ev'ry moment hath
Much good for me fulfilled.

2. Aria [Versus II]
(Huttenlocher)

Gelobet sei der Herr,
Mein Gott, mein Heil, mein Leben,
Des Vaters liebster Sohn,
Der sich für mich gegeben,
Der mich erlöset hat
Mit seinem teuren Blut,
Der mir im Glauben schenkt
Sich selbst, das höchste Gut.

Baß, Bc.
137 Takte, A-Dur, 3/8 Takt

2. Aria [Verse 2] (B)

Give honor to the Lord,
My God, my health, my being,
The Father's dearest Son,
Himself for me hath given,
Himself hath me redeemed
With his own precious blood,
Who me through faith doth give
Himself, the highest good.

3. Aria [Versus III]
(Augér)

Gelobet sei der Herr,
Mein Gott, mein Trost, mein Leben,
Des Vaters werter Geist,
Den mir der Sohn gegeben,
Der mir mein Herz erquickt,
Der mir gibt neue Kraft,
Der mir in aller Not
Rat, Trost und Hülfe schafft.

Sopran, Flöte, Violine, Bc.
121 Takte, e-Moll, ₵ Takt

3. Aria [Verse 3] (S)

Give honor to the Lord,
My God, my hope, my being,
The Father's Holy Ghost,
Whom me the Son hath given,
Who doth my heart restore,
Who me doth give new strength,
Who me in all distress
Word, hope and help provides.

4. Aria [Versus IV]
(Schreckenbach)

Gelobet sei der Herr,
Mein Gott, der ewig lebet,
Den alles lobet, was
In allen Lüften schwebet;
Gelobet sei der Herr,
Des Name heilig heißt,
Gott Vater, Gott der Sohn
Und Gott der Heilge Geist.

Alt, Oboe d'amore, Bc.
142 Takte, G-Dur, 6/8 Takt

4. Aria [Verse 4] (A)

Give honor to the Lord,
My God, who always liveth,
Whom all things honor which
In ev'ry sphere now hover;
Give honor to the Lord,
Whose name is holy called,
God Father, God the Son
And God the Holy Ghost.

5. Choral [Versus V]
(Gächinger Kantorei Stuttgart)

Dem wir das Heilig itzt
Mit Freuden lassen klingen
Und mit der Engel Schar
Das Heilig, Heilig singen,
Den herzlich lobt und preist
Die ganze Christenheit:
Gelobet sei mein Gott
In alle Ewigkeit!

Chor, 3 Trompeten, Pauken, Flöte, 2 Oboen, Streicher, Bc.
33 Takte, D-Dur, 4/4 Takt

5. Chorale [Verse 5] (S, A, T, B)

Whom we that "Holy" now
With gladness make to echo
And with the angels' host
Are "Holy, Holy" singing,
Whom deeply laud and praise
Doth all Christianity:
Give honor to my God
For all eternity!

Ausführende:
Arleen Augér, Sopran
Gabriele Schreckenbach, Alt
Philippe Huttenlocher, Baß
Hannes Läubin, Trompete
Wolfgang Läubin, Trompete
Bernhard Läubin, Trompete
Norbert Schmitt, Pauken
Renate Greiss, Flöte
Günther Passin, Oboe/Oboe d'amore
Joachim Rau, Oboe
Günther Pfitzenmaier, Fagott
Otto Armin, Violine
Helmut Veihelmann, Continuocello
Ansgar Schneider, Continuocello
Harro Bertz, Kontrabaß
Hans-Joachim Erhard, Orgelpositiv
Gächinger Kantorei Stuttgart
Bach-Collegium Stuttgart
Leitung: Helmuth Rilling

Aufnahme: Tonstudio Teije van Geest, Heidelberg
Aufnahmeleitung: Richard Hauck
Aufnahmeort: Gedächtniskirche Stuttgart
Aufnahmezeit: Februar/Oktober 1982
Spieldauer: 18'35"

Herr Gott, dich loben alle wir

Kantate zum Michaelistag
für Sopran, Alt, Tenor, Baß, vierstimmigen Chor,
3 Trompeten, Pauken, Flöte, 3 Oboen, Streicher und
Generalbaß

1. Coro (Choral)
(Figuralchor der Gedächtniskirche Stuttgart)

Herr Gott, dich loben alle wir
Und sollen billig danken dir
Für dein Geschöpf der Engel schon,
Die um dich schwebn um deinen Thron.

Chor, 3 Trompeten, Pauken, 3 Oboen, Streicher, Bc.
73 Takte, C-Dur, 4/4 Takt

1. Chorus [Verse 1] (S, A, T, B)

Lord God, we praise thee ev'ry one
And shall give willing thanks to thee
For this thy work, the angels, now,
Which round thee flock about thy throne.

2. Recitativo
(Schnaut)

Ihr heller Glanz und hohe Weisheit zeigt,
Wie Gott sich zu uns Menschen neigt,
Der solche Helden, solche Waffen
Vor uns geschaffen.
Sie ruhen ihm zu Ehren nicht;
Ihr ganzer Fleiß ist nur dahin gericht',
**Daß sie, Herr Christe, um dich sein
Und um dein armes Häufelein:**
Wie nötig ist doch diese Wacht
Bei Satans Grimm und Macht?

Alt, Bc.
12 Takte, F-Dur – G-Dur, 4/4 Takt

2. Recitative (A)

Their radiance and lofty wisdom show
How God doth to us mortals bend,
Who such defenders, such great armor
For us hath fashioned.
In praising him they take no rest;
Their whole endeavor hath but one intent,
**That they, Lord Christ, round thee be
And round thy wretched company:**
How needed is indeed this care
Midst Satan's rage and might?

3. Aria
(Schöne)

Der alte Drache brennt vor Neid
Und dichtet stets auf neues Leid,
Daß er das kleine Häuflein trennet.
  Er tilgte gern, was Gottes ist,
  Bald braucht er List,
  Weil er nicht Rast noch Ruhe kennet.

Baß, 3 Trompeten, Pauken, Bc.
80 Takte, C-Dur, ¢ Takt

3. Aria (B)

The ancient serpent burns with spite,
Contriving e'er to bring new pain,
To bring our little band division.
  He seeks to crush what God doth own,
  And ply deceit,
  For he no rest or slumber knoweth.

4. Recitativo
(Graf, Kraus)

Wohl aber uns, daß Tag und Nacht
Die Schar der Engel wacht,
Des Satans Anschlag zu zerstören!
Ein Daniel, so unter Löwen sitzt,
Erfährt, wie ihn die Hand des Engels schützt.

4. Recitative (S, T)

Well though for us that day and night
The host of angels watch,
That Satan's onslaught might be broken!
A Daniel who amidst the lions sits
Doth learn how him the hand of angels guards.

Wenn dort die Glut
In Babels Ofen keinen Schaden tut,
So lassen Gläubige ein Danklied hören,
So stellt sich in Gefahr
Noch jetzt der Engel Hülfe dar.

Sopran, Tenor, Streicher, Bc.
15 Takte, e-Moll – G-Dur, 4/4 Takt

5. Aria
(Kraus)

Laß, o Fürst der Cherubinen,
Dieser Helden hohe Schar
Immerdar
Deine Gläubigen bedienen;
   Daß sie auf Elias Wagen
   Sie zu dir gen Himmel tragen.

Tenor, Flöte, Bc
142 Takte, G-Dur, ₵ Takt

6. Choral
(Figuralchor der Gedächtniskirche Stuttgart)

**Darum wir billig loben dich
Und danken dir, Gott, ewiglich,
Wie auch der lieben Engel Schar
Dich preisen heut und immerdar.**

**Und bitten dich, wollst allezeit
Dieselben heißen sein bereit,
Zu schützen deine kleine Herd,
So hält dein göttlichs Wort in Wert.**

Chor, 3 Trompeten, Pauken, 3 Oboen, Streicher, Bc.
32 Takte, C-Dur, 3/4 Takt

Ausführende:
Kathrin Graf, Sopran
Gabriele Schnaut, Alt
Adalbert Kraus, Tenor
Wolfgang Schöne, Baß
Hermann Sauter, Trompete
Eugen Mayer, Trompete
Heiner Schatz, Trompete
Hans Joachim Schmukalla, Pauken
Peter-Lukas Graf, Flöte
Günther Passin, Oboe
Thomas Schwarz, Oboe
Hedda Rothweiler, Oboe
Hermann Herder, Fagott
Jürgen Wolf, Continuocello
Thomas Lom, Kontrabaß
Manfred Gräser, Kontrabaß
Martha Schuster, Cembalo/Orgelpositiv
**Figuralchor der
Gedächtniskirche Stuttgart
Bach-Collegium Stuttgart
Leitung: Helmuth Rilling**

As once the coals
In Babel's furnace did no injury,
So let the faithful raise their thankful voices,
That still in danger's midst
E'en now the angels' help comes forth.

5. Aria (T)

Let, O Prince of holy Cherubs,
This heroic lofty throng
Evermore
O'er thy faithful flock be tending;
   That they on Elijah's chariot
   Them to thee in heaven carry.

6. Chorale (S, A, T, B)

**For this we give thee willing praise
And give thee thanks, God, evermore,
Just as thine own dear angel host
Thee laud today and ever shall.**

**And ask that thou shouldst ever wish
To order them to be prepared
To shelter this thy tiny flock,
Which keeps thy sacred word intact.**

Aufnahme: Südwest-Tonstudio, Stuttgart
Aufnahmeleitung: Richard Hauck,
Friedrich Mauermann
Aufnahmeort: Gedächtniskirche Stuttgart
Aufnahmezeit: Januar/Februar 1974
Spieldauer: 16'15"

BWV 131

Aus der Tiefen rufe ich, Herr, zu dir
Kantate
für Tenor, Baß, vierstimmigen Chor, Oboe,
Fagott, Streicher und Generalbaß

1. Coro
(Gächinger Kantorei Stuttgart)

Aus der Tiefen rufe ich, Herr, zu dir.
Herr, höre meine Stimme, laß deine Ohren merken
auf die Stimme meines Flehens!

Chor, Gesamtinstrumentarium
97 Takte, g-Moll, 3/4 – 4/4 Takt

2. Arioso con Choral
(Schöne, Gächinger Kantorei Stuttgart)

So du willst, Herr, Sünde zurechnen, Herr, wer wird
bestehen?

> **Erbarm dich mein in solcher Last,**
> **Nimm sie aus meinem Herzen,**
> **Dieweil du sie gebüßet hast**
> **Am Holz mit Todesschmerzen,**

Denn bei dir ist die Vergebung, daß man dich fürchte.

> **Auf daß ich nicht mit großem Weh**
> **In meinen Sünden untergeh,**
> **Noch ewiglich verzage.**

Baß, Chor-Sopran, Oboe, Bc.
65 Takte, g-Moll, 4/4 Takt

3. Coro
(Gächinger Kantorei Stuttgart)

Ich harre des Herrn, meine Seele harret, und ich hoffe
auf sein Wort.

Chor, Gesamtinstrumentarium
42 Takte, Es-Dur – g-Moll, 4/4 Takt

1. Chorus [Dictum] (S, A, T, B)

From the depths now do I call, Lord, to thee. Lord,
hear my voice's crying, and let thine ears consider well
the voice of my complaining.

2. Arioso [Dictum] (B) and Chorale (S)

If thou wilt, Lord, mark what is sinful, Lord, who
will abide it?

> **Have mercy on me in such grief,**
> **Remove it from my bosom,**
> **Because thou hast now paid for it**
> **On wood with pains of dying,**

For with thee there is forgiveness, that we might
                                    fear thee.

> **So that I might with grievous woe**
> **Within my sinful state not die,**
> **Nor give up hope forever.**

3. Chorus [Dictum] (S, A, T, B)

I wait for the Lord, this my spirit waiteth, and I put
trust in his word.

4. Aria con Choral
(Kraus, Gächinger Kantorei Stuttgart)

Meine Seele wartet auf den Herrn von einer Morgen-
wache bis zu der andern.

Und weil ich denn in meinem Sinn,
Wie ich zuvor geklaget,
Auch ein betrübter Sünder bin,
Den sein Gewissen naget,
Und wollte gern im Blute dein
Von Sünden abgewaschen sein
Wie David und Manasse.

Tenor, Chor-Alt, Bc.
82 Takte, c-Moll, 12/8 Takt

5. Coro
(Gächinger Kantorei Stuttgart)

Israel hoffe auf den Herrn; denn bei dem Herrn ist die
Gnade und viel Erlösung bei ihm.
Und er wird Israel erlösen aus allen seinen Sünden.

Chor, Gesamtinstrumentarium
72 Takte, g-Moll, 4/4 Takt

Ausführende:
Adalbert Kraus, Tenor
Wolfgang Schöne, Baß
Günther Passin, Oboe
Hermann Herder, Fagott
Jürgen Wolf, Continuocello
Manfred Gräser, Kontrabaß
Joachim Eichhorn, Orgelpositiv
Gächinger Kantorei Stuttgart
Bach-Collegium Stuttgart
Leitung: Helmuth Rilling

Aufnahme: Südwest-Tonstudio, Stuttgart
Aufnahmeleitung: Richard Hauck, Heinz Jansen
Toningenieur: Henno Quasthoff
Aufnahmeort: Gedächtniskirche Stuttgart
Aufnahmezeit: Januar 1975
Spieldauer: 23'40"

4. Aria [Dictum] (T) and Chorale (A)

This my spirit waiteth for the Lord before one morn-
ing watch until the next watch.

Especially that in my heart,
As I have long lamented,
I, too, an anxious sinner am,
Who is by conscience rankled,
And would so glad within thy blood
From sinfulness be washed and pure
Like David and Manasseh.

5. Chorus [Dictum] (S, A, T, B)

Israel, trust now in the Lord; for with the Lord there is
mercy, and much redemption with him.
And he shall Israel deliver from all of her transgres-
sions.

BWV 132

Serie **IV**, Nr. 98.**685**

Bereitet die Wege, bereitet die Bahn!
Kantate zum 4. Advent
(Text: S. Franck)
für Sopran, Alt, Tenor, Baß, vierstimmigen Chor, Oboe,
Fagott, Streicher mit Solo-Violine und Generalbaß

1. Aria
(Augér)

Bereitet die Wege, bereitet die Bahn!
  Bereitet die Wege
  Und machet die Stege
  Im Glauben und Leben
  Dem Höchsten ganz eben,
  Messias kömmt an!

Sopran, Gesamtinstrumentarium
160 Takte, A-Dur, 6/8 Takt

2. Recitativo
(Equiluz)

Willst du dich Gottes Kind und Christi Bruder
                              nennen,
So müssen Herz und Mund den Heiland frei
                             bekennen.
Ja, Mensch, dein ganzes Leben
Muß von dem Glauben Zeugnis geben!
Soll Christi Wort und Lehre
Auch durch dein Blut versiegelt sein,
So gib dich willig drein!
Denn dieses ist der Christen Kron und Ehre.
Indes, mein Herz, bereite
Noch heute
Dem Herrn die Glaubensbahn
Und räume weg die Hügel und die Höhen,
Die ihm entgegen stehen!
Wälz ab die schweren Sündensteine,
Nimm deinen Heiland an,
Daß er mit dir im Glauben sich vereine!

Tenor, Bc.
33 Takte, A-Dur, 4/4 Takt

3. Aria
(Schöne)

Wer bist du? Frage dein Gewissen,
Da wirst du sonder Heuchelei,
Ob du, o Mensch, falsch oder treu,
Dein rechtes Urteil hören müssen.
Wer bist du? Frage das Gesetze,
Das wird dir sagen, wer du bist,
Ein Kind des Zorns in Satans Netze,
Ein falsch und heuchlerischer Christ.

Baß, Bc.
49 Takte, E-Dur, 4/4 Takt

4. Recitativo
(Watts)

Ich will, mein Gott, dir frei heraus bekennen,
Ich habe dich bisher nicht recht bekannt.

1. Aria (S)

Make ready the pathways, make ready the road!
  Make ready the pathways
  And make ev'ry byway
  In faith and in living
  Now smooth for the Highest,
  Messiah shall come!

2. Recitative (T)

If thou wouldst call thyself God's child and
                         Christ's own brother,
Then freely thy heart and mouth the Savior
                        must acknowledge.
Yes, man, thy life entirely
Must by its faith give constant witness!
If Christ's own word and teaching
E'en through thy blood is to be sealed,
Thyself then willing give!
Because this is the Christian's crown and glory.
Meanwhile, my heart, make ready,
Today yet,
To God the way of faith
And clear away the high hills and the mountains
Which in the path oppose him!
Roll back the heavy stones of error,
Receive thy Savior now,
That he with thee in faith may be united!

3. Aria (B)

Who art thou? Question thine own conscience,
Thou shalt without hypocrisy,
If thou, O man, art false or true,
Thy proper judgment have to hear now.
Who art thou? Question the commandment
Which will then tell thee who thou art,
A child of wrath in Satan's clutches,
A Christian false and hypocrite.

4. Recitative (A)

I will, my God, to thee make free confession,
I have not thee till now in truth confessed.

Ob Mund und Lippen gleich dich Herrn und
                                    Vater nennen,
Hat sich mein Herz doch von dir abgewandt.
Ich habe dich verleugnet mit dem Leben!
Wie kannst du mir ein gutes Zeugnis geben?
Als, Jesu, mich dein Geist und Wasserbad
Gereiniget von meiner Missetat,
Hab ich dir zwar stets feste Treu versprochen;
Ach! aber ach! der Taufbund ist gebrochen.
Die Untreu reuet mich!
Ach Gott, erbarme dich,
Ach hilf, daß ich mit unverwandter Treue
Den Gnadenbund im Glauben stets erneue!

Alt, Streicher, Bc.
24 Takte, h-Moll – D-Dur, 4/4 Takt

Although my mouth and lips have named thee
                                    Lord and Father,
My heart ne'erless hath from thee turned away.
I have thee disavowed within my living!
How canst thou then for me good witness offer?
When, Jesus, me thy Spirit's waters bathed
And made me clean of all my sinful deeds,
I did in truth swear constant faith unto thee;
Ah! Ah, alas! Baptism's bond is broken.
I rue my faithlessness!
Ah God, be merciful,
Ah, help that I with loyalty unswerving
The bond of grace through faith renew forever!

5. Aria
(Watts)

Christi Glieder, ach bedenket,
Was der Heiland euch geschenket
Durch der Taufe reines Bad!
Bei der Blut- und Wasserquelle
Werden eure Kleider helle,
Die befleckt von Missetat.
Christus gab zum neuen Kleide
Roten Purpur, weiße Seide,
Diese sind der Christen Staat.

Alt, Violine, Bc.
39 Takte, h-Moll, 4/4 Takt

5. Aria (A)

Christ's own members, ah; consider
What the Savior you hath granted
Through baptism's cleansing bath!
By this spring of blood and water
Are your garments all made radiant
Which were stained by sinful deeds.
Christ then gave as your new raiment
Crimson purple, silken whiteness,
These now are the Christians' dress.

6. Choral
(Gächinger Kantorei Stuttgart)

Ertöt uns durch dein Güte,
Erweck uns durch dein Gnad;
Den alten Menschen kränke,
Daß der neu' leben mag
Wohl hie auf dieser Erden,
Den Sinn und Begehrden
Und G'danken habn zu dir.

Chor, Gesamtinstrumentarium
14 Takte, A-Dur, 4/4 Takt

6. Chorale (S, A, T, B)

Us mortify through thy kindness,
Arouse us through thy dear grace;
The ancient man make weaker,
So that the new may live
E'en here while on earth dwelling,
His mind and ev'ry yearning,
His thoughts inclined to thee.

Ausführende:
Arleen Augér, Sopran
Helen Watts, Alt
Kurt Equiluz, Tenor
Wolfgang Schöne, Baß
Ingo Goritzki, Oboe
Günther Pfitzenmaier, Fagott
Walter Forchert, Violine
Jürgen Wolf, Continuocello
Manfred Gräser, Kontrabaß
Martha Schuster, Cembalo
Montserrat Torrent, Orgelpositiv

Gächinger Kantorei Stuttgart
Bach-Collegium Stuttgart
Leitung: Helmuth Rilling

Aufnahme: Südwest-Tonstudio, Stuttgart
Aufnahmeleitung: Richard Hauck
Toningenieur: Henno Quasthoff
Aufnahmeort: Gedächtniskirche Stuttgart
Aufnahmezeit: September 1976/Januar,
April 1977
Spieldauer: 21'00"

BWV 133

Ich freue mich in dir
Kantate zum 3. Weihnachtstag
für Sopran, Alt, Tenor, Baß, vierstimmigen Chor,
Corno, 2 Oboi d'amore,
Streicher mit Solo-Violine und Generalbaß

1. Coro (Choral)
(Gächinger Kantorei Stuttgart)

Ich freue mich in dir
Und heiße dich willkommen,
Mein liebes Jesulein!
Du hast dir vorgenommen,
Mein Brüderlein zu sein.
Ach, wie ein süßer Ton!
Wie freundlich sieht er aus,
Der große Gottessohn!

Chor, Gesamtinstrumentarium
104 Takte, D-Dur, ₵ Takt

2. Aria
(Soffel, Kärcher, Rothweiler)

Getrost! es faßt ein heilger Leib
Des Höchsten unbegreiflichs Wesen.
  Ich habe Gott – wie wohl ist mir geschehen! –
  Von Angesicht zu Angesicht gesehen.
  Ach! meine Seele muß genesen.

Alt, 2 Oboi d'amore, Bc.
98 Takte, A-Dur, ₵ Takt

3. Recitativo
(Baldin)

Ein Adam mag sich voller Schrecken
Vor Gottes Angesicht
Im Paradies verstecken!

1. Chorus [Verse 1] (S, A, T, B)

I find my joy in thee
And bid thee hearty welcome,
My dearest Jesus-child!
Thou hast here undertaken
My brother dear to be.
Ah, what a pleasing sound!
How friendly he appears,
This mighty Son of God!

2. Aria (A)

Take hope! A holy body holds
Almighty God's mysterious being.
  I have now God – how well for me this
                                moment! –
  From countenance to countenance regarded.
  Ah, this my soul must now recover.

3. Recitative (T)

An Adam may when filled with terror
From God's own countenance
In paradise seek hiding!

Der allerhöchste Gott kehrt selber bei uns ein:
Und so entsetzet sich mein Herze nicht;
Es kennet sein erbarmendes Gemüte.
Aus unermeßner Güte
Wird er ein kleines Kind
Und heißt mein Jesulein.

Tenor, Bc.
11 Takte, fis-Moll – D-Dur, 4/4 Takt

4. Aria
(Augér)

Wie lieblich klingt es in den Ohren,
Dies Wort: mein Jesus ist geboren,
Wie dringt es in das Herz hinein!
    Wer Jesu Namen nicht versteht
    Und wem es nicht durchs Herze geht,
    Der muß ein harter Felsen sein.

Sopran, Violine, Streicher, Bc.
134 Takte, h-Moll, ¢ – 12/8 – ¢ Takt

5. Recitativo
(Huttenlocher)

Wohlan, des Todes Furcht und Schmerz
Erwägt nicht mein getröstet Herz.
Will er vom Himmel sich
Bis zu der Erde lenken,
So wird er auch an mich
In meiner Gruft gedenken.
Wer Jesum recht erkennt,
Der stirbt nicht, wenn er stirbt,
Sobald er Jesum nennt.

Baß, Bc.
11 Takte, h-Moll – D-Dur, 4/4 Takt

6. Choral
(Gächinger Kantorei Stuttgart)

Wohlan, so will ich mich
An dich, o Jesu, halten,
Und sollte gleich die Welt
In tausend Stücken spalten.
O Jesu, dir, nur dir,
Dir leb ich ganz allein;
Auf dich, allein auf dich,
Mein Jesu, schlaf ich ein.

Chor, Gesamtinstrumentarium
16 Takte, D-Dur, 4/4 Takt

Ausführende:
Arleen Augér, Sopran
Doris Soffel, Alt
Aldo Baldin, Tenor
Philippe Huttenlocher, Baß

But here Almighty God himself doth come to us:
And thus no fear oppresseth now my heart;
It knoweth his forgiving disposition.
Of his unbounded kindness
He's born a tiny babe
Who's called my Jesus-child.

4. Aria (S)

How lovely to my ears it ringeth,
This word: for me is born my Jesus!
How this doth reach into my heart!
    Who Jesus' name can't comprehend,
    He whom it strikes not to the heart,
    He must of hardest rock be made.

5. Recitative (B)

Well then, to fear and pain of death
No thought will give my strengthened heart.
If he from heaven would
The road to earth now journey,
Then will he, too, of me
Within my tomb be mindful.
Who Jesus truly knows
Will die not when he dies,
If he calls Jesus' name.

6. Chorale (S, A, T, B)

Lead on, 'tis my desire
To cleave to thee, O Jesus,
E'en though the world should break
Into a thousand pieces.
O Jesus, thou, just thou,
Thou art my life alone;
In thee, alone in thee,
My Jesus, will I sleep.

Bernhard Schmid, Horn
Klaus Kärcher, Oboe d'amore
Günther Passin, Oboe d'amore
Hedda Rothweiler, Oboe d'amore
Kurt Etzold, Fagott
Hubert Buchberger, Violine
Hans Häublein, Continuocello
Albert Michael Locher, Kontrabaß
Hans-Joachim Erhard, Cembalo/Orgelpositiv
Gächinger Kantorei Stuttgart
Bach-Collegium Stuttgart
Leitung: Helmuth Rilling

Aufnahme: Tonstudio Teije van Geest, Heidelberg
Aufnahmeleitung: Richard Hauck
Aufnahmeort: Gedächtniskirche Stuttgart
Aufnahmezeit: Februar/April 1980
Spieldauer: 20'20"

BWV 134

Serie IV, Nr. 98.690

Ein Herz, das seinen Jesum lebend weiß
Kantate zum 3. Osterfesttag
für Alt, Tenor, vierstimmigen Chor, 2 Oboen,
Streicher mit Solo-Violine und Generalbaß

1. Recitativo
(Watts, Kraus)

Tenor
Ein Herz, das seinen Jesum lebend weiß,
Empfindet Jesu neue Güte
Und dichtet nur auf seines Heilands Preis.
Alt
Wie freuet sich ein gläubiges Gemüte.

Alt, Tenor, Bc.
9 Takte, B-Dur, 4/4 Takt

1. Recitative (T, A)

(T)
A heart which doth its Jesus clearly know
Perceiveth Jesus' new compassion
And fashions nought but for his Savior praise.
(A)
How happy is a faithful heart and spirit!

2. Aria
(Kraus)

Auf, Gläubige, singet die lieblichen Lieder,
Euch scheinet ein herrlich verneuetes Licht.
    Der lebende Heiland gibt selige Zeiten,
    Auf, Seelen, ihr müsset ein Opfer bereiten,
    Bezahlet dem Höchsten mit Danken die Pflicht.

Tenor, Gesamtinstrumentarium
328 Takte, B-Dur, 3/8 Takt

2. Aria (T)

Rise, ye of faith, sing ye the songs of rejoicing,
Upon you now glorious a new light doth shine.
    The living Redeemer bestows times of
                                    blessing;
    Rise, spirits, ye must now a sacrifice offer
    And pay to the Highest your duty with thanks.

3. Recitativo
(Watts, Kraus)

Tenor
Wohl dir, Gott hat an dich gedacht,
O Gott geweihtes Eigentum;
Der Heiland lebt und siegt mit Macht
Zu deinem Heil, zu seinem Ruhm
Muß hier der Satan furchtsam zittern
Und sich die Hölle selbst erschüttern.
Es stirbt der Heiland dir zugut
Und fähret vor dich zu der Höllen,
Sogar vergießet er sein kostbar Blut,
Daß du in seinem Blute siegst,
Denn dieses kann die Feinde fällen,
Und wenn der Streit dir an die Seele dringt,
Daß du alsdann nicht überwunden liegst.
Alt
Der Liebe Kraft ist vor mich ein Panier
Zum Heldenmut, zur Stärke in den Streiten:
Mir Siegeskronen zu bereiten,
Nahmst du die Dornenkrone dir,
Mein Herr, mein Gott, mein auferstandnes Heil,
So hat kein Feind an mir zum Schaden teil.
Tenor
Die Feinde zwar sind nicht zu zählen.
Alt
Gott schützt die ihm getreuen Seelen.
Tenor
Der letzte Feind ist Grab und Tod.
Alt
Gott macht auch den zum Ende unsrer Not.

Alt, Tenor, Bc.
32 Takte, g-Moll – Es-Dur, 4/4 Takt

3. Recitative (T, A)

(T)
Well thee, God hath remembered thee,
O thou, God's hallowed property;
The Savior lives and wins with might,
To bring thee health, to his own praise
Here now must Satan fear and tremble
And even hell itself be shaken.
The Savior dieth for thy sake
And for thy sake to hell doth journey;
He even poureth out his precious blood,
That thou within his blood prevail,
For this is what the foe shall vanquish,
And whene'er strife about thy soul doth press,
That thou e'en then not be o'ercome and fall.
(A)
The pow'r of love, this shall my standard be
For bravery, for strength amidst the battle:
To gain for me the crown of triumph
Didst thou the crown of thorns accept,
My Lord, my God, my Savior now aris'n,
And now no foe on me may work his harm.
(T)
The foes, indeed, are past all counting.
(A)
God guards the souls to him e'er faithful.
(T)
The final foe is tomb, and death.
(A)
God maketh it the end of all our woe.

4. Aria (Duetto)
(Watts, Kraus)

Wir danken und preisen dein brünstiges Lieben
Und bringen ein Opfer der Lippen vor dich.
　　Der Sieger erwecket die freudigen Lieder,
　　Der Heiland erscheinet und tröstet uns wieder
　　Und stärket die streitende Kirche durch sich.

Alt, Tenor, Violine, Streicher, Bc.
196 Takte, Es-Dur, ¢ Takt

4. Aria (A, T)

We thank thee and praise thee for thy warm
　　　　　　　　　　　　　　　　　affection
And bring now an off'ring from our lips to thee.
　　The victor awakens the songs of rejoicing,
　　The Savior appeareth and comforts us further
　　And strengthens the church, now divided,
　　　　　　　　　　　　　　　　　himself.

5. Recitativo
(Kraus, Watts)

Tenor
Doch würke selbst den Dank in unserm Munde,
In dem er allzu irdisch ist;
Ja schaffe, daß zu keiner Stunde
Dich und dein Werk kein menschlich Herz
　　　　　　　　　　　　　　　vergißt;
Ja, laß in dir das Labsal unsrer Brust
Und aller Herzen Trost und Lust,
Die unter deiner Gnade trauen,

5. Recitative (T, A)

(T)
But rouse, thyself, the thanks within our voices,
When they too much to earth are bound;
Yea, bring to pass that ev'ry moment
Thee and thy work no mortal heart forget;
Yea, let in thee refreshment of our breasts
And joy and comfort of all hearts
Which trust in thy protecting mercy

Vollkommen und unendlich sein.
Es schließe deine Hand uns ein,
Daß wir die Wirkung kräftig schauen,
Was uns dein Tod und Sieg erwirbt,
Und daß man nun nach deinem Auferstehen
Nicht stirbt, wenn man gleich zeitlich stirbt,
Und wir dadurch zu deiner Herrlichkeit
eingehen.
Alt
Was in uns ist, erhebt dich, großer Gott,
Und preiset deine Huld und Treu;
Dein Auferstehen macht sie wieder neu,
Dein großer Sieg macht uns von Feinden los
Und bringet uns zum Leben;
Drum sei dir Preis und Dank gegeben.

Tenor, Alt, Bc.
27 Takte, c-Moll – B-Dur, 4/4 Takt

6. Coro
(Watts, Kraus,
Gächinger Kantorei Stuttgart)

Erschallet, ihr Himmel, erfreue dich, Erde,
Lobsinge dem Höchsten, du glaubende Schar.
Es schauet und schmecket ein jedes Gemüte
Des lebenden Heilands unendliche Güte,
Er tröstet und stellet als Sieger sich dar.

Alt, Tenor, Chor, Gesamtinstrumentarium
416 Takte, B-Dur, 3/8 Takt

Ausführende:
Helen Watts, Alt
Adalbert Kraus, Tenor
Jacques Chambon, Oboe
Hedda Rothweiler, Oboe
Günther Pfitzenmaier, Fagott
Walter Forchert, Violine
Jürgen Wolf, Continuocello
Peter Gartiser, Kontrabaß
Martha Schuster, Cembalo
Montserrat Torrent, Orgelpositiv
Gächinger Kantorei Stuttgart
Bach-Collegium Stuttgart
Leitung: Helmuth Rilling

Aufnahme: Südwest-Tonstudio, Stuttgart
Aufnahmeleitung: Richard Hauck
Toningenieur: Henno Quasthoff
Aufnahmeort: Gedächtniskirche Stuttgart
Aufnahmezeit: September 1976/Januar 1977
Spieldauer: 31'05"

Both perfect and unending be.
And may thy hand now us embrace,
That we the end may clearly witness
Which us thy death and triumph win,
And that we after thine own resurrection
Not die, although we die in time,
And we thereby to thy great majesty now enter.
(A)
All in our pow'r exalts thee, mighty God,
And lauds thee for thy grace and faith;
Thy resurrection hath these now renewed,
Thy mighty triumph us from foe doth free
And into life doth bring us;
To thee, thus, praise and thanks be given.

6. Chorus (S, A, T, B)

O echo, ye heavens, O earth, be thou gladdened,
Sing praise to the Highest, thou throng of great
faith!
Now seeth and tasteth each spirit among us
The infinite kindness of our living Savior;
With comfort he comes as a victor to us.

BWV 135

Ach Herr, mich armen Sünder
Kantate zum 3. Sonntag nach Trinitatis
für Alt, Tenor, Baß, vierstimmigen Chor, Trompete,
Posaune, 2 Oboen, Streicher und Generalbaß

1. Coro (Choral)
(Gächinger Kantorei Stuttgart)

Ach Herr, mich armen Sünder
Straf nicht in deinem Zorn,
Dein' ernsten Grimm doch linder,
Sonst ist's mit mir verlorn.
Ach Herr, wollst mir vergeben
Mein Sünd und gnädig sein,
Daß ich mag ewig leben,
Entfliehn der Höllenpein.

Chor, Baßposaune, 2 Oboen, Streicher, Bc.
134 Takte, e-Moll (phrygisch), 3/4 Takt

1. Chorus [Verse 1] (S, A, T, B)

Ah Lord, me a poor sinner
Blame not within thy wrath,
Thy solemn rage yet soften,
Else is my hope forlorn.
Ah Lord, may'st thou forgive me
My sin and mercy send,
That I have life eternal
And flee the pain of hell.

2. Recitativo
(Kraus)

Ach heile mich, du Arzt der Seelen,
Ich bin sehr krank und schwach;
Man möchte die Gebeine zählen,
So jämmerlich hat mich mein Ungemach,
Mein Kreuz und Leiden zugericht;
Das Angesicht
Ist ganz von Tränen aufgeschwollen,
Die, schnellen Fluten gleich, von Wangen
abwärts rollen.
Der Seele ist von Schrecken angst und bange;
Ach, du Herr, wie so lange?

Tenor, Bc.
13 Takte, d-Moll – C-Dur, 4/4 Takt

2. Recitative (T)

Ah, heal me now, thou soul's physician,
I am so ill and weak;
One could in truth my bones all number,
So grievously have this my toil and woe,
My cross and sorrow dealt with me;
My countenance
Is full of tears and now all swollen;
Like rapid streams they are, which down my
cheeks are rolling.
My soul is now with terror torn and anxious;
Ah, thou Lord, why this waiting?

3. Aria
(Kraus)

Tröste mir, Jesu, mein Gemüte,
Sonst versink ich in den Tod,
Hilf mir, hilf mir durch deine Güte
Aus der großen Seelennot!
Denn im Tod ist alles stille,
Da gedenkt man deiner nicht.
Liebster Jesu, ist's dein Wille,
So erfreu mein Angesicht!

Tenor, 2 Oboen, Bc.
94 Takte, C-Dur, 3/4 Takt

3. Aria (T)

Comfort me, Jesus, in my spirit,
Or I'll sink now into death;
Lift me, lift me through thy dear kindness
From my spirit's great distress!
For in death is nought but stillness,
Where for thee no thought is given.
Dearest Jesus, if it please thee,
Fill with joy my countenance!

4. Recitativo
(Watts)

Ich bin von Seufzen müde,
Mein Geist hat weder Kraft noch Macht,
Weil ich die ganze Nacht
Oft ohne Seelenruh und Friede
In großem Schweiß und Tränen liege.
Ich gräme mich fast tot und bin vor Trauern alt,
Denn meine Angst ist mannigfalt.

Alt, Bc.
11 Takte, g-Moll – a-Moll, 4/4 Takt

5. Aria
(Huttenlocher)

Weicht, all ihr Übeltäter,
Mein Jesus tröstet mich!
  Er läßt nach Tränen und nach Weinen
  Die Freudensonne wieder scheinen;
  Das Trübsalswetter ändert sich,
  Die Feinde müssen plötzlich fallen
  Und ihre Pfeile rückwärts prallen.

Baß, Streicher, Bc.
120 Takte, a-Moll, ₵ Takt

6. Choral
(Gächinger Kantorei Stuttgart)

Ehr sei ins Himmels Throne
Mit hohem Ruhm und Preis
Dem Vater und dem Sohne
Und auch zu gleicher Weis
Dem Heilgen Geist mit Ehren
In alle Ewigkeit,
Der woll uns all'n bescheren
Die ewge Seligkeit.

Chor, Trompete, Oboe, Streicher, Bc.
16 Takte, e-Moll (phrygisch), 4/4 Takt

Ausführende:
Helen Watts, Alt
Adalbert Kraus, Tenor
Philippe Huttenlocher, Baß
Hans Wolf, Trompete
Hermann Josef Kahlenbach, Baßposaune
Günther Passin, Oboe
Hedda Rothweiler, Oboe
Klaus Thunemann, Fagott
Barbara Haupt-Brauckmann, Continuocello
Thomas Lom, Kontrabaß
Hans-Joachim Erhard, Cembalo/Orgelpositiv
Gächinger Kantorei Stuttgart
Bach-Collegium Stuttgart
Leitung: Helmuth Rilling

4. Recitative (A)

I am from sighing weary,
My soul hath neither strength nor might,
For I the whole night through,
Oft lacking peace of mind and calmness,
In copious sweat and tears am lying.
I fear nigh unto death and am with mourning old,
For my great fear is manifold.

5. Aria (B)

Yield, all ye evildoers,
My Jesus comforts me!
  He brings, when past are tears and weeping,
  The sun of joy once more its radiance;
  The storms of sadness are transformed,
  The enemy must sudden perish
  And their own darts recoil against them.

6. Chorale [Verse 6] (S, A, T, B)

In heaven's throne be glory
With lofty fame and praise
To Son and to the Father
As well in equal wise
To Holy Ghost with honor
For all eternity,
Who shall us all let share in
Eternal blessedness.

Aufnahme: Tonstudio Teije van Geest, Heidelberg
Aufnahmeleitung: Richard Hauck
Aufnahmeort: Gedächtniskirche Stuttgart
Aufnahmezeit: Februar 1979
Spieldauer: 14'35"

BWV 136

Serie **V**, Nr. 98.693

Erforsche mich, Gott, und erfahre mein Herz

Kantate zum 8. Sonntag nach Trinitatis
für Alt, Tenor, Baß, vierstimmigen Chor,
Horn, Oboe, Oboe d'amore, Streicher mit Solo-Violine
und Generalbaß

1. Coro
(Gächinger Kantorei Stuttgart)

*Erforsche mich, Gott, und erfahre mein Herz; prüfe
mich und erfahre, wie ich's meine!*

Chor, Gesamtinstrumentarium
63 Takte, A-Dur, 12/8 Takt

2. Recitativo
(Equiluz)

Ach, daß der Fluch, so dort die Erde schlägt,
Auch derer Menschen Herz getroffen!
Wer kann auf gute Früchte hoffen,
Da dieser Fluch bis in die Seele dringet,
So daß sie Sündendornen bringet
Und Lasterdisteln trägt.
Doch wollen sich oftmals die Kinder der Höllen
In Engel des Lichtes verstellen;
Man soll bei dem verderbten Wesen
Von diesen Dornen Trauben lesen.
Ein Wolf will sich mit reiner Wolle decken,
Doch bricht ein Tag herein,
Der wird, ihr Heuchler, euch ein Schrecken,
Ja unerträglich sein.

Tenor, Bc.
18 Takte, h-Moll – cis-Moll, 4/4 Takt

3. Aria
(Watts)

Es kömmt ein Tag,
So das Verborgne richtet,
Vor dem die Heuchelei erzittern mag.

1. Chorus [Dictum] (S, A, T, B)

*Examine me, God, and discover my heart; prove thou
me and discover what my thoughts are.*

2. Recitative (T)

Ah, that the curse which then the earth did
                                        strike
As well mankind to heart hath stricken!
Who can for righteous fruit be hopeful
While this foul curse into the soul so pierceth,
That it the thorns of sin now yieldeth
And wicked thistles bears?
But often themselves are wont hell's very
                                        children
As angels of light to put forward;
As though in this corrupted nature
From thorns like these one grapes could harvest.
A wolf would make the purest wool his cover,
But once the day breaks forth,
He'll be, ye feigners, a terror,
Yea, not to be endured.

3. Aria (A)

There comes the day
To bring concealment judgment,
At which hypocrisy may quake with fear.

330

Denn seines Eifers Grimm vernichtet,
Was Heuchelei und List erdichtet.

Alt, Oboe d'amore, Bc.
60 Takte, fis-Moll, 4/4 – 12/8 – 4/4 Takt

For then his zealous wrath will ruin
What strategem and lies have woven.

4. Recitativo
(Tüller)

Die Himmel selber sind nicht rein,
Wie soll es nun ein Mensch vor diesem Richter
sein?
Doch wer durch Jesu Blut gereinigt,
Im Glauben sich mit ihm vereinigt,
Weiß, daß er ihm kein hartes Urteil spricht.
Kränkt ihn die Sünde noch,
Der Mangel seiner Werke,
Er hat in Christo doch
Gerechtigkeit und Stärke.

Baß, Bc.
14 Takte, h-Moll, 4/4 Takt

4. Recitative (B)

The heavens are themselves not pure,
How shall then now a man before this judge
e'er stand?
But he whom Jesus' blood hath cleansèd,
Who is through faith to him united,
Knows that o'er him he'll no harsh judgment pass.
If he's by sin still vexed,
By weakness of his efforts,
He hath in Christ, no less,
Both righteousness and power.

5. Aria (Duetto)
(Equiluz, Tüller)

Uns treffen zwar der Sünden Flecken,
So Adams Fall auf uns gebracht.
Allein, wer sich zu Jesu Wunden,
Dem Gnadenstrom voll Blut gefunden,
Wird dadurch wieder rein gemacht.

Tenor, Baß, Violine, Bc.
61 Takte, h-Moll, 12/8 Takt

5. Aria (T, B)

We feel in truth the marks of error
Which Adam's fall on us has placed.
But yet, who hath in Jesus' wounding,
That mighty stream of blood, found refuge,
Is by it purified anew.

6. Choral
(Gächinger Kantorei Stuttgart)

Dein Blut, der edle Saft,
Hat solche Stärk und Kraft,
Daß auch ein Tröpflein kleine
Die ganze Welt kann reine,
Ja, gar aus Teufels Rachen
Frei, los und ledig machen.

Chor, Gesamtinstrumentarium
12 Takte, h-Moll, 4/4 Takt

6. Chorale (S, A, T, B)

Thy blood, that liquid rich,
Hath such great force and strength
That e'en the merest trickle
Can all the world deliver,
Yea, from the jaws of Satan,
Set free and disencumber.

Ausführende:
Helen Watts, Alt
Kurt Equiluz, Tenor
Niklaus Tüller, Baß
Johannes Ritzkowsky, Horn
Allan Vogel, Oboe
Hedda Rothweiler, Oboe
Günther Passin, Oboe d'amore
Günther Pfitzenmaier, Fagott
Wilhelm Melcher, Violine

Jürgen Wolf, Continuocello
Thomas Lom, Kontrabaß
Hans-Joachim Erhard, Cembalo/Orgelpositiv
Gächinger Kantorei Stuttgart
Bach-Collegium Stuttgart
Leitung: Helmuth Rilling

Aufnahme: Südwest-Tonstudio, Stuttgart
Aufnahmeleitung: Richard Hauck
Toningenieur: Henno Quasthoff
Aufnahmeort: Gedächtniskirche Stuttgart
Aufnahmezeit: September/Dezember 1977,
Januar 1978
Spieldauer: 16'00"

BWV 137

Serie **VIII**, Nr. 98.727

Lobe den Herren, den mächtigen König der Ehren
Kantate zum 12. Sonntag nach Trinitatis und zur Ratswahl
für Sopran, Alt, Tenor, Baß, vierstimmigen Chor,
3 Trompeten, Pauken, 2 Oboen,
Streicher mit Solo-Violine und Generalbaß

1. Coro [Versus I]
(Gächinger Kantorei Stuttgart)

Lobe den Herren, den mächtigen König der Ehren,
Meine geliebte Seele, das ist mein Begehren.
Kommet zu Hauf,
Psalter und Harfen, wacht auf!
Lasset die Musicam hören.

Chor, Gesamtinstrumentarium
106 Takte, C-Dur, 3/4 Takt

1. Chorus [Verse 1] (S, A, T, B)

Praise the Almighty, the powerful king of all honor,
O thou my spirit belovèd, that is my desire.
Come ye in throngs,
Psaltry and lyre, awake!
Let now the music be sounding.

2. Aria [Versus II]
(Schreckenbach)

Lobe den Herren, der alles so herrlich regieret,
Der dich auf Adelers Fittichen sicher geführet,
Der dich erhält,
Wie es dir selber gefällt;
Hast du nicht dieses verspüret?

Alt, Violine, Bc.
66 Takte, G-Dur, 9/8 (3/4) Takt

2. Aria [Verse 2] (A)

Praise the Almighty, who all things so gloriously
                                                ruleth,
Who upon pinions of eagles to safety doth lead
                                                thee;
He thee protects
As even thee it will please;
Hast thou of this no perception?

3. Aria [Versus III]
(Augér, Heldwein)

Lobe den Herren, der künstlich und fein dich
                                              bereitet,

3. Aria [Verse 3] (S, B)

Praise the Almighty, who doth with his splendor
                                              adorn thee,

332

Der dir Gesundheit verliehen, dich freundlich
geleitet;
In wieviel Not
Hat nicht der gnädige Gott
Über dir Flügel gebreitet!

Sopran, Baß, 2 Oboen, Bc.
111 Takte, e-Moll, 3/4 Takt

4. Aria [Versus IV]
(Kraus)

Lobe den Herren, der deinen Stand sichtbar
gesegnet,
Der aus dem Himmel mit Strömen der Liebe
geregnet;
Denke dran,
Was der Allmächtige kann,
Der dir mit Liebe begegnet.

Tenor, Trompete, Bc.
79 Takte, a-Moll, 3/4 Takt

5. Choral [Versus V]
(Gächinger Kantorei Stuttgart)

Lobe den Herren, was in mir ist, lobe den Namen!
Alles, was Odem hat, lobe mit Abrahams Samen!
Er ist dein Licht,
Seele, vergiß es ja nicht;
Lobende, schließe mit Amen!

Chor, Gesamtinstrumentarium
18 Takte, C-Dur, 3/4 Takt

Ausführende:
Arleen Augér, Sopran
Gabriele Schreckenbach, Alt
Adalbert Kraus, Tenor
Walter Heldwein, Baß
Hans Wolf, Trompete
Karl-Heinz Halder, Trompete
Uwe Zaiser, Trompete
Hans-Joachim Schacht, Pauken
Diethelm Jonas, Oboe
Günther Passin, Oboe
Hedda Rothweiler, Oboe
Kurt Etzold, Fagott
Walter Forchert, Konzertmeister
Martin Ostertag, Continuocello
Thomas Lom, Kontrabaß
Harro Bertz, Kontrabaß
Hans-Joachim Erhard, Cembalo/Orgelpositiv
Gächinger Kantorei Stuttgart
Bach-Collegium Stuttgart
Leitung: Helmuth Rilling

Who hath thy health given to thee, and kindly doth
guide thee;
In what great need
Hath not the merciful God
Over thee his wings extended?

4. Aria [Verse 4] (T) with instr. chorale

Praise the Almighty, who thine estate clearly hath
favored,
Who doth from heaven with streams of his love
blessing shower;
Think now on this,
What the Almighty can do,
Who with his love now hath met thee.

5. Chorale [Verse 5] (S, A, T, B)

Praise the Almighty, all that's in me, give his name
honor!
All things that breath possess, praise him with
Abraham's children!
He is thy light,
Spirit, yea, this forget not;
Praising him, close thou with amen!

Aufnahme: Tonstudio Teije van Geest, Heidelberg
Aufnahmeleitung: Richard Hauck
Aufnahmeort: Gedächtniskirche Stuttgart
Aufnahmezeit: Dezember 1980/März 1981/
März 1982
Spieldauer: 14'50"

BWV 138

Serie V, Nr. 98.696

Warum betrübst du dich, mein Herz
Kantate zum 15. Sonntag nach Trinitatis
für Sopran, Alt, Tenor, Baß, vierstimmigen Chor,
2 Oboi d'amore, Streicher und Generalbaß

1. Coro (Choral) e Recitativo
(Bollen, Baldin,
Gächinger Kantorei Stuttgart)

Warum betrübst du dich, mein Herz?
Bekümmerst dich und trägest Schmerz
Nur um das zeitliche Gut?
Ach, ich bin arm,
Mich drücken schwere Sorgen.
Vom Abend bis zum Morgen
Währt meine liebe Not.
Daß Gott erbarm!
Wer wird mich noch erlösen
Vom Leibe dieser bösen
und argen Welt?
Wie elend ist's um mich bestellt!
Ach! wär ich doch nur tot!
Vertrau du deinem Herren Gott,
Der alle Ding erschaffen hat.

Alt, Tenor, Chor, Gesamtinstrumentarium
49 Takte, h-Moll, 4/4 Takt

1. Chorus [Verse 1] (S, A, T, B) and Recitative (A, T)

Why art thou troubled, O my heart?
Art anxious and bowed down with grief
For merely temporal worth?
Ah, I am poor,
Bowed down with heavy sorrow.
From evening until morning
Endures my wonted need.
May God forgive!
Who will me yet deliver
From out the belly of this
Malignant world?
How wretchedly am I disposed!
Ah! Were I only dead!
Put trust in this thy Lord and God,
Who ev'rything created hath.

2. Recitativo
(Huttenlocher)

Ich bin veracht',
Der Herr hat mich zum Leiden
Am Tage seines Zorns gemacht;
Der Vorrat, hauszuhalten,
Ist ziemlich klein;
Man schenkt mir vor den Wein der Freuden
Den bittern Kelch der Tränen ein.
Wie kann ich nun mein Amt mit Ruh verwalten,
Wenn Seufzer meine Speise und Tränen das
Getränke sein?

Baß, Bc.
11 Takte, e-Moll, 4/4 Takt

2. Recitative (B)

I am despised,
The Lord hath made me suffer
Upon the day of his great wrath.
Provisions for my keeping
Are rather small;
They pour for me as wine of gladness
The bitter chalice filled with tears.
How can I now my post maintain in calmness
When sighing is my portion and tears are all
I have to drink?

3. Choral e Recitativo
(Augér, Bollen,
Gächinger Kantorei Stuttgart)

Er kann und will dich lassen nicht,
Er weiß gar wohl, was dir gebricht,
Himmel und Erd ist sein!
Sopran
Ach, wie?
Gott sorget freilich vor das Vieh,
Er gibt den Vögeln seine Speise,
Er sättiget die jungen Raben,
Nur ich, ich weiß nicht, auf was Weise
Ich armes Kind
Mein bißchen Brot soll haben;
Wo ist jemand, der sich zu meiner Rettung findt?
Dein Vater und dein Herre Gott,
Der dir beisteht in aller Not.
Alt
Ich bin verlassen,
Es scheint,
Als wollte mich auch Gott bei meiner Armut
hassen,
Da er's doch immer gut mit mir gemeint.
Ach Sorgen,
Werdet ihr denn alle Morgen
Und alle Tage wieder neu?
So klag ich immerfort;
Ach! Armut, hartes Wort,
Wer steht mir denn in meinem Kummer bei?
Dein Vater und dein Herre Gott,
Der steht dir bei in aller Not.

Sopran, Alt, Chor, Gesamtinstrumentarium
43 Takte, h-Moll, 4/4 Takt

4. Recitativo
(Baldin)

Ach süßer Trost! Wenn Gott mich nicht
verlassen
Und nicht versäumen will,
So kann ich in der Still
Und in Geduld mich fassen.
Die Welt mag immerhin mich hassen,
So werf ich meine Sorgen
Mit Freuden auf den Herrn,
Und hilft er heute nicht, so hilft er mir doch
morgen.
Nun leg ich herzlich gern
Die Sorgen unters Kissen
Und mag nichts mehr als dies zu meinem
Troste wissen:

Tenor, Bc.
14 Takte, G-Dur – D-Dur, 4/4 Takt

3. Chorale [Verse 2] (S, A, T, B) and Recitative (S, A)

He can and would thee not forsake,
He knows full well what thou dost lack;
Heaven and earth are his.
(S)
Ah! What?
God clearly careth for the kine,
He gives the birds their proper nurture,
He filleth the fledgling ravens.
But I, I know not in what manner
I, wretched child,
My bit of bread shall garner;
Where is the man who will for my deliv'rance
strive?
Thy Father and the Lord thy God,
Who stands by thee in ev'ry need.
(A)
I am forsaken,
It seems
As if e'en God himself in my poor state would
hate me.
Though he hath ever meant the best for me.
Ah sorrows,
Will ye then be ev'ry morning
And ev'ry day again made new?
I cry continually;
Ah! Poorness, cruel word!
Who will stand by me then in my distress?
Thy Father and the Lord thy God,
Who stands by thee in ev'ry need.

4. Recitative (T)

Ah, comfort sweet! If God will not forsake me,
And not abandon me,
Then can I in repose
And patience find courage.
The world may just the same despise me,
But I will cast my sorrows
With joy upon the Lord,
If he helps not today,
He'll help me yet tomorrow.
Now I'll most gladly lay
My cares beneath my pillow
And want to know no more than this for my true
comfort:

5. Aria
(Huttenlocher)

Auf Gott steht meine Zuversicht,
Mein Glaube läßt ihn walten.
  Nun kann mich keine Sorge nagen,
  Nun kann mich auch kein Armut plagen.
  Auch mitten in dem größten Leide
  Bleibt er mein Vater, meine Freude,
  Er will mich wunderlich erhalten.

Baß, Streicher, Bc.
165 Takte, D-Dur, 3/4 Takt

5. Aria (B)

With God stands all my confidence,
My faith shall let him govern.
  Now can no apprehension nag me,
  Nor can now any want yet plague me.
  For e'en amidst the greatest sadness
  Bides he my Father, my true gladness,
  He shall in wond'rous wise protect me.

6. Recitativo
(Bollen)

Ei nun!
So will ich auch recht sanfte ruhn.
Euch, Sorgen, sei der Scheidebrief gegeben!
Nun kann ich wie im Himmel leben.

Alt, Bc.
5 Takte, h-Moll, 4/4 Takt

6. Recitative (A)

Well then!
Thus I'll as well find soft repose.
My sorrows, your divorcement bill receive now!
Now I can live as though in heaven.

7. Choral
(Gächinger Kantorei Stuttgart)

Weil du mein Gott und Vater bist,
Dein Kind wirst du verlassen nicht,
Du väterliches Herz!
Ich bin ein armer Erdenkloß,
Auf Erden weiß ich keinen Trost.

Chor, Gesamtinstrumentarium
46 Takte, h-Moll, 6/8 Takt

7. Chorale [Verse 3] (S, A, T, B)

Since thou my God and Father art,
Thy child wilt thou abandon not,
A father's heart thou hast!
I am a wretched clump of earth,
On earth I know not any hope.

Ausführende:
Arleen Augér, Sopran
Ria Bollen, Alt
Aldo Baldin, Tenor
Philippe Huttenlocher, Baß
Allan Vogel, Oboe d'amore ˎ
Hedda Rothweiler, Oboe d'amore
Günther Pfitzenmaier, Fagott
Jürgen Wolf, Continuocello
Manfred Gräser, Kontrabaß
Hans-Joachim Erhard, Cembalo/Orgelpositiv
David Deffner, Orgelpositiv
Gächinger Kantorei Stuttgart
Bach-Collegium Stuttgart
Leitung: Helmuth Rilling

Aufnahme: Südwest-Tonstudio, Stuttgart
Aufnahmeleitung: Richard Hauck
Toningenieur: Henno Quasthoff
Aufnahmeort: Gedächtniskirche Stuttgart
Aufnahmezeit: September 1977, Januar 1978
Spieldauer: 18'55"

BWV 139

Wohl dem, der sich auf seinen Gott

Kantate zum 23. Sonntag nach Trinitatis
für Sopran, Alt, Tenor, Baß, vierstimmigen Chor,
2 Oboi d'amore, Streicher mit 2 Solo-Violinen
und Generalbaß

1. Coro (Choral)
(Gächinger Kantorei Stuttgart)

Wohl dem, der sich auf seinen Gott
Recht kindlich kann verlassen!
Den mag gleich Sünde, Welt und Tod
Und alle Teufel hassen,
So bleibt er dennoch wohlvergnügt,
Wenn er nur Gott zum Freunde kriegt.

Chor, Gesamtinstrumentarium
81 Takte, E-Dur, 4/4 Takt

2. Aria
(Kraus, Melcher, Voss, Buck)

Gott ist mein Freund; was hilft das Toben,
So wider mich ein Feind erhoben!
Ich bin getrost bei Neid und Haß.
 Ja, redet nur die Wahrheit spärlich,
 Seid immer falsch, was tut mir das?
 Ihr Spötter seid mir ungefährlich.

Tenor, 2 Violinen, Bc.
185 Takte, A-Dur, 3/4 Takt

3. Recitativo
(Watts)

Der Heiland sendet ja die Seinen
Recht mitten in der Wölfe Wut.
Um ihn hat sich der Bösen Rotte
Zum Schaden und zum Spotte
Mit List gestellt;
Doch da sein Mund so weisen Ausspruch tut,
So schützt er mich auch vor der Welt.

Alt, Bc.
8 Takte, fis-Moll, 4/4 Takt

4. Aria
(Huttenlocher, Clement, Forchert)

Das Unglück schlägt auf allen Seiten
Um mich ein zentnerschweres Band.
Doch plötzlich erscheinet die helfende Hand.
Mir scheint des Trostes Licht von weiten;

1. Chorus [Verse 1] (S, A, T, B)

Blest he who self can to his God
With childlike trust abandon!
For though now sin and word and death
And ev'ry demon hate him,
Yet he'll be ever confident,
If he but God his friend doth make.

2. Aria (T)

God is my friend; what use that raging
Which now the foe hath raised against me!
I am consoled midst spite and hate.
 Yea, though ye tell the truth but rarely,
 Be ever false, what's that to me?
 Ye scorners are to me no danger.

3. Recitative (A)

The Savior sends, indeed, his people
Directly midst the angry wolves.
About him have the lowly rabble
Themselves, to harm and mock him,
With cunning ranged.
But since his mouth such wise response doth
                                        make,
He shields me also from the world.

4. Aria (B)

Misfortune wraps from all directions
Round me an hundredweight of chain.
Yet sudden appeareth the help of his hand.
I see the light of hope from far off;

Da lern ich erst, daß Gott allein
Der Menschen bester Freund muß sein.

Baß, Oboe d'amore, Violine, Bc.
106 Takte, fis-Moll, 4/4 – 6/8 Takt

I've learned at last that God alone
To men the best of friends must be.

5. Recitativo
(Nielsen)

Ja, trag ich gleich den größten Feind in mir,
Die schwere Last der Sünden,
Mein Heiland läßt mich Ruhe finden.
Ich gebe Gott, was Gottes ist,
Das Innerste der Seelen.
Will er sie nun erwählen,
So weicht der Sünden Schuld, so fällt des Satans
List.

Sopran, Streicher, Bc.
10 Takte, cis-Moll – E-Dur, 4/4 Takt

5. Recitative (S)

Yea, though I bear my greatest foe within,
The heavy weight of error,
My Savior lets me find a solace.
I give to God what God doth own,
My inmost heart and spirit.
If he will now accept them,
My debt of sin shall pass, and fall shall Satan's
craft.

6. Choral
(Gächinger Kantorei Stuttgart)

Dahero Trotz der Höllen Heer!
Trotz auch des Todes Rachen!
Trotz aller Welt! mich kann nicht mehr
Ihr Pochen traurig machen!
Gott ist mein Schutz, mein Hilf und Rat;
Wohl dem, der Gott zum Freunde hat!

Chor, Gesamtinstrumentarium
12 Takte, E-Dur, 4/4 Takt

6. Chorale (S, A, T, B)

I therefore scorn the host of hell!
Scorn also death's jaws yawning!
Scorn all the world! No more can me
Its pounding fill with mourning!
God is my shield, my store and help;
Blest he who God as friend hath found!

Ausführende:
Inga Nielsen, Sopran
Helen Watts, Alt
Adalbert Kraus, Tenor
Philippe Huttenlocher, Baß
Manfred Clement, Oboe d'amore
Günther Passin, Oboe d'amore
Hedda Rothweiler, Oboe d'amore
Kurt Etzold, Fagott
Walter Forchert, Violine
Wilhelm Melcher, Violine
Gerhard Voss, Violine
Peter Buck, Continuocello
Hans Häublein, Continuocello
Harro Bertz, Kontrabaß
Hans-Joachim Erhard, Cembalo/Orgelpositiv
Gächinger Kantorei Stuttgart
Bach-Collegium Stuttgart
Leitung: Helmuth Rilling

Aufnahme: Tonstudio Teije van Geest, Heidelberg
Aufnahmeleitung: Richard Hauck
Aufnahmeort: Gedächtniskirche Stuttgart
Aufnahmezeit: Oktober 1979/April 1980
Spieldauer: 19'20"

BWV 140

Wachet auf, ruft uns die Stimme

Kantate zum 27. Sonntag nach Trinitatis
für Sopran, Tenor, Baß, vierstimmigen Chor,
Horn, 2 Oboen, Oboe da caccia,
Streicher mit Solo-Violine und Generalbaß

1. Coro (Choral)
(Gächinger Kantorei Stuttgart)

Wachet auf, ruft uns die Stimme
Der Wächter sehr hoch auf der Zinne,
Wach auf, du Stadt Jerusalem!
Mitternacht heißt diese Stunde;
Sie rufen uns mit hellem Munde:
Wo seid ihr klugen Jungfrauen?
Wohl auf, der Bräutgam kömmt;
Steht auf, die Lampen nehmt!
Alleluja!
Macht euch bereit
Zu der Hochzeit,
Ihr müsset ihm entgegengehn!

Chor, Gesamtinstrumentarium
205 Takte, Es-Dur, 3/4 Takt

2. Recitativo
(Baldin)

Er kommt, er kommt,
Der Bräutgam kommt!
Ihr Töchter Zions, kommt heraus,
Sein Ausgang eilet aus der Höhe
In euer Mutter Haus.
Der Bräutgam kommt, der einem Rehe
Und jungen Hirsche gleich
Auf denen Hügeln springt
Und euch das Mahl der Hochzeit bringt.
Wacht auf, ermuntert euch!
Den Bräutgam zu empfangen!
Dort, sehet, kommt er hergegangen.

Tenor, Bc.
13 Takte, c-Moll, 4/4 Takt

3. Aria (Duetto)
(Augér, Huttenlocher)

Sopran
Wenn kömmst du, mein Heil?
Baß
Ich komme, dein Teil.
Sopran
Ich warte mit brennendem Öle.

1. Chorus [Verse 1] (S, A, T, B)

Wake, arise, the voices call us
Of watchmen from the lofty tower;
Arise, thou town Jerusalem!
Midnight's hour doth give its summons;
They call to us with ringing voices;
Where are ye prudent virgins now?
Make haste, the bridegroom comes;
Rise up and take your lamps!
Alleluia!
Prepare to join
The wedding feast,
Go forth to meet him as he comes!

2. Recitative (T)

He comes, he comes,
The bridegroom comes!
O Zion's daughters, come ye forth,
His journey hieth from the heavens
Into your mother's house.
The bridegroom comes, who to a roebuck
And youthful stag is like,
Which on the hills doth leap;
To you the marriage meal he brings.
Rise up, be lively now
The bridegroom here to welcome!
There, look now, thence he comes to meet you.

3. Aria (S, B)

(Soul)
When com'st thou, my Savior?
(Jesus)
I'm coming, thy share.
(Soul)
I'm waiting with my burning oil.

Sopran
Baß
{ Eröffne }
{ Ich öffne } den Saal
beide
Zum himlischen Mahl
Sopran
Komm, Jesu!
Baß
Ich komme; komm, liebliche Seele!

Sopran, Baß, Violine, Bc.
88 Takte, c-Moll, 6/8 Takt

(Soul, Jesus)
Now open
I open   the hall
Both
For heaven's rich meal.
(Soul)
Come, Jesus!
(Jesus)
Come, O lovely soul!

4. Choral
(Gächinger Kantorei Stuttgart)

Zion hört die Wächter singen,
Das Herz tut ihr vor Freuden springen,
Sie wachet und steht eilend auf.
Ihr Freund kommt vom Himmel prächtig,
Von Gnaden stark, von Wahrheit mächtig,
Ihr Licht wird hell, ihr Stern geht auf.
Nun komm, du werte Kron,
Herr Jesu, Gottes Sohn!
Hosianna!
Wir folgen all
Zum Freudensaal
Und halten mit das Abendmahl.

Chor-Tenor, Streicher, Bc.
74 Takte, Es-Dur, 4/4 Takt

4. Chorale [Verse 2] (T)

Zion hears the watchmen singing,
Her heart within for joy is dancing,
She watches and makes haste to rise.
Her friend comes from heaven glorious,
In mercy strong, in truth most mighty,
Her light is bright, her star doth rise.
Now come, thou precious crown,
Lord Jesus, God's own Son!
Hosanna pray!
We follow all
To joy's glad hall
And join therein the evening meal.

5. Recitativo
(Huttenlocher)

So geh herein zu mir,
Du mir erwählte Braut!
Ich habe mich mit dir
Von Ewigkeit vertraut.
Dich will ich auf mein Herz,
Auf meinen Arm gleich wie ein Siegel setzen
Und dein betrübtes Aug ergötzen.
Vergiß, o Seele, nun
Die Angst, den Schmerz,
Den du erdulden müssen;
Auf meiner Linken sollst du ruhn,
Und meine Rechte soll dich küssen.

Baß, Streicher, Bc.
15 Takte, Es-Dur – B-Dur, 4/4 Takt

5. Recitative (B)

So come within to me,
Thou mine elected bride!
I have myself to thee
Eternally betrothed.
I will upon my heart,
Upon my arm like as a seal engrave thee
And to thy troubled eye bring pleasure.
Forget, O spirit, now
The fear, the pain
Which thou hast had to suffer;
Upon my left hand shalt thou rest,
And this my right hand shall embrace thee.

6. Aria (Duetto)
(Augér, Huttenlocher)

Sopran
Mein Freund ist mein,
          Baß
          Und ich bin sein,

6. Aria (S, B)

(Soul)
My friend is mine,
(Jesus)
And I am thine,

beide
Die Liebe soll nichts scheiden.

Sopran
Baß
$\left\{\begin{array}{l}\text{Ich will}\\\text{Du sollst}\end{array}\right\}$ mit $\left\{\begin{array}{l}\text{dir}\\\text{mir}\end{array}\right\}$ in Himmels Rosen
weiden,

beide
Da Freude die Fülle, da Wonne wird sein.

Sopran, Baß, Oboe, Bc.
119 Takte, B-Dur, 4/4 Takt

7. Choral
(Gächinger Kantorei Stuttgart)

**Gloria sei dir gesungen
Mit Menschen- und englischen Zungen,
Mit Harfen und mit Zimbeln schon.
Von zwölf Perlen sind die Pforten,
An deiner Stadt sind wir Konsorten
Der Engel hoch um deinen Thron.
Kein Aug hat je gespürt,
Kein Ohr hat je gehört
Solche Freude.
Des sind wir froh,
Io, io!
Ewig in dulci jubilo.**

Chor, Gesamtinstrumentarium
52 Takte, Es-Dur, ¢ Takt

Ausführende:
Arleen Augér, Sopran
Aldo Baldin, Tenor
Philippe Huttenlocher, Baß
Hannes Läubin, Horn
Günther Passin, Oboe
Hedda Rothweiler, Oboe
Daisuke Mogi, Oboe da caccia
Christoph Carl, Fagott
Georg Egger, Violine
Stefan Trauer, Violoncello
Claus Zimmermann, Kontrabaß
Martha Schuster, Cembalo
Hans-Joachim Erhard, Orgelpositiv
**Gächinger Kantorei Stuttgart
Württembergisches Kammerorchester Heilbronn
Leitung: Helmuth Rilling**

Aufnahme: Tonstudio Teije van Geest, Heidelberg
Aufnahmeleitung: Richard Hauck
Aufnahmeort: Gedächtniskirche Stuttgart
Aufnahmezeit: September 1983/Februar 1984
Spieldauer: 24'15"

(Both)
Let love bring no division.

(Soul, Jesus)
I will $\quad$ with $\quad$ thee $\quad$ on heaven's roses pasture
Thou shalt $\qquad$ me
Both
Where pleasure in fullness, where joy will
abound.

7. Chorale [Verse 3] (S, A, T, B)

**Gloria to thee be sung now
With mortal and angelic voices,
With harps and with the cymbals, too.
Of twelve pearls are made the portals;
Amidst thy city we are consorts
Of angels high around thy throne.
No eye hath yet perceived,
No ear hath e'er yet heard
Such great gladness.
Thus we find joy,
Io, io,
Ever in dulci jubilo!**

Lobe den Herrn, meine Seele
Kantate zu Neujahr
für Sopran, Tenor, Baß, vierstimmigen Chor, 3 Hörner,
Pauken, Fagott, Streicher mit Solo-Violine
und Generalbaß

1. Coro
(Frankfurter Kantorei)

Lobe den Herrn, meine Seele.

Chor, Gesamtinstrumentarium
35 Takte, B-Dur, 3/4 Takt

1. Chorus [Dictum] (S, A, T, B)

Praise thou the Lord, O my spirit.

2. Choral
(Csapò)

Du Friedefürst, Herr Jesu Christ,
Wahr' Mensch und wahrer Gott,
Ein starker Nothelfer du bist
Im Leben und im Tod;
Drum wir allein
Im Namen dein
Zu deinem Vater schreien.

Sopran, Violine, Bc.
37 Takte, B-Dur, 4/4 Takt

2. Chorale [Verse 1] (S)

Thou Prince of peace, Lord Jesus Christ,
True man and very God,
A helper strong in need thou art
In life as well as death.
So we alone
In thy dear name
Are to thy Father crying.

3. Recitativo
(Kraus)

Wohl dem, des Hilfe der Gott Jakobs ist, des Hoff-
nung auf den Herrn, seinen Gotte, stehet.

Tenor, Bc.
5 Takte, Es-Dur – c-Moll, 4/4 Takt

3. Recitative [Dictum] (T)

Blest he who hath for his help Jacob's God, whose
hope upon the Lord, on his God, resteth.

4. Aria
(Kraus)

Tausendfaches Unglück, Schrecken,
Trübsal, Angst und schnellen Tod,
Völker, die das Land bedecken,
Sorgen und sonst mehr noch Not
Sehen andre Länder zwar,
Aber wir ein Segensjahr.

Tenor, Streicher, Bc.
32 Takte, c-Moll, 4/4 Takt

4. Aria (T)

Thousandfold misfortune, terror,
Sadness, fear and sudden death,
Heathen who the land have covered,
Sorrows and still greater need,
These may other nations see,
We, instead, a year of grace.

5. Aria
(Schöne)

Der Herr ist König ewiglich, dein Gott, Zion, für und für.

Baß, 3 Hörner, Pauken, Fagott, Bc.
50 Takte, B-Dur, 3/4 Takt

5. Aria [Dictum] (B)

The Lord is king now evermore, thy God, Zion, evermore.

6. Aria con Choral
(Kraus)

Jesu, Retter deiner Herde,
Bleibe ferner unser Hort,
Daß dies Jahr uns glücklich werde,
Halte Wacht an jedem Ort.
Führ, o Jesu, deine Schar
Bis zu jenem neuen Jahr.

Tenor, Fagott, Streicher, Bc.
40 Takte, g-Moll, 4/4 Takt

6. Aria (T) with instr. chorale

Jesus, of thy flock the Savior,
In the future bide our shield;
That this year bring us good fortune
Keep thy watch in ev'ry place.
Lead, O Jesus, this thy throng
Even to the next new year.

7. Coro (Choral)
(Frankfurter Kantorei)

Halleluja.

Gedenk, Herr Jesu, an dein Amt,
Daß du ein Friedfürst bist,
Und hilf uns gnädig allesamt
Jetzt und zu jeder Frist;
Laß uns hinfort
Dein göttlich Wort
Im Fried noch länger hallen.

Chor, Gesamtinstrumentarium
62 Takte, B-Dur, 6/8 Takt

7. Chorus [Verse 3] (S, A, T, B)

Hallelujah!

Give thought, Lord, now unto thy work:
Thou art a Prince of peace;
So help us, every one, with grace
At this appointed time;
Let us henceforth
Thy godly word
In peace make ring still longer.

Ausführende:
Eva Csapò, Sopran
Adalbert Kraus, Tenor
Wolfgang Schöne, Baß
Hermann Sauter, Horn
Eugen Mayer, Horn
Heiner Schatz, Horn
Hans-Joachim Schmukalla, Pauken
Hermann Herder, Fagott
Walter Forchert, Violine
Jürgen Wolf, Continuocello
Manfred Gräser, Kontrabaß
Martha Schuster, Cembalo
Joachim Eichhorn, Orgelpositiv
Frankfurter Kantorei
Bach-Collegium Stuttgart
Leitung: Helmuth Rilling

Aufnahme: Südwest-Tonstudio, Stuttgart
Aufnahmeleitung: Richard Hauck, Heinz Jansen

Toningenieur: Henno Quasthoff
Aufnahmeort: Gedächtniskirche Stuttgart
Aufnahmezeit: Januar/April 1975
Spieldauer: 13'10"

BWV 144

Serie **VI**, Nr. 98.702

Nimm, was dein ist, und gehe hin
Kantate zum Sonntag Septuagesimae
für Sopran, Alt, Tenor, vierstimmigen Chor,
2 Oboen, Oboe d'amore, Streicher und Generalbaß

1. Coro
(Gächinger Kantorei Stuttgart)

Nimm, was dein ist, und gehe hin.

Chor, 2 Oboen, Streicher, Bc.
68 Takte, h-Moll, ₵ Takt

2. Aria
(Watts)

Murre nicht,
Lieber Christ,
Wenn was nicht nach Wunsch geschicht;
  Sondern sei mit dem zufrieden,
  Was dir dein Gott hat beschieden,
  Er weiß, was dir nützlich ist.

Alt, Streicher, Bc.
194 Takte, e-Moll, 3/4 Takt

3. Choral
(Gächinger Kantorei Stuttgart)

Was Gott tut, das ist wohlgetan,
Es bleibt gerecht sein Wille;
Wie er fängt meine Sachen an,
Will ich ihm halten stille.
Er ist mein Gott,
Der in der Not
Mich wohl weiß zu erhalten:
Drum lass' ich ihn nur walten.

Chor, 2 Oboen, Streicher, Bc.
14 Takte, G-Dur, 4/4 Takt

4. Recitativo
(Kraus)

Wo die Genügsamkeit regiert
Und überall das Ruder führt,

1. Chorus [Dictum] (S, A, T, B)

Take what is thine and go away.

2. Aria (A)

Murmur not,
Man of Christ,
When thy wish is not fulfilled;
  Rather be with that contented
  Which thee thy God hath apportioned;
  He knows what will help thee.

3. Chorale (S, A, T, B)

What God doth, that is rightly done,
His will is just forever;
Whatever course he sets my life,
I will trust him with calmness.
He is my God,
Who in distress
Knows well how to support me;
So I yield him all power.

4. Recitative (T)

Wherever moderation rules
And ev'rywhere the helm doth tend,

Da ist der Mensch vergnügt
Mit dem, wie es Gott fügt.
Dagegen, wo die Ungenügsamkeit das Urteil
                                        spricht,
Da stellt sich Gram und Kummer ein,
Das Herz will nicht
Zufrieden sein,
Und man gedenket nicht daran:
Was Gott tut, das ist wohlgetan.

Tenor, Bc.
13 Takte, e-Moll – h-Moll, 4/4 Takt

There is mankind content
With that which God ordains.
However, where immoderation doth its judgment
                                        speak,
There shall both grief and woe ensue,
The heart shall not
Be satisfied,
And unremembered shall be this:
What God doth, that is rightly done.

5. Aria
(Augér)

Genügsamkeit
Ist ein Schatz in diesem Leben,
Welcher kann Vergnügung geben
In der größten Traurigkeit,
Genügsamkeit.
Denn es lässet sich in allen
Gottes Fügung wohl gefallen
Genügsamkeit.

Sopran, Oboe d'amore, Bc.
42 Takte, h-Moll, 4/4 Takt

5. Aria (S)

Contentedness,
In this life it is a treasure
Which is able to bring pleasure
In the greatest time of grief,
Contentedness.
For it findeth in whatever
God ordaineth satisfaction,
Contentedness.

6. Choral
(Gächinger Kantorei Stuttgart)

Was mein Gott will, das g'scheh allzeit,
Sein Will, der ist der beste.
Zu helfen den'n er ist bereit,
Die an ihn glauben feste.
Er hilft aus Not, der fromme Gott,
Und züchtiget mit Maßen.
Wer Gott vertraut, fest auf ihn baut,
Den will er nicht verlassen.

Chor, 2 Oboen, Streicher, Bc.
20 Takte, h-Moll, 4/4 Takt.

6. Chorale (S, A, T, B)

What my God will, let be alway,
His will, it is the best will.
To help all those he is prepared
Who in him faith keep steadfast.
He frees from want, this faithful God,
And punisheth with measure.
Who God doth trust, firm on him builds,
Him shall he not abandon.

Ausführende:
Arleen Augér, Sopran
Helen Watts, Alt
Adalbert Kraus, Tenor
Allan Vogel, Oboe/Oboe d'amore
Hedda Rothweiler, Oboe
Kurt Etzold, Fagott
Klaus-Peter Hahn, Continuocello
Thomas Lom, Kontrabaß
Hans-Joachim Erhard, Cembalo/Orgelpositiv
Gächinger Kantorei Stuttgart
Bach-Collegium Stuttgart
Leitung: Helmuth Rilling

Aufnahme: Tonstudio Teije van Geest, Heidelberg
Aufnahmeleitung: Richard Hauck

Toningenieur: Günter Appenheimer
Aufnahmeort: Gedächtniskirche Stuttgart
Aufnahmezeit: September 1978
Spieldauer: 14'20"

BWV 145

Ich lebe, mein Herze, zu deinem Ergötzen

Kantate zum 3. Osterfesttag
(Text: Picander)
für Sopran, Tenor, Baß, vierstimmigen Chor,
Trompete, Flöte, 2 Oboi d'amore,
Streicher mit Solo-Violine und Generalbaß

1. Aria (Duetto)
(Cuccaro, Kraus)

1. Aria (T, S)

(Jesus, Seele)

Tenor
Sopran

{ Ich lebe, mein Herze, } zu { deinem } Ergötzen,
{ Du lebest, mein Jesu, }   { meinem }

Tenor
Sopran

{ Mein } Leben erhebet { dein } Leben empor.
{ Dein }   { mein }

beide
Die klagende Handschrift ist völlig zerrissen,
Der Friede verschaffet ein ruhig Gewissen
Und öffnet den Sündern das himmlische Tor.

Sopran, Tenor, Violine, Bc.
119 Takte, D-Dur, 2/4 Takt

(Jesus, Soul)
I live now, my spirit,   to thy purest pleasure,
Thou livest, my Jesus,   my
My life is exalting thy life to the stars.
Thy   my

(Both)

The bond which indicts thee is broken asunder,
And peace hath provided a conscience of quiet
And opened to sinners the heavenly gate.

2. Recitativo
(Kraus)

2. Recitative (T)

Nun fordre, Moses, wie du willt,
Das dräuende Gesetz zu üben,
Ich habe meine Quittung hier
Mit Jesu Blut und Wunden unterschrieben.
Dieselbe gilt,
Ich bin erlöst, ich bin befreit
Und lebe nun mit Gott in Fried und Einigkeit,
Der Kläger wird an mir zuschanden,
Denn Gott ist auferstanden.
Mein Herz, das merke dir!

Tenor, Bc.
12 Takte, h-Moll, 4/4 Takt

Now order, Moses, as thou wilt,
That we the threat'ning law should practise;
For I have my release here now
With Jesus' blood and wounding signed in
                                        writing.
And it holds force,
I am redeemed, I am set free
And live life now with God in peace and unity,
The plaintiff has no case against me,
For God is now arisen.
My heart, remember this!

3. Aria
(Schmidt)

Merke, mein Herze, beständig nur dies,
Wenn du alles sonst vergißt,
Daß dein Heiland lebend ist;
Lasse dieses deinem Gläuben
Einen Grund und Feste bleiben,
Auf solche besteht er gewiß.
Merke, meine Herze, nur dies.

Baß, Trompete, Flöte, 2 Oboi d'amore,
Streicher ohne Violen, Bc.
192 Takte, D-Dur, 3/8 Takt

3. Aria (B)

Mark thou, my heart now, forever just this,
When thou all else dost forget,
That thy Savior is alive;
See that this be to thy doctrine
A foundation firm forever,
For on this it shall stand secure.
Mark thou, my heart now, just this.

4. Recitativo
(Cuccaro)

Mein Jesus lebt,
Das soll mir niemand nehmen,
Drum sterb ich sonder Grämen.
Ich bin gewiß
Und habe das Vertrauen,
Daß mich des Grabes Finsternis
Zur Himmelsherrlichkeit erhebt;
Mein Jesus lebt,
Ich habe nun genug,
Mein Herz und Sinn
Will heute noch zum Himmel hin,
Selbst den Erlöser anzuschauen.

Sopran, Bc.
12 Takte, A-Dur – fis-Moll, 4/4 Takt

4. Recitative (S)

My Jesus lives,
From me shall no one take this,
I'll die, then, with no grieving.
I am assured
And am of this most certain
That me the darkness of the grave
To heaven's majesty shall raise.
My Jesus lives,
I have in this enough;
My heart and mind
Would this day yet to heaven tend,
To see the face of my Redeemer.

5. Choral
(Gächinger Kantorei Stuttgart)

**Drum wir auch billig fröhlich sein,
Singen das Halleluja fein
Und loben dich, Herr Jesu Christ;
Zu Trost du uns erstanden bist.
Halleluja!**

Chor, Flöte, 2 Oboi d'amore, Streicher, Bc.
18 Takte, fis-Moll (dorisch), 3/4 Takt

5. Chorale (S, A, T, B)

**Thus we are also rightly glad,
Singing our Hallelujah fair
And praising thee, Lord Jesus Christ;
To comfort us thou art aris'n.
Hallelujah!**

Ausführende:
Costanza Cuccaro, Sopran
Adalbert Kraus, Tenor
Andreas Schmidt, Baß
Reinhold Friedrich, Trompete
Sibylle Keller-Sanwald, Flöte
Günther Passin, Oboe d'amore
Hedda Rothweiler, Oboe d'amore
Kurt Etzold, Fagott
Georg Egger, Violine
Stefan Trauer, Violoncello
Claus Zimmermann, Kontrabaß
Hans-Joachim Erhard, Cembalo/Orgelpositiv

Gächinger Kantorei Stuttgart
Württembergisches Kammerorchester Heilbronn
Leitung: Helmuth Rilling

Aufnahme: Tonstudio Teije van Geest, Heidelberg
Aufnahmeleitung: Richard Hauck
Aufnahmeort: Gedächtniskirche Stuttgart
Aufnahmezeit: Februar 1984
Spieldauer: 9'40"

BWV 146

Serie II, Nr. 98.667

Wir müssen durch viel Trübsal in das Reich Gottes eingehen

Kantate zum Sonntag Jubilate
für Sopran, Alt, Tenor, Baß, vierstimmigen Chor,
obligate Orgel, Flöte, 2 Oboen, 2 Oboi d'amore, Oboe
da caccia, Streicher mit Solo-Violine und Generalbaß

1. Sinfonia
(Schuster, Bach-Collegium Stuttgart)

Orgel, 2 Oboen, Oboe da caccia, Streicher, Bc.
190 Takte, d-Moll, 4/4 Takt

1. Sinfonia

2. Coro
(Gächinger Kantorei Stuttgart)

Wir müssen durch viel Trübsal in das Reich Gottes eingehen.

Chor, Orgel, Streicher, Bc.
87 Takte, g-Moll, 3/4 Takt

2. Chorus [Dictum] (S, A, T, B)

We must pass through great sadness that we God's kingdom may enter.

3. Aria
(Hoeffgen)

Ich will nach dem Himmel zu,
Schnödes Sodom, ich und du
Sind nunmehr geschieden.
  Meines Bleibens ist nicht hier,
  Denn ich lebe doch bei dir
  Nimmermehr in Frieden.

Alt, Violine, Bc.
124 Takte, B-Dur, 4/4 Takt

3. Aria (A)

I would unto heaven go,
Wicked Sodom, I and thou
Are henceforth divided.
  My abiding is not here,
  For I'll live, indeed, with thee
  Nevermore at peace now.

4. Recitativo
(Donath)

Ach! wer doch schon im Himmel wär!
Wie dränget mich nicht die böse Welt!

4. Recitative (S)

Ah! Were I but in heaven now!
What threatens me not the evil world!

Mit Weinen steh ich auf,
Mit Weinen leg ich mich zu Bette,
Wie trüglich wird mir nachgestellt!
Herr! merke, schaue drauf,
Sie hassen mich, und ohne Schuld,
Als wenn die Welt die Macht,
Mich gar zu töten hätte;
Und leb ich denn mit Seufzen und Geduld
Verlassen und veracht',
So hat sie noch an meinem Leide
Die größte Freude.
Mein Gott, das fällt mir schwer.
Ach! wenn ich doch,
Mein Jesu, heute noch
Bei dir im Himmel wär!

Sopran, Streicher, Bc.
19 Takte, g-Moll – d-Moll, 4/4 Takt

With weeping do I rise,
With weeping in my bed I lay me,
How treach'rous do they lie in wait!
Lord! mark it, look at this,
They hate me so, and with no fault,
As though the world had pow'r
As well to slay me fully;
And though I live with sighing and forbear,
Forsaken and despised,
Yet doth it take in my sorrow
The greatest pleasure.
My God, this weighs me down.
Ah! Would that I,
My Jesus, e'en today
With thee in heaven were!

5. Aria
(Donath)

Ich säe meine Zähren
Mit bangem Herzen aus.
Jedoch mein Herzeleid
Wird mir die Herrlichkeit
Am Tage der seligen Ernte gebären.

Sopran, Flöte, 2 Oboi d'amore, Bc.
99 Takte, d-Moll, 4/4 Takt

5. Aria (S)

I shall my tears of sorrow
With anxious bosom sow.
And still my heart's distress
To me will splendidness
Upon the day of the glad harvest deliver.

6. Recitativo
(Equiluz)

Ich bin bereit,
Mein Kreuz geduldig zu ertragen;
Ich weiß, daß alle meine Plagen
Nicht wert der Herrlichkeit,
Die Gott an den erwählten Scharen
Und auch an mir wird offenbaren.
Jetzt wein ich, da das Weltgetümmel
Bei meinem Jammer fröhlich scheint.
Bald kommt die Zeit,
Da sich mein Herz erfreut,
Und da die Welt einst ohne Tröster weint.
Wer mit dem Feinde ringt und schlägt,
Dem wird die Krone beigelegt;
Denn Gott trägt keinen nicht mit Händen in
                                den Himmel.

Tenor, Bc.
17 Takte, a-Moll, 4/4 Takt

6. Recitative (T)

I am prepared
My cross with patience e'er to carry;
I know that all of these my torments
Won't match the splendidness
Which God unto his chosen masses
And also me will make apparent.
I weep now, for the world's great tumult
At all my mourning seemeth glad.
Soon comes the time
When my heart shall rejoice;
Then shall the world without a savior weep.
Who with the foe doth strive and fight
Will have his crown then on him laid;
For God lifts no one without labor into heaven.

7. Aria (Duetto)
(Equiluz, Kunz)

Wie will ich mich freuen, wie will ich mich laben,
Wenn alle vergängliche Trübsal vorbei!

7. Aria (T, B)

How will I be joyful, how will I take comfort,
When all of this transient sadness is past!

Da glänz ich wie Sterne und leuchte wie
Sonne,
Da störet die himmlische selige Wonne
Kein Trauern, Heulen und Geschrei.

Tenor, Baß, 2 Oboen, Streicher, Bc.
248 Takte, F-Dur, 3/8 Takt

8. Choral
(Gächinger Kantorei Stuttgart)

Denn wer selig dahin fähret,
Da kein Tod mehr klopfet an,
Dem ist alles wohl gewähret,
Was er ihm nur wünschen kann.
Er ist in der festen Stadt,
Da Gott seine Wohnung hat;
Er ist in das Schloß geführet,
Das kein Unglück nie berühret.

Chor, Oboe d'amore, Streicher, Bc.
16 Takte, F-Dur, 4/4 Takt

Ausführende:
Helen Donath, Sopran
Marga Hoeffgen, Alt
Kurt Equiluz, Tenor
Hanns-Friedrich Kunz, Baß
Martha Schuster, Orgel/Cembalo/Orgelpositiv
Peter-Lukas Graf, Flöte
Günther Passin, Oboe
Thomas Schwarz, Oboe
Hanspeter Weber, Oboe d'amore/
Oboe da caccia
Hedda Rothweiler, Oboe d'amore
Kurt Etzold, Fagott
Werner Keltsch, Violine
Jürgen Wolf, Continuocello
Manfred Gräser, Kontrabaß
Gächinger Kantorei Stuttgart
Bach-Collegium Stuttgart
Leitung: Helmuth Rilling

Aufnahme: Sonopress Tontechnik, Gütersloh
Aufnahmeleitung: Richard Hauck,
Wolfram Wehnert
Aufnahmeort: Gedächtniskirche Stuttgart
Aufnahmezeit: März/April 1973
Spieldauer: 40'00"

I'll gleam like the heavens, and shine like the
sunlight,
When vex shall my heavenly bliss
No grieving, weeping, and lament.

8. Chorale (S, A, T, B)

For who blessèd passeth thither,
Where no death will knock again,
He shall all those things obtain then
That he ever could desire.
He'll be in that stronghold sure
Where God his own dwelling hath,
He'll have in that mansion lodging
Which no misery afflicteth.

BWV 147

Serie **IV**, Nr. 98.687

Herz und Mund und Tat und Leben
Kantate zu Mariae Heimsuchung
für Sopran, Alt, Tenor, Baß, vierstimmigen Chor,
Trompete, 2 Oboen, Oboe d'amore, 2 Oboi da caccia,
Fagott, Streicher mit Solo-Violine und Generalbaß

I. Teil

1. Coro
(Frankfurter Kantorei)

Herz und Mund und Tat und Leben
Muß von Christo Zeugnis geben
Ohne Furcht und Heuchelei,
Daß er Gott und Heiland sei.

Chor, Trompete, 2 Oboen, Fagott,
Streicher, Bc.
66 Takte, C-Dur, 6/4 Takt

2. Recitativo
(Equiluz)

Gebenedeiter Mund!
Maria macht ihr Innerstes der Seelen
Durch Dank und Rühmen kund;
Sie fänget bei sich an,
Des Heilands Wunder zu erzählen,
Was er an ihr als seiner Magd getan.
O menschliches Geschlecht,
Des Satans und der Sünden Knecht,
Du bist befreit
Durch Christi tröstendes Erscheinen
Von dieser Last und Dienstbarkeit!
Jedoch dein Mund und dein verstockt Gemüte
Verschweigt, verleugnet solche Güte;
Doch wisse, daß dich nach der Schrift
Ein allzuscharfes Urteil trifft!

Tenor, Streicher, Bc.
19 Takte, F-Dur – a-Moll, 4/4 Takt

3. Aria
(Watts)

Schäme dich, o Seele, nicht,
Deinen Heiland zu bekennen,
Soll er dich die seine nennen
Vor des Vaters Angesicht!
Doch wer ihn auf dieser Erden
Zu verleugnen sich nicht scheut,
Soll von ihm verleugnet werden,
Wenn er kommt zur Herrlichkeit.

Alt, Oboe d'amore, Bc.
108 Takte, a-Moll, 3/4 Takt

4. Recitativo
(Schöne)

Verstockung kann Gewaltige verblenden,
Bis sie des Höchsten Arm vom Stuhle stößt;
Doch dieser Arm erhebt,
Obschon vor ihm der Erde Kreis erbebt,

First Part

1. Chorus (S, A, T, B)

Heart and mouth and deed and living
Must for Christ their witness offer
Without fear and falsity
That he God and Savior is.

2. Recitative (T)

O thou most blessèd voice!
Now Mary makes her spirit's deepest feelings
Through thanks and praising known;
She undertakes alone
To tell the wonders of the Savior,
All he in her, his virgin maid, hath wrought.
O mortal race of men,
Of Satan and of sin the thrall,
Thou art set free
Through Christ's most comforting appearance
From all this weight and slavery!
But yet thy voice and thine own stubborn spirit
Grow still, denying all such kindness;
Remember that the Scripture saith
An awesome judgment shall thee strike!

3. Aria (A)

Be ashamed, O spirit, not,
This thy Savior to acknowledge,
Should he as his own e'er name thee
'Fore his Father's countenance.
For he who him on earth now
To deny is not afraid
Is by him to be denièd
When he comes in majesty.

4. Recitative (B)

The mighty can by stubbornness be blinded
Till them the Highest's arm thrust from their
throne;
But this arm doth exalt,
E'en though 'fore it the earthly ball doth quake,

Hingegen die Elenden,
So er erlöst.
O hochbeglückte Christen,
Auf, machet euch bereit,
Itzt ist die angenehme Zeit,
Itzt ist der Tag des Heils: der Heiland heißt
Euch Leib und Geist
Mit Glaubensgaben rüsten,
Auf, ruft zu ihm in brünstigem Verlangen,
Um ihn im Glauben zu empfangen!

Baß, Bc.
21 Takte, d-Moll – a-Moll, 4/4 Takt

In turn the meek and humble,
Whom he shall save.
O highly favored Christians,
Rise, get yourselves prepared,
Now is the time of joy at hand,
Now is the day of grace: the Savior bids
You arm both soul and body with faith's
blessings;
Rise, call to him with fervor and with yearning,
That ye in faith may now receive him!

5. Aria
(Augér)

Bereite dir, Jesu, noch itzo die Bahn,
Mein Heiland, erwähle
Die gläubende Seele
Und siehe mit Augen der Gnade mich an!

Sopran, Violine, Bc.
50 Takte, d-Moll, 4/4 Takt

5. Aria (S)

Make ready, O Jesus, to thee now the way;
My Savior, elect now
My soul ever faithful
And look down with eyes full of grace now on me!

6. Choral
(Frankfurter Kantorei)

Wohl mir, daß ich Jesum habe,
O wie feste halt ich ihn,
Daß er mir mein Herze labe,
Wenn ich krank und traurig bin.
Jesum hab ich, der mich liebet
Und sich mir zu eigen gibet;
Ach drum laß ich Jesum nicht,
Wenn mir gleich mein Herze bricht.

Chor, Trompete, 2 Oboen, Streicher, Bc.
71 Takte, G-Dur, 3/4 (9/8) Takt

6. Chorale (S, A, T, B)

Blest am I that I have Jesus,
Oh, how firmly I hold him,
That he bring my soul refreshment
When I'm ill and filled with grief.
I have Jesus, who doth love me
And himself to me entrusteth;
Ah, I'll hence leave Jesus not,
Even though my heart should break.

II. Teil

7. Aria
(Equiluz)

Hilf, Jesu, hilf, daß ich auch dich bekenne
In Wohl und Weh, in Freud und Leid,
Daß ich dich meinen Heiland nenne
Im Glauben und Gelassenheit,
Daß stets mein Herz von deiner Liebe brenne.

Tenor, Bc.
64 Takte, F-Dur, 3/4 Takt

Second Part

7. Aria (T)

Help, Jesus, help both that I may confess thee
In health and woe, joy and grief,
And that I may my Savior call thee
In steadfast faith and confidence,
That e'er thy love within my heart be burning.

8. Recitativo
(Watts)

Der höchsten Allmacht Wunderhand
Wirkt im Verborgenen der Erden.
Johannes muß mit Geist erfüllet werden,
Ihn zieht der Liebe Band
Bereits in seiner Mutter Leibe,
Daß er den Heiland kennt,
Ob er ihn gleich noch nicht
Mit seinem Munde nennt,
Er wird bewegt, er hüpft und springet,
Indem Elisabeth das Wunderwerk ausspricht,
Indem Mariae Mund der Lippen Opfer bringet.
Wenn ihr, o Gläubige, des Fleisches
                     Schwachheit merkt,
Wenn euer Herz in Liebe brennet,
Und doch der Mund den Heiland nicht
                     bekennet,
Gott ist es, der euch kräftig stärkt,
Er will in euch des Geistes Kraft erregen,
Ja Dank und Preis auf eure Zunge legen.

Alt, 2 Oboi da caccia, Bc.
27 Takte, C-Dur, 4/4 Takt

8. Recitative (A)

The wondrous hand of might sublime
Doth work in earth's unseen recesses;
Since John now must be made full of the Spirit,
The bond of love tugs him
Already in his mother's body;
That he the Savior know,
Although he not at once
Him with his mouth address,
He is stirred up, he leaps and springeth,
So that Elizabeth the marvel doth proclaim,
So that Maria's mouth the gift of lips doth offer.
If ye, O ye of faith, the flesh's weakness see,
And if your heart with love is burning,
But still your mouth thy Savior not acknowledge,
God is it who gives you great strength;
He shall in you the spirit's pow'r awaken,
Yea, thanks and praise upon your tongue shall lay
                     then.

9. Aria
(Schöne)

Ich will von Jesu Wundern singen
Und ihm der Lippen Opfer bringen,
Er wird nach seiner Liebe Bund
Das schwache Fleisch, den irdschen Mund
Durch heilges Feuer kräftig zwingen.

Baß, Trompete, 2 Oboen, Streicher, Bc.
58 Takte, C-Dur, 4/4 Takt

9. Aria (B)

Of Jesus' wonders I'll be singing
And bring to him my lips' glad off'ring;
He will by bond of his own love
My feeble flesh, my mundane voice
Through holy fire overpower.

10. Choral
(Frankfurter Kantorei)

Jesus bleibet meine Freude,
Meines Herzens Trost und Saft,
Jesus wehret allem Leide,
Er ist meines Lebens Kraft,
Meiner Augen Lust und Sonne,
Meiner Seele Schatz und Wonne;
Darum laß ich Jesum nicht
Aus dem Herzen und Gesicht.

Chor, Trompete, 2 Oboen, Streicher, Bc.
71 Takte, G-Dur, 3/4 (9/8) Takt

10. Chorale (S, A, T, B)

Jesus shall remain my gladness,
Essence of my heart, its hope;
Jesus from all grief protecteth,
He is of my life its strength,
Of mine eyes the sun and pleasure,
Of my soul the joy and treasure;
Therefore I will Jesus not
From my heart and sight allow.

Ausführende:
Arleen Augér, Sopran
Helen Watts, Alt
Kurt Equiluz, Tenor
Wolfgang Schöne, Baß

Bernhard Schmid, Trompete
Hermann Sauter, Trompete
Hansjörg Schellenberger, Oboe
Dietmar Keller, Oboe d'amore/Oboe da caccia
Hedda Rothweiler, Oboe/Oboe da caccia
Günther Pfitzenmaier, Fagott
Wilhelm Melcher, Violine
Jürgen Wolf, Continuocello
Manfred Gräser, Kontrabaß
Martha Schuster, Cembalo
Montserrat Torrent, Orgelpositiv
Frankfurter Kantorei
Bach-Collegium Stuttgart
Leitung: Helmuth Rilling

Aufnahme: Südwest-Tonstudio, Stuttgart
Aufnahmeleitung: Richard Hauck
Toningenieur: Henno Quasthoff
Aufnahmeort: Gedächtniskirche Stuttgart
Aufnahmezeit: September 1976/Januar, Juni 1977
Spieldauer: 31'20"

BWV 148

Serie **V**, Nr. 98.697

Bringet dem Herrn Ehre seines Namens
Kantate zum 17. Sonntag nach Trinitatis
(Text: Picander)
für Alt, Tenor, vierstimmigen Chor,
Trompete, 2 Oboen, Oboe da caccia,
Streicher mit Solo-Violine und Generalbaß

1. Coro
(Gächinger Kantorei Stuttgart)

Bringet dem Herrn Ehre seines Namens, betet an den Herrn im heiligen Schmuck.

Chor, Gesamtinstrumentarium
147 Takte, D-Dur, ₵ Takt

1. Chorus [Dictum] (S, A, T, B)

Bring to the Lord honor for his name's sake, worship ye the Lord with holy display.

2. Aria
(Equiluz)

Ich eile, die Lehren
Des Lebens zu hören
Und suche mit Freuden das heilige Haus.
  Wie rufen so schöne
  Das frohe Getöne
  Zum Lobe des Höchsten die Seligen aus!

Tenor, Violine, Bc.
126 Takte, h-Moll, 6/8 Takt

2. Aria (T)

I hasten to hear now
The lessons for living
And seek out with gladness that holiest house.
  How lovely a summons
  Of sounds of glad music
  To praise the Almighty the sanctified make!

3. Recitativo
(Watts)

So wie der Hirsch nach frischem Wasser schreit,
So schrei ich, Gott, zu dir.
Denn alle meine Ruh
Ist niemand außer du.
Wie heilig und wie teuer
Ist, Höchster, deine Sabbatsfeier!
Da preis ich deine Macht
In der Gemeine der Gerechten.
O! wenn die Kinder dieser Nacht
Die Lieblichkeit bedächten,
Denn Gott wohnt selbst in mir.

Alt, Streicher, Bc.
15 Takte, G-Dur, 4/4 Takt

3. Recitative (A)

Like as the hart for cooling waters cries,
So I cry, God, to thee.
For as my only rest
There is no one but thee.
How holy and how precious
Is, Master, this thy Sabbath feast day!
I'll praise here all thy might
Within the confines of the righteous.
Oh, would the children only this
Night's loveliness consider,
For God doth dwell in me.

4. Aria
(Watts)

Mund und Herze steht dir offen,
Höchster, senke dich hinein!
  Ich in dich, und du in mich;
  Glaube, Liebe, Dulden, Hoffen
Soll mein Ruhebette sein.

Alt, 2 Oboen, Oboe da caccia, Bc.
92 Takte, G-Dur, 4/4 Takt

4. Aria (A)

Voice and heart to thee are open,
Master, merge thyself with them!
  I in thee, and thou in me;
  Faith and love and trust and patience
Shall my bed of rest now be.

5. Recitativo
(Equiluz)

Bleib auch, mein Gott, in mir
Und gib mir deinen Geist,
Der mich nach deinem Wort regiere,
Daß ich so einen Wandel führe,
Der dir gefällig heißt,
Damit ich nach der Zeit
In deiner Herrlichkeit,
Mein lieber Gott, mit dir
Den großen Sabbat möge halten.

Tenor, Bc.
10 Takte, e-Moll – fis-Moll, 4/4 Takt

5. Recitative (T)

And bide, my God, in me
And me thy Spirit give;
May it within thy word so rule me
That I may act in all my dealings
As thou dost seek of me,
So that I may in time
Within thy majesty,
My dearest God, with thee
That mighty Sabbath feast then honor.

6. Choral
(Gächinger Kantorei Stuttgart)

Amen zu aller Stund
Sprech ich aus Herzensgrund;
Du wollest uns tun leiten,
Herr Christ, zu allen Zeiten,
Auf daß wir deinen Namen
Ewiglich preisen. Amen.

Chor, Trompete, Oboe, Streicher, Bc.
12 Takte, fis-Moll, 4/4 Takt

6. Chorale (S, A, T, B)

Amen at ev'ry hour
I'll say with deepest faith;
Be willing thou to guide us,
Lord Christ, at ev'ry moment,
So that we for thy name's sake
Forever praise thee. Amen.

Ausführende:
Helen Watts, Alt
Kurt Equiluz, Tenor
Rob Roy McGregor, Trompete
Günther Passin, Oboe
Hedda Rothweiler, Oboe
Dietmar Keller, Oboe da caccia
Kurt Etzold, Fagott
Albert Boesen, Violine
Helmut Veihelmann, Continuocello
Thomas Lom, Kontrabaß
Hans-Joachim Erhard, Cembalo/Orgelpositiv
Gächinger Kantorei Stuttgart
Bach-Collegium Stuttgart
Leitung: Helmuth Rilling

Aufnahme: Südwest-Tonstudio, Stuttgart
Aufnahmeleitung: Richard Hauck
Toningenieur: Henno Quasthoff
Aufnahmeort: Gedächtniskirche Stuttgart
Aufnahmezeit: September/Dezember 1977
Spieldauer: 18'20"

BWV 149

Serie **X**, Nr. 98.742

Man singet mit Freuden vom Sieg
Kantate zu Michaelis
(Text: Picander)
für Sopran, Alt, Tenor, Baß, vierstimmigen Chor,
3 Trompeten, Pauken, 3 Oboen, Fagott,
Streicher und Generalbaß

1. Coro
(Gächinger Kantorei Stuttgart)

*Man singet mit Freuden vom Sieg in den Hütten der
Gerechten: Die Rechte des Herrn behält den Sieg, die
Rechte des Herrn ist erhöhet, die Rechte des Herrn
behält den Sieg!*

Chor, Gesamtinstrumentarium
232 Takte, D-Dur, 3/8 Takt

1. Chorus [Dictum] (S, A, T, B)

*They sing now of triumph with joy in the tents of all
the righteous: The right hand of God the triumph
wins, the right hand of God is exalted, the right hand
of God the triumph wins!*

2. Aria
(Huttenlocher)

Kraft und Stärke sei gesungen
Gott, dem Lamme, das bezwungen
Und den Satanas verjagt,
Der uns Tag und Nacht verklagt.
Ehr und Sieg ist auf die Frommen
Durch des Lammes Blut gekommen.

Baß, Bc.
56 Takte, h-Moll, 4/4 Takt

2. Aria (B)

Might and power be now sung to
God, the victim which is slaughtered
And hath Satan now made flee,
Who us day and night accused.
Triumph's praise is to the godly
Through the lamb's own blood forthcoming.

3. Recitativo
(Georg)

Ich fürchte mich
Vor tausend Feinden nicht,
Denn Gottes Engel lagern sich
Um meine Seiten her;
Wenn alles fällt, wenn alles bricht,
So bin ich doch in Ruhe.
Wie wär es möglich zu verzagen?
Gott schickt mir ferner Roß und Wagen
Und ganze Herden Engel zu.

Alt, Bc.
10 Takte, e-Moll – D-Dur, 4/4 Takt

4. Aria
(Augér)

Gottes Engel weichen nie,
Sie sind bei mir allerenden.
   Wenn ich schlafe, wachen sie,
   Wenn ich gehe,
   Wenn ich stehe,
   Tragen sie mich auf den Händen.

Sopran, Streicher, Bc.
204 Takte, A-Dur, 3/8 Takt

5. Recitativo
(Baldin)

Ich danke dir,
Mein lieber Gott, dafür;
Dabei verleihe mir,
Daß ich mein sündlich Tun bereue,
Daß sich mein Engel drüber freue,
Damit er mich an meinem Sterbetage
In deinen Schoß zum Himmel trage.

Tenor, Bc.
8 Takte, C-Dur – G-Dur, 4/4 Takt

6. Aria (Duetto)
(Georg, Baldin)

Seid wachsam, ihr heiligen Wächter,
Die Nacht ist schier dahin.
   Ich sehne mich und ruhe nicht,
   Bis ich vor dem Angesicht
   Meines lieben Vaters bin.

Alt, Tenor, Fagott, Bc.
120 Takte, G-Dur, 4/4 Takt

3. Recitative (A)

I have no fear
Before a thousand foes,
For God's own angels are encamped
Round me on ev'ry side;
Though all should fall, though all collapse,
I'll be ne'erless untroubled.
How could I ever lose my courage?
God shall send me more horse and chariots
And brimming hosts of angels here.

4. Aria (S)

God's own angels never yield,
They are present all about me.
   At my sleeping, they keep watch,
   At my going,
   At my rising,
   In their hands do they support me.

5. Recitative (T)

I give thee thanks,
O my dear God, for this;
And grant to me as well
That I for all my sins feel sorrow,
For which my angel know such gladness
That he shall upon my day to perish
Into thy heav'nly bosom carry.

6. Aria (A, T)

Be watchful, O ye holy watchmen,
The night is nearly spent.
   My yearning shall no rest give me
   Till I 'fore the countenance
   Of my loving Father stand.

7. Choral
(Gächinger Kantorei Stuttgart)

Ach Herr, laß dein lieb Engelein
Am letzten End die Seele mein
In Abrahams Schoß tragen,
Den Leib in seim Schlafkämmerlein
Gar sanft ohn einge Qual und Pein
Ruhn bis am jüngsten Tage!
Alsdenn vom Tod erwecke mich,
Daß meine Augen sehen dich
In aller Freud, o Gottes Sohn,
Mein Heiland und Genadenthron!
Herr Jesu Christ, erhöre mich, erhöre mich,
Ich will dich preisen ewiglich!

Chor, Gesamtinstrumentarium
26 Takte, C-Dur, 4/4 Takt

Ausführende:
Arleen Augér, Sopran
Mechthild Georg, Alt
Aldo Baldin, Tenor
Philippe Huttenlocher, Baß
Hannes Läubin, Trompete
Wolfgang Läubin, Trompete
Bernhard Läubin, Trompete
Norbert Schmitt, Pauken
Diethelm Jonas, Oboe
Hedda Rothweiler, Oboe
Daisuke Mogi, Oboe
Christoph Carl, Fagott
Stefan Trauer, Violoncello
Jakoba Hanke, Violoncello
Harro Bertz, Kontrabaß
Claus Zimmermann, Kontrabaß
Michael Behringer, Cembalo
Hans-Joachim Erhard, Cembalo/Orgelpositiv
Gächinger Kantorei Stuttgart
Bach-Collegium Stuttgart
Leitung: Helmuth Rilling

Aufnahme: Tonstudio Teije van Geest, Heidelberg
Aufnahmeleitung: Richard Hauck
Aufnahmeort: Gedächtniskirche Stuttgart
Aufnahmezeit: Juni 1983/Februar 1984
Spieldauer: 19'00"

7. Chorale (S, A, T, B)

Ah Lord, let this thine angel dear
At my last hour this soul of mine
To Abraham's lap carry,
My body in its resting place
In quiet, free of woe and pain,
Sleep till the day of judgment!
And then from death awaken me,
That with mine eyes I may see thee
In total joy, O Son of God,
My Savior and my throne of grace!
Lord Jesus Christ, O hear me now, o hear me now,
I will thee praise eternally!

BWV 150

Nach dir, Herr, verlanget mich
Kantate
für Sopran, Alt, Tenor, Baß, vierstimmigen Chor,
Fagott, Violinen und Generalbaß

1. Sinfonia
(Bach-Collegium Stuttgart)

Gesamtinstrumentarium
19 Takte, h-Moll, 4/4 Takt

1. Sinfonia

2. Coro
(Gächinger Kantorei Stuttgart)

Nach dir, Herr, verlanget mich. Mein Gott, ich hoffe auf dich. Laß mich nicht zuschanden werden, daß sich meine Feinde nicht freuen über mich.

Chor, Gesamtinstrumentarium
53 Takte, h-Moll, 4/4 Takt

2. Chorus [Dictum] (S, A, T, B)

For thee, Lord, is my desire. My God, my hope is in thee. Let me not confounded be now, so that all my foes may not triumph over me.

3. Aria
(Schreiber)

Doch bin und bleibe ich vergnügt,
Obgleich hier zeitlich toben
Kreuz, Sturm und andre Proben,
Tod, Höll und was sich fügt.
Ob Unfall schlägt den treuen Knecht,
Recht ist und bleibet ewig Recht.

Sopran, Violinen, Bc.
23 Takte, h-Moll, 4/4 Takt

3. Aria (S)

I am and shall be e'er content,
Though here in time may bluster
Cross, storm and other trials,
Death, hell, and what must be.
Though mishap strike thy faithful liege,
Right is and shall be ever right.

4. Coro
(Gächinger Kantorei Stuttgart)

Leite mich in deiner Wahrheit und lehre mich; denn du bist der Gott, der mir hilft, täglich harre ich dein.

Chor, Gesamtinstrumentarium
29 Takte, h-Moll, 4/4 Takt

4. Chorus [Dictum] (S, A, T, B)

Lead thou me in thy true pathways and teach thou me; for thou art the God who saves me; daily I await thee.

5. Terzetto
(Gächinger Kantorei Stuttgart)

Zedern müssen von den Winden
Oft viel Ungemach empfinden,
Oftmals werden sie verkehrt.
Rat und Tat auf Gott gestellet,
Achtet nicht, was widerbellet,
Denn sein Wort ganz anders lehrt.

Chor (Alt, Tenor, Baß), Fagott, Bc.
41 Takte, D-Dur, 3/4 Takt

5. Trio (A, T, B)

Cedars must before the tempest
Oft much stress and torment suffer,
Often are they e'en laid low.
Thought and deed to God entrust ye,
Heeding not what howls against you,
For his word tells otherwise.

6. Coro
(Gächinger Kantorei Stuttgart)

*Meine Augen sehen stets zu dem Herrn; denn er wird
meinen Fuß aus dem Netze ziehen.*

Chor, Gesamtinstrumentarium
44 Takte, D-Dur – h-Moll, 6/8 Takt

7. Coro
(Schreiber, Jetter, Maus, Kunz,
Gächinger Kantorei Stuttgart)

Meine Tage in den Leiden
Endet Gott dennoch zur Freuden;
Christen auf den Dornenwegen
Führen Himmels Kraft und Segen.
Bleibet Gott mein treuer Schatz,
Achte ich nicht Menschenkreuz;
Christus, der uns steht zur Seiten,
Hilft mir täglich sieghaft streiten.

Sopran, Alt, Tenor, Baß, Chor,
Gesamtinstrumentarium
89 Takte, h-Moll, 3/2 Takt

Ausführende:
Magdalene Schreiber, Sopran
Margret Jetter, Alt
Peter Maus, Tenor
Hanns-Friedrich Kunz, Baß
Hannelore Michel, Continuocello
Hans Mantels, Fagott
Manfred Gräser, Kontrabaß
Martha Schuster, Cembalo/Orgelpositiv
Gächinger Kantorei Stuttgart
Bach-Collegium Stuttgart
Leitung: Helmuth Rilling

Aufnahme: Sonopress Tontechnik, Gütersloh
Aufnahmeleitung: Richard Hauck/
Wolfram Wehnert
Aufnahmeort: Gedächtniskirche Stuttgart
Aufnahmezeit: Juni/Juli 1970
Spieldauer: 14'55"

6. Chorus [Dictum] (S, A, T, B)

*These mine eyes are looking e'er to the Lord, for he
shall pluck my foot from the net's confinement.*

7. Chorus (S, A, T, B)

All my days which pass in sadness
Endeth God at last in gladness;
Christians on the thorny pathways
Follow heaven's pow'r and blessing.
May God bide my faithful shield,
May I heed not mankind's spite;
Christ, he who now stands beside us,
Helps me daily win the battle.

BWV 151

Süßer Trost, mein Jesus kömmt
Kantate zum 3. Weihnachtstag
(Text: G. Chr. Lehms)
für Sopran, Alt, Tenor, Baß, vierstimmigen Chor,
Flöte, Oboe d'amore, Streicher und Generalbaß

Serie **I**, Nr. 98.655

1. Aria
(Yamamoto)

Süßer Trost, mein Jesus kömmt,
Jesus wird anitzt geboren!
  Herz und Seele freuet sich,
  Denn mein liebster Gott hat mich
  Nun zum Himmel auserkoren.

Sopran, Flöte, Oboe d'amore, Streicher, Bc.
83 Takte, G-Dur, 12/8 – ¢ – 12/8 Takt

2. Recitativo
(Kunz)

Erfreue dich, mein Herz,
Denn itzo weicht der Schmerz,
Der dich so lange Zeit gedrücket.
Gott hat den liebsten Sohn,
Den er so hoch und teuer hält,
Auf diese Welt geschicket.
Er läßt den Himmelsthron
Und will die ganze Welt
Aus ihren Sklavenketten
Und ihrer Dienstbarkeit erretten.
O wundervolle Tat!
Gott wird ein Mensch und will auf Erden
Noch niedriger als wir und noch viel ärmer
                                    werden.

Baß, Bc.
15 Takte, D-Dur – e-Moll, 4/4 Takt

3. Aria
(Laurich)

In Jesu Demut kann ich Trost,
In seiner Armut Reichtum finden.
  Mir macht desselben schlechter Stand
  Nur lauter Heil und Wohl bekannt,
  Ja, seine wundervolle Hand
  Will mir nur Segenskränze winden.

Alt, Oboe d'amore, Streicher, Bc.
114 Takte, e-Moll, ¢ Takt

4. Recitativo
(Kraus)

Du teurer Gottessohn,
Nun hast du mir den Himmel aufgemacht
Und durch dein Niedrigsein
Das Licht der Seligkeit zuwege bracht.
Weil du nun ganz allein
Des Vaters Burg und Thron
Aus Liebe gegen uns verlassen,

1. Aria (S)

Comfort sweet, my Jesus comes,
Jesus now is born amongst us!
  Heart and soul with joy are filled,
  For my dearest God hath me
  Now for heaven's prize elected.

2. Recitative (B)

Rejoice then, O my heart,
For now shall yield the pain
Which hath so long a time oppressed thee.
God hath his precious Son,
Whom he so high and dear doth hold,
Into this world committed:
He leaves the heav'nly throne
And would now all the world
From its own chains of slav'ry
And its own servitude deliver.
O deed most wonderful!
God is made man and on earth desires
E'en lowlier than we to live and much more
                                    humbly.

3. Aria (A)

In Jesus' meekness can I strength,
Within his poverty find riches.
  To me doth this his poor estate
  Nought but pure health and wealth reveal,
  Yea, his own wonder-working hand
  Shall nought but wreathes of blessing
                                 make me.

4. Recitative (T)

Thou precious Son of God,
Thou hast for me now heaven opened wide
And through thy humble life
The light of blessedness o'er us now brought.
Since thou now, thou alone,
The Father's keep and throne,
Because thou didst love us, relinquished,

So wollen wir dich auch
Dafür in unser Herze fassen.

Tenor, Bc.
11 Takte, h-Moll – G-Dur, 4/4 Takt

5. Choral
(Frankfurter Kantorei)

**Heut schleußt er wieder auf die Tür
Zum schönen Paradeis,
Der Cherub steht nicht mehr dafür,
Gott sei Lob, Ehr und Preis.**

Chor, Gesamtinstrumentarium
10 Takte, G-Dur, 4/4 Takt

Ausführende:
Nobuko Gamo-Yamamoto, Sopran
Hildegard Laurich, Alt
Adalbert Kraus, Tenor
Hanns-Friedrich Kunz, Baß
Peter-Lukas Graf, Flöte
Ingo Goritzki, Oboe d'amore
Hannelore Michel, Continuocello
Manfred Gräser, Kontrabaß
Martha Schuster, Cembalo/Orgelpositiv
**Frankfurter Kantorei
Bach-Collegium Stuttgart
Leitung: Helmuth Rilling**

Aufnahme: Sonopress Tontechnik, Gütersloh
Aufnahmeleitung: Richard Hauck/
Wolfram Wehnert
Aufnahmeort: Gedächtniskirche Stuttgart
Aufnahmezeit: Februar 1971
Spieldauer: 18'00"

We would in turn as well
For this within our hearts now hold thee.

5. Chorale (S, A, T, B)

**Today he opens new the door
To that fair paradise;
The cherub stands no more in front,
God be laud, grace and praise.**

BWV 152

Serie **IV**, Nr. 98.681

Tritt auf die Glaubensbahn
Kantate zum Sonntag nach Weihnachten
(Text: S. Franck)
für Sopran, Baß, Blockflöte, Oboe, Viola d'amore,
Viola da gamba und Generalbaß

1. Sinfonia
(Bach-Ensemble Helmuth Rilling)

1. Sinfonia

Gesamtinstrumentarium
143 Takte, g-Moll, 4/4 – 3/8 Takt

2. Aria
(Schöne)

Tritt auf die Glaubensbahn,
Gott hat den Stein geleget,
Der Zion hält und träget,
Mensch, stoße dich nicht dran!
Tritt auf die Glaubensbahn!

Baß, Oboe, Bc.
69 Takte, g-Moll, 3/4 Takt

3. Recitativo
(Schöne)

Der Heiland ist gesetzt
In Israel zum Fall und Auferstehen.
Der edle Stein ist sonder Schuld,
Wenn sich die böse Welt
So hart an ihm verletzt,
Ja, über ihn zur Höllen fällt,
Weil sie boshaftig an ihn rennet
Und Gottes Huld
Und Gnade nicht erkennet!
Doch selig ist
Ein auserwählter Christ,
Der seinen Glaubensgrund auf diesen Eckstein
leget,
Weil er dadurch Heil und Erlösung findet.

Baß, Bc.
25 Takte, g-Moll – B-Dur, 4/4 Takt

4. Aria
(Augér)

Stein, der über alle Schätze,
Hilf, daß ich zu aller Zeit
Durch den Glauben auf dich setze
Meinen Grund der Seligkeit
Und mich nicht an dir verletze,
Stein, der über alle Schätze!

Sopran, Blockflöte, Viola d'amore, Bc.
45 Takte, B-Dur, 4/4 Takt

5. Recitativo
(Schöne)

Es ärgre sich die kluge Welt,
Daß Gottes Sohn
Verläßt den hohen Ehrenthron,
Daß er in Fleisch und Blut sich kleidet
Und in der Menschheit leidet.
Die größte Weisheit dieser Erden
Muß vor des Höchsten Rat
Zur größten Torheit werden.
Was Gott beschlossen hat,

2. Aria (B)

Walk on the road of faith,
God hath the stone established
Which holds and bears up Zion;
Man, stumble not thereon!
Walk on the road of faith!

3. Recitative (B)

The Savior is in charge
In Israel o'er fall and resurrection.
The noble stone doth bear no fault
Whene'er the wicked world
So hard on it is dashed,
Yea, over it to hell doth fall,
For it with spite into it runneth
And God's own grace
And mercy won't acknowledge!
But blessèd is
The chosen man of Christ,
Who on this cornerstone his faith's foundation
layeth,
For he thereby health and redemption findeth.

4. Aria (S)

Stone surpassing ev'ry treasure,
Help that I may for all time,
Through my faith, upon thee stablish
My foundation for true grace
And may not on thee be wounded,
Stone surpassing ev'ry treasure!

5. Recitative (B)

Now angry is the clever world
That God's own Son
Hath left his lofty throne of praise,
Hath self in flesh and blood appareled,
And as a mortal suffers.
The greatest wisdom of this earth must
Before the will of God
The greatest folly seem now.
For what God hath decreed

Kann die Vernunft doch nicht ergründen;
Die blinde Leiterin verführt die geistlich Blinden.

Baß, Bc.
17 Takte, g-Moll – B-Dur, 4/4 Takt

6. Duetto
(Augér, Schöne)

(Seele, Jesus)

Sopran
Wie soll ich dich, Liebster der Seelen, umfassen?
Baß
Du mußt dich verleugnen und alles verlassen!
Sopran
Wie soll ich erkennen das ewige Licht?
Baß
Erkenne mich gläubig und ärgre dich nicht!
Sopran
Komm, lehre mich, Heiland die Erde ver-
                                        schmähen!
Baß
Komm, Seele, durch Leiden zur Freude zu
                                        gehen!
Sopran
Ach, ziehe mich, Liebster, so folg ich dir nach!
Baß
Dir schenk ich die Krone nach Trübsal und
                                        Schmach.

Sopran, Baß, Gesamtinstrumentarium
93 Takte, g-Moll, 6/4 Takt

Ausführende:
Arleen Augér, Sopran
Wolfgang Schöne, Baß
Hartmut Strebel, Blockflöte
Günther Passin, Oboe
Adelheid Souchay, Viola d'amore
Alfred Lessing, Viola da gamba
Friedemann Schulz, Continuocello
Thomas Lom, Kontrabaß
Martha Schuster, Cembalo
Leitung: Helmuth Rilling

Aufnahme: Südwest-Tonstudio, Stuttgart
Aufnahmeleitung: Richard Hauck
Toningenieur: Henno Quasthoff
Aufnahmeort: Südwest-Tonstudio Stuttgart/
Gedächtniskirche Stuttgart
Aufnahmezeit: März/April 1976
Spieldauer 18'45"

Can merest reason never fathom;
That blind seductress misleads the blind in spirit.

6. Duet (S, B)

(Soul, Jesus)

(Soul)
How shall I, O lover of souls, now embrace thee?
(Jesus)
Thou must all abandon and thyself deny thee!
(Soul)
How shall I perceive then the eternal light?
(Jesus)
Perceive me with faith and yield not unto spite!
(Soul)
Come, teach me, O Savior, of earth to be
                                        scornful!
(Jesus)
Come, spirit, through sadness to gladness walk
                                        joyful!
(Soul)
Ah, draw me, Belovèd, I'll follow thee hence!
(Jesus)
I'll give thee the crown midst grief and offense!

Schau, lieber Gott, wie meine Feind

Kantate zum Sonntag nach Neujahr
für Alt, Tenor, Baß, vierstimmigen Chor,
Streicher und Generalbaß

1. Choral
(Gächinger Kantorei Stuttgart)

Schau, lieber Gott, wie meine Feind,
Damit ich stets muß kämpfen,
So listig und so mächtig seind,
Daß sie mich leichtlich dämpfen!
Herr, wo mich deine Gnad nicht hält,
So kann der Teufel, Fleisch und Welt
Mich leicht in Unglück stürzen.

Chor, Streicher, Bc.
14 Takte, a-Moll – e-Moll, 4/4 Takt

2. Recitativo
(Murray)

Mein liebster Gott, ach laß dich's doch erbarmen,
Ach hilf doch, hilf mir Armen!
Ich wohne hier bei lauter Löwen und bei
        Drachen,
Und diese wollen mir durch Wut und
        Grimmigkeit
In kurzer Zeit
Den Garaus völlig machen.

Alt, Bc.
8 Takte, a-Moll – h-Moll, 4/4 Takt

3. Arioso
(Heldwein)

Fürchte dich nicht, ich bin mit dir. Weiche nicht, ich
bin dein Gott; ich stärke dich, ich helfe dir auch durch
die rechte Hand meiner Gerechtigkeit.

Baß, Bc.
58 Takte, e-Moll, 3/8 Takt

4. Recitativo
(Kraus)

Du sprichst zwar, lieber Gott, zu meiner Seelen
        Ruh
Mir einen Trost in meinen Leiden zu.
Ach, aber meine Plage
Vergrößert sich von Tag zu Tage,
Denn meiner Feinde sind so viel,
Mein Leben ist ihr Ziel,

1. Chorale (S, A, T, B)

Behold, dear God, how all my foes,
With whom I e'er must battle,
So cunning and so mighty are
That they with ease subdue me!
Lord, if thy grace sustain me not,
Then can the devil, flesh and world
With ease to ruin bring me.

2. Recitative (A)

My dearest God, ah, grant me yet thy mercy,
Ah, help me, help this wretch now!
I dwell here now midst very lions and midst
        serpents,
And they desire for me through rage and cruelty
With no delay
My finish to accomplish.

3. Arioso [Dictum] (B)

Fear have thou none, I am with thee. Waver not, I am
thy God; I strengthen thee, I also help thee through
this the right hand of mine own righteousness.

4. Recitative (T)

Thou dost assure, O God, unto my soul's repose,
Encouragement when I in sorrow lie.
Ah, yet is all my torment
From day to day now ever larger,
For of my foes the toll is great,
My life is now their aim,

Ihr Bogen wird auf mich gespannt,
Sie richten ihre Pfeile zum Verderben,
Ich soll von ihren Händen sterben;
Gott! meine Not ist dir bekannt,
Die ganze Welt wird mir zur Marterhöhle;
Hilf, Helfer, hilf! errette meine Seele!

Tenor, Bc.
19 Takte, G-Dur – d-Moll, 4/4 Takt

Their bows are now for me strung tight,
They aim now all their shafts for my destruction,
I shall at their own hands soon perish;
God! My distress is known to thee,
And all the world is now my den of torture;
Help, Helper, help! Deliver now my spirit!

5. Choral
(Gächinger Kantorei Stuttgart)

Und ob gleich alle Teufel
Dir wollten widerstehn,
So wird doch ohne Zweifel
Gott nicht zurücke gehn;
Was er ihm fürgenommen
Und was er haben will,
Das muß doch endlich kommen
Zu seinem Zweck und Ziel.

Chor, Streicher, Bc.
16 Takte, e-Moll (phrygisch), 4/4 Takt

5. Chorale (S, A, T, B)

And though now all the devils
Desire to stand against thee,
Yet shall there be no question
That God would e'er retreat;
What he hath undertaken
And whate'er he desires,
This must at length be finished
To his intent and aim.

6. Aria
(Kraus)

Stürmt nur, stürmt, ihr Trübsalswetter,
Wallt, ihr Fluten, auf mich los!
Schlagt, ihr Unglücksflammen,
Über mich zusammen,
Stört, ihr Feinde, meine Ruh,
Spricht mir doch Gott tröstlich zu:
Ich bin dein Hort und Erretter.

Tenor, Streicher, Bc.
35 Takte, a-Moll, 4/4 Takt

6. Aria (T)

Storm then, storm, afflictions' tempests,
Rush, ye waters, down on me!
Strike, misfortune's fires,
Fall on me together;
Foes, disturb ye my repose,
If to me God this assure:
I am thy shield and Redeemer.

7. Recitativo
(Heldwein)

Getrost! mein Herz,
Erdulde deinen Schmerz,
Laß dich dein Kreuz nicht unterdrücken!
Gott wird dich schon
Zu rechter Zeit erquicken;
Muß doch sein lieber Sohn,
Dein Jesus, in noch zarten Jahren
Viel größre Not erfahren,
Da ihm der Wüterich Herodes
Die äußerste Gefahr des Todes
Mit mörderischen Fäusten droht!
Kaum kömmt er auf die Erden,
So muß er schon ein Flüchtling werden!
Wohlan, mit Jesu tröste dich
Und glaube festiglich:

7. Recitative (B)

Bear up, my heart,
Endure yet all thy pain,
And let thy cross not ever crush thee!
God will full soon
In his good time refresh thee;
Remember how his Son,
Thy Jesus, while his years were tender,
Much greater woe did suffer,
When him the raging tyrant Herod
The gravest state of deathly peril
With murder-dealing fists did cause!
He scarce was come to earth then
When he was forced to flee for safety!
So come, with Jesus comfort take
And hold to this with faith:

Denjenigen, die hier mit Christo leiden,
Will er das Himmelreich bescheiden.

Baß, Bc.
20 Takte, F-Dur – C-Dur, 4/4 Takt

8. Aria
(Murray)

Soll ich meinen Lebenslauf
Unter Kreuz und Trübsal führen,
Hört es doch im Himmel auf.
Da ist lauter Jubilieren,
Daselbsten verwechselt mein Jesus das Leiden
Mit seliger Wonne, mit ewigen Freuden.

Alt, Streicher, Bc.
106 Takte, G-Dur, 3/4 Takt

9. Choral
(Gächinger Kantorei Stuttgart)

Drum will ich, weil ich lebe noch,
Das Kreuz dir fröhlich tragen nach;
Mein Gott, mach mich darzu bereit,
Es dient zum Besten allezeit!

Hilf mir mein Sach recht greifen an,
Daß ich mein' Lauf vollenden kann,
Hilf mir auch zwingen Fleisch und Blut,
Für Sünd und Schanden mich behüt!

Erhalt mein Herz im Glauben rein,
So leb und sterb ich dir allein;
Jesu, mein Trost, hör mein Begier,
O mein Heiland, wär ich bei dir!

Chor, Streicher, Bc.
48 Takte, C-Dur, 3/4 Takt

Ausführende:
Ann Murray, Alt
Adalbert Kraus, Tenor
Walter Heldwein, Baß
Klaus-Peter Hahn, Continuocello
Thomas Lom, Kontrabaß
Hans-Joachim Erhard, Cembalo/Orgelpositiv
Gächinger Kantorei Stuttgart
Bach-Collegium Stuttgart
Leitung: Helmuth Rilling

Aufnahme: Tonstudio Teije van Geest, Heidelberg
Aufnahmeleitung: Richard Hauck
Toningenieur: Günter Appenheimer
Aufnahmeort: Gedächtniskirche Stuttgart
Aufnahmezeit: September 1978
Spieldauer: 15'10"

To ev'ryone who here with Christ shall suffer
Shall he his paradise apportion.

8. Aria (A)

Though I must my life's full course
Run neath cross and sorrow's burden,
Yet it shall in heaven end.
There is nought but jubilation,
And there, too, shall Jesus transform all my
sadness
To happiest pleasure, to unceasing gladness.

9. Chorale (S, A, T, B)

Thus will I, while I yet have life,
The cross with gladness bear to thee;
My God, make me for it prepared,
The cross will serve me all my years!

Help me my life to meet forthright,
That I my course may run complete,
Help me to master flesh and blood,
From sin and scandal keep me free!

If thou my heart in faith keep pure,
I'll live and die in thee alone;
Jesus, my hope, hear my desire,
O Savior mine, bring me to thee!

BWV 154

Mein liebster Jesus ist verloren
Kantate zum 1. Sonntag nach Epiphanias
für Alt, Tenor, Baß, vierstimmigen Chor, 2 Oboen,
2 Oboi d'amore,
Streicher und Generalbaß

1. Aria
(Baldin)

Mein liebster Jesus ist verloren:
 O Wort, das mir Verzweiflung bringt,
 O Schwert, das durch die Seele dringt,
 O Donnerwort in meinen Ohren.

Tenor, Streicher, Bc.
62 Takte, h-Moll, 3/4 Takt

1. Aria (T)

My precious Jesus now hath vanished:
 O word which me despair doth bring,
 O sword which through my soul doth drive,
 O thund'rous word, when mine for hearing.

2. Recitativo
(Baldin)

Wo treff ich meinen Jesum an,
Wer zeiget mir die Bahn,
Wo meiner Seele brünstiges Verlangen,
Mein Heiland, hingegangen?
Kein Unglück kann mich so empfindlich rühren,
Als wenn ich Jesum soll verlieren.

Tenor, Bc.
8 Takte, fis-Moll – A-Dur, 4/4 Takt

2. Recitative (T)

Where shall I, then, my Jesus meet,
Who will show me the way
Whereon my soul's most fervent desiring,
My Savior, hath now journeyed?
No sorrow could me ever touch so deeply
Than if I were to lose my Jesus.

3. Choral
(Gächinger Kantorei Stuttgart)

Jesu, mein Hort und Erretter,
Jesu, meine Zuversicht,
Jesu, starker Schlangentreter,
Jesu, meines Lebens Licht!
Wie verlanget meinem Herzen,
Jesulein, nach dir mit Schmerzen!
Komm, ach komm, ich warte dein,
Komm, o liebstes Jesulein!

Chor, 2 Oboen, Streicher, Bc.
16 Takte, A-Dur, 4/4 Takt

3. Chorale (S, A, T, B)

Jesus, my shield and Redeemer,
Jesus, my true confidence,
Jesus, mighty serpent-slayer,
Jesus, of my life the light!
How my heart now thee desireth,
Little Jesus, for thee acheth!
Come, ah come, I wait for thee,
Come, O little Jesus dear!

4. Aria
(Murray)

Jesu, laß dich finden,
Laß doch meine Sünden
Keine dicke Wolken sein,
Wo du dich zum Schrecken

4. Aria (A)

Jesus, let me find thee,
Let now my transgressions
Not the swelling clouds become
Where thou, to my terror,

Willst für mich verstecken,
Stelle dich bald wieder ein!

Alt, 2 Oboi d'amore, Violinen, Violen
43 Takte, A-Dur, 12/8 Takt

5. Arioso
(Heldwein)

*Wisset ihr nicht, daß ich sein muß in dem, das
meines Vaters ist?*

Baß, Bc.
22 Takte, fis-Moll, 4/4 Takt

6. Recitativo
(Baldin)

Dies ist die Stimme meines Freundes,
Gott Lob und Dank!
Mein Jesu, mein getreuer Hort,
Läßt durch sein Wort
Sich wieder tröstlich hören;
Ich war vor Schmerzen krank,
Der Jammer wollte mir das Mark
In Beinen fast verzehren;
Nun aber wird mein Glaube wieder stark,
Nun bin ich höchst erfreut;
Denn ich erblicke meiner Seele Wonne,
Den Heiland, meine Sonne,
Der nach betrübter Trauernacht
Durch seinen Glanz mein Herze fröhlich macht.
Auf, Seele, mache dich bereit!
Du mußt zu ihm
In seines Vaters Haus, hin in den Tempel ziehn;
Da läßt er sich in seinem Wort erblicken,
Da will er dich im Sakrament erquicken;
Doch, willst du würdiglich sein Fleisch und Blut
                                                    genießen,
So mußt du Jesum auch in Buß und Glauben
                                                    küssen.

Tenor, Bc.
25 Takte, D-Dur – fis-Moll, 4/4 Takt

7. Aria (Duetto)
(Murray, Baldin)

Wohl mir, Jesus ist gefunden,
Nun bin ich nicht mehr betrübt.
Der, den meine Seele liebt,
Zeigt sich mir zur frohen Stunden.
Ich will dich, mein Jesu, nun nimmermehr
                                                    lassen,
Ich will dich im Glauben beständig umfassen.

Alt, Tenor, 2 Oboi d'amore, Streicher, Bc.
96 Takte, D-Dur, 4/4 – 3/8 – 4/4 Takt

5. Arioso [Dictum] (B)

*Know ye then not that I must be there where my
Father's business is?*

6. Recitative (T)

This is the voice of my belovèd,
God praise and thanks!
My Jesus, my devoted shield,
Makes through his word
Himself heard for new comfort;
I was with grieving sick,
My sorrow sought the very quick,
My bones were nearly wasted;
But now, though, will my faith again be strong,
Now I am filled with joy;
For I behold the glory of my spirit,
My Savior, my true sunlight,
Who after mourning's night of grief
Through his bright light doth make my heart
                                                    rejoice.
Rise, spirit, get thyself prepared!
Thou must to him
Into his Father's house, into his temple draw;
There he himself within his word revealeth,
There would he in the sacrament restore thee;
But if thou worthily his flesh and blood would
                                                    taste now,
Then thou must Jesus kiss in faith and firm
                                                    repentance.

7. Aria (A, T)

What bliss, I have now found Jesus,
Now am I no more distressed.
He whom this my soul doth love
Comes to me for joyous hours.
I will, O my Jesus, now nevermore leave thee,
I will now in faith ever steadfast embrace thee.

369

8. Choral
(Gächinger Kantorei Stuttgart)

Meinen Jesum laß ich nicht,
Geh ihm ewig an der Seiten;
Christus läßt mich für und für
Zu den Lebensbächlein leiten.
Selig, wer mit mir so spricht:
Meinen Jesum laß ich nicht.

Chor, 2 Oboen, Streicher, Bc.
13 Takte, D-Dur, 4/4 Takt

Ausführende:
Ann Murray, Alt
Aldo Baldin, Tenor
Walter Heldwein, Baß
Allan Vogel, Oboe
Günther Passin, Oboe d'amore
Hedda Rothweiler, Oboe/Oboe d'amore
Kurt Etzold, Fagott
Klaus-Peter Hahn, Continuocello
Thomas Lom, Kontrabaß
Hans-Joachim Erhard, Cembalo/Orgelpositiv
Gächinger Kantorei Stuttgart
Bach-Collegium Stuttgart
Leitung: Helmuth Rilling

Aufnahme: Tonstudio Teije van Geest, Heidelberg
Aufnahmeleitung: Richard Hauck
Toningenieur: Günter Appenheimer
Aufnahmeort: Gedächtniskirche Stuttgart
Aufnahmezeit: September 1978
Spieldauer: 15'45"

8. Chorale (S, A, T, B)

This my Jesus I'll not leave,
I'll forever walk beside him;
Christ shall let me more and more
To the springs of life be guided.
Blessèd those who say with me:
This my Jesus I'll not leave.

BWV 155

Serie I, Nr. 98.656

Mein Gott, wie lang, ach lange
Kantate zum 2. Sonntag nach Epiphanias
(Text: S. Franck)
für Sopran, Alt, Tenor, Baß, vierstimmigen Chor,
Fagott, Streicher und Generalbaß

1. Recitativo
(Reichelt)

Mein Gott, wie lang, ach lange?
Des Jammers ist zuviel,
Ich sehe gar kein Ziel
Der Schmerzen und der Sorgen!
Dein süßer Gnadenblick
Hat unter Nacht und Wolken sich verborgen,
Die Liebeshand zieht sich, ach! ganz zurück,
Um Trost ist mir sehr bange.

1. Recitative (S)

My God, how long, how long then?
Of grief there is too much,
I see no end at all
Of yearning and of sorrow!
Thy soothing face of grace
Beneath the night and clouds itself hath hidden;
Thy hand of love, is now, ah, quite withdrawn;
For comfort I'm most anxious.

Ich finde, was mich Armen täglich kränket,
Der Tränen Maß wird stets voll eingeschenket,
Der Freuden Wein gebricht;
Mir sinkt fast alle Zuversicht.

Sopran, Streicher, Bc.
18 Takte, d-Moll – a-Moll, 4/4 Takt

2. Aria (Duetto)
(Lerer, Melzer)

Du mußt glauben, du mußt hoffen,
Du mußt gottgelassen sein!
Jesus weiß die rechten Stunden,
Dich mit Hilfe zu erfreun.
Wenn die trübe Zeit verschwunden,
Steht sein ganzes Herz dir offen.

Alt, Tenor, Fagott, Bc.
62 Takte, a-Moll, 4/4 Takt

3. Recitativo
(Kunz)

So sei, o Seele, sei zufrieden!
Wenn es vor deinen Augen scheint,
Als ob dein liebster Freund
Sich ganz von dir geschieden;
Wenn er dich kurze Zeit verläßt,
Herz! glaube fest,
Es wird ein Kleines sein,
Da er für bittre Zähren
Den Trost- und Freudenwein
Und Honigseim für Wermut will gewähren!
Ach! denke nicht,
Daß er von Herzen dich betrübe,
Er prüfet nur durch Leiden deine Liebe,
Er machet, daß dein Herz bei trüben Stunden
       weine,
Damit sein Gnadenlicht
Dir desto lieblicher erscheine;
Er hat, was dich ergötzt,
Zuletzt
Zu deinem Trost dir vorbehalten;
Drum laß ihn nur, o Herz, in allem walten!

Baß, Bc.
26 Takte, C-Dur – F-Dur, 4/4 Takt

4. Aria
(Reichelt)

Wirf, mein Herze, wirf dich noch
In des Höchsten Liebesarme,
Daß er deiner sich erbarme.
Lege deiner Sorgen Joch,

I find now, to this wretch's daily anguish,
My cup of tears is ever full replenished,
The joyful wine doth fail;
And falls nigh all my confidence!

2. Aria (A, T)

Thou must trust now, thou must hope now,
Thou must rest assured in God!
Jesus knows the proper hour,
Thee with help to fill with joy.
When this troubled time is over,
All his heart shall thee lie open.

3. Recitative (B)

So be, O spirit, be contented!
If it should to thine eyes appear
As if thy dearest friend
Were e'er from thee now parted,
When he a short time thee hath left,
Heart, keep thy faith:
A short time will it be,
When he for bitter weeping
The wine of hope and gladness,
And honey sweet for bitter gall will grant thee!
Ah, do not think
That he delights to bring thee sadness;
He only tests through sorrow thine affection;
He maketh now thy heart to weep through
       cheerless hours,
So that his gracious light
To thee appear e'en still more lovely;
He hath reserved thy joy
For last,
To thy delight and consolation;
So yield to him, O heart, in all things power!

4. Aria (S)

Cast, my heart now, cast thyself
In the Highest's loving bosom,
That he grant to thee his mercy.
Lay now all thy sorrows' yoke,

Und was dich bisher beladen,
Auf die Achseln seiner Gnaden.

Sopran, Streicher, Bc.
56 Takte, F-Dur, 4/4 Takt

All that thee till now hath burdened,
On the shoulders of his mercy.

5. Choral
(Gächinger Kantorei Stuttgart)

Ob sich's anließ, als wollt er nicht,
Laß dich es nicht erschrecken,
Denn wo er ist am besten mit,
Da will er's nicht entdecken.
Sein Wort laß dir gewisser sein,
Und ob dein Herz spräch lauter Nein,
So laß doch dir nicht grauen.

Chor, Streicher, Bc.
14 Takte, F-Dur, 4/4 Takt

5. Chorale (S, A, T, B)

Though it should seem he were opposed,
Be thou by this not frightened,
For where he is at best with thee,
His wont is not to show it.
His word take thou more certain still,
And though thy heart say only "No,"
Yet let thyself not shudder.

Ausführende:
Ingeborg Reichelt, Sopran
Norma Lerer, Alt
Friedreich Melzer, Tenor
Hanns-Friedrich Kunz, Baß
Hans Mantels, Fagott
Hannelore Michel, Continuocello
Manfred Gräser, Kontrabaß
Martha Schuster, Cembalo/Orgelpositiv
Gächinger Kantorei Stuttgart
Bach-Collegium Stuttgart
Leitung: Helmuth Rilling

Aufnahme: Sonopress Tontechnik, Gütersloh
Aufnahmeleitung: Richard Hauck/
Wolfram Wehnert
Aufnahmeort: Gedächtniskirche Stuttgart
Aufnahmezeit: Februar 1971
Spieldauer: 13'00"

BWV 156

Serie II, Nr. 98.668

Ich steh mit einem Fuß im Grabe
Kantate zum 3. Sonntag nach Epiphanias
(Text: Picander)
für Alt, Tenor, Baß, vierstimmigen Chor, Oboe,
Streicher mit Solo-Violine und Generalbaß

1. Sinfonia
(Bach-Collegium Stuttgart)

Gesamtinstrumentarium
20 Takte, F-Dur – C-Dur, 4/4 Takt

1. Sinfonia

2. Aria con Choral

(Equiluz, Figuralchor der Gedächtniskirche Stuttgart)

Ich steh mit einem Fuß im Grabe,
  Mach's mit mir, Gott, nach deiner Güt,
Bald fällt der kranke Leib hinein,
  Hilf mir in meinen Leiden,
Komm, lieber Gott, wenn dir's gefällt,
  Was ich dich bitt, versag mir nicht.
Ich habe schon mein Haus bestellt,
  Wenn sich mein Seel soll scheiden,
  So nimm sie, Herr, in deine Händ.
Nur laß mein Ende selig sein!
  Ist alles gut, wenn gut das End.

Tenor, Chor-Sopran, Streicher, Bc.
112 Takte, F-Dur, 3/4 Takt

2. Aria (T) and Chorale (S)

I stand with one foot in the grave now,
  Deal with me, God, of thy good will,
Soon shall my ailing corpse fall in,
  Help me in all my suff'ring,
Come, O my God, whene'er thou wilt,
  What now I ask, deny me not.
I have e'en now my house prepared,
  Whene'er my soul's departure,
  Receive it, Lord, into thy hand.
Just let my end with blessing come!
  For all is good, if good the end.

3. Recitativo

(Schöne)

Mein Angst und Not,
Mein Leben und mein Tod
Steht, liebster Gott, in deinen Händen;
So wirst du auch auf mich
Dein gnädig Auge wenden.
Willst du mich meiner Sünden wegen
Ins Krankenbette legen,
Mein Gott, so bitt ich dich,
Laß deine Güte größer sein als die
                                    Gerechtigkeit;
Doch hast du mich darzu versehn,
Daß mich mein Leiden soll verzehren,
Ich bin bereit,
Dein Wille soll an mir geschehn,
Verschone nicht und fahre fort,
Laß meine Not nicht lange währen;
Je länger hier, je später dort.

Baß, Bc.
19 Takte, d-Moll, 4/4 Takt

3. Recitative (B)

My fear and need,
My life and e'en my death
Stand, dearest God, within thy power;
Thus shalt thou turn as well
Thy gracious eye upon me.
But if for all my sins thou seekest
In ill health's bed to lay me,
My God, I beg of thee,
Let thy dear kindness greater be than justice
                                    rightly bids;
Yet if thou dost for me intend
That now my suff'ring should consume me,
I am prepared;
Thy will should in me be fulfilled,
So spare me not and have thy way,
Let my distress not long continue;
The longer here, the later there.

4. Aria

(Laurich)

Herr, was du willt, soll mir gefallen,
Weil doch dein Rat am besten gilt.
  In der Freude,
  In dem Leide,
  Im Sterben, in Bitten und Flehn
Laß mir allemal geschehn,
Herr, wie du willt.

Alt, Oboe, Violine, Bc.
79 Takte, B-Dur, 4/4 Takt

4. Aria (A)

Lord, what thou wilt shall be my pleasure,
Forsooth thy word is strongest yet.
  In my gladness,
  In my sadness,
  In dying, in weeping and prayer,
Unto me alway fulfill,
Lord, what thou wilt.

5. Recitativo
(Schöne)

Und willst du, daß ich nicht soll kranken,
So werd ich dir von Herzen danken;
Doch aber gib mir auch dabei,
Daß auch in meinem frischen Leibe
Die Seele sonder Krankheit sei
Und allezeit gesund verbleibe.
Nimm sie durch Geist und Wort in acht,
Denn dieses ist mein Heil,
Und wenn mir Leib und Seel verschmacht,
So bist du, Gott, mein Trost und meines
                                    Herzens Teil!

Baß, Bc.
13 Takte, g-Moll – a-Moll, 4/4 Takt

6. Choral
(Figuralchor der Gedächtniskirche Stuttgart)

Herr, wie du willt, so schick's mit mir
Im Leben und im Sterben;
Allein zu dir steht mein Begier,
Herr, laß mich nicht verderben!
Erhalt mich nur in deiner Huld,
Sonst wie du willt, gib mir Geduld,
Dein Will, der ist der beste.

Chor, Gesamtinstrumentarium
17 Takte, C-Dur, 4/4 Takt

Ausführende:
Hildegard Laurich, Alt
Kurt Equiluz, Tenor
Wolfgang Schöne, Baß
Günther Passin, Oboe
Otto Weber, Oboe
Kurt Etzold, Fagott
Werner Keltsch, Violine
Jürgen Wolf, Continuocello
Manfred Gräser, Kontrabaß
Martha Schuster, Cembalo/Orgelpositiv
Figuralchor der
Gedächtniskirche Stuttgart
Bach-Collegium Stuttgart
Leitung: Helmuth Rilling

Aufnahme: Sonopress Tontechnik, Gütersloh
Aufnahmeleitung: Richard Hauck,
Wolfram Wehnert
Aufnahmeort: Gedächtniskirche Stuttgart
Aufnahmezeit: März/April 1973
Spieldauer: 17'10"

5. Recitative (B)

And if thou wish me not to suffer,
To thee I'll be sincerely thankful;
However, grant to me as well
That also in my lively body
My soul may free from sickness be
And evermore in health continue.
Tend it with Holy Ghost and word,
For this is my true health,
And if my soul and body fail,
Yet thou art, God, my strength, the portion of
                                    my heart!

6. Chorale (S, A, T, B)

Lord, as thou wilt, so deal with me
In living and in dying!
Alone for thee is my desire,
Lord, leave me not to perish!
Support me only in thy grace,
But as thou wilt, let me forbear,
For thy will has no equal.

BWV 157

Ich lasse dich nicht, du segnest mich denn

Kantate zu einer Trauerfeier/zu Mariae Reinigung
(Text: Picander)
für Tenor, Baß, vierstimmigen Chor,
Flöte, Oboe d'amore, Viola d'amore und Generalbaß

1. Duetto
(Kraus, Huttenlocher)

Ich lasse dich nicht, du segnest mich denn!

Tenor, Baß, Gesamtinstrumentarium
57 Takte, h-Moll, 4/4 Takt

1. Duetto [Dictum] (T, B)

Thee I shall not leave, until thou me bless.

2. Aria
(Kraus)

Ich halte meinen Jesum feste,
Ich laß ihn nun und ewig nicht.
Er ist allein mein Aufenthalt,
Drum faßt mein Glaube mit Gewalt
Sein segenreiches Angesicht;
Denn dieser Trost ist doch der beste:
Ich halte meinen Jesum feste!

Tenor, Oboe d'amore, Bc.
218 Takte, fis-Moll, 3/8 Takt

2. Aria (T)

I shall hold to my Jesus firmly,
I'll let him never from me go.
He is alone my sure abode,
Thus is my faith now fixed with might
Upon his saving countenance;
For this support shall have no equal.
I shall hold to my Jesus firmly!

3. Recitativo
(Kraus)

Mein lieber Jesu du,
Wenn ich Verdruß und Kummer leide,
So bist du meine Freude,
In Unruh meine Ruh
Und in der Angst mein sanftes Bette;
Die falsche Welt ist nicht getreu,
Der Himmel muß veralten,
Die Lust der Welt vergeht wie Spreu;
Wenn ich dich nicht, mein Jesu, hätte,
An wen sollt ich mich sonsten halten?
Drum laß ich nimmermehr von dir,
Dein Segen bleibe denn bei mir.

Tenor, Flöte, Oboe d'amore, Bc.
14 Takte A-Dur – D-Dur, 4/4 Takt

3. Recitative (T)

My dearest Jesus thou,
When I must stress and trouble suffer,
Then art thou my true pleasure,
In unrest my true rest,
When I'm afraid, my bed of comfort.
The fickle world is never true,
E'en heaven age must suffer,
The world's delights are lost like chaff;
If I did not, my Jesus, have thee,
To whom could I besides thee hold to?
Thus I shall never let thee go,
Thy blessing, then, shall bide with me.

4. Aria, Recitativo ed Arioso
(Huttenlocher)

Ja, ja, ich halte Jesum feste,
So geh ich auch zum Himmel ein,
Wo Gott und seines Lammes Gäste
In Kronen zu der Hochzeit sein.

4. Aria, Recitative, and Arioso (B)

Yes, yes, I hold to Jesus firmly,
Thus shall I e'en to heaven go,
Where God and his own lamb's invited
In crowns are at the wedding feast.

Dann laß ich nicht, mein Heil, von dir,
Dann bleibt dein Segen auch bei mir.

Ach, wie vergnügt
Ist mir mein Sterbekasten,
Weil Jesus mir in Armen liegt!
So kann, so muß ich freudig rasten!
Ja, ja, ich halte Jesum feste,
So geh ich auch zum Himmel ein!
O schöner Ort!
Komm, sanfter Tod, und führ mich fort,
Wo Gott und seines Lammes Gäste
In Kronen zu der Hochzeit sein.
Ich bin erfreut,
Das Elend dieser Zeit
Noch heute von mir abzulegen;
Denn Jesus wartet mein im Himmel mit dem
Segen.
Dann laß ich nicht, mein Heil, von dir,
Dann bleibt dein Segen auch bei mir.

Baß, Flöte, Viola d'amore, Bc.
113 Takte, D-Dur, 4/4 Takt

There I'll not leave, my Savior, thee
Where bides thy blessing, too, with me.

Ah, what delight
To me is my death's casket,
For Jesus in my arms doth lie!
Then can my soul with joy rest fully!
Yes, yes, I'll hold to Jesus firmly,
Thus shall I e'en to heaven go!
O land so fair!
Come, gentle death, and lead me hence,
Where God and his own lamb's invited
In crowns are at the wedding feast.
I am so glad
The suff'ring of this time
From me today to put aside now;
For Jesus waits for me in heaven with his
blessing.
There I'll not leave, my Savior, thee
Where bides thy blessing, too, with me.

5. Choral
(Gächinger Kantorei Stuttgart)

Jesum laß ich nicht von mir
Geh ihm ewig an der Seiten;
Christus läßt mich für und für
Zu dem Lebensbächlein leiten.
Selig, wer mit mir so spricht:
Meinen Jesum laß ich nicht.

Chor, Gesamtinstrumentarium
13 Takte, D-Dur, 4/4 Takt

5. Chorale (S, A, T, B)

This my Jesus I'll not leave,
I'll forever walk beside him;
Christ shall let me more and more
To the springs of life be guided.
Blessèd those who say with me:
This my Jesus I'll not leave.

Ausführende:
Adalbert Kraus, Tenor
Philippe Huttenlocher, Baß
Renate Greiß, Flöte
Günther Passin, Oboe d'amore
Enrique Santiago, Viola d'amore
Ansgar Schneider, Violoncello
Harro Bertz, Kontrabaß
Hans-Joachim Erhard, Orgelpositiv
Gächinger Kantorei Stuttgart
Leitung: Helmuth Rilling

Aufnahme: Tonstudio Teije van Geest, Heidelberg
Aufnahmeleitung: Richard Hauck
Aufnahmeort: Gedächtniskirche Stuttgart
Aufnahmezeit: Oktober 1982, Juli 1983
Spieldauer: 19'00"

BWV 158

Der Friede sei mit dir
Kantate zu Mariae Reinigung und zum 3. Osterfesttag
für Baß, vierstimmigen Chor,
Oboe, Violine und Generalbaß

1. Recitativo
(Huttenlocher)

Der Friede sei mit dir,
Du ängstliches Gewissen!
Dein Mittler stehet hier,
Der hat dein Schuldenbuch
Und des Gesetzes Fluch
Verglichen und zerrissen.
Der Friede sei mit dir,
Der Fürste dieser Welt,
Der deiner Seele nachgestellt,
Ist durch des Lammes Blut bezwungen und
gefällt.

Mein Herz, was bist du so betrübt,
Da dich doch Gott durch Christum liebt?
Er selber spricht zu mir:
Der Friede sei mit dir!

Baß, Bc.
21 Takte, D-Dur – G-Dur, 4/4 Takt

1. Recitative (B)

May peace now be with thee,
O thou most anxious conscience!
Thine intercessor's here,
Who hath thy book of debts
And the Law's dread curse
Now settled and destroyed.
May peace now be with thee,
The prince of all this world,
Who for thy soul hath lain in wait,
Is through the lamb's own blood now conquered
and laid low.

My heart, why art thou so downcast,
When thou by God through Christ art loved?
He saith himself to me:
May peace now be with thee!

2. Aria con Choral
(Huttenlocher, Gächinger Kantorei Stuttgart)

Welt, ade, ich bin dein müde,
Salems Hütten stehn mir an,
  Welt, ade, ich bin dein müde,
  Ich will nach dem Himmel zu,
Wo ich Gott in Ruh und Friede
Ewig selig schauen kann.
  Da wird sein der rechte Friede
  Und die ewig stolze Ruh.
Da bleib ich, da hab ich Vergnügen zu wohnen,
  Welt, bei dir ist Krieg und Streit,
  Nichts denn lauter Eitelkeit;
Da prang ich gezieret mit himmlischen Kronen.
  In dem Himmel allezeit
  Friede, Freud und Seligkeit.

Baß, Chor-Sopran, Oboe, Violine, Bc.
94 Takte, G-Dur, 4/4 Takt

2. Aria (B) and Chorale (S)

World, farewell, of thee I'm weary,
Salem's shelter I prefer,
  World, farewell, of thee I'm weary,
  I would now to heaven go,
Where I God in peace and quiet
Ever blessèd can behold.
  Where will be a peace most tranquil
  And eternal grand repose.
I'll bide there where I shall be dwelling
contented
  World, with thee is war and strife,
  Nought but merest vanity;
And crowned in the glory of heavenly splendor.
  But in heaven evermore
  Peace and joy and happiness.

3. Recitativo ed Arioso
(Huttenlocher)

Nun, Herr, regiere meinen Sinn,
Damit ich auf der Welt,

3. Recitative and Arioso (B)

O Lord, now govern all my thoughts,
That I, while in the world

So lang es dir, mich hier zu lassen, noch gefällt, Ein Kind des Friedens bin, Und laß mich zu dir aus meinen Leiden Wie Simeon in Frieden scheiden!	As long as thou dost please to let me here remain, A child of peace may be, And let me to thee from my affliction Like Simeon in peace depart now!
Da bleib ich, da hab ich Vergnügen zu wohnen, Da prang ich gezieret mit himmlischen Kronen.	I'll bide there where I shall be dwelling contented And crowned in the glory of heavenly splendor.

Baß, Bc.
18 Takte, e-Moll, 4/4 Takt

4. Choral (Gächinger Kantorei Stuttgart)	**4. Chorale (S, A, T, B)**
Hier ist das rechte Osterlamm, **Davon Gott hat geboten;** **Das ist hoch an des Kreuzes Stamm** **In heißer Lieb gebraten.** **Des Blut zeichnet unsre Tür,** **Das hält der Glaub dem Tode für;** **Der Würger kann uns nicht rühren.** **Alleluja!**	**Here is the proper Easter lamb,** **Whereof God hath commanded;** **It is high on the cross's trunk** **In ardent love now burning.** **His blood signeth now our door,** **Our faith doth it to death display;** **The strangler cannot now touch us.** **Alleluia!**

Chor, Oboe, Violine, Bc.
16 Takte, e-Moll, 4/4 Takt

Ausführende:
Philippe Huttenlocher, Baß
Günther Passin, Oboe
Wolf-Dieter Streicher, Violine
Helmut Veihelmann, Violoncello
Harro Bertz, Kontrabaß
Hans-Joachim Erhard, Orgelpositiv
Gächinger Kantorei Stuttgart
Leitung: Helmuth Rilling

Aufnahme: Tonstudio Teije van Geest, Heidelberg
Aufnahmeleitung: Richard Hauck
Aufnahmeort: Gedächtniskirche Stuttgart
Aufnahmezeit: Juli 1983
Spieldauer: 10'15"

BWV 159

Serie **X**, Nr. 98.743

Sehet! Wir gehn hinauf gen Jerusalem
Kantate zum Sonntag Estomihi
(Text: Picander)
für Alt, Tenor, Baß, vierstimmigen Chor,
Oboe, Streicher und Generalbaß

1. Arioso e Recitativo

(Hamari, Huttenlocher)

Sehet!
Komm, schaue doch, mein Sinn,
Wo geht dein Jesus hin?
   Wir gehn hinauf
O harter Gang! hinauf?
O ungeheurer Berg, den meine Sünden zeigen!
Wie sauer wirst du müssen steigen!
   Gen Jerusalem.
Ach, gehe nicht!
Dein Kreuz ist dir schon zugericht',
Wo du dich sollst zu Tode bluten;
Hier sucht man Geißeln vor, dort bindt man
                                        Ruten;
Die Bande warten dein;
Ach, gehe selber nicht hinein!
Doch bliebest du zurücke stehen,
So müßt ich selbst nicht nach Jerusalem,
Ach, leider in die Hölle gehen.

Alt, Baß, Streicher, Bc.
34 Takte, c-Moll, 4/4 Takt

1. Arioso [Dictum] (B) and Recitative (A)

(B)
   See now!
(A)
Come, ponder well, my mind,
Where doth thy Jesus go?
   We're going up
O cruel path! That way?
O uninviting hill, of all my sins the token!
How sorely wilt thou have to climb it!
   To Jerusalem.
Ah, do not go!
Thy cross for thee is now prepared,
Where thou thy bloody death must suffer;
Here do they scourges seek, there, bind the
                                      switches;
The bonds now wait for thee;
Ah, take thyself not them to meet!
If thou couldst hold in check thy journey,
I would myself not to Jerusalem,
Ah, sadly down to hell then venture.

2. Aria con Choral

(Hamari, Gächinger Kantorei Stuttgart)

Ich folge dir nach
   Ich will hier bei dir stehen,
Durch Speichel und Schmach;
   Verachte mich doch nicht!
Am Kreuz will ich dich noch umfangen,
   Von dir will ich nicht gehen,
   Bis dir dein Herze bricht.
Dich laß ich nicht aus meiner Brust,
   Wenn dein Haupt wird erblassen
   Im letzten Todesstoß,
Und wenn du endlich scheiden mußt,
   Alsdenn will ich dich fassen,
Sollst du dein Grab in mir erlangen.
   In meinen Arm und Schoß.

Alt, Chor-Sopran, Oboe, Bc.
109 Takte, Es-Dur, 6/8 Takt

2. Aria (A) and Chorale (S)

I follow thy path
   I will here by thee tarry,
Through spitting and scorn;
   Do not treat me with scorn!
On cross will I once more embrace thee,
   From thee I will not venture
   As now thy heart doth break.
I will not let thee from my breast,
   And when thy head grows pallid
   Upon death's final stroke,
And if thou in the end must part,
   E'en then will I enfold thee
Thou shalt thy tomb in me discover.
   Within my arm's embrace.

3. Recitativo

(Baldin)

Nun will ich mich,
Mein Jesu, über dich
In meinem Winkel grämen;
Die Welt mag immerhin
Den Gift der Wollust zu sich nehmen,
Ich labe mich an meinen Tränen
Und will mich eher nicht
Nach einer Freude sehnen,
Bis dich mein Angesicht
Wird in der Herrlichkeit erblicken,

3. Recitative (T)

So now I will,
My Jesus, for thy sake
In my own corner sorrow;
The world may ever still
On venom of desire be nurtured,
But I'll restore myself with weeping
And will not sooner yearn
For any joy or pleasure
Ere thee my countenance
Have in thy majesty regarded;

Bis ich durch dich erlöset bin;
Da will ich mich mit dir erquicken.

Tenor, Bc.
12 Takte, B-Dur, 4/4 Takt

Ere I through thee have been redeemed;
Where I will find with thee refreshment.

4. Aria
(Huttenlocher)

Es ist vollbracht,
Das Leid ist alle,
Wir sind von unserm Sündenfalle
In Gott gerecht gemacht.
Nun will ich eilen
Und meinem Jesu Dank erteilen,
Welt, gute Nacht!
Es ist vollbracht!

Baß, Gesamtinstrumentarium
66 Takte, B-Dur, 4/4 Takt

4. Aria (B)

It is complete,
The pain is over,
We are from all our sinful ruin
In God restored to right.
Now will I hasten
And to my Jesus make thanksgiving;
World, fare thee well,
It is complete!

5. Choral
(Gächinger Kantorei Stuttgart)

Jesu, deine Passion
Ist mir lauter Freude,
Deine Wunden, Kron und Hohn
Meines Herzens Weide;
Meine Seel auf Rosen geht,
Wenn ich dran gedenke,
In dem Himmel eine Stätt
Mir deswegen schenke.

Chor, Gesamtinstrumentarium
16 Takte, Es-Dur, 4/4 Takt

5. Chorale (S, A, T, B)

Jesus, this thy passion
Is my purest pleasure,
All thy wounds, thy crown and scorn,
Are my heart's true pasture;
This my soul is all in bloom
Once I have considered
That in heaven is a home
To me by this offered.

Ausführende:
Julia Hamari, Alt
Aldo Baldin, Tenor
Philippe Huttenlocher, Baß
Günther Passin, Oboe
Stefan Trauer, Violoncello
Claus Zimmermann, Kontrabaß
Michael Behringer, Cembalo
Hans-Joachim Erhard, Orgelpositiv
Gächinger Kantorei Stuttgart
Bach-Collegium Stuttgart
Leitung: Helmuth Rilling

Aufnahme: Tonstudio Teije van Geest, Heidelberg
Aufnahmeleitung: Richard Hauck
Aufnahmeort: Gedächtniskirche Stuttgart
Aufnahmezeit: Juni/Juli 1983
Spieldauer: 16' 20"

BWV 161

Komm, du süße Todesstunde
**Kantate zum 16. Sonntag nach Trinitatis
und zu Mariae Reinigung**
(Text: S. Franck)
für Alt, Tenor, vierstimmigen Chor, obligate Orgel,
2 Blockflöten, Streicher und Generalbaß

1. Aria con Choral
(Laurich)

Komm, du süße Todesstunde,
Da mein Geist
Honig speist
Aus des Löwen Munde;
Mache meinen Abschied süße,
Säume nicht,
Letztes Licht,
Daß ich meinen Heiland küsse.

Alt, 2 Blockflöten, Orgel, Bc.
57 Takte, C-Dur, 4/4 Takt

1. Aria and Chorale (A)

Come, O death, thou sweetest hour,
When my soul
Honey takes
From the mouth of lions;
Make sweet now my departure,
Tarry not,
Final light,
That I may embrace my Savior.

2. Recitativo
(Kraus)

Welt, deine Lust ist Last,
Dein Zucker ist mir als ein Gift verhaßt,
Dein Freudenlicht
Ist mein Komete,
Und wo man deine Rosen bricht,
Sind Dornen ohne Zahl
Zu meiner Seele Qual.
Der blasse Tod ist meine Morgenröte,
Mit solcher geht mir auf die Sonne
Der Herrlichkeit und Himmelswonne.
Drum seufz ich recht von Herzensgrunde
Nur nach der letzten Todesstunde.
Ich habe Lust, bei Christo bald zu weiden,
Ich habe Lust, von dieser Welt zu scheiden.

Tenor, Bc.
21 Takte, a-Moll – C-Cur, 4/4 Takt

2. Recitative (T)

World, thy delights are weights,
Thy sweetness is to me as poison loathed,
Thy joyful light
Is my dire omen,
And where one once did roses pick
Are thorns of countless toll
To torment this my soul.
Now pallid death's become my rosy morning,
With it doth rise for me the sunlight
Of splendor and of heav'nly pleasure.
I sigh then from my heart's foundation
But for my final hour of dying.
It is my wish with Christ now soon to pasture,
It is my wish to leave this world behind me.

3. Aria
(Kraus)

Mein Verlangen
Ist, den Heiland zu umfangen
Und bei Christo bald zu sein.
    Ob ich sterblich' Asch und Erde
    Durch den Tod zermalmet werde,
    Wird der Seele reiner Schein
    Dennoch gleich den Engeln prangen.

Tenor, Streicher, Bc.
168 Takte, a-Moll, 3/4 Takt

3. Aria (T)

My desire
Is my Savior to embrace now
And with Christ full soon to be.
    Though as mortal earth and ashes
    I by death be ground to ruin,
    Will my soul's pure luster shine
    Even like the angels' glory.

4. Recitativo
(Laurich)

Der Schluß ist schon gemacht,
Welt, gute Nacht!
Und kann ich nur den Trost erwerben,
In Jesu Armen bald zu sterben:
Er ist mein sanfter Schlaf.
Das kühle Grab wird mich mit Rosen decken,
Bis Jesus mich wird auferwecken,
Bis er sein Schaf
Führt auf die süße Lebensweide,
Daß mich der Tod von ihm nicht scheide.
So brich herein, du froher Todestag,
So schlage doch, du letzter Stundenschlag!

Alt, 2 Blockflöten, Streicher, Bc.
28 Takte, C-Dur, 4/4 Takt

4. Recitative (A)

Now firm is my resolve,
World, fare thee well!
And I have only this for comfort,
To die within the arms of Jesus:
He is my gentle sleep.
The cooling grave will cover me with roses
Till Jesus shall me re-awaken,
Till he his sheep
Shall lead forth to life's sweetest pasture,
That there e'en death from him not keep me.
So now break forth, thou happy day of death,
So strike then thou, the final hour's stroke!

5. Coro
(Frankfurter Kantorei)

Wenn es meines Gottes Wille,
Wünsch ich, daß des Leibes Last
Heute noch die Erde fülle,
Und der Geist, des Leibes Gast,
Mit Unsterblichkeit sich kleide
In der süßen Himmelsfreude.
Jesu, komm und nimm mich fort!
Dieses sei mein letztes Wort.

Chor, 2 Blockflöten, Streicher, Bc.
112 Takte, C-Dur, 3/8 Takt

5. Chorus (S, A, T, B)

If it is my God's intention,
I wish that my body's weight
Might today the earth make fuller,
And my ghost, my body's guest,
Life immortal take for raiment
In the sweet delight of heaven.
Jesus, come and take me hence!
May this be my final word.

6. Choral
(Frankfurter Kantorei)

Der Leib zwar in der Erden
Von Würmen wird verzehrt,
Doch auferweckt soll werden,
Durch Christum schön verklärt,
Wird leuchten als die Sonne
Und leben ohne Not
In himml'scher Freud und Wonne.
Was schadt mir denn der Tod?

Chor, Gesamtinstrumentarium
16 Takte, e-Moll (phrygisch), 4/4 Takt

6. Chorale (S, A, T, B)

The flesh in earth now lying
By worms will be consumed,
Yet shall it be awakened,
Through Christ be glorified,
And shine bright as the sunlight
And live without distress
In heav'nly joy and pleasure.
What harm to me, then, death?

Ausführende:
Hildegard Laurich, Alt
Adalbert Kraus, Tenor
Peter Thalheimer, Blockflöte
Christine Thalheimer, Blockflöte
Friedemann Schulz, Continuocello
Harro Bertz, Kontrabaß
Martha Schuster, Cembalo/Orgel
Hans-Joachim Erhard, Orgelpositiv

Frankfurter Kantorei
Bach-Collegium Stuttgart
Leitung: Helmuth Rilling

Aufnahme: Südwest-Tonstudio, Stuttgart
Aufnahmeleitung: Richard Hauck
Toningenieur: Henno Quasthoff
Aufnahmeort: Gedächtniskirche Stuttgart
Aufnahmezeit: Dezember 1975, März 1976,
Mai 1976
Spieldauer: 20'30"

BWV 162

Ach, ich sehe, itzt, da ich zur Hochzeit gehe

Kantate zum 20. Sonntag nach Trinitatis
(Text: S. Franck)
für Sopran, Alt, Tenor, Baß, vierstimmigen Chor,
Trompete, Fagott, Streicher und Generalbaß

1. Aria
(Schöne)

Ach! ich sehe,
itzt, da ich zur Hochzeit gehe,
Wohl und Wehe.
Seelengift und Lebensbrot,
Himmel, Hölle, Leben, Tod,
Himmelsglanz und Höllenflammen
Sind beisammen.
Jesu, hilf, daß ich bestehe!

Baß, Gesamtinstrumentarium
56 Takte, a-Moll, 4/4 Takt

1. Aria (B)

Ah! I see now,
As I go to join the marriage,
Bliss and mis'ry.
Spirit's bane and bread of life,
Heaven, hell, and life and death,
Heaven's rays and hellfire's burning
Are together.
Jesus, help me to survive now!

2. Recitativo
(Equiluz)

O großes Hochzeitsfest,
Darzu der Himmelskönig
Die Menschen rufen läßt!
Ist denn die arme Braut,
Die menschliche Natur, nicht viel zu schlecht
                                     und wenig,
Daß sich mit ihr der Sohn des Höchsten traut?
O großes Hochzeitsfest,
Wie ist das Fleisch zu solcher Ehre kommen,
Daß Gottes Sohn
Es hat auf ewig angenommen?
Der Himmel ist sein Thron,
Die Erde dient zum Schemel seinen Füßen,
Noch will er diese Welt
Als Braut und Liebste küssen!

2. Recitative (T)

O awesome marriage feast,
To which the king of heaven
To man his summons sends!
Is then the wretched bride,
The nature of mankind, not much too poor and
                                          worthless,
That God Almighty's Son to her be wed?
O awesome marriage feast,
How is our flesh come into such great honor,
That God's own Son
Hath it for evermore accepted?
Though heaven is his throne
And earth doth offer to his feet a footstool,
Yet would he kiss the world,
His bride and most belovèd!

Das Hochzeitmahl ist angestellt,
Das Mastvieh ist geschlachtet;
Wie herrlich ist doch alles zubereitet!
Wie selig ist, den hier der Glaube leitet,
Und wie verflucht ist doch, der dieses Mahl
verachtet!

Tenor, Bc.
25 Takte, C-Dur – d-Moll, 4/4 Takt

3. Aria
(Augér)

Jesu, Brunnquell aller Gnaden,
Labe mich elenden Gast,
Weil du mich berufen hast!
Ich bin matt, schwach und beladen,
Ach! erquicke meine Seele,
Ach! wie hungert mich nach dir!
Lebensbrot, das ich erwähle,
Komm, vereine dich mit mir!

Sopran, Bc.
53 Takte, d-Moll, 12/8 Takt

4. Recitativo
(Rogers)

Mein Jesu, laß mich nicht
Zur Hochzeit unbekleidet kommen,
Daß mich nicht treffe dein Gericht;
Mit Schrecken hab ich ja vernommen,
Wie du den kühnen Hochzeitgast,
Der ohne Kleid erschienen,
Verworfen und verdammet hast!
Ich weiß auch mein Unwürdigkeit:
Ach! schenke mir des Glaubens Hochzeitkleid;
Laß dein Verdienst zu meinem Schmucke
dienen!
Gib mir zum Hochzeitkleide
Den Rock des Heils, der Unschuld weiße Seide!
Ach! laß dein Blut, den hohen Purpur, decken
Den alten Adamsrock und seine Lasterflecken,
So werd ich schön und rein
Und dir willkommen sein,
So werd ich würdiglich das Mahl des Lammes
schmecken.

Alt, Bc.
22 Takte, a-Moll – C-Dur, 4/4 Takt

5. Aria (Duetto)
(Rogers, Equiluz)

In meinem Gott bin ich erfreut!
Die Liebesmacht hat ihn bewogen,
Daß er mir in der Gnadenzeit
Aus lauter Huld hat angezogen

The marriage supper is prepared,
The fatted calf is slaughtered.
How glorious is ev'rything made ready!
How happy he whom faith now leadeth hither,
And how accursed is yet he who this feast
disdaineth!

3. Aria (S)

Jesus, fountain of all mercy,
Quicken me, thy wretched guest,
For thou hast invited me!
I am faint, weak and sore laden,
Ah, enliven now my spirit,
Ah, how starved I am for thee!
Bread of life, which I have chosen,
Come, unite thyself to me!

4. Recitative (A)

My Jesus, let me not
Without a robe approach the marriage,
That on me fall thy judgment not;
With horror have I been a witness
As once the wanton wedding guest,
Without a robe appearing,
Rejected and condemned thou hast!
I know mine own unworthiness:
Ah! Give to me the marriage robe of faith;
Let thine own merits serve as mine adornment!
Give as my wedding garment
Salvation's cloak, the candid silk of chasteness!
Ah! Let thy blood, that noble purple, cover
The ancient cloak of Adam and all its sinful
patches,
And I'll be fair and pure
And thee most welcome be,
And I'll right worthily the lamb's high feast be
tasting.

5. Aria (A, T)

Now in my God am I made glad!
The pow'r of love so much hath stirred him,
That he hath in this time of grace
With simple favor put around me

Die Kleider der Gerechtigkeit.
Ich weiß, er wird nach diesem Leben
Der Ehre weißes Kleid
Mir auch im Himmel geben.

Alt, Tenor, Bc.
148 Takte, C-Dur, 3/4 Takt

6. Choral
(Frankfurter Kantorei)

Ach, ich habe schon erblicket
Diese große Herrlichkeit.
Itzund werd ich schön geschmücket
Mit dem weißen Himmelskleid;
Mit der güldnen Ehrenkrone
Steh ich da für Gottes Throne,
Schaue solche Freude an,
Die kein Ende nehmen kann.

Chor, Gesamtinstrumentarium
16 Takte, a-Moll, 4/4 Takt

Ausführende:
Arleen Augér, Sopran
Alyce Rogers, Alt
Kurt Equiluz, Tenor
Wolfgang Schöne, Baß
Hermann Sauter, Trompete
Günther Pfitzenmaier, Fagott
Jürgen Wolf, Continuocello
Thomas Lom, Kontrabaß
Martha Schuster, Cembalo
Hans-Joachim Erhard, Orgelpositiv
Frankfurter Kantorei
Bach-Collegium Stuttgart
Leitung: Helmuth Rilling

Aufnahme: Südwest-Tonstudio, Stuttgart
Aufnahmeleitung: Richard Hauck
Toningenieur: Henno Quasthoff
Aufnahmeort: Gedächtniskirche Stuttgart
Aufnahmezeit: Dezember 1975, März 1976,
Mai 1976
Spieldauer: 16'40"

6. Chorale (S, A, T, B)

Ah, I have already witnessed
This his awesome majesty.
Soon now shall I be made lovely
In the shining heav'nly robe;
In a golden crown of glory
Shall I stand before God's throne there,
Gazing at that state of joy
Which no end can ever know.

The raiment of his righteousness.
I know he'll give, when life is over,
His glory's shining robe
To me in heaven also.

BWV 163

Nur jedem das Seine
Kantate zum 23. Sonntag nach Trinitatis
(Text: S. Franck)
für Sopran, Alt, Tenor, Baß, vierstimmigen Chor,
Oboe d'amore, Streicher und Generalbaß

1. Aria
(Kraus)

Nur jedem das Seine!
  Muß Obrigkeit haben
  Zoll, Steuern und Gaben,
  Man weigre sich nicht
  Der schuldigen Pflicht!
  Doch bleibet das Herze dem Höchsten alleine.

Tenor, Gesamtinstrumentarium
61 Takte, h-Moll, 4/4 Takt

2. Recitativo
(Tüller)

Du bist, mein Gott, der Geber aller Gaben;
Wir haben, was wir haben,
Allein von deiner Hand.
Du, du hast uns gegeben
Geist, Seele, Leib und Leben
Und Hab und Gut und Ehr und Stand!
Was sollen wir
Denn dir
Zur Dankbarkeit dafür erlegen,
Da unser ganz Vermögen
Nur dein und gar nicht unser ist?
Doch ist noch eins, das dir, Gott, wohlgefällt:
Das Herze soll allein,
Herr, deine Zinsemünze sein.
Ach! aber ach! ist das nicht schlechtes Geld?
Der Satan hat dein Bild daran verletzet,
Die falsche Münz ist abgesetzet.

Baß, Bc.
21 Takte, G-Dur – a-Moll, 4/4 Takt

3. Aria
(Tüller)

Laß mein Herz die Münze sein,
Die ich dir, mein Jesu, steure!
Ist sie gleich nicht allzu rein,
Ach, so komm doch und erneure,
Herr, den schönen Glanz bei ihr!
Komm, arbeite, schmelz und präge,
Daß dein Ebenbild bei mir
Ganz erneuert glänzen möge!

Baß, 2 Violoncelli, Bc.
53 Takte, e-Moll, 4/4 Takt

4. Arioso (Duetto)
(Augér, Watts)

Ich wollte dir,
O Gott, das Herze gerne geben;
Der Will ist zwar bei mir,
Doch Fleisch und Blut will immer widerstreben.

1. Aria (T)

To each but what's due him!
  If rulers must gather
  Toll, taxes, and tribute,
  Let no one refuse
  The debt that he owes!
  Yet bound is the heart but to God the
                                    Almighty.

2. Recitative (B)

Thou art, my God, of ev'ry gift the giver;
We have all that we have now
Alone from thine own hand.
Thou, thou hast to us given
Soul, spirit, life and body
And wealth and goods and rank and class!
What ought we then
To thee
In gratitude for these deposit,
When all of our possessions
Just thee and not to us belong?
But there's one thing, which thee, O God, doth
                                              please:
The heart shall all alone,
Lord, thy true tribute money be.
Ah! Oh alas! Is that not worthless coin?
For Satan hath thy form on it disfigured,
This counterfeit has lost all value.

3. Aria (B)

Let my heart the coinage be
Which I thee, my Jesus, pay now!
If it be not fully pure,
Ah, then come forth and renew it,
Lord, the lovely shine in it!
Come and work it, melt and stamp it,
That thine image then in me
Fully new may be reflected.

4. Arioso (S, A)

I would to thee,
O God, my heart have gladly given;
The will indeed I have,
But flesh and blood would ever strive against me;

Dieweil die Welt
Das Herz gefangen hält,
So will sie sich den Raub nicht nehmen lassen;
Jedoch ich muß sie hassen,
Wenn ich dich lieben soll.
So mache doch mein Herz mit deiner Gnade
voll;
Leer es ganz aus von Welt und allen Lüsten
Und mache mich zu einem rechten Christen.

Sopran, Alt, Bc.
40 Takte, h-Moll – D-Dur, 4/4 Takt

And now the world
This heart doth captive hold
And will not let the spoils be taken from her.
In truth I must despise her,
If I am thee to love.
So make then now my heart with all thy
blessings full;
Remove from it all worldly longings
And make of me thereby a proper Christian.

5. Aria (Duetto) con Choral
(Augér, Watts)

Nimm mich mir und gib mich dir!
Nimm mich mir und meinem Willen,
Deinen Willen zu erfüllen;
Gib dich mir mit deiner Güte,
Daß mein Herz und mein Gemüte
In dir bleibe für und für,
Nimm mich mir und gib mich dir!

Sopran, Alt, Streicher, Bc.
92 Takte, D-Dur, 3/4 Takt

5. Aria (S, A) with instr. chorale

From me take me, make me thine!
From me take me and my purpose,
That thy purpose be accomplished;
Make thee mine of thy dear kindness,
That my heart and this my spirit
In thee bide for evermore;
From me take me, make me thine!

6. Choral
(Gächinger Kantorei Stuttgart)

Führ auch mein Herz und Sinn
Durch deinen Geist dahin,
Daß ich mög alles meiden,
Was mich und dich kann scheiden,
Und ich an deinem Leibe
Ein Gliedmaß ewig bleibe.

Chor, Gesamtinstrumentarium
12 Takte, D-Dur, 4/4 Takt

6. Chorale (S, A, T, B)

Lead both my heart and mind
Through thine own Spirit hence,
That I may all things shun now
Which me from thee could sever,
And I within thy body
A member bide forever.

Ausführende:
Arleen Augér, Sopran
Helen Watts, Alt
Adalbert Kraus, Tenor
Niklaus Tüller, Baß
Hedda Rothweiler, Oboe d'amore
Kurt Etzold, Fagott
Jürgen Wolf, Violoncello/Continuocello
Friedemann Schulz, Violoncello
Johannes Zagrosek, Continuocello
Manfred Gräser, Kontrabaß
Martha Schuster, Cembalo/Orgelpositiv
Montserrat Torrent, Orgelpositiv
Gächinger Kantorei Stuttgart
Bach-Collegium Stuttgart
Leitung: Helmuth Rilling

Aufnahme: Südwest-Tonstudio, Stuttgart
Aufnahmeleitung: Richard Hauck
Toningenieur: Henno Quasthoff
Aufnahmeort: Gedächtniskirche Stuttgart
Aufnahmezeit: September 1976/Januar,
April 1977
Spieldauer: 16'50"

BWV 164

Serie **VIII**, Nr. **98.728**

Ihr, die ihr euch von Christo nennet
Kantate zum 13. Sonntag nach Trinitatis
(Text: S. Franck)
für Sopran, Alt, Tenor, Baß, vierstimmigen Chor,
2 Flöten, 2 Oboen, Streicher und Generalbaß

1. Aria
(Harder)

Ihr, die ihr euch von Christo nennet,
Wo bleibet die Barmherzigkeit,
Daran man Christi Glieder kennet?
Sie ist von euch, ach, allzu weit.
Die Herzen sollten liebreich sein,
So sind sie härter als ein Stein.

Tenor, Streicher, Bc.
106 Takte, g-Moll, 9/8 Takt

2. Recitativo
(Heldwein)

Wir hören zwar, was selbst die Liebe spricht:
Die mit Barmherzigkeit den Nächsten hier
umfangen,
Die sollen vor Gericht
Barmherzigkeit erlangen.
Jedoch, wir achten solches nicht!
Wir hören noch des Nächsten Seufzer an!
Er klopft an unser Herz; doch wird's nicht
aufgetan!
Wir sehen zwar sein Händeringen,
Sein Auge, das von Tränen fleußt;
Doch läßt das Herz sich nicht zur Liebe
zwingen.
Der Priester und Levit,
Der hier zur Seite tritt,
Sind ja ein Bild liebloser Christen;
Sie tun, als wenn sie nichts von fremdem Elend
wüßten,
Sie gießen weder Öl noch Wein
Ins Nächsten Wunden ein.

Baß, Bc.
24 Takte, c-Moll – a-Moll, 4/4 Takt

1. Aria (T)

Ye who the name of Christ have taken,
Where bideth now your sense of mercy,
Whereby one Christ's true members knoweth?
It is from you, ah, all too far.
Your hearts should be with kindness filled,
And yet they're harder than a stone.

2. Recitative (B)

We've heard, indeed, what love itself doth say:
All those with mercy who have here received
their neighbor,
These shall before the court
Have mercy for their judgment.
And yet we give no heed to this!
We listen to our neighbor's sighs unmoved!
He knocks upon our heart; but opened is it not!
We see him wring his hands despairing,
His eye, too, which with tears o'erflows;
But still the heart will not to love be prompted.
The Levite and the priest
Who here now step aside
The image make of loveless Christians;
They act as if they knew of others' suff'ring
nothing,
And they pour neither oil nor wine
Into their neighbor's wounds.

3. Aria
(Hamari)

Nur durch Lieb und durch Erbarmen
Werden wir Gott selber gleich.
Samaritergleiche Herzen
Lassen fremden Schmerz sich schmerzen
Und sind an Erbarmung reich.

Alt, 2 Flöten, Bc
45 Takte, d-Moll, 4/4 Takt

4. Recitativo
(Harder)

Ach, schmelze doch durch deinen Liebesstrahl
Des kalten Herzens Stahl,
Daß ich die wahre Christenliebe,
Mein Heiland, täglich übe,
Daß meines Nächsten Wehe,
Er sei auch, wer er ist,
Freund oder Feind, Heid oder Christ,
Mir als mein eignes Leid zu Herzen allzeit gehe!
Mein Herz sei liebreich, sanft und mild,
So wird in mir verklärt dein Ebenbild.

Tenor, Streicher, Bc.
15 Takte, Es-Dur – g-Moll, 4/4 Takt

5. Aria (Duetto)
(Wiens, Heldwein)

Händen, die sich nicht verschließen,
Wird der Himmel aufgetan.
Augen, die mitleidend fließen,
Sieht der Heiland gnädig an.
Herzen, die nach Liebe streben,
Will Gott selbst sein Herze geben.

Sopran, Baß, Flöte, 2 Oboen, Violinen, Bc.
154 Takte, g-Moll, ₵ Takt

6. Choral
(Gächinger Kantorei Stuttgart)

Ertöt uns durch dein Güte,
Erweck uns durch dein Gnad!
Den alten Menschen kränke,
Daß der neu' leben mag
Wohl hier auf dieser Erden,
Den Sinn und all Begehrden
Und G'danken hab'n zu dir.

Chor, Streicher, Oboe, Bc.
14 Takte, B-Dur, 4/4 Takt

3. Aria (A)

Just through love and through compassion
Will we be like God himself.
Hearts Samaritan in kindness
Find the stranger's pain as painful
And are in compassion rich.

4. Recitative (T)

Ah, melt indeed with thine own radiant love
This frigid heart of steel,
That I the true love of the Christian,
My Savior, daily practise;
And that my neighbor's mis'ry,
No matter who he is,
Friend or a foe, heath'n or Christian,
E'er strike me to the heart as much as mine own
                                                 suff'ring!
My heart, be loving, soft and mild,
Then will in me thine image be revealed.

5. Aria (S, B)

To hands which are ever open
Heaven's doors will open wide.
Eyes which flow with tears' compassion
By the Savior's grace are seen.
To hearts which for love are striving
God himself his heart will offer.

6. Chorale (S, A, T, B)

Now slay us through thy kindness,
Arouse us through thy grace;
The former man now weaken,
So that the new may live
And, here on earth now dwelling,
His mind and ev'ry yearning
And thought may raise to thee.

Ausführende:
Edith Wiens, Sopran
Julia Hamari, Alt
Lutz-Michael Harder, Tenor
Walter Heldwein, Baß
Peter-Lukas Graf, Flöte
Sibylle Keller-Sanwald, Flöte
Fumiaki Miyamoto, Oboe
Hedda Rothweiler, Oboe
Kurt Etzold, Fagott
Georg Egger, Konzertmeister
Barbara Haupt-Brauckmann, Continuocello
Harro Bertz, Kontrabaß
Hans-Joachim Erhard, Cembalo/Orgelpositiv
Gächinger Kantorei Stuttgart
Bach-Collegium Stuttgart
Leitung: Helmuth Rilling

Aufnahme: Tonstudio Teije van Geest, Heidelberg
Aufnahmeleitung: Richard Hauck
Aufnahmeort: Gedächtniskirche Stuttgart
Aufnahmezeit: November 1981, Oktober 1982
Spieldauer: 17'50"

BWV 165

Serie **IV**, Nr. 98.682

O heilges Geist- und Wasserbad
Kantate zum Trinitatisfest
(Text: S. Franck)
für Sopran, Alt, Tenor, Baß, vierstimmigen Chor,
Streicher mit Solo-Violine und Generalbaß

1. Aria
(Augér)

O heilges Geist- und Wasserbad,
Das Gottes Reich uns einverleibet
Und uns ins Buch des Lebens schreibet!
O Flut, die alle Missetat
Durch ihre Wunderkraft ertränket
Und uns das neue Leben schenket!
O heilges Geist- und Wasserbad!

Sopran, Streicher, Bc.
57 Takte, G-Dur, 4/4 Takt

2. Recitativo
(Schöne)

Die sündige Geburt verdammter Adamserben
Gebieret Gottes Zorn, den Tod und das
                                   Verderben.
Denn was vom Fleisch geboren ist,
Ist nichts als Fleisch, von Sünden angestecket,

1. Aria (S)

O sacred Spirit's water bath,
Which to God's kingdom doth admit us
And in the book of life inscribe us!
O stream, which ev'ry evil deed
Through its most wond'rous power drowneth
And new life unto us bestoweth!
O sacred Spirit's water bath!

2. Recitative (B)

The sin-begotten birth of Adam's cursèd
                                   offspring
Hath spawned the wrath of God, both death and
                                   utter ruin.
For that which of the flesh is born
Is nought but flesh, by sin contaminated,

Vergiftet und beflecket.
Wie selig ist ein Christ!
Er wird im Geist- und Wasserbade
Ein Kind der Seligkeit und Gnade.
Er ziehet Christum an
Und seiner Unschuld weiße Seide,
Er wird mit Christi Blut, der Ehren Purpur-
kleide,
Im Taufbad angetan.

Baß, Bc.
19 Takte, e-Moll – a-Moll, 4/4 Takt

Polluted and infected.
The Christian, though, how blest!
Within the Spirit's bathing water
He's made a child of grace and blessing.
He clads himself in Christ
And in his guiltless silken whiteness;
He is in Christ's own blood, the purple robe of
glory,
Within baptism dressed.

3. Aria
(Rogers)

Jesu, der aus großer Liebe
In der Taufe mir verschriebe
Leben, Heil und Seligkeit,
Hilf, daß ich mich dessen freue
Und den Gnadenbund erneue
In der ganzen Lebenszeit.

Alt, Bc.
25 Takte, e-Moll, 12/8 Takt

3. Aria (A)

Jesus, who for love most mighty
In baptism hath assured me
Life, salvation, and true bliss,
Help me for this to be joyful
And renew this bond of mercy
In the whole of my life's span.

4. Recitativo
(Schöne)

Ich habe ja, mein Seelenbräutigam,
Da du mich neu geboren,
Dir ewig treu zu sein geschworen,
Hochheilges Gotteslamm;
Doch hab ich, ach! den Taufbund oft gebrochen
Und nicht erfüllt, was ich versprochen,
Erbarme, Jesu, dich
Aus Gnaden über mich!
Vergib mir die begangne Sünde,
Du weißt, mein Gott, wie schmerzlich ich
empfinde
Der alten Schlangen Stich;
Das Sündengift verderbt mir Leib und Seele,
Hilf, daß ich gläubig dich erwähle,
Blutrotes Schlangenbild,
Das an dem Kreuz erhöhet,
Das alle Schmerzen stillt
Und mich erquickt, wenn alle Kraft vergehet.

Baß, Streicher, Bc.
24 Takte, h-Moll – G-Dur, 4/4 Takt

4. Recitative (B)

I have, in truth, O bridegroom of my soul,
For thou new birth didst give me,
To thee sworn ever to be faithful,
O holy lamb of God;
Yet I've, alas, baptism's bond oft broken
And not fulfilled what I did promise;
Have mercy, Jesus, now,
Be gracious unto me!
Forgive me all the sins committed,
Thou know'st, my God, how painfully I suffer
The ancient serpent's sting,
Whose sinful bane corrupts my soul and body;
Help that I, faithful ever, choose thee,
O blood-red serpent's form,
Now on the cross exalted,
Which ev'ry pain doth still
And me restore when all my strength hath
vanished.

5. Aria
(Equiluz)

Jesu, meines Todes Tod,
Laß in meinem Leben
Und in meiner letzten Not
Mir für Augen schweben,

5. Aria (T)

Jesus, death of mine own death,
Let this through my lifetime
And in my last hour's need
'For mine eyes to hover:

Daß du mein Heilschlänglein seist	Thou my healing serpent art
Vor das Gift der Sünde.	For the sinful poison.
Heile, Jesu, Seel und Geist,	Jesus, heal my soul and spirit,
Daß ich Leben finde!	Let me life discover!

Tenor, Violine, Bc.
45 Takte, G-Dur, 4/4 Takt

6. Choral
(Frankfurter Kantorei)

6. Chorale (S, A, T, B)

Sein Wort, sein Tauf, sein Nachtmahl	**His word, baptism, supper all**
Dient wider allen Unfall,	**Help counter ev'ry evil;**
Der Heilge Geist im Glauben	**In faith the Holy Spirit**
Lehrt uns darauf vertrauen.	**In this to trust doth teach us.**

Chor, Streicher, Bc.
8 Takte, G-Dur, 4/4 Takt

Ausführende:
Arleen Augér, Sopran
Alyce Rogers, Alt
Kurt Equiluz, Tenor
Wolfgang Schöne, Baß
Walter Forchert, Violine
Friedemann Schulz, Continuocello
Manfred Gräser, Kontrabaß
Martha Schuster, Cembalo
Hans-Joachim Erhard, Orgelpositiv
Frankfurter Kantorei
Bach-Collegium Stuttgart
Leitung: Helmuth Rilling

Aufnahme: Südwest-Tonstudio, Stuttgart
Aufnahmeleitung: Richard Hauck
Toningenieur: Henno Quasthoff
Aufnahmeort: Gedächtniskirche Stuttgart/
Südwest-Tonstudio Stuttgart
Aufnahmezeit: Dezember 1975, April/Mai 1976
Spieldauer: 13'00"

BWV 166

Serie **VI**, Nr. 98.703

Wo gehest du hin
Kantate zum Sonntag Cantate
für Alt, Tenor, Baß, vierstimmigen Chor,
Oboe, Streicher mit Solo-Violine und Generalbaß

1. Aria
(Schöne)

1. Aria [Dictum] (B)

Wo gehest du hin?

Where to dost thou go?

Baß, Gesamtinstrumentarium
74 Takte, B-Dur, 3/8 Takt

2. Aria
(Baldin)

Ich will an den Himmel denken
Und der Welt mein Herz nicht schenken.
  Denn ich gehe oder stehe,
  So liegt mir die Frag im Sinn:
  Mensch, ach Mensch, wo gehst du hin?

Tenor, Oboe, Violine, Bc.
78 Takte, g-Moll, 4/4 Takt

2. Aria (T)

I'll be unto heaven mindful,
Nor the world my heart surrender.
  For in leaving or in staying
  I'll keep e'er that question near:
  Man, ah man, where dost thou go?

3. Choral
(Gächinger Kantorei Stuttgart)

**Ich bitte dich, Herr Jesu Christ,
Halt mich bei den Gedanken
Und laß mich ja zu keiner Frist
Von dieser Meinung wanken,
Sondern dabei verharren fest,
Bis daß die Seel aus ihrem Nest
Wird in den Himmel kommen.**

Chor-Sopran, Streicher, Bc.
58 Takte, c-Moll, 4/4 Takt

3. Chorale (S)

**I pray to thee, Lord Jesus Christ,
Hold me to these reflections
And let me never any time
From this resolve to waver,
Instead to it be ever true
Until my soul shall leave its nest
And into heaven journey.**

4. Recitativo
(Schöne)

Gleichwie die Regenwasser bald verfließen
Und manche Farben leicht verschießen,
So geht es auch der Freude in der Welt,
Auf welche mancher Mensch so viele Stücken
                                              hält;
Denn ob man gleich zuweilen sieht,
Daß sein gewünschtes Glücke blüht,
So kann doch wohl in besten Tagen
Ganz unvermut' die letzte Stunde schlagen.

Baß, Bc.
12 Takte, g-Moll – d-Moll, 4/4 Takt

4. Recitative (B)

Like as the rain-sent water soon subsideth
And many hues are quickly faded,
So is it, too, with pleasures of the world,
For which so many men such admiration hold;
For though one now and then may see
That his most hoped-for fortune blooms,
Yet can still in the best conditions
Quite unannounced the final hour strike him.

5. Aria
(Watts)

Man nehme sich in acht,
Wenn das Gelücke lacht.
  Denn es kann leicht auf Erden
  Vor abends anders werden,
  Als man am Morgen nicht gedacht.

Alt, Gesamtinstrumentarium
104 Takte, B-Dur, 3/4 Takt

5. Aria (A)

Let ev'ryone beware
When his good fortune laughs.
  On earth it is so easy
  That evening be quite other
  Than in the morning had been thought.

6. Choral
(Gächinger Kantorei Stuttgart)

Wer weiß, wie nahe mir mein Ende!
Hin geht die Zeit, her kommt der Tod;
Ach wie geschwinde und behende
Kann kommen meine Todesnot.
Mein Gott, ich bitt durch Christi Blut:
Mach's nur mit meinem Ende gut!

Chor, Gesamtinstrumentarium
14 Takte, g-Moll, 4/4 Takt

Ausführende:
Helen Watts, Alt
Aldo Baldin, Tenør
Wolfgang Schöne, Baß
Günther Passin, Oboe
Kurt Etzold, Fagott
Albert Boesen, Violine
Klaus-Peter Hahn, Continuocello
Peter Nitsche, Kontrabaß
Hans-Joachim Erhard, Cembalo/Orgelpositiv
Gächinger Kantorei Stuttgart
Bach-Collegium Stuttgart
Leitung: Helmuth Rilling

Aufnahme: Tonstudio Teije van Geest, Heidelberg
Aufnahmeleitung: Richard Hauck
Toningenieur: Günter Appenheimer
Aufnahmeort: Gedächtniskirche Stuttgart
Aufnahmezeit: September 1978
Spieldauer: 16'45"

6. Chorale (S, A, T, B)

Who knows how near to me mine end is?
Hence fleeth time, here cometh death;
Ah, with what promptness and what quickness
Can come to me my trial of death.
My God, I pray through Christ's own blood:
Allow but that my end be good!

BWV 167

Serie **III**, Nr. 98.671

Ihr Menschen, rühmet Gottes Liebe
Kantate zum Johannisfest
für Sopran, Alt, Tenor, Baß, vierstimmigen Chor, Trompete, Oboe, Oboe da caccia, Streicher und Generalbaß

1. Aria
(Kraus)

Ihr Menschen, rühmet Gottes Liebe
Und preiset seine Gütigkeit!
  Lobt ihn aus reinem Herzenstriebe,
  Daß er uns zu bestimmter Zeit
  Das Horn des Heils, den Weg zum Leben
  An Jesu, seinem Sohn, gegeben.

Tenor, Streicher, Bc.
73 Takte, G-Dur, 4/4 (12/8) Takt

1. Aria (T)

Ye mortals, tell of God's devotion
And glorify his graciousness!
  Laud him with purest heart's emotion,
  That he to us within our time
  The horn that saves, and life's true pathway
  In Jesus, his own Son, hath given.

394

2. Recitativo
(Gardow)

Gelobet sei der Herr Gott Israel,
Der sich in Gnaden zu uns wendet
Und seinen Sohn
Vom hohen Himmelsthron
Zum Welterlöser sendet.
Erst stellte sich Johannes ein
Und mußte Weg und Bahn
Dem Heiland zubereiten;
Hierauf kam Jesus selber an,
Die armen Menschenkinder
Und die verlornen Sünder
Mit Gnad und Liebe zu erfreun
Und sie zum Himmelreich in wahrer Buß zu
                                    leiten.

Alt, Bc.
19 Takte, e-Moll, 4/4 Takt

2. Recitative (A)

Now blessèd be the Lord God of Israel,
Who doth in his mercy come unto us
And his own Son
From heaven's lofty throne
To save the world hath sent us.
First at that time did John appear
And must the way and path
Make ready for the Savior;
And then did Jesus come himself,
That wretched mankind's children
And all the fallen sinners
With grace and love might be made glad
And unto paradise in true repentance guided.

3. Aria (Duetto)
(Graf, Gardow)

Gottes Wort, das trüget nicht,
Es geschieht, was er verspricht.
    Was er in dem Paradies
    Und vor so viel hundert Jahren
    Denen Vätern schon verhieß,
    Haben wir gottlob erfahren.

Sopran, Alt, Oboe da caccia, Bc.
150 Takte, a-Moll, 3/4 – 4/4 – 3/4 Takt

3. Aria (S, A)

God's true word deceiveth not;
All comes true as he doth pledge.
    What he in that paradise
    Many hundred years ago now
    To our fathers hath assured
    Have we here, praise God, experienced.

4. Recitativo
(Tüller)

Des Weibes Samen kam,
Nachdem die Zeit erfüllet;
Der Segen, den Gott Abraham,
Dem Glaubensheld, versprochen,
Ist wie der Glanz der Sonne angebrochen,
Und unser Kummer ist gestillet.
Ein stummer Zacharias preist
Mit lauter Stimme Gott vor seine Wundertat,
Die er dem Volk erzeiget hat.
Bedenkt, ihr Christen, auch, was Gott an euch
                                    getan,
Und stimmet ihm ein Loblied an!

Baß, Bc.
17 Takte, C-Dur – G-Dur, 4/4 Takt

4. Recitative (B)

The woman's seed did come
When once the time was ready;
The blessing which God Abraham,
The faith's great man, had promised
Is like a beam of sunlight on us broken,
And all our sorrow is grown silent.
A dumb man, Zechariah, cries
Aloud his praise to God for this his wondrous
                                    deed,
Which he the folk made manifest.
And think, ye Christian, too, what God for you
                                    hath done,
And raise to him a song of praise!

5. Choral
(Figuralchor der Gedächtniskirche Stuttgart)

Sei Lob und Preis mit Ehren
Gott Vater, Sohn, Heiligem Geist!

5. Chorale (S, A, T, B)

Now laud and praise with honor
God Father, Son, and Holy Ghost!

Der woll in uns vermehren,
Was er uns aus Genad verheißt,
Daß wir ihm fest vertrauen,
Gänzlich verlassn auf ihn,
Von Herzen auf ihn bauen,
Daß unsr Herz, Mut und Sinn
Ihm festiglich anhangen;
Darauf singn wir zur Stund:
Amen, wir werdn's erlangen,
Gläubn wir aus Herzens Grund.

Chor, Trompete, Oboe, Streicher, Bc.
70 Takte, G-Dur, 3/4 Takt

Ausführende:
Kathrin Graf, Sopran
Helrun Gardow, Alt
Adalbert Kraus, Tenor
Niklaus Tüller, Baß
Hermann Sauter, Trompete
Günther Passin, Oboe
Hanspeter Weber, Oboe da caccia
Hermann Herder, Fagott
Jürgen Wolf, Continuocello
Manfred Gräser, Kontrabaß
Martha Schuster, Cembalo/Orgelpositiv
Figuralchor der
Gedächtniskirche Stuttgart
Bach-Collegium Stuttgart
Leitung: Helmuth Rilling

Aufnahme: Südwest-Tonstudio, Stuttgart
Aufnahmeleitung: Richard Hauck,
Friedrich Mauermann
Aufnahmeort: Gedächtniskirche Stuttgart
Aufnahmezeit: Januar/Februar 1974
Spieldauer: 17'30"

May he in us add measure
To what he us in mercy pledged,
That we may firmly trust him,
Entirely rest on him;
Sincere on him depending
May our heart, mind and will
Steadfast to him be cleaving;
To this now let us sing:
Amen, we shall achieve it,
This is our heart's firm faith.

BWV 168

Serie I, Nr. 98.652

Tue Rechnung! Donnerwort
Kantate zum 9. Sonntag nach Trinitatis
(Text: S. Franck)
für Sopran, Alt, Tenor, Baß, vierstimmigen Chor,
2 Oboi d'amore, Streicher und Generalbaß

1. Aria
(Nimsgern)

Tue Rechnung! Donnerwort,
Das die Felsen selbst zerspaltet,
Wort, wovon mein Blut erkaltet!
Tue Rechnung! Seele, fort!
Ach, du mußt Gott wiedergeben

1. Aria (B)

Make a reck'ning! Thund'rous word,
Which e'en rocky cliffs split open,
Word by which my blood grows frigid!
Day of reck'ning! Soul, go forth!
Ah, thou must God make repayment

Seine Güter, Leib und Leben.
Tue Rechnung! Donnerwort!

Baß, Streicher, Bc.
50 Takte, h-Moll, 4/4 Takt

2. Recitativo
(Altmeyer)

Es ist nur fremdes Gut,
Was ich in diesem Leben habe;
Geist, Leben, Mut und Blut
Und Amt und Stand ist meines Gottes Gabe,
Es ist mir zum Verwalten
Und treulich damit hauszuhalten
Von hohen Händen anvertraut.
Ach! aber ach! mir graut,
Wenn ich in mein Gewissen gehe
Und meine Rechnungen so voll Defekte sehe!
Ich habe Tag und Nacht
Die Güter, die mir Gott verliehen,
Kaltsinnig durchgebracht!
Wie kann ich dir, gerechter Gott, entfliehen?
Ich rufe flehentlich:
Ihr Berge fallt! ihr Hügel decket mich
Vor Gottes Zorngerichte
Und vor dem Blitz von seinem Angesichte!

Tenor, 2 Oboi d'amore, Bc.
23 Takte, fis-Moll – cis-Moll, 4/4 Takt

3. Aria
(Altmeyer)

Kapital und Interessen,
Meine Schulden groß und klein
Müssen einst verrechnet sein.
Alles, was ich schuldig blieben,
Ist in Gottes Buch geschrieben
Als mit Stahl und Demantstein.

Tenor, 2 Oboi d'amore, Bc.
150 Takte, fis-Moll, 3/8 Takt

4. Recitativo
(Nimsgern)

Jedoch, erschrocknes Herz, leb und verzage nicht!
Tritt freudig vor Gericht!
Und überführt dich dein Gewissen,
Du werdest hier verstummen müssen,
So schau den Bürgen an,
Der alle Schulden abgetan!
Es ist bezahlt und völlig abgeführt,
Was du, o Mensch, in Rechnung schuldig
                                                        blieben;
Des Lammes Blut, o großes Lieben!
Hat deine Schuld durchstrichen
Und dich mit Gott verglichen.

Of his blessings, life and body.
Make a reck'ning! Thund'rous word!

2. Recitative (T)

All is but borrowed wealth
That I through out my life am holding;
Soul, being, will and blood
And post and rank, all by my God are given;
They are mine to care for
And ever faithfully to manage,
From lofty hands received in trust.
Ah! Oh alas! I shake
Whenever I my conscience enter
And then in my accounts so many errors witness!
I have both day and night
The many things which God hath lent me
Indiff'rently consumed!
How can I thee, O God of right, escape then?
I cry aloud and weep:
Ye mountains, fall! Ye hills, conceal me now
From God's own wrathful judgment
And from the flash of his own countenance!

3. Aria (T)

Principal and interest also,
These my debts, both large and small,
Must one day be reckoned all.
All for which I'm yet indebted
Is in God's own book now written
As in steel and adamant.

4. Recitative (B)

But yet, O frightened heart, live and despair
                                                        thou not!
Step gladly 'fore the court!
And if thy conscience should convict thee,
Thou must be here constrained to silence;
Behold thy guarantor,
He hath all debts for thee released!
It is repaid and fully wiped away
What thou, O man, thy reck'ning art still owing;
The lamb's own blood, O love most mighty!
Hath all thy debt now cancelled
And thee with God hath settled.

Es ist bezahlt, du bist quittiert!
Indessen,
Weil du weißt,
Daß du Haushalter seist,
So bei bemüht und unvergessen,
Den Mammon klüglich anzuwenden,
Den Armen wohlzutun,
So wirst du, wenn sich Zeit und Leben enden,
In Himmelshütten sicher ruhn.

Baß, Bc.
24 Takte, h-Moll – G-Dur, 4/4 Takt

5. Aria (Duetto)
(Burns, Gohl)

Herz, zerreiß des Mammons Kette,
Hände, streuet Gutes aus!
Machet sanft mein Sterbebette,
Bauet mir ein festes Haus,
Das im Himmel ewig bleibet,
Wenn der Erde Gut zerstäubet.

Sopran, Alt, Bc.
52 Takte, e-Moll, 6/8 Takt

6. Choral
(Frankfurter Kantorei)

Stärk mich mit deinem Freudengeist,
Heil mich mit deinen Wunden,
Wasch mich mit deinem Todesschweiß
In meiner letzten Stunden;
Und nimm mich einst, wenn dir's gefällt,
In wahrem Glauben von der Welt
Zu deinen Auserwählten.

Chor, Gesamtinstrumentarium
15 Takte, h-Moll, 4/4 Takt

Ausführende:
Nancy Burns, Sopran
Verena Gohl, Alt
Theo Altmeyer, Tenor
Siegmund Nimsgern, Baß
Otto Winter, Oboe d'amore
Klaus Kärcher, Oboe d'amore
Rudolf Gleißner, Continuocello
Ulrich Lau, Kontrabaß
Martha Schuster, Cembalo/Orgelpositiv
Frankfurter Kantorei
Bach-Collegium Stuttgart
Leitung: Helmuth Rilling

Aufnahme: Sonopress Tontechnik, Gütersloh
Aufnahmeleitung: Richard Hauck/
Wolfram Wehnert
Aufnahmeort: Gedächtniskirche Stuttgart
Aufnahmezeit: Juni/Juli 1970
Spieldauer: 16'10"

It is repaid, thy balance cleared!
And meanwhile,
Since thou know'st
That thou a steward art,
Thus be concerned and ever mindful
That thou make prudent use of Mammon
To benefit the poor;
Thus shalt thou, when both time and life have
ended,
In heaven's shelter rest secure.

5. Aria (S, A)

Heart, break free of Mammon's fetters,
Hands now, scatter good abroad!
Make ye soft my dying pallet,
Build for me a solid house,
Which in heaven ever bideth
When earth's wealth to dust is scattered.

6. Chorale (S, A, T, B)

Make me strong with thy Spirit's joy,
Heal me with thine own wounding,
Wash me with thine own dying sweat
In mine own final hours;
And take me then, whene'er thou wilt,
In true believing from the world
To thine own chosen people.

BWV 169

Gott soll allein mein Herze haben
Kantate zum 18. Sonntag nach Trinitatis
für Alt, vierstimmigen Chor,
obligate Orgel, 2 Oboen, Oboe da caccia, Streicher und
Generalbaß

1. Sinfonia
(Erhard, Württembergisches Kammerorchester
Heilbronn)

Orgel, 2 Oboen, Oboe da caccia, Streicher, Bc.
173 Takte, D-Dur, 4/4 Takt

2. Arioso e Recitativo
(Watkinson)

Gott soll allein mein Herze haben.
Zwar merk ich an der Welt,
Die ihren Kot unschätzbar hält,
Weil sie so freundlich mit mir tut,
Sie wollte gern allein
Das Liebste meiner Seele sein.
Doch nein; Gott soll allein mein Herze haben:
Ich find in ihm das höchste Gut.
Wir sehen zwar
Auf Erden hier und dar
Ein Bächlein der Zufriedenheit,
Das von des Höchsten Güte quillet;
Gott aber ist der Quell, mit Strömen angefüllet,
Da schöpf ich, was mich allezeit
Kann sattsam und wahrhaftig laben:
Gott soll allein mein Herze haben.

Alt, Bc.
55 Takte, D-Dur – fis-Moll, 3/8 – 4/4 Takt

3. Aria
(Watkinson)

Gott soll allein mein Herze haben,
Ich find in ihm das höchste Gut.
　Er liebt mich in der bösen Zeit
　Und will mich in der Seligkeit
　Mit Gütern seines Hauses laben.

Alt, Orgel, Bc.
80 Takte, D-Dur, 4/4 Takt

4. Recitativo
(Watkinson)

Was ist die Liebe Gottes?
Des Geistes Ruh,
Der Sinnen Lustgenieß,

1. Sinfonia

2. Arioso and Recitative (A)

God all alone my heart shall master.
I see, though, that the world,
Which doth its rot as priceless hold,
While it doth me so fondly court,
Would gladly all alone
·Belovèd be of this my soul.
But no; God all alone my heart shall master:
I find in him the highest worth.
We see, indeed,
On earth, now here, now there,
A rivulet of joy sublime
Which from the Highest's kindess welleth;
God is, indeed, the source, whose streams he
　　　　　　　　　　　　　　　ever filleth,
Where I'll draw that which for all time
Shall fill me and bring true refreshment:
God all alone my heart shall master.

3. Aria (A)

God all alone my heart shall master,
I find in him the highest worth.
　He loves me in the worst of times
　And shall, when I have come to bliss,
　With treasures of his house refresh me.

4. Recitative (A)

What is the love of God, then?
The spirit's rest,
The heart's desire and joy,

Der Seele Paradies.
Sie schließt die Hölle zu,
Den Himmel aber auf;
Sie ist Elias Wagen,
Da werden wir in'n Himmel nauf
In Abrahms Schoß getragen.

The soul's true paradise.
It shuts the gates of hell
And heaven opens wide;
It is Elijah's chariot,
Which shall lift us to heav'n above
To Abraham's own bosom.

Alt, Bc.
10 Takte, G-Dur – fis-Moll, 4/4 Takt

5. Aria
(Watkinson)

5. Aria (A)

Stirb in mir,
Welt und alle deine Liebe,
Daß die Brust
Sich auf Erden für und für
In der Liebe Gottes übe;
Stirb in mir,
Hoffart, Reichtum, Augenlust,
Ihr verworfnen Fleischestriebe!

Die in me,
World and all of thine affections,
That my breast,
While on earth yet, more and more
Here the love of God may practise;
Die in me,
Pomp and wealth and outward show,
Ye corrupted carnal motives!

Alt, Orgel, Streicher, Bc.
45 Takte, h-Moll, 12/8 Takt

6. Recitativo
(Watkinson)

6. Recitative (A)

Doch meint es auch dabei
Mit eurem Nächsten treu!
Denn so steht in der Schrift geschrieben:
Du sollst Gott und den Nächsten lieben.

This means that ye must too
Be to your neighbor true!
For so it stands in Scripture written:
Thou shalt love God and also neighbor.

Alt, Bc.
5 Takte, D-Dur – A-Dur, 4/4 Takt

7. Choral
(Gächinger Kantorei Stuttgart)

7. Chorale (S, A, T, B)

**Du süße Liebe, schenk uns deine Gunst,
Laß uns empfinden der Liebe Brunst,
Daß wir uns von Herzen einander lieben
Und in Friede auf einem Sinn bleiben.
Kyrie eleison.**

**Thou love so tender, give to us thy grace,
Let us perceive now the fire of love,
That we may sincerely love one another
And in peace and of one mind be ever.
Kyrie eleison.**

Chor, Gesamtinstrumentarium
15 Takte, A-Dur, 4/4 Takt

Ausführende:
Carolyn Watkinson, Alt
Hans-Joachim Erhard, Orgel (Satz 1)
Michael Behringer, Orgel (Sätze 3 & 5)
Günther Passin, Oboe
Hedda Rothweiler, Oboe
Dietmar Keller, Oboe da caccia
Albrecht Holder, Fagott
Hubert Buchberger, Konzertmeister
Stefan Trauer, Violoncello

Claus Zimmermann, Kontrabaß
Michael Behringer, Cembalo/Orgelpositiv
Hildegard Weinmann, Cembalo
Gächinger Kantorei Stuttgart
Württembergisches Kammerorchester Heilbronn
Leitung: Helmuth Rilling

Aufnahme: Tonstudio Teije van Geest, Heidelberg
Aufnahmeleitung: Richard Hauck
Aufnahmeort: Gedächtniskirche Stuttgart
Aufnahmezeit: Juni 1983
Spieldauer: 23'40"

BWV 170

Serie **IX**, Nr. 98.733

Vergnügte Ruh, beliebte Seelenlust
Kantate zum 6. Sonntag nach Trinitatis
(Text: G. Chr. Lehms)
für Alt, obligate Orgel, Flöte, Oboe d'amore,
Streicher und Generalbaß

1. Aria
(Hamari)

Vergnügte Ruh, beliebte Seelenlust,
   Dich kann man nicht bei Höllensünden,
   Wohl aber Himmelseintracht finden;
   Du stärkst allein die schwache Brust.
   Drum sollen lauter Tugendgaben
   In meinem Herzen Wohnung haben.

Alt, Oboe d'amore, Streicher, Bc.
61 Takte, D-Dur, 12/8 Takt

2. Recitativo
(Hamari)

Die Welt, das Sündenhaus,
Bricht nur in Höllenlieder aus
Und sucht durch Haß und Neid
Des Satans Bild an sich zu tragen.
Ihr Mund ist voller Ottergift,
Der oft die Unschuld tödlich trifft,
Und will allein von Racha! sagen.
Gerechter Gott, wie weit
Ist doch der Mensch von dir entfernet;
Du liebst, jedoch sein Mund
Macht Fluch und Feindschaft kund
Und will den Nächsten nur mit Füßen treten.
Ach! diese Schuld ist schwerlich zu verbeten.

Alt, Bc.
17 Takte, h-Moll – fis-Moll, 4/4 Takt

1. Aria (A)

Contented rest, belovèd inner joy,
   We cannot find thee midst hell's mischief,
   But rather in the heav'nly concord;
   Thou only mak'st the weak breast strong.
   Thus I'll let only virtue's talents
   Within my heart maintain their dwelling.

2. Recitative (A)

The world, that house of sin,
Brings nought but hellish lyrics forth
And seeks through hate and spite
The devil's image e'er to cherish.
Her mouth is filled with viper's bane,
Which oft the guiltless strikes with death,
And would alone her "Raca!" utter.
O righteous God, how far
In truth is man from thee divided;
Thou lov'st, but yet his mouth
Cries curse and hate abroad
And would his neighbor under foot e'er trample.
Ah, this great sin defies propitiation!

3. Aria
(Hamari)

Wie jammern mich doch die verkehrten Herzen,
Die dir, mein Gott, so sehr zuwider sein;
Ich zittre recht und fühle tausend Schmerzen,
Wenn sie sich nur an Rach und Haß erfreun.
Gerechter Gott, was magst du doch gedenken,
Wenn sie allein mit rechten Satansränken
Dein scharfes Strafgebot so frech verlacht.
Ach! ohne Zweifel hast du so gedacht:
Wie jammern mich doch die verkehrten Herzen!

Alt, Orgel, Violinen, Viola
66 Takte, fis-Moll, 4/4 Takt

3. Aria (A)

What sorrow fills me for these wayward spirits,
Who have, my God, so much offended thee;
I tremble, yea, and feel a thousand torments,
When they in nought but harm and hate find
joy.
O righteous God, what may'st thou then
consider,
When they who deal alone with Satan's plotters
Thy judgment's stern command so bold do flout.
Ah, I've no doubt but that thou then hast
thought:
What sorrow fills me for these wayward spirits!

4. Recitativo
(Hamari)

Wer sollte sich demnach
Wohl hier zu leben wünschen,
Wenn man nur Haß und Ungemach
Vor seine Liebe sieht?
Doch, weil ich auch den Feind
Wie meinen besten Freund
Nach Gottes Vorschrift lieben soll,
So flieht
Mein Herze Zorn und Groll
Und wünscht allein bei Gott zu leben,
Der selbst die Liebe heißt.
Ach, eintrachtvoller Geist,
Wenn wird er dir doch nur sein Himmelszion
geben?

Alt, Streicher, Bc.
15 Takte, D-Dur, 4/4 Takt

4. Recitative (A)

Who shall, therefore, desire
To live in this existence,
When nought but hate and misery
Before his love are seen?
But, since I e'en my foe
As though my closest friend
By God's commandment am to love,
Thus flees
My heart all wrath and hate
And seeks alone with God its dwelling,
Who is himself called love.
Alas, O peaceful soul,
When will he thee indeed bring to his heav'nly
Zion?

5. Aria
(Hamari)

Mir ekelt mehr zu leben,
Drum nimm mich, Jesu, hin!
  Mir graut vor allen Sünden,
  Laß mich dies Wohnhaus finden,
  Woselbst ich ruhig bin.

Alt, Flöte, Oboe d'amore, Streicher, Bc.
107 Takte, D-Dur, 4/4 Takt

5. Aria (A)

I'm sick to death of living,
So take me, Jesus, hence!
  I fear for mine offenses,
  Let me find there that dwelling
  Wherein I may have rest.

Ausführende:
Julia Hamari, Alt
Sibylle Keller-Sanwald, Flöte
Günther Passin, Oboe d'amore
Otto Armin, Konzertmeister
Helmut Veihelmann, Continuocello
Harro Bertz, Kontrabaß
Martha Schuster, Orgel/Orgelpositiv
Bach-Collegium Stuttgart
Leitung: Helmuth Rilling

Aufnahme: Tonstudio Teije van Geest, Heidelberg
Aufnahmeleitung: Richard Hauck
Aufnahmeort: Gedächtniskirche Stuttgart
Aufnahmezeit: Oktober 1982
Spieldauer: 23'05"

BWV 171

Gott, wie dein Name, so ist auch dein Ruhm

Kantate zu Neujahr
(Text: Picander)
für Sopran, Alt, Tenor, Baß, vierstimmigen Chor,
3 Trompeten, Pauken, 2 Oboen,
Streicher mit 2 Solo-Violinen und Generalbaß

1. Coro
(Gächinger Kantorei Stuttgart)

Gott, wie dein Name, so ist auch dein Ruhm bis an der Welt Ende.

Chor, Gesamtinstrumentarium
78 Takte, D-Dur, 2/2 Takt

2. Aria
(Baldin)

Herr, so weit die Wolken gehen,
Gehet deines Namens Ruhm.
  Alles, was die Lippen rührt,
  Alles, was noch Odem führt,
  Wird dich in der Macht erhöhen.

Tenor, 2 Violinen, Bc.
85 Takte, A-Dur, 4/4 Takt

3. Recitativo
(Hamari)

Du süßer Jesus-Name du,
In dir ist meine Ruh,
Du bist mein Trost auf Erden,
Wie kann denn mir
Im Kreuze bange werden?
Du bist mein festes Schloß und mein Panier,
Da lauf ich hin,
Wenn ich verfolget bin.
Du bist mein Leben und mein Licht,
Mein Ehre, meine Zuversicht,
Mein Beistand in Gefahr
Und mein Geschenk zum neuen Jahr.

Alt, Bc.
13 Takte, fis-Moll – D-Dur, 4/4 Takt

1. Chorus [Dictum] (S, A, T, B)

God, as thy name is, so is, too, thy fame to the ends of the earth.

2. Aria (T)

Lord, as far as clouds are stretching,
Stretcheth thine own name's great fame.
  Ev'rything which stirs the lips,
  Ev'rything which draweth breath,
  Will now in thy might exalt thee.

3. Recitative (A)

Thou sweetest name of Jesus thou,
In thee is my repose;
Thou art my earthly comfort,
How can I then
Midst cross be ever anxious?
Thou art my sure defense and my great sign,
To which I run
Whene'er I am oppressed.
Thou art my being and my light,
My glory, my true confidence,
My helper in distress,
And my reward for the new year.

403

4. Aria
(Augér)

Jesus soll mein erstes Wort
In dem neuen Jahre heißen.
   Fort und fort
   Lacht sein Nam in meinem Munde,
   Und in meiner letzten Stunde
   Ist Jesus auch mein letztes Wort.

Sopran, Violine, Bc.
60 Takte, D-Dur, 12/8 Takt

4. Aria (S)

Jesus shall my first word be
In the new year to be spoken.
   On and on
   Laughs his name within my mouth now,
   And within my final moments
   Is Jesus, too, my final word.

5. Recitativo
(Heldwein)

Und da du, Herr, gesagt:
Bittet nur in meinem Namen,
So ist alles Ja! und Amen!
So flehen wir,
Du Heiland aller Welt, zu dir:
Verstoß uns ferner nicht,
Behüt uns dieses Jahr
Für Feuer, Pest und Kriegsgefahr!
Laß uns dein Wort, das helle Licht,
Noch rein und lauter brennen;
Gib unsrer Obrigkeit
Und dem gesamten Lande
Dein Heil des Segens zu erkennen;
Gib allezeit
Glück und Heil zu allem Stande.
Wir bitten, Herr, in deinem Namen,
Sprich: ja! darzu, sprich: Amen, amen!

Baß, 2 Oboen, Bc.
29 Takte, G-Dur – h-Moll, 4/4 – 3/8 – 4/4 Takt

5. Recitative (B)

And since thou, Lord, hath said:
If ye pray in my name's honor,
Ev'rything is "Yes!" and "Amen!"
Thus do we cry,
Thou Savior of the world, to thee:
Reject us now no more,
Protect us through this year
From fire, plague and risk of war!
Leave us thy word, that brilliant light,
Still pure and clearly burning;
Give our authorities
And unto all the nation
Thy healing blessing to acknowledge;
Give evermore
Joy and health to ev'ry station.
We pray this, Lord, in thy name's honor;
Say "Yes!" to this say "Amen, amen!"

6. Choral
(Gächinger Kantorei Stuttgart)

Laß uns das Jahr vollbringen
Zu Lob dem Namen dein,
Daß wir demselben singen
In der Christen Gemein.
Wollst uns das Leben fristen
Durch dein allmächtig Hand,
Erhalt dein liebe Christen
Und unser Vaterland!
Dein Segen zu uns wende,
Gib Fried an allem Ende,
Gib unverfälscht im Lande
Dein seligmachend Wort,
Die Teufel mach zuschanden
Hier und an allem Ort!

Chor, Gesamtinstrumentarium
45 Takte, D-Dur, 4/4 – 3/4 – 4/4 Takt

6. Chorale (S, A, T, B)

Let us this year complete then
To bring praise to thy name
And sing to it our praises
Within the Christian fold.
If thou our life wouldst limit
Through thine almighty hand,
Support these thy dear Christians
And this our fatherland!
Thy blessing turn upon us,
Give peace in ev'ry region,
Make undisguised in this land
Thy joy-inspiring word;
To devils bring destruction
Here and in all the world!

Ausführende:
Arleen Augér, Sopran
Julia Hamari, Alt
Aldo Baldin, Tenor
Walter Heldwein, Baß
Peter Send, Trompete
Josef Hausberger, Trompete
Paul Raber, Trompete
Norbert Schmitt, Pauken
Günther Passin, Oboe
Hedda Rothweiler, Oboe
Günther Pfitzenmaier, Fagott
Georg Egger, Violine
Radboud Oomens, Violine
Stefan Trauer, Violoncello
Claus Zimmermann, Kontrabaß
Hans-Joachim Erhard, Cembalo/Orgelpositiv
Hildegard Weinmann, Orgelpositiv
Gächinger Kantorei Stuttgart
Württembergisches Kammerorchester Heilbronn
Leitung: Helmuth Rilling

Aufnahme: Tonstudio Teije van Geest, Heidelberg
Aufnahmeleitung: Richard Hauck
Aufnahmeort: Gedächtniskirche Stuttgart
Aufnahmezeit: Juni/September 1983
Spieldauer: 15'45"

BWV 172

Serie III, Nr. 98.679

Erschallet, ihr Lieder, erklinget, ihr Saiten

Kantate zum 1. Pfingsttag
für Sopran, Alt, Tenor, Baß, vierstimmigen Chor,
obligate Orgel, 3 Trompeten, Pauken, Fagott, Streicher
und Generalbaß

1. Coro
(Frankfurter Kantorei)

Erschallet, ihr Lieder, erklinget, ihr Saiten!
O seligste Zeiten!
　Gott will sich die Seelen zu Tempeln bereiten.

Chor, 3 Trompeten, Pauken, Fagott, Streicher, Bc.
194 Takte, C-Dur, 3/8 Takt

1. Chorus (S, A, T, B)

Resound now, ye lyrics, ring out now, ye lyres!
O happiest hours!
　God shall all the souls to his temples now
　　　　　　　　　　　　　　　　　gather.

2. Recitativo
(Schöne)

*Wer mich liebet, der wird mein Wort halten, und
mein Vater wird ihn lieben, und wir werden zu ihm
kommen und Wohnung bei ihm machen.*

Baß, Bc.
10 Takte, a-Moll – C-Dur, 4/4 Takt

2. Recitative [Dictum] (B)

*He who loves me will keep my commandments, and
my Father will then love him, and we unto him will
journey and with him make our dwelling.*

3. Aria
(Schöne)

Heiligste Dreieinigkeit,
Großer Gott der Ehren,
   Komm doch, in der Gnadenzeit
   Bei uns einzukehren,
   Komm doch in die Herzenshütten,
   Sind sie gleich gering und klein,
   Komm und laß dich doch erbitten,
   Komm und ziehe bei uns ein!

Baß, 3 Trompeten, Pauken, Bc.
31 Takte, C-Dur, 4/4 Takt

3. Aria (B)

O most Holy Trinity,
Mighty God of honor,
   Come still in this time of grace,
   Make with us thy sojourn,
   Come still unto our heart's shelters,
   Be they e'er so poor and small,
   Come and yield to our entreaty,
   Come and sojourn with us here!

4. Aria
(Kraus)

O Seelenparadies,
Das Gottes Geist durchwehet,
   Der bei der Schöpfung blies,
   Der Geist, der nie vergehet;
   Auf, auf, bereite dich,
   Der Tröster nahet sich.

Tenor, Streicher, Bc.
155 Takte, a-Moll, 3/4 Takt

4. Aria (T)

O paradise of souls,
Through which God's Spirit wafteth,
   Who at creation blew,
   The Spirit ever present;
   Rise, rise, prepare thyself,
   Thy Comforter is near.

5. Aria (Duetto) con Choral
(Csapò, Soffel)

Sopran
Komm, laß mich nicht länger warten,
Komm, du sanfter Himmelswind,
Wehe durch den Herzensgarten!
Alt
Ich erquicke dich, mein Kind.
Sopran
Liebste Liebe, die so süße,
Aller Wollust Überfluß,
Ich vergeh, wenn ich dich misse.
Alt
Nimm von mir den Gnadenkuß.
Sopran
Sei im Glauben mir willkommen,
Höchste Liebe, komm herein!
Du hast mir das Herz genommen.
Alt
Ich bin dein, und du bist mein!

Sopran, Alt, Orgel
48 Takte, F-Dur, 4/4 Takt

5. Aria (S, A) with instr. chorale

(Soul)
Come, make me no longer tarry,
Come, thou gentle heav'nly wind,
Waft now through the spirit's garden!
(Holy Ghost)
I'll enliven thee, my child.
(Soul)
Dearest love, thou so charming,
Of all joy abundant store,
I shall die if I not have thee.
(Holy Ghost)
Take from me the kiss of grace.
(Soul)
Come to me in faith most welcome,
Love most precious, come to me!
Thou from me my heart hast stolen.
(Holy Ghost)
I am thine, and thou art mine!

6. Choral
(Frankfurter Kantorei)

Von Gott kommt mir ein Freudenschein,
Wenn du mit deinen Äugelein
Mich freundlich tust anblicken.

6. Chorale (S, A, T, B)

From God to me comes joyful light,
When thou with thine own precious eye
With kindness dost regard me.

O Herr Jesu, mein trautes Gut,
Dein Wort, dein Geist, dein Leib und Blut
Mich innerlich erquicken.
Nimm mich
Freundlich
In dein Arme, daß ich warme werd von Gnaden:
Auf dein Wort komm ich geladen.

Chor, Streicher, Bc.
20 Takte, F-Dur, 4/4 Takt

Ausführende:
Eva Csapò, Sopran
Doris Soffel, Alt
Adalbert Kraus, Tenor
Wolfgang Schöne, Baß
Hermann Sauter, Trompete
Eugen Mayer, Trompete
Heiner Schatz, Trompete
Karl-Heinz Peinecke, Pauken
Hermann Herder, Fagott
Jürgen Wolf, Continuocello
Thomas Lom, Kontrabaß
Martha Schuster, Cembalo/Orgel
Joachim Eichhorn, Orgelpositiv
Frankfurter Kantorei
Bach-Collegium Stuttgart
Leitung: Helmuth Rilling

Aufnahme: Südwest-Tonstudio, Stuttgart
Aufnahmeleitung: Richard Hauck, Heinz Jansen
Toningenieur: Henno Quasthoff
Aufnahmeort: Gedächtniskirche Stuttgart
Aufnahmezeit: März/April 1975
Spieldauer: 17'00"

O Lord Jesus, my trusted good,
Thy word, thy soul, thy flesh and blood
Me inwardly enliven.
Take me
Kindly
In thine arms now, make me warm now with thy
favor:
To thy word I come invited.

BWV 173

Serie **IV**, Nr. 98.688

Erhöhtes Fleisch und Blut
Kantate zum 2. Pfingsttag
für Sopran, Alt, Tenor, Baß, vierstimmigen Chor,
2 Flöten, Streicher und Generalbaß

1. Recitativo
(Kraus)

Erhöhtes Fleisch und Blut,
Das Gott selbst an sich nimmt,
Dem er schon hier auf Erden
Ein himmlisch Heil bestimmt,
Des Höchsten Kind zu werden,
Erhöhtes Fleisch und Blut!

Tenor, Streicher, Bc.
7 Takte, D-Dur, 4/4 Takt

1. Recitative (T)

Exalted flesh and blood,
Which God himself accepts,
Which he on earth already
Assigns a heav'nly bliss,
As God's own child transformed now,
Exalted flesh and blood!

2. Aria
(Kraus)

Ein geheiligtes Gemüte
Sieht und schmecket Gottes Güte.
Rühmet, singet, stimmt die Saiten,
Gottes Treue auszubreiten!

Tenor, Gesamtinstrumentarium
45 Takte, D-Dur, 4/4 Takt

2. Aria (T)

A redeemed and hallowed spirit
Sees and savors God's own kindness.
Praising, singing, tune your lyres,
God's devotion tell the nations!

3. Aria
(Watts)

Gott will, o ihr Menschenkinder,
An euch große Dinge tun.
　　Mund und Herze, Ohr und Blicke
　　Können nicht bei diesem Glücke
　　Und so heilger Freude ruhn.

Alt, Streicher, Bc.
29 Takte, h-Moll, 4/4 Takt

3. Aria (A)

God shall, O ye mortal children,
For you mighty things achieve.
　　Mouth and spirit, ear and vision
　　Cannot now amidst such fortune
　　And such holy joy keep still.

4. Aria (Duetto)
(Beckmann, Tüller)

Baß
So hat Gott die Welt geliebt,
Sein Erbarmen
Hilft uns Armen,
Daß er seinen Sohn uns gibt,
Gnadengaben zu genießen,
Die wie reiche Ströme fließen.
Sopran
Sein verneuter Gnadenbund
Ist geschäftig
Und wird kräftig
In der Menschen Herz und Mund,
Daß sein Geist zu seiner Ehre
Gläubig zu ihm rufen lehre.
beide
Nun wir lassen unsre Pflicht
Opfer bringen,
Dankend singen,
Da sein offenbartes Licht
Sich zu seinen Kindern neiget
Und sich ihnen kräftig zeiget.

Sopran, Baß, Gesamtinstrumentarium
144 Takte, G-Dur – D-Dur – A-Dur, 3/4 Takt

4. Aria (S, B)

(B)
For hath God the world so loved,
So his mercy
Helps us poor ones,
That he gives to us his Son,
Gracious blessings for our pleasure,
Which like fertile streams are flowing.
(S)
His New Testament of grace
Is effective
And has power
In the human heart and voice,
That his Spirit for his honor
Teach them faithfully to call him.
(Both)
Now we'll let our duty bound
Bring its off'ring,
Grateful singing;
For his light, made manifest,
Now is to his children bending
And to them appeareth clearly.

5. Recitativo (Duetto)
(Beckmann, Kraus)

Unendlichster, den man doch Vater nennt,
Wir wollen dann das Herz zum Opfer bringen,

5. Recitative (S, T)

O infinite, whom yet we Father call,
We would in turn our hearts as off'rings bring
　　　　　　　　　　　　　　　　　thee;

408

Aus unsrer Brust, die ganz vor Andacht brennt,
Soll sich der Seufzer Glut zum Himmel
                         schwingen.

Sopran, Tenor, Bc.
16 Takte, fis-Moll – h-Moll, 4/4 Takt

6. Coro
(Gächinger Kantorei Stuttgart)

Rühre, Höchster, unsern Geist,
Daß des höchsten Geistes Gaben
Ihre Würkung in uns haben!
Da dein Sohn uns beten heißt,
Wird es durch die Wolken dringen
Und Erhörung auf uns bringen.

Chor, Flöte, Streicher, Bc.
96 Takte, D-Dur, 3/4 Takt

Ausführende:
Judith Beckmann, Sopran
Helen Watts, Alt
Adalbert Kraus, Tenor
Niklaus Tüller, Baß
Gunther Pohl, Querflöte
Sibylle Keller-Sanwald, Querflöte
András Adorján, Querflöte
Reinhard Werner, Continuocello
Manfred Gräser, Kontrabaß
Martha Schuster, Cembalo
Marie-Luise Mündlein, Orgelpositiv
Gächinger Kantorei Stuttgart
Bach-Collegium Stuttgart
Leitung: Helmuth Rilling

Aufnahme: Südwest-Tonstudio, Stuttgart
Aufnahmeleitung: Richard Hauck
Toningenieur: Henno Quasthoff
Aufnahmeort: Gedächtniskirche Stuttgart
Aufnahmezeit: September 1976/Januar,
April 1977
Spieldauer: 15'45"

From these our breasts, which full with
                      worship burn,
Shall rise our sighing's fire, to heaven soaring.

6. Chorus (S, A, T, B)

Stir, Almighty, now our souls,
That the Holy Spirit's blessings
Their effect within us work now!
As thy Son did bid us pray,
Will it through the clouds come bursting
And give ear to our petition.

BWV 174

Ich liebe den Höchsten von ganzem Gemüte
Kantate zum 2. Pfingsttag
(Text: Picander)
für Alt, Tenor, Baß, vierstimmigen Chor,
2 Hörner, 2 Oboen, Oboe da caccia,
Streicher und Generalbaß

Serie **X**, Nr. 98.745

1. Sinfonia
(Württembergisches Kammerorchester Heilbronn)

Gesamtinstrumentarium
136 Takte, G-Dur, 4/4 Takt

2. Aria
(Hamari)

Ich liebe den Höchsten von ganzem Gemüte,
Er hat mich auch am höchsten lieb.
   Gott allein
    Soll der Schatz der Seelen sein,
    Da hab ich die ewige Quelle der Güte.

Alt, 2 Oboen, Bc.
188 Takte, D-Dur, 6/8 Takt

3. Recitativo
(Baldin)

O Liebe, welcher keine gleich!
O unschätzbares Lösegeld!
Der Vater hat des Kindes Leben
Vor Sünder in den Tod gegeben
Und alle, die das Himmelreich
Verscherzet und verloren,
Zur Seligkeit erkoren.
Also hat Gott die Welt geliebt!
Mein Herz, das merke dir
Und stärke dich mit diesen Worten;
Vor diesem mächtigen Panier
Erzittern selbst die Höllenpforten.

Tenor, Streicher, Bc.
15 Takte, h-Moll, 4/4 Takt

4. Aria
(Schöne)

Greifet zu,
Faßt das Heil, ihr Glaubenshände!
   Jesus gibt sein Himmelreich
    Und verlangt nur das von euch:
    Gläubt getreu bis an das Ende!

Baß, Streicher, Bc.
136 Takte, G-Dur, ₵ Takt

5. Choral
(Gächinger Kantorei Stuttgart)

Herzlich lieb hab ich dich, o Herr.
Ich bitt, wollst sein von mir nicht fern
Mit deiner Hülf und Gnaden.
Die ganze Welt erfreut mich nicht,

1. Sinfonia

2. Aria (A)

I love the Almighty with all of my spirit,
He holds me, too, exceeding dear.
   God alone
    Shall all souls' true treasure be,
    Where I have forever a wellspring of kindness.

3. Recitative (T)

What love this, which to none is like!
O what a priceless ransom this!
The Father hath his child's own life now
For sinners up to death delivered
And all those who did paradise
Make light of and then lost it
To blessedness elected.
For so hath God the world now loved!
My heart, remember this
And in these words receive thy comfort;
Before this mighty banner's sign
Now tremble even hell's own portals.

4. Aria (B)

Take it now,
Clasp your hope, ye hands which trust him!
   Jesus gives his paradise
    And requires but this of you:
    Keep your faith until the finish!

5. Chorale (S, A, T, B)

My heart doth love thee so, O Lord.
I pray, stand not from me afar
With thy support and mercy.
The whole world gives not joy to me,

Nach Himml und Erden frag ich nicht,
Wenn ich dich nur kann haben.
Und wenn mir gleich mein Herz zerbricht,
So bist du doch mein Zuversicht,
Mein Heil und meines Herzens Trost,
Der mich durch sein Blut hat erlöst.
Herr Jesu Christ,
Mein Gott und Herr, mein Gott und Herr,
In Schanden laß mich nimmermehr!

Chor, 2 Oboen, Oboe da caccia, Streicher, Bc.
25 Takte, D-Dur, 4/4 Takt

Ausführende:
Julia Hamari, Alt
Aldo Baldin, Tenor
Wolfgang Schöne, Baß
Hannes Läubin, Horn
Wolfgang Läubin, Horn
Günther Passin, Oboe
Hedda Rothweiler, Oboe
Dietmar Keller, Oboe da caccia
Christoph Carl, Fagott
Georg Egger, Violine
Nicolay Marangozov, Violine
Radboud Oomens, Violine
Micha Rothenberger, Viola
Jutta Flitsch, Viola
Roman Zuber, Viola
Stefan Trauer, Violoncello
Elizabeth Ramsay, Violoncello
Barbara Haupt-Brauckmann, Violoncello
Claus Zimmermann, Kontrabaß
Martha Schuster, Cembalo
Hans-Joachim Erhard, Orgel
Gächinger Kantorei Stuttgart
Württembergisches Kammerorchester Heilbronn
Leitung: Helmuth Rilling

Aufnahme: Tonstudio Teije van Geest, Heidelberg
Aufnahmeleitung: Richard Hauck
Aufnahmeort: Gedächtniskirche Stuttgart
Aufnahmezeit: Februar/Juli 1984
Spieldauer: 22'15"

For sky and earth my quest is not,
If I can only have thee.
. And even if my heart should break,
Yet thou art still my confidence,
My Savior and my heart's true hope,
Who me through his blood hath redeemed.
Lord Jesus Christ,
My God and Lord, my God and Lord,
To scorn now put me nevermore!

BWV 175

Serie **VIII**, Nr. 98.725

Er rufet seinen Schafen mit Namen
Kantate zum 3. Pfingsttag
(Text: Chr. M. v. Ziegler)
für Alt, Tenor, Baß, vierstimmigen Chor,
2 Trompeten, 3 Blockflöten, Violoncello piccolo,
Streicher und Generalbaß

1. Recitativo
(Schreier)

Er rufet seinen Schafen mit Namen und führet sie hinaus.

Tenor, 3 Blockflöten, Bc.
4 Takte, G-Dur, 4/4 Takt

2. Aria
(Watkinson)

Komm, leite mich,
Es sehnet sich
Mein Geist auf grüner Weide!
  Mein Herze schmacht',
  Ächzt Tag und Nacht,
  Mein Hirte, meine Freude.

Alt, 3 Blockflöten, Bc.
52 Takte, e-Moll, 12/8 Takt

3. Recitativo
(Schreier)

Wo find ich dich?
Ach, wo bist du verborgen?
O! Zeige dich mir bald!
Ich sehne mich.
Brich an, erwünschter Morgen!

Tenor, Bc.
6 Takte, a-Moll – C-Dur, 4/4 Takt

4. Aria
(Schreier)

Es dünket mich, ich seh dich kommen,
Du gehst zur rechten Türe ein.
Du wirst im Glauben aufgenommen
Und mußt der wahre Hirte sein.
Ich kenne deine holde Stimme,
Die voller Lieb und Sanftmut ist,
Daß ich im Geist darob ergrimme,
Wer zweifelt, daß du Heiland seist.

Tenor, Violoncello piccolo, Bc.
130 Takte, C-Dur, ¢ Takt

5. Recitativo
(Watkinson, Huttenlocher)

Alt
Sie vernahmen aber nicht, was es war, das er zu ihnen gesaget hatte.

1. Recitative [Dictum] (T)

He calleth his own sheep by name then and leadeth them outside.

2. Aria (A)

Come, lead me out,
With longing doth
My soul desire green pasture!
  My heart doth yearn,
  Sigh day and night,
  My shepherd, thou my pleasure.

3. Recitative (T)

Where art thou then?
Ah, where art thou now hidden?
Oh! To me soon appear!
I long for thee.
Break forth, O welcome morning!

4. Aria (T)

It seems to me, I see thee coming,
Thou com'st through the proper door.
Thou art by faith received amongst us
And must then our true shepherd be.
I recognize thy voice so graceful,
So full of love and gentleness,
That in my soul I'm moved to anger
At doubters that thou Savior art.

5. Recitative [Dictum] (A, B)

(A)
They, however, did not see what it was that he with this had been saying to them.

Baß
Ach ja! Wir Menschen sind oftmals den Tauben
                                    zu vergleichen:
Wenn die verblendete Vernunft nicht weiß, was
                                    er gesaget hatte.
O! Törin, merke doch, wenn Jesus mit dir spricht,
Daß es zu deinem Heil geschicht.

Alt, Baß, Streicher, Bc.
14 Takte, a-Moll – D-Dur, 4/4 Takt

(B)
Ah, yes! We mortals are often to deaf men to be
                                    likened:
Whenever blinded reason fails to grasp what he
                                    hath spoken to it.
Oh! Folly, mark it well when Jesus to thee
                                    speaks,
It is for thy salvation done.

6. Aria
(Huttenlocher)

Öffnet euch, ihr beiden Ohren,
Jesus hat euch zugeschworen,
Daß er Teufel, Tod erlegt.
    Gnade, Gnüge, volles Leben
    Will er allen Christen geben,
    Wer ihm folgt, sein Kreuz nachträgt.

Baß, 2 Trompeten, Bc.
119 Takte, D-Dur, 6/8 Takt

6. Aria (B)

Open ye both ears and listen,
Jesus' oath is your assurance
That he devil, death hath slain.
    Blessing, plenty, life abundant
    Shall he give to ev'ry Christian
    Who obeys, his cross doth bear.

7. Choral
(Gächinger Kantorei Stuttgart)

Nun, werter Geist, ich folg dir;
Hilf, daß ich suche für und für
Nach deinem Wort ein ander Leben,
Das du mir willt aus Gnaden geben.
Dein Wort ist ja der Morgenstern,
Der herrlich leuchtet nah und fern.
Drum will ich, die mich anders lehren,
In Ewigkeit, mein Gott, nicht hören.
Alleluja, alleluja!

Chor, 3 Blockflöten, Streicher, Bc.
28 Takte, G-Dur, 4/4 Takt

7. Chorale (S, A, T, B)

Now, spirit dear, I'll follow thee;
Help me to seek out more and more
At thine own word a new existence,
One thou wouldst give me of thy mercy.
Thy word is, yea, the morning star,
Whose glory shineth near and far.
And I'll to those who would deceive me
Eternally, my God, not listen.
Alleluia, alleluia!

Ausführende:
Carolyn Watkinson, Alt
Peter Schreier, Tenor
Philippe Huttenlocher, Baß
Bernhard Schmid, Trompete
Friedemann Immer, Trompete
Hartmut Strebel, Blockflöte
Barbara Schlenker, Blockflöte
Christine Rettich, Blockflöte
Walter Forchert, Konzertmeister
Martin Ostertag, Violoncello piccolo
Helmut Veihelmann, Continuocello
Harro Bertz, Kontrabaß
Hans-Joachim Erhard, Cembalo/Orgelpositiv
Gächinger Kantorei Stuttgart
Bach-Collegium Stuttgart
Leitung: Helmuth Rilling

Aufnahme: Tonstudio Teije van Geest, Heidelberg
Aufnahmeleitung: Richard Hauck
Aufnahmeort: Gedächtniskirche Stuttgart
Aufnahmezeit: Mai/November 1981
Spieldauer: 15'35"

BWV 176

Serie **VIII**, Nr. 98.726

Es ist ein trotzig und verzagt Ding
Kantate zu Trinitatis
(Text: Chr. M. v. Ziegler)
für Sopran, Alt, Baß, vierstimmigen Chor,
2 Oboen, Oboe da caccia, Streicher und Generalbaß

1. Coro
(Gächinger Kantorei Stuttgart)

Es ist ein trotzig und verzagt Ding um aller Menschen Herze.

Chor, Gesamtinstrumentarium
44 Takte, c-Moll, 4/4 Takt

1. Chorus [Dictum] (S, A, T, B)

There is a daring and a shy thing about the
human spirit.

2. Recitativo
(Watkinson)

Ich meine, recht verzagt,
Daß Nikodemus sich bei Tage nicht,
Bei Nacht zu Jesus wagt.
Die Sonne mußte dort bei Josua so lange
stille stehn,
So lange bis der Sieg vollkommen war geschehn;
Hier aber wünschet Nikodem: O säh ich sie zu
Rüste gehn!

Alt, Bc.
10 Takte, g-Moll, 4/4 Takt

2. Recitative (A)

I think it very shy
That Nicodemus did by day come not,
By night did Jesus face.
The sun was forced one day for Joshua so long
to stand in place,
Until at last the victory was fully won;
Here, though, did Nicodemus wish: O would the
sun now go to rest!

3. Aria
(Nielsen)

Dein sonst hell beliebter Schein
Soll vor mich umnebelt sein,
Weil ich nach dem Meister frage,
Denn ich scheue mich bei Tage.
Niemand kann die Wunder tun,
Denn sein Allmacht und sein Wesen,
Scheint, ist göttlich auserlesen,
Gottes Geist muß auf ihm ruhn.

Sopran, Streicher, Bc.
88 Takte, B-Dur, ¢ Takt

3. Aria (S)

Thy dear light, before so bright,
Must for me the clouds obscure,
While I go to seek the master,
For by day I am too fearful.
No man can these wonders do,
For his nature and vast power,
It would seem, by God are chosen;
God's own Spirit on him rests.

4. Recitativo
(Heldwein)

So wundre dich, o Meister, nicht,
Warum ich dich bei Nacht ausfrage!
Ich fürchte, daß bei Tage
Mein Ohnmacht nicht bestehen kann.
Doch tröst ich mich, du nimmst mein Herz und
Geist
Zum Leben auf und an,
Weil alle, die nur an dich glauben, nicht
verloren werden.

Baß, Bc.
32 Takte, F-Dur – g-Moll, 4/4 – 3/4 Takt

5. Aria
(Watkinson)

Ermuntert euch, furchtsam und schüchterne
Sinne,
Erholet euch, höret, was Jesus verspricht:
Daß ich durch den Glauben den Himmel
gewinne.
Wenn die Verheißung erfüllend geschicht,
Werd ich dort oben
Mit Danken und Loben
Vater, Sohn und Heilgen Geist
Preisen, der dreieinig heißt.

Alt, 2 Oboen, Oboe da caccia, Bc.
106 Takte, Es-Dur, 3/8 Takt

6. Choral
(Gächinger Kantorei Stuttgart)

**Auf daß wir also allzugleich
Zur Himmelspforten dringen
Und dermaleinst in deinem Reich
Ohn alles Ende singen,
Daß du alleine König seist,
Hoch über alle Götter,
Gott Vater, Sohn und Heilger Geist,
Der Frommen Schutz und Retter,
Ein Wesen, drei Personen.**

Chor, Gesamtinstrumentarium
18 Takte, f-Moll – c-Moll, 4/4 Takt

Ausführende:
Inga Nielsen, Sopran
Carolyn Watkinson, Alt
Walter Heldwein, Baß
Ingo Goritzki, Oboe
Günther Passin, Oboe
Helmut Koch, Oboe da caccia
Kurt Etzold, Fagott
Walter Forchert, Konzertmeister

4. Recitative (B)

So marvel then, O Master, not,
That I should thee at night be seeking!
I'm fearful, lest by daylight
My weakness could not stand the test.
And yet I hope thou shalt my heart and soul
To life exalt and take.
For all men who in thee believe now shall not be
forsaken.

5. Aria (A)

Have courage now, fearful and timorous spirits,
Recover now, hear ye what Jesus doth pledge:
That I through belief shall now heaven inherit.
When this great promise fulfillment achieves,
Shall I in heaven
With thanks and with praises
Father, Son and Holy Ghost
Honor, the Three-in-One named.

6. Chorale (S, A, T, B)

**Rise, that we may now all as one
To heaven's portals hasten;
And when at last within thy realm
May we forever sing there
That thou alone sweet honey art,
All other gods excelling,
God Father, Son and Holy Ghost,
Of good men shield and Savior,
One being, but three persons.**

Martin Ostertag, Continuocello
Thomas Lom, Kontrabaß
Hans-Joachim Erhard, Cembalo/Orgelpositiv
Gächinger Kantorei Stuttgart
Bach-Collegium Stuttgart
Leitung: Helmuth Rilling

Aufnahme: Tonstudio Teije van Geest, Heidelberg
Aufnahmeleitung: Richard Hauck
Aufnahmeort: Gedächtniskirche Stuttgart
Aufnahmezeit: Dezember 1980
Spieldauer 13'05"

BWV 177

Serie **VIII**, Nr. 98.727

Ich ruf zu dir, Herr Jesu Christ
Kantate zum 4. Sonntag nach Trinitatis
für Sopran, Alt, Tenor, vierstimmigen Chor,
2 Oboen, Oboe da caccia, Fagott,
Streicher mit Solo-Violine und Generalbaß

1. Coro [Versus I]
(Gächinger Kantorei Stuttgart)

Ich ruf zu dir, Herr Jesu Christ,
Ich bitt, erhör mein Klagen,
Verleih mir Gnad zu dieser Frist,
Laß mich doch nicht verzagen;
Den rechten Glauben, Herr, ich mein,
Den wollest du mir geben,
Dir zu leben,
Mein'm Nächsten nütz zu sein,
Dein Wort zu halten eben.

Chor, 2 Oboen, Violine, Streicher, Bc.
285 Takte, g-Moll, 3/8 Takt

1. Chorus [Verse 1] (S, A, T, B)

I call to thee, Lord Jesus Christ,
I pray thee, hear my crying;
Both lend me grace within this life
And let me not lose courage;
The proper path, O Lord, I seek,
Which thou didst wish to give me:
For thee living,
My neighbor serving well,
Thy word upholding justly.

2. Aria [Versus II]
(Hamari)

Ich bitt noch mehr, o Herre Gott,
Du kannst es mir wohl geben:
Daß ich werd nimmermehr zu Spott,
Die Hoffnung gib darneben,
Voraus, wenn ich muß hier davon,
Daß ich dir mög vertrauen
Und nicht bauen
Auf alles mein Tun,
Sonst wird mich's ewig reuen.

Alt, Bc.
64 Takte, c-Moll, 4/4 Takt

2. Aria [Verse 2] (A)

I pray still more, O Lord my God,
Thou canst on me bestow this:
That I be never brought to scorn,
Give hope as my companion,
And then, when I must hence depart,
That I may ever trust thee,
Not relying
On my works only,
Else shall I e'er regret it.

3. Aria [Versus III]
(Augér)

Verleih, daß ich aus Herzensgrund
Mein' Feinden mög vergeben,
Verzeih mir auch zu dieser Stund,
Gib mir ein neues Leben;
Dein Wort mein Speis laß allweg sein,
Damit mein Seel zu nähren,
Mich zu wehren,
Wenn Unglück geht daher,
Das mich bald möcht abkehren.

Sopran, Oboe da caccia, Bc.
113 Takte, Es-Dur, 6/8 Takt

4. Aria [Versus IV]
(Schreier)

Laß mich kein Lust noch Furcht von dir
In dieser Welt abwenden.
Beständigsein ans End gib mir,
Du hast's allein in Händen;
Und wem du's gibst, der hat's umsonst:
Es kann niemand ererben
Noch erwerben
Durch Werke deine Gnad,
Die uns errett' vom Sterben.

Tenor, Violine, Fagott, Bc.
102 Takte, B-Dur, 4/4 Takt

5. Choral [Versus V]
(Gächinger Kantorei Stuttgart)

Ich lieg im Streit und widerstreb,
Hilf, o Herr Christ, dem Schwachen!
An deiner Gnad allein ich kleb,
Du kannst mich stärker machen.
Kömmt nun Anfechtung, Herr, so wehr,
Daß sie mich nicht umstoßen.
Du kannst maßen,
Daß mir's nicht bring Gefahr;
Ich weiß, du wirst's nicht lassen.

Chor, 2 Oboen, Streicher, Bc.
17 Takte, g-Moll, 4/4 Takt

Ausführende:
Arleen Augér, Sopran
Julia Hamari, Alt
Peter Schreier, Tenor
Ingo Goritzki, Oboe
Dietmar Keller, Oboe
Marie-Lise Schöpbach, Oboe da caccia
Klaus Thunemann, Fagott
Walter Forchert, Konzertmeister
Jakoba Hanke, Continuocello

3. Aria [Verse 3] (S)

Now grant that I with heart sincere
Be to my foes forgiving;
Forgive me also at this hour,
For me my life renewing;
Thy word my food let always be
With which my soul to nurture,
Me defending,
When sorrow draweth nigh
And threatens to distract me.

4. Aria [Verse 4] (T)

Now let no joy nor fear from thee
Within this world divert me.
Make me steadfast until the end,
Thou hast alone the power;
Who has thy gifts has them for free:
For no man can inherit
Nor acquire yet
Through his works thy dear grace
Which us redeems from dying.

5. Chorale [Verse 5] (S, A, T, B)

I lie midst strife and now resist,
Help, O Lord Christ, my weakness!
Unto thy grace alone I cling,
For thou canst make me stronger.
Come now temptation, Lord, defend,
Let it not overthrow me.
Thou canst check it
Lest it bring me to harm;
I know thou shalt not let it.

Thomas Lom, Kontrabaß
Hans-Joachim Erhard, Cembalo/Orgelpositiv
Gächinger Kantorei Stuttgart
Bach-Collegium Stuttgart
Leitung: Helmuth Rilling

Aufnahme: Tonstudio Teije van Geest, Heidelberg
Aufnahmeleitung: Richard Hauck
Aufnahmeort: Gedächtniskirche Stuttgart
Aufnahmezeit: Frühjahr 1981
Spieldauer: 26'20"

BWV 178

Serie II, Nr. 98.664

Wo Gott der Herr nicht bei uns hält
Kantate zum 8. Sonntag nach Trinitatis
für Alt, Tenor, Baß, vierstimmigen Chor,
Horn, 2 Oboen, 2 Oboi d'amore,
Streicher und Generalbaß

1. Coro (Choral)
(Figuralchor der Gedächtniskirche Stuttgart)

Wo Gott der Herr nicht bei uns hält,
Wenn unsre Feinde toben,
Und er unsrer Sach nicht zufällt
Im Himmel hoch dort oben,
Wo er Israels Schutz nicht ist
Und selber bricht der Feinde List,
So ist's mit uns verloren.

Chor, Horn, 2 Oboen, Streicher, Bc.
115 Takte, a-Moll, 4/4 Takt

2. Choral e Recitativo
(Watts, Figuralchor
der Gedächtniskirche Stuttgart)

Was Menschenkraft und -witz anfäht,
Soll uns billig nicht schrecken;
Denn Gott der Höchste steht uns bei
Und machet uns von ihren Stricken frei.
Er sitzet an der höchsten Stätt,
Er wird ihrn Rat aufdecken.
Die Gott im Glauben fest umfassen,
Will er niemals versäumen noch verlassen;
Er stürzet der Verkehrten Rat
Und hindert ihre böse Tat.
Wenn sie's aufs klügste greifen an,
Auf Schlangenlist und falsche Ränke sinnen,
Der Bosheit Endzweck zu gewinnen;
So geht doch Gott ein ander Bahn:
Er führt die Seinigen mit starker Hand,
Durchs Kreuzesmeer, in das gelobte Land,

1. Chorus [Verse 1] (S, A, T, B)

Where God the Lord stands with us not,
Whene'er our foes are raging,
And he doth not our cause support
In heaven high above us,
Where he Israel's shield is not
Nor breaks himself the foe's deceit,
Then is our cause defeated.

2. Chorale [Verse 2] and Recitative (A)

What human pow'r and wit contrive
Shall us in no wise frighten;
For God Almighty stands with us
And shall set us from their devices free.
He sitteth in the highest seat,
He shall expose their counsels.
Who God in faith embrace securely
Shall he abandon never, nor forsake them;
He foils the will of wicked men
And hinders all their evil deeds.
When they most cunningly attack,
With serpent's guile their artful plots conceiving,
Their wicked purpose for achieving
God doth pursue another path:
He leads his people with his mighty hand,
Through ocean-cross into the promised land,

418

Da wird er alles Unglück wenden.
Es steht in seinen Händen.

Alt, Chor-Alt, Bc.
50 Takte, C-Dur – e-Moll, 4/4 Takt

3. Aria
(Nimsgern)

Gleichwie die wilden Meereswellen
Mit Ungestüm ein Schiff zerschellen,
So raset auch der Feinde Wut
Und raubt das beste Seelengut.
Sie wollen Satans Reich erweitern,
Und Christi Schifflein soll zerscheitern.

Baß, Violinen, Bc.
82 Takte, G-Dur, 9/8 Takt

4. Choral
(Equiluz)

Sie stellen uns wie Ketzern nach,
Nach unserm Blut sie trachten;
Noch rühmen sie sich Christen auch,
Die Gott allein groß achten.
Ach Gott, der teure Name dein
Muß ihrer Schalkheit Deckel sein,
Du wirst einmal aufwachen.

Tenor, 2 Oboi d'amore, Bc.
36 Takte, h-Moll, 4/4 Takt

5. Choral e Recitativo
(Laurich, Wilhelm, Schöne,
Figuralchor der Gedächtniskirche Stuttgart)

Auf sperren sie den Rachen weit,
Baß
Nach Löwenart mit brüllendem Getöne;
Sie fletschen ihre Mörderzähne
Und wollen uns verschlingen.
Tenor
Jedoch,
Lob und Dank sei Gott allezeit;
Tenor
Der Held aus Juda schützt uns noch,
Es wird ihn' nicht gelingen.
Alt
Sie werden wie die Spreu vergehn,
Wenn seine Gläubigen wie grüne Bäume stehn.
Er wird ihrn Strick zerreißen gar
Und stürzen ihre falsche Lahr.
Baß
Gott wird die törichten Propheten
Mit Feuer seines Zornes töten

3. Aria (B)

Like as the savage ocean waters
Midst raging storm a ship will shatter,
So rageth, too, the foe's deep wrath
To steal the soul's most precious wealth;
They seek now Satan's realm to broaden,
And Christ's own little ship should founder.

4. Chorale [Verse 4] (T)

They lie in wait like heretics,
And for our blood are thirsting;
They claim that they are Christians, too,
Who God alone give worship.
Ah God, that precious name of thine
Must serve as capstone to their crime;
Thou shalt one day awaken.

5. Chorale [Verse 5] (S, A, T, B) and Recitative

They open wide their hungry jaws,
(B)
As lions do, with roaring rage resounding;
They bare at us the fangs of killers,
Intending to devour us.
(T)
And yet,
Praise and thanks to God evermore;
(T)
Shall Judah's hero shield us still,
Their aim they'll not accomplish!
(A)
They shall like unto chaff subside,
When once his faithful people like green trees
shall stand.
He shall their snares asunder break
And their false doctrine bring to nought.
(B)
God will all vain and foolish prophets
With fire of his anger slay then

When he will all misfortune banish.
It stands in his hands' power.

Und ihre Ketzerei verstören.
Sie werden's Gott nicht wehren.

Alt, Tenor, Baß, Chor, Bc.
27 Takte, h-Moll, 4/4 Takt

And bring their heresies to ruin.
From God they'll not defend it.

6. Aria
(Equiluz)

Schweig, schweig nur, taumelnde Vernunft!
  Sprich nicht: Die Frommen sind verlorn,
  Das Kreuz hat sie nur neu geborn.
  Denn denen, die auf Jesum hoffen,
  Steht stets die Tür der Gnaden offen;
  Und wenn sie Kreuz und Trübsal drückt,
  So werden sie mit Trost erquickt.

Tenor, Streicher, Bc.
92 Takte, e-Moll, 4/4 Takt

6. Aria (T)

Hush, hush then, giddy intellect!
  Say not, "The pious are now lost!"
  The cross did them but bring new birth.
  To all who put their trust in Jesus
  Stands e'er the door of blessing open;
  And when by cross and sadness pressed,
  They shall with comfort be refreshed.

7. Choral
(Figuralchor der Gedächtniskirche Stuttgart)

Die Feind sind all in deiner Hand,
Darzu all ihr Gedanken;
Ihr Anschläg sind dir, Herr, bekannt,
Hilf nur, daß wir nicht wanken.
Vernunft wider den Glauben ficht,
Aufs Künftge will sie trauen nicht,
Da du wirst selber trösten.

Den Himmel und auch die Erden
Hast du, Herr Gott, gegründet;
Dein Licht laß uns helle werden,
Das Herz uns werd entzündet
In rechter Lieb des Glaubens dein,
Bis an das End beständig sein.
Die Welt laß immer murren.

Chor, Horn, 2 Oboen, Streicher, Bc.
28 Takte, a-Moll, 4/4 Takt

7. Chorale [Verses 7 and 8] (S, A, T, B)

The foe are all within thine hand,
With them all their conceptions;
Their onslaughts are to thee, Lord, known,
But help us not to waver.
If mind opposing faith assail,
Henceforth shall its assurance fail,
For thou thyself shalt help us.

Both heaven and the earth as well
Hast thou, Lord God, established;
Thy light for us let brightly shine,
Our hearts shall be enkindled
With proper love for thy great faith,
Until the end steadfastly thine.
The world let ever murmur.

Ausführende:
Helen Watts, Alt
Hildegard Laurich, Alt
Kurt Equiluz, Tenor
Hans Wilhelm, Tenor
Siegmund Nimsgern, Baß
Wolfgang Schöne, Baß
Johannes Ritzkowsky, Horn
Thomas Schwarz, Oboe
Hanspeter Weber, Oboe
Otto Winter, Oboe d'amore
Helmut Koch, Oboe d'amore
Hans Mantels, Fagott
Jürgen Wolf, Continuocello
Manfred Gräser, Kontrabaß
Martha Schuster, Cembalo
Joachim Eichhorn, Orgelpositiv

Figuralchor der
Gedächtniskirche Stuttgart
Bach-Collegium Stuttgart
Leitung: Helmuth Rilling

Aufnahme: Sonopress Tontechnik, Gütersloh
Aufnahmeleitung: Richard Hauck/
Wolfram Wehnert
Aufnahmeort: Gedächtniskirche Stuttgart
Aufnahmezeit: Februar 1971 und Februar 1972
Spieldauer: 22'20"

BWV 179

Serie **III**, Nr. 98.674

Siehe zu, daß deine Gottesfurcht nicht Heuchelei sei
Kantate zum 11. Sonntag nach Trinitatis
für Sopran, Tenor, Baß, vierstimmigen Chor,
2 Oboen, 2 Oboi da caccia, Streicher und Generalbaß

1. Coro
(Gächinger Kantorei Stuttgart)

*Siehe zu, daß deine Gottesfurcht nicht Heuchelei sei,
und diene Gott nicht mit falschem Herzen!*

Chor, Streicher, Bc.
117 Takte, G-Dur, ₵ Takt

1. Chorus [Dictum] (S, A, T, B)

*Watch with care lest all thy piety hypocrisy be, and
serve thy God not with feigning spirit!*

2. Recitativo
(Equiluz)

Das heutge Christentum
Ist leider schlecht bestellt:
Die meisten Christen in der Welt
Sind laulichte Laodicäer
Und aufgeblasne Pharisäer,
Die sich von außen fromm bezeigen
Und wie ein Schilf den Kopf zur Erde beugen,
Im Herzen aber steckt ein stolzer Eigenruhm;
Sie gehen zwar in Gottes Haus
Und tun daselbst die äußerlichen Pflichten,
Macht aber dies wohl einen Christen aus?
Nein, Heuchler können's auch verrichten.

Tenor, Bc.
14 Takte, e-Moll – h-Moll, 4/4 Takt

2. Recitative (T)

Today's Christianity,
Alas, is ill-disposed:
Most Christian people in the world
Are lukewarm like Laodicaeans,
And like the puffed up Pharisaeans,
Who outwardly appear so pious
And like the reeds their heads to earth bend
humbly,
Though in their hearts there lurks a pompous
vanity;
They go, indeed, into God's house
And there perform their superficial duties,
But does all this in truth a Christian make?
No, hypocrites themselves can do this.

3. Aria
(Equiluz)

Falscher Heuchler Ebenbild
Können Sodomsäpfel heißen,

3. Aria (T)

Likeness of false hypocrites,
We could Sodom's apples call them,

Die mit Unflat angefüllt
Und von außen herrlich gleißen.
Heuchler, die von außen schön,
Können nicht vor Gott bestehn.

Tenor, 2 Oboen, Streicher, Bc.
39 Takte, e-Moll, 4/4 Takt

Who, with rot though they be filled,
On the outside brightly glisten.
Hypocrites, though outward fair,
Cannot stand before God's throne.

4. Recitativo
(Schöne)

Wer so von innen wie von außen ist,
Der heißt ein wahrer Christ.
So war der Zöllner in dem Tempel,
Der schlug in Demut an die Brust,
Er legte sich nicht selbst ein heilig Wesen bei;
Und diesen stelle dir,
O Mensch, zum rühmlichen Exempel
In deiner Buße für;
Bist du kein Räuber, Ehebrecher,
Kein ungerechter Ehrenschwächer,
Ach bilde dir doch ja nicht ein,
Du seist deswegen engelrein!
Bekenne Gott in Demut deine Sünden,
So kannst du Gnad und Hilfe finden!

Baß, Bc.
20 Takte, G-Dur – C-Dur, 4/4 Takt

4. Recitative (B)

Who is both inward and without the same
Is a true Christian called.
Such was the publican in temple,
Who beat in great remorse his breast,
Ascribing to himself no pious character;
So this one call to mind,
O man, a laudable example
For thine own penitence.
Art thou no robber, marriage wreaker,
No unjust bearer of false witness,
Ah, do thou not in fact presume
That thou art therefore angel-pure!
Confess to God most humbly thy transgressions,
And thou shalt find both help and mercy!

5. Aria
(Graf)

Liebster Gott, erbarme dich,
Laß mir Trost und Gnad erscheinen!
    Meine Sünden kränken mich
    Als ein Eiter in Gebeinen,
    Hilf mir, Jesu, Gottes Lamm,
    Ich versink im tiefen Schlamm!

Sopran, 2 Oboi da caccia, Bc.
113 Takte, a-Moll, 3/4 Takt

5. Aria (S)

Dearest God, have mercy now,
Let thy help and grace be present!
    Mine offenses vex me so,
    Like an abscess in my body;
    Help me, Jesus, lamb of God,
    For I sink now deep in mire!

6. Choral
(Gächinger Kantorei Stuttgart)

**Ich armer Mensch, ich armer Sünder
Steh hier vor Gottes Angesicht.
Ach Gott, ach Gott, verfahr gelinder
Und geh nicht mit mir ins Gericht!
Erbarme dich, erbarme dich,
Gott, mein Erbarmer, über mich!**

Chor, 2 Oboen, Streicher, Bc.
14 Takte, a-Moll, 4/4 Takt

6. Chorale (S, A, T, B)

**This wretch I am, this wretched sinner,
Stands here before God's countenance.
Ah God, ah God, treat me more gently,
And into judgment lead me not!
Have mercy now, have mercy now,
My God of mercy, on my soul!**

Ausführende:
Kathrin Graf, Sopran
Kurt Equiluz, Tenor
Wolfgang Schöne, Baß
Günther Passin, Oboe
Thomas Schwarz, Oboe
Hanspeter Weber, Oboe da caccia
Hedda Rothweiler, Oboe da caccia
Kurt Etzold, Fagott
Jürgen Wolf, Continuocello
Thomas Lom, Kontrabaß
Martha Schuster, Cembalo/Orgelpositiv
Gächinger Kantorei Stuttgart
Bach-Collegium Stuttgart
Leitung: Helmuth Rilling

Aufnahme: Südwest-Tonstudio, Stuttgart
Aufnahmeleitung: Richard Hauck,
Friedrich Mauermann
Aufnahmeort: Gedächtniskirche Stuttgart
Aufnahmezeit: Januar/Februar 1974
Spieldauer: 16'35"

BWV 180

Schmücke dich, o liebe Seele
Kantate zum 20. Sonntag nach Trinitatis
für Sopran, Alt, Tenor, Baß, vierstimmigen Chor,
2 Blockflöten, Flöte, Oboe, Oboe da caccia,
Streicher, Violoncello piccolo und Generalbaß

1. Coro (Choral)
(Gächinger Kantorei Stuttgart)

Schmücke dich, o liebe Seele,
Laß die dunkle Sündenhöhle,
Komm ans helle Licht gegangen,
Fange herrlich an zu prangen;
Denn der Herr voll Heil und Gnaden
Läßt dich itzt zu Gaste laden.
Der den Himmel kann verwalten,
Will selbst Herberg in dir halten.

Chor, 2 Blockflöten, Oboe, Oboe da caccia, Streicher, Bc.
117 Takte, F-Dur, 12/8 Takt

2. Aria
(Kraus)

Ermuntre dich: dein Heiland klopft,
Ach, öffne bald die Herzenspforte!
  Ob du gleich in entzückter Lust
  Nur halb gebrochne Freudenworte
  Zu deinem Jesu sagen mußt.

Tenor, Flöte, Bc.
128 Takte, C-Dur, 4/4 Takt

1. Chorus (S, A, T, B)

Deck thyself, O soul belovèd,
Leave sin's dark and murky hollows,
Come, the brilliant light approaching,
Now begin to shine with glory;
For the Lord with health and blessing
Hath thee as his guest invited.
He, of heaven now the master,
Seeks his lodging here within thee.

2. Aria (T)

Be lively now: thy Savior knocks,
Ah, open soon thy spirit's portals!
  Although thou in enchanted joy
  But partly broken words of gladness
  Must to thy Jesus utter now.

3. Recitativo e Choral
(Augér)

Wie teuer sind des heilgen Mahles Gaben!
Sie finden ihresgleichen nicht.
Was sonst die Welt
Für kostbar hält,
Sind Tand und Eitelkeiten;
Ein Gotteskind wünscht diesen Schatz zu haben
Und spricht:
Ach, wie hungert mein Gemüte,
Menschenfreund, nach deiner Güte!
Ach, wie pfleg ich oft mit Tränen
Mich nach dieser Kost zu sehnen!
Ach, wie pfleget mich zu dürsten
Nach dem Trank des Lebensfürsten!
Wünsche stets, daß mein Gebeine
Sich durch Gott mit Gott vereine.

Sopran, Violoncello piccolo, Bc.
49 Takte, a-Moll – F-Dur, 4/4 Takt

3. Recitative and Chorale [Verse 4] (S)

How costly are the holy banquet's off'rings!
None other like them can be found.
All else the world
Doth precious think
Is trash and idle nothing;
A child of God would seek to have this treasure
And say:
Ah, how hungry is my spirit,
Friend of man, to have thy kindness!
Ah, how oft I am with weeping
For this treasure filled with yearning!
Ah, how often am I thirsting
For the drink from life's true sovereign!
Hoping ever that my body
Be through God with God united.

4. Recitativo
(Watkinson)

Mein Herz fühlt in sich Furcht und Freude;
Es wird die Furcht erregt,
Wenn es die Hoheit überlegt,
Wenn es sich nicht in das Geheimnis findet,
Noch durch Vernunft dies hohe Werk
          ergründet.
Nur Gottes Geist kann durch sein Wort uns
          lehren,
Wie sich allhier die Seelen nähren,
Die sich im Glauben zugeschickt.
Die Freude aber wird gestärket,
Wenn sie des Heilands Herz erblickt
Und seiner Liebe Größe merket.

Alt, 2 Blockflöten, Bc.
15 Takte, B-Dur, 4/4 Takt

4. Recitative (A)

My heart within feels fear and gladness;
It is with fear inspired
When it that majesty doth weigh,
When it no way into the secret findeth,
Nor with the mind this lofty work can fathom.
God's Spirit, though, can through his word
          instruct us
How here all spirits shall be nurtured
Which have themselves in faith arrayed.
Our gladness, though, is ever strengthened
When we the Savior's heart behold
And of his love the greatness witness.

5. Aria
(Augér)

Lebens Sonne, Licht der Sinnen,
Herr, der du mein alles bist!
  Du wirst meine Treue sehen
  Und den Glauben nicht verschmähen,
  Der noch schwach und furchtsam ist.

Sopran, 2 Blockflöten, Oboe, Oboe da caccia,
Streicher, Bc.
106 Takte, B-Dur, 3/4 Takt

5. Aria (S)

Life's true sunlight, light of feeling,
Lord, thou who art all to me!
  Thou wilt see that I am loyal
  And my faith wilt not disparage,
  Which is weak and fearful yet.

6. Recitativo
(Heldwein)

Herr, laß an mir dein treues Lieben,
So dich vom Himmel abgetrieben,
Ja nicht vergeblich sein!
Entzünde du in Liebe meinen Geist,
Daß er sich nur nach dem, was himmlisch heißt,
Im Glauben lenke
Und deiner Liebe stets gedenke.

Baß, Bc.
12 Takte, F-Dur, 4/4 Takt

7. Choral
(Gächinger Kantorei Stuttgart)

Jesu, wahres Brot des Lebens,
Hilf, daß ich doch nicht vergebens
Oder mir vielleicht zum Schaden
Sei zu deinem Tisch geladen.
Laß mich durch dies Seelenessen
Deine Liebe recht ermessen,
Daß ich auch, wie jetzt auf Erden,
Mög ein Gast im Himmel werden.

Chor, 2 Blockflöten, Oboe, Oboe da caccia, Streicher, Bc.
20 Takte, F-Dur, 4/4 Takt

Ausführende:
Arleen Augér, Sopran
Carolyn Watkinson, Alt
Adalbert Kraus, Tenor
Walter Heldwein, Baß
Hartmut Strebel, Blockflöte
Christina Rettich, Blockflöte
Peter-Lukas Graf, Flöte
Klaus Kärcher, Oboe
Dietmar Keller, Oboe da caccia
Kurt Etzold, Fagott
August Wenzinger, Violoncello piccolo
Martin Ostertag, Continuocello
Thomas Lom, Kontrabaß
Hans-Joachim Erhard, Cembalo/Orgelpostitiv
Gächinger Kantorei Stuttgart
Bach-Collegium Stuttgart
Leitung: Helmuth Rilling

Aufnahme: Tonstudio Teije van Geest, Heidelberg
Aufnahmeleitung: Richard Hauck
Aufnahmeort: Gedächtniskirche Stuttgart
Aufnahmezeit: Februar/Oktober 1979
Spieldauer: 23'15"

6. Recitative (B)

Lord, let in me thy faithful loving,
Which out of heaven thee hath driven,
Yea, not in vain have been!
Enkindle thou my spirit with thy love,
That it may only things of heav'nly worth
In faith be seeking
And of thy love be ever mindful.

7. Chorale [Verse 9] (S, A, T, B)

Jesus, bread of life most truly,
Help that I may never vainly,
Nor perhaps e'en to my sorrow,
Be invited to thy table.
Grant that through this food of spirits
I thy love may rightly measure,
That I too, as here on earth now,
May become a guest in heaven.

BWV 181

Leichtgesinnte Flattergeister
Kantate zum Sonntag Sexagesimae
für Sopran, Alt, Tenor, Baß, vierstimmigen Chor,
Trompete, Flöte, Oboe, Streicher und Generalbaß

1. Aria
(Tüller)

Leichtgesinnte Flattergeister
Rauben sich des Wortes Kraft.
Belial mit seinen Kindern
Suchet ohnedem zu hindern,
Daß es keinen Nutzen schafft.

Baß, Flöte, Oboe, Streicher, Bc.
71 Takte, e-Moll, 4/4 Takt

1. Aria (B)

Insincere and fickle spirits
Sap the word of all its strength.
Belial with all his children
Seeketh also to obstruct it,
That it may no use afford.

2. Recitativo
(Schnaut)

O unglückselger Stand verkehrter Seelen,
So gleichsam an dem Wege sind;
Und wer will doch des Satans List erzählen,
Wenn er das Wort dem Herzen raubt,
Das, am Verstande blind,
Den Schaden nicht versteht noch glaubt.

Es werden Felsenherzen,
So boshaft widerstehn,
Ihr eigen Heil verscherzen
Und einst zugrundegehn.

Es wirkt ja Christi letztes Wort,
Daß Felsen selbst zerspringen;
Des Engels Hand bewegt des Grabes Stein,
Ja, Mosis Stab kann dort
Aus einem Berge Wasser bringen.
Willst du, o Herz, noch härter sein?

Alt, Bc.
22 Takte, e-Moll – h-Moll, 4/4 Takt

2. Recitative (A)

O most unhappy band of wayward spirits,
Who stand as though beside the path;
And who shall then of Satan's guile be telling,
If from the heart the word he steals,
Which, in good judgment blind,
The harm doth not believe or grasp?

One day those hearts, so stony,
Which wickedly resist,
Will their salvation forfeit
And meet at last their doom.

So strong, indeed, was Christ's last word
That very cliffs did crumble;
The angel's hand did move the tomb's own stone,
Yea, Moses' staff could once
Bring from a mountain flowing water.
Wouldst thou, O heart, still harder be?

3. Aria
(Equiluz)

Der schädlichen Dornen unendliche Zahl,
Die Sorgen der Wollust, die Schätze zu mehren,
Die werden das Feuer der höllischen Qual
In Ewigkeit nähren.

Tenor, Bc.
154 Takte, h-Moll, 3/8 Takt

3. Aria (T)

Injurious thorns in their infinite toll,
The worry of pleasure to increase its treasure,
These shall both the flames and the torment of
                                          hell
Eternally nourish.

4. Recitativo
(Graf)

Von diesen wird die Kraft erstickt,
Der edle Same liegt vergebens,
Wer sich nicht recht im Geiste schickt,
Sein Herz beizeiten
Zum guten Lande zu bereiten,
Daß unser Herz der Süßigkeiten schmecket,
So uns dies Wort entdecket,
Die Kräfte dieses und des künftgen Lebens.

Sopran, Bc.
9 Takte, D-Dur, 4/4 Takt

4. Recitative (S)

By these will all our strength be choked,
The noble seed will lie unfruitful,
If we not well our souls obey,
And hearts in season
For fertile land do not make ready,
So that our hearts those sweet rewards may savor
Which us this word revealeth:
The powers of this life and of life hereafter.

5. Coro
(Gächinger Kantorei Stuttgart)

Laß, Höchster, uns zu allen Zeiten
Des Herzens Trost, dein heilig Wort.
    Du kannst nach deiner Allmachtshand
    Allein ein fruchtbar gutes Land
    In unsern Herzen zubereiten.

Chor, Gesamtinstrumentarium
106 Takte, D-Dur, 4/4 Takt

5. Chorus (S, A, T, B)

O Master, give us ev'ry season
Our heart's repose, thy holy word.
    Thou canst through thine almighty hand
    Alone a fair and fruitful land
    Within these hearts of ours make ready.

Ausführende:
Kathrin Graf, Sopran
Gabriele Schnaut, Alt
Kurt Equiluz, Tenor
Niklaus Tüller, Baß
Hermann Sauter, Trompete
Peter-Lukas Graf, Flöte
Martin Wendel, Flöte
Günther Passin, Oboe
Hermann Herder, Fagott
Klaus Thunemann, Fagott
Jürgen Wolf, Continuocello
Manfred Gräser, Kontrabaß
Thomas Lom, Kontrabaß
Martha Schuster, Cembalo/Orgelpositiv
Gächinger Kantorei Stuttgart
Bach-Collegium Stuttgart
Leitung: Helmuth Rilling

Aufnahme: Südwest-Tonstudio, Stuttgart
Aufnahmeleitung: Richard Hauck,
Friedrich Mauermann
Aufnahmeort: Gedächtniskirche Stuttgart
Aufnahmezeit: Januar/Februar 1974
Spieldauer: 17'50"

BWV 182

Serie III, Nr. 98.678

Himmelskönig, sei willkommen
Kantate zum Sonntag Palmarum und zu Mariä Verkündigung
für Alt, Tenor, Baß, vierstimmigen Chor, Blockflöte, Streicher mit Solo-Violine und Generalbaß

1. Sonata
(Bach-Collegium Stuttgart)

Blockflöte, Violine, Streicher, Bc.
21 Takte, G-Dur, 4/4 Takt

1. Sonata

2. Coro
(Gächinger Kantorei Stuttgart)

Himmelskönig, sei willkommen,
Laß auch uns dein Zion sein!
  Komm herein,
  Du hast uns das Herz genommen.

Chor, Blockflöte, Violine, Streicher, Bc.
65 Takte, G-Dur, 4/4 Takt

2. Chorus (S, A, T, B)

King of heaven, thou art welcome,
Let e'en us thy Zion be!
  Come inside,
  Thou hast won our hearts completely.

3. Recitativo
(Huttenlocher)

Siehe, ich komme, im Buch ist von mir geschrieben;
deinen Willen, mein Gott, tu ich gerne.

Baß, Bc.
8 Takte, C-Dur, 4/4 Takt

3. Recitative [Dictum] (B)

Lo now, I come now. Of me in the Book is written:
What thy will is, my God, I do gladly.

4. Aria
(Huttenlocher)

Starkes Lieben,
Das dich, großer Gottessohn,
Von dem Thron
Deiner Herrlichkeit getrieben,
Daß du dich zum Heil der Welt
Als ein Opfer fürgestellt,
Daß du dich mit Blut verschrieben.

Baß, Violine, Violen, Bc.
39 Takte, C-Dur, 4/4 Takt

4. Aria (B)

Strong compassion,
Which, O mighty Son of God,
From the throne
Of thy majesty did drive thee:
Thou thyself to heal the world
As a victim offered up,
That thyself with blood didst sentence.

5. Aria
(Soffel)

Leget euch dem Heiland unter,
Herzen, die ihr christlich seid!
  Tragt ein unbeflecktes Kleid
  Eures Glaubens ihm entgegen,

5. Aria (A)

Lie before your Savior prostrate,
Hearts of all who Christian are!
  Don ye now a spotless robe
  Of your faith in which to meet him;

Leib und Leben und Vermögen
Sei dem König itzt geweiht.

Alt, Blockflöte, Bc.
72 Takte, e-Moll, 4/4 Takt

Life and body and possessions
To the king now consecrate.

6. Aria
(Baldin)

Jesu, laß durch Wohl und Weh
Mich auch mit dir ziehen!
   Schreit die Welt nur „Kreuzige!",
   So laß mich nicht fliehen,
   Herr, vor deinem Kreuzpanier;
   Kron und Palmen find ich hier.

Tenor, Bc.
100 Takte, h-Moll, 3/4 Takt

6. Aria (T)

Jesus, let through weal and woe
Me go also with thee!
   Though the world shout "Crucify!"
   Let me not abandon,
   Lord, the banner of thy cross;
   Crown and palm shall I find here.

7. Choral (Coro)
(Gächinger Kantorei Stuttgart)

Jesu, deine Passion
Ist mir lauter Freude,
Deine Wunden, Kron und Hohn
Meines Herzens Weide;
Meine Seel auf Rosen geht,
Wenn ich dran gedenke,
In dem Himmel eine Stätt
Uns deswegen schenke.

Chor, Blockflöte, Streicher, Bc.
56 Takte, G-Dur, ₵ Takt

7. Chorus [Chorale] (S, A, T, B)

Jesus, this thy passion
Brings me purest pleasure;
All thy wounds, thy crown and scorn,
Are my heart's true pasture;
This my soul is all in bloom
Once I have considered
That in heaven is a home
To me by this offered.

8. Coro
(Gächinger Kantorei Stuttgart)

So lasset uns gehen in Salem der Freuden,
Begleitet den König in Lieben und Leiden.
   Er gehet voran
   Und öffnet die Bahn.

Chor, Gesamtinstrumentarium
232 Takte, G-Dur, 3/8 Takt

8. Chorus (S, A, T, B)

So let us go forth to that Salem of gladness,
Attend ye the King now in love and in sorrow.
   He leadeth the way
   And opens the path.

Ausführende:
Doris Soffel, Alt
Aldo Baldin, Tenor
Philippe Huttenlocher, Baß
Peter Thalheimer, Blockflöte
Albert Boesen, Violine
Jürgen Wolf, Continuocello
Manfred Gräser, Kontrabaß
Martha Schuster, Cembalo
Joachim Eichhorn, Orgelpositiv
Gächinger Kantorei Stuttgart
Bach-Collegium Stuttgart
Leitung: Helmuth Rilling

Aufnahme: Südwest-Tonstudio, Stuttgart
Aufnahmeleitung: Richard Hauck, Heinz Jansen
Toningenieur: Henno Quasthoff
Aufnahmeort: Gedächtniskirche Stuttgart
Aufnahmezeit: Januar/April 1975
Spieldauer: 29'15"

BWV 183

Sie werden euch in den Bann tun
Kantate zum Sonntag Exaudi
(Text: Chr. M. v. Ziegler)
für Sopran, Alt, Tenor, Baß, vierstimmigen Chor,
2 Oboi d'amore, 2 Oboi da caccia, Violine,
Violoncello piccolo, Streicher und Generalbaß

1. Recitativo
(Heldwein)

*Sie werden euch in den Bann tun, es kömmt aber die
Zeit, daß, wer euch tötet, wird meinen, er tue Gott
einen Dienst daran.*

Baß, 2 Oboi d'amore, 2 Oboi da caccia, Bc.
5 Takte, a-Moll – e-Moll, 4/4 Takt

2. Aria
(Schreier)

Ich fürchte nicht des Todes Schrecken,
Ich scheue ganz kein Ungemach.
 Denn Jesus' Schutzarm wird mich decken,
 Ich folge gern und willig nach;
 Wollt ihr nicht meines Lebens schonen
 Und glaubt, Gott einen Dienst zu tun,
 Er soll euch selben noch belohnen,
 Wohlan, es mag dabei beruhn.

Tenor, Violoncello piccolo, Bc.
74 Takte, e-Moll, 4/4 Takt

3. Recitativo
(Hamari)

Ich bin bereit, mein Blut und armes Leben
Vor dich, mein Heiland, hinzugeben,
Mein ganzer Mensch soll dir gewidmet sein;
Ich tröste mich, dein Geist wird bei mir stehen,
Gesetzt, es sollte mir vielleicht zuviel geschehen.

Alt, 2 Oboi d'amore, 2 Oboi da caccia, Streicher, Bc.
10 Takte, G-Dur – C-Dur, 4/4 Takt

1. Recitative [Dictum] (B)

*In banishment they will cast you, there cometh, yea,
the time when he who slays you will think that he
doeth God a good deed in this.*

2. Aria (T)

I have no fear of death's dread terror,
I shudder not at misery.
 Since Jesus' arm will guard me safely
 I'll follow glad and willingly;
 Would ye deny my life protection
 And think God thus your service do,
 He shall himself at last reward you,
 So good, with this I'll be content.

3. Recitative (A)

I am prepared my blood and poor existence
For thee, my Savior, to surrender;
My whole humanity I'll give to thee.
My strength is that thy Spirit will stand by me,
E'en though there be for me perhaps too much
                                   to suffer.

4. Aria
(Augér)

Höchster Tröster, Heilger Geist,
Der du mir die Wege weist,
Darauf ich wandeln soll,
Hilf meine Schwachheit mit vertreten,
Denn von mir selber kann ich nicht beten,
Ich weiß, du sorgest vor mein Wohl!

Sopran, Oboe da caccia, Violine, Streicher, Bc.
134 Takte, C-Dur, 3/8 Takt

4. Aria (S)

Highest helper, Holy Ghost,
Thou who me the path dost show
On which my course should be,
Relieve my weakness as my pleader,
For of mine own strength my pleading faileth;
I know thou carest for my good.

5. Choral
(Gächinger Kantorei Stuttgart)

**Du bist ein Geist, der lehret,
Wie man recht beten soll;
Dein Beten wird erhöret,
Dein Singen klinget wohl.
Es steigt zum Himmel an,
Es steigt und läßt nicht abe,
Bis der geholfen habe,
Der allein helfen kann.**

Chor, 2 Oboi d'amore, 2 Oboi da caccia, Streicher, Bc.
16 Takte, a-Moll, 4/4 Takt

5. Chorale (S, A, T, B)

**Thy Spirit is a teacher,
Which tells us how to pray:
Thy praying is attended,
Thy singing soundeth well.
It riseth heavenward,
It riseth, never ceasing,
Until he help hath given
Who only help can give.**

Ausführende:
Arleen Augér, Sopran
Julia Hamari, Alt
Peter Schreier, Tenor
Walter Heldwein, Baß
Fumiaki Miyamoto, Oboe d'amore
Hedda Rothweiler, Oboe d'amore
Dietmar Keller, Oboe da caccia
Dieter Gürke, Oboe da caccia
Kurt Etzold, Fagott
Walter Forchert, Konzertmeister
August Wenzinger, Violoncello piccolo
Barbara Haupt-Brauckmann, Continuocello
Thomas Lom, Kontrabaß
Hans-Joachim Erhard, Cembalo/Orgelpositiv
**Gächinger Kantorei Stuttgart
Bach-Collegium Stuttgart
Leitung: Helmuth Rilling**

Aufnahme: Tonstudio Teije van Geest, Heidelberg
Aufnahmeleitung: Richard Hauck
Aufnahmeort: Gedächtniskirche Stuttgart
Aufnahmezeit: März/November 1981
Spieldauer: 14'30"

BWV 184

Erwünschtes Freudenlicht
Kantate zum 3. Pfingsttag
für Sopran, Alt, Tenor, Baß, vierstimmigen Chor,
2 Flöten, Streicher mit Solo-Violine und Generalbaß

1. Recitativo
(Kraus)

Erwünschtes Freudenlicht,
Das mit dem neuen Bund anbricht
Durch Jesum, unsern Hirten!
Wir, die wir sonst in Todes Tälern irrten,
Empfinden reichlich nun,
Wie Gott zu uns den längst erwünschten Hirten
                   sendet,
Der unsre Seele speist
Und unsern Gang durch Wort und Geist
Zum rechten Wege wendet.
Wir, sein erwähltes Volk, empfinden seine Kraft;
In seiner Hand allein ist, was uns Labsal schafft,
Was unser Herze kräftig stärket.
Er liebt uns, seine Herde,
Die seinen Trost und Beistand merket.
Er ziehet sie vom Eitlen, von der Erde,
Auf ihn zu schauen
Und jederzeit auf seine Huld zu trauen.
O Hirte, so sich vor die Herde gibt,
Der bis ins Grab und bis in Tod sie liebt!
Sein Arm kann denen Feinden wehren,
Sein Sorgen kann uns Schafe geistlich nähren,
Ja, kömmt die Zeit, durchs finstre Tal zu gehen,
So hilft und tröstet uns sein sanfter Stab.
Drum folgen wir mit Freuden bis ins Grab.
Auf! Eilt zu ihm, verklärt vor ihm zu stehen.

Tenor, 2 Flöten, Bc.
42 Takte, G-Dur, 4/4 Takt

2. Aria (Duetto)
(Augér, Schnaut)

Gesegnete Christen, glückselige Herde,
Kommt, stellt euch bei Jesu mit Dankbarkeit ein!
  Verachtet das Locken der schmeichelnden
                   Erde,
  Daß euer Vergnügen vollkommen kann sein!

Sopran, Alt, Gesamtinstrumentarium
353 Takte, G-Dur, 3/8 Takt

3. Recitativo
(Kraus)

So freuet euch, ihr auserwählten Seelen!
Die Freude gründet sich in Jesu Herz.

1. Recitative (T)

O welcome light of joy,
Which with the new law forth doth break
Through Jesus, our good shepherd!
We, who were wont in death's deep vales to
                   wander,
Perceive so fully now
How God to us that long expected shepherd
                   sendeth,
Who shall our souls now feed
And with his word and spirit turn
Our steps to righteous pathways.
We, his elected folk, are conscious of his might;
Within his hand alone is that which us restores
And doth our hearts with vigor strengthen.
Us in his flock he loveth
Who his support and help remember.
He draweth us from idle things terrestrial
To gaze upon him
And evermore rely upon his favor.
O shepherd, for the flock who gives himself,
And till the grave and till his death them loves!
His arm against our foes is mighty,
His caring can us sheep in spirit nurture,
Yea, come the time to walk through death's
                 dark valley,
Our help and strength shall be his gentle staff.
We'll follow, then, with gladness till the grave.
Rise! Haste to him, in bliss to stand before him.

2. Aria (S, A)

O fortunate Christians, O flock filled with
                 rapture,
Come, draw now to Jesus with gratitude nigh!
  Despise the attraction of worldly deceptions,
  That your satisfaction then perfect may be!

3. Recitative (T)

Be joyful then, all ye elected spirits!
Your joy is based secure in Jesus' heart.

Dies Labsal kann kein Mensch erzählen.	This comfort could no mortal tell of,
Die Freude steigt auch unterwärts	This joy doth reach e'en down below
Zu denen, die in Sündenbanden lagen,	To those who in the bonds of sin were lying,
Die hat der Held aus Juda schon zerschlagen.	Which hath now Judah's hero burst asunder.
Ein David steht uns bei.	A David stands with us.
Ein Heldenarm macht uns von Feinden frei.	A hero's arm doth free us from the foe.
Wenn Gott mit Kraft die Herde schützt,	When God with might the flock doth shield,
Wenn er im Zorn auf ihre Feinde blitzt,	When he in wrath hurls at their foe his bolt,
Wenn er den bittern Kreuzestod	When he the bitter cross's death
Vor sie nicht scheuet,	For them doth shun not,
So trifft sie ferner keine Not,	Then strike them shall no further woe,
So lebet sie in ihrem Gott erfreuet.	Then live they shall within their God rejoicing.
Hier schmecket sie die edle Weide	Here taste they now the noble pasture
Und hoffet dort vollkommne Himmelsfreude.	And hope for there the perfect joy of heaven.

Tenor, Bc.
28 Takte, C-Dur – D-Dur, 4/4 Takt

4. Aria
(Kraus)

Glück und Segen sind bereit,	Joy and blessing are prepared
Die geweihte Schar zu krönen,	The devoted throng to crown now.
Jesus bringt die güldne Zeit,	Jesus brings the golden age
Welche sich zu ihm gewöhnen.	To those who come to know him.

4. Aria (T)

Tenor, Violine, Bc.
99 Takte, h-Moll, 3/4 Takt

5. Choral
(Gächinger Kantorei Stuttgart)

5. Chorale (S, A, T, B)

Herr, ich hoff je, du werdest die	**Lord, I hope e'er thou wilt all those**
In keiner Not verlassen,	**In no distress abandon,**
Die dein Wort recht als treue Knecht	**Who thy word well as servants true**
Im Herzn und Glauben fassen;	**In heart and faith consider;**
Gibst ihn' bereit die Seligkeit	**Thou givest them thy bliss e'en now**
Und läßt sie nicht verderben.	**And keepest them from ruin.**
O Herr, durch dich bitt ich, laß mich	**O Lord, through thee I pray, let me**
Fröhlich und willig sterben.	**Both glad and willing die now.**

Chor, Flöte, Streicher, Bc.
19 Takte, D-Dur, 4/4 Takt

6. Coro
(Augér, Tüller, Gächinger Kantorei Stuttgart)

6. Chorus (S, A, T, B)

Guter Hirte, Trost der Deinen,	O good shepherd, help thy people,
Laß uns nur dein heilig Wort!	Leave us still thy holy word!
Laß dein gnädig Antlitz scheinen,	Let thy gracious face shine brightly,
Bleibe unser Gott und Hort,	Ever bide our God and shield,
Der durch allmachtsvolle Hände	Who with hands which have all power
Unsern Gang zum Leben wende!	Shall turn now to life our footsteps!

Sopran, Baß, Chor, Flöte, Streicher, Bc.
94 Takte, G-Dur, 2/2 Takt

Ausführende:
Arleen Augér, Sopran
Gabriele Schnaut, Alt
Adalbert Kraus, Tenor
Niklaus Tüller, Baß
Gunther Pohl, Flöte
Sibylle Keller-Sanwald, Flöte
Albert Boesen, Violine
Jürgen Wolf, Continuocello
Manfred Gräser, Kontrabaß
Martha Schuster, Cembalo
Elisabeth Maranca, Orgelpositiv
Gächinger Kantorei Stuttgart
Bach-Collegium Stuttgart
Leitung: Helmuth Rilling

Aufnahme: Südwest-Tonstudio, Stuttgart
Aufnahmeleitung: Richard Hauck
Toningenieur: Henno Quasthoff
Aufnahmeort: Gedächtniskirche Stuttgart
Aufnahmezeit: September 1976/Januar,
April 1977
Spieldauer: 23'45"

BWV 185

Serie **IV**, Nr. 98.**683**

Barmherziges Herze der ewigen Liebe
Kantate zum 4. Sonntag nach Trinitatis
(Text: S. Franck)
für Sopran, Alt, Tenor, Baß, vierstimmigen Chor,
Oboe, Fagott, Streicher und Generalbaß

1. Aria (Duetto)
(Augér, Baldin; Rothweiler)

Barmherziges Herze der ewigen Liebe,
Errege, bewege mein Herze durch dich;
Damit ich Erbarmen und Gütigkeit übe,
O Flamme der Liebe, zerschmelze du mich!

Sopran, Tenor, Oboe, Bc.
76 Takte, fis-Moll, 6/4 Takt

1. Aria (S, T)

O heart filled with mercy and love everlasting,
Stir up and arouse now my spirit with thine;
So that I may practise both goodness and mercy,
O thou, flame of loving, come soften my heart.

2. Recitativo
(Laurich)

Ihr Herzen, die ihr euch
In Stein und Fels verkehret,
Zerfließt und werdet weich,
Erwägt, was euch der Heiland lehret,
Übt, übt Barmherzigkeit
Und sucht noch auf der Erden
Dem Vater gleich zu werden!

2. Recitative (A)

Ye hearts which have yourselves
To stony cliffs perverted,
Now melt to softness mild;
Now weigh what you the Savior teacheth,
Act, act with charity
And strive while yet on earth now
To be just like the Father!

Ach! greifet nicht durch das verbotne Richten
Dem Allerhöchsten ins Gericht,
Sonst wird sein Eifer euch zernichten.
Vergebt, so wird euch auch vergeben;
Gebt, gebt in diesem Leben;
Macht euch ein Kapital,
Das dort einmal
Gott wiederzahlt mit reichen Interessen;
Denn wie ihr meßt, wird man euch wieder
                            messen.

Alt, Streicher, Bc.
29 Takte, A-Dur – E-Dur, 4/4 Takt

3. Aria
(Laurich; Passin)

Sei bemüht in dieser Zeit,
Seele, reichlich auszustreuen,
Soll die Ernte dich erfreuen
In der reichen Ewigkeit,
Wo, wer Gutes ausgesäet,
Fröhlich nach den Garben gehet.

Alt, Gesamtinstrumentarium
40 Takte, A-Dur, 4/4 Takt

4. Recitativo
(Huttenlocher)

Die Eigenliebe schmeichelt sich!
Bestrebe dich,
Erst deinen Balken auszuziehen,
Denn magst du dich um Splitter auch bemühen,
Die in des Nächsten Augen sein.
Ist gleich dein Nächster nicht vollkommen rein,
So wisse, daß auch du kein Engel,
Verbeßre deine Mängel!
Wie kann ein Blinder mit dem andern
Doch recht und richtig wandern?
Wie, fallen sie zu ihrem Leide
Nicht in die Gruben alle beide?

Baß, Bc.
15 Takte, D-Dur – h-Moll, 4/4 Takt

5. Aria
(Huttenlocher)

Das ist der Christen Kunst:
Nur Gott und sich erkennen,
Von wahrer Liebe brennen,
Nicht unzulässig richten,
Noch fremdes Tun vernichten,
Des Nächsten nicht vergessen,
Mit reichem Maße messen:

Ah! Summon not through that forbidden judgment
Almighty God to judgment's seat,
Else will his zealous wrath destroy you.
Forgive and ye will be forgiven;
Give, give within this lifetime;
Store up a principal
Which there one day
God will repay with ample store of interest.
For as ye judge, so will ye be judged also.

3. Aria (A)

Be concerned within this life,
Spirit, ample seed to scatter,
So the harvest thee may gladden
In the rich eternity
Where those who good things here have planted
Gladly there the sheaves shall gather.

4. Recitative (B)

How selfishness deceives itself!
Concern thyself
First from thine eye the beam to loosen,
Then may'st thou for the mote be also troubled
Which in thy neighbor's eye is found.
If now thy neighbor be not fully pure,
Remember, thou art, too, no angel;
Amend, then, thine own failings!
How can one blind man with another
Still walk the straight and narrow?
What, will they not to their great sorrow
Fall in the pit now both together?

5. Aria (B)

This is the Christian art:
But God and self discerning,
With true affection burning,
Not, when forbidden, judging,
Nor stranger's work destroying,
One's neighbor not forgetting,
With gen'rous measure measuring:

Das macht bei Gott und Menschen Gunst,
Das ist der Christen Kunst.

Baß, Bc.
47 Takte, h-Moll, 4/4 Takt

6. Choral
(Frankfurter Kantorei)

Ich ruf zu dir, Herr Jesu Christ,
Ich bitt, erhör mein Klagen,
Verleih mir Gnad zu dieser Frist,
Laß mich doch nicht verzagen;
Den rechten Weg, o Herr, ich mein,
Den wollest du mir geben,
Dir zu leben,
Mein'm Nächsten nütz zu sein,
Dein Wort zu halten eben.

Chor, Oboe, Streicher, Bc.
17 Takte, fis-Moll, 4/4 Takt

Ausführende:
Arleen Augér, Sopran
Hildegard Laurich, Alt
Aldo Baldin, Tenor
Philippe Huttenlocher, Baß
Günther Passin, Oboe
Hedda Rothweiler, Oboe
Günther Pfitzenmaier, Fagott
Friedemann Schulz, Continuocello
Harro Bertz, Kontrabaß
Martha Schuster, Cembalo/Orgelpositiv
Hans-Joachim Erhard, Orgelpositiv
Frankfurter Kantorei
Bach-Collegium Stuttgart
Leitung: Helmuth Rilling

Aufnahme: Südwest-Tonstudio, Stuttgart
Aufnahmeleitung: Richard Hauck
Toningenieur: Henno Quasthoff
Aufnahmeort: Südwest-Tonstudio Stuttgart/
Gedächtniskirche Stuttgart
Aufnahmezeit: März/April/Mai 1976
Spieldauer: 15'40"

6. Chorale (S, A, T, B)

I call to thee, Lord Jesus Christ,
I pray thee, hear my crying;
Both lend me grace within this life
And let me not lose courage;
The proper path, O Lord, I seek,
Which thou didst wish to give me:
For thee living,
My neighbor serving well,
Thy word upholding justly.

BWV 186

Ärgre dich, o Seele, nicht
Kantate zum 7. Sonntag nach Trinitatis
für Sopran, Alt, Tenor, Baß, vierstimmigen Chor,
2 Oboen, Oboe da caccia, Fagott, Streicher
und Generalbaß

Serie **IV**, Nr. 98.**686**

I. Teil

1. Coro
(Gächinger Kantorei Stuttgart)

Ärgre dich, o Seele, nicht,
Daß das allerhöchste Licht,
Gottes Glanz und Ebenbild,
Sich in Knechtsgestalt verhüllt,
Ärgre dich, o Seele, nicht!

Chor, Gesamtinstrumentarium
49 Takte, g-Moll, 4/4 Takt

2. Recitativo
(Huttenlocher)

Die Knechtsgestalt, die Not, der Mangel
Trifft Christi Glieder nicht allein,
Es will ihr Haupt selbst arm und elend sein.
Und ist nicht Reichtum, ist nicht Überfluß
Des Satans Angel,
So man mit Sorgfalt meiden muß?
Wird dir im Gegenteil
Die Last zu viel zu tragen,
Wenn Armut dich beschwert,
Wenn Hunger dich verzehrt,
Und willst sogleich verzagen,
So denkst du nicht an Jesum, an dein Heil.
Hast du wie jenes Volk nicht bald zu essen,
So seufzest du: Ach Herr, wie lange willst du
                    mein vergessen?
Baß, Bc.
20 Takte, c-Moll – g-Moll, 4/4 Takt

3. Aria
(Huttenlocher)

Bist du, der mir helfen soll,
Eilst du nicht, mir beizustehen?
Mein Gemüt ist zweifelsvoll,
Du verwirfst vielleicht mein Flehen;
Doch, o Seele, zweifle nicht,
Laß Vernunft dich nicht bestricken.
Deinen Helfer, Jakobs Licht,
Kannst du in der Schrift erblicken.

Baß, Bc.
73 Takte, B-Dur, 3/4 Takt

4. Recitativo
(Equiluz)

Ach, daß ein Christ so sehr
Vor seinen Körper sorgt!
Was ist er mehr?
Ein Bau von Erden,
Der wieder muß zur Erde werden,
Ein Kleid, so nur geborgt.

First Part

1. Chorus (S, A, T, B)

Vex thyself, O spirit, not,
That the all-surpassing light,
God's true image shining bright,
Self in servant's form doth veil;
Vex thyself, O spirit, not!

2. Recitative (B)

The servant form, the need, the wanting
Strike Christ's own members not alone,
For he, your head, himself seeks poor to be.
And is not plenty, is not surplus wealth
The barb of Satan,
Which we with scruple must avoid?
In contrast, when for thee
The burden grows too heavy,
When poverty grieves thee,
When hunger thee doth waste,
And thou wouldst soon surrender,
Thou dost not think of Jesus, of thy health.
If thou just like that crowd art not fed quickly,
Then sighest thou: Ah, Lord, for how long
                   wouldst thou then forget me?

3. Aria (B)

. If thou art to bring me help,
Haste thou not to stand beside me?
Now my heart is full of doubt,
Thou dost spurn perhaps my weeping;
But, O soul, thou shouldst not doubt,
Let mere reason not ensnare thee.
Thy true helper, Jacob's light,
Thou canst in the Scripture witness.

4. Recitative (T)

Ah, that a Christian so
Should for his body care!
Which is it more?
An earthly structure
Which must again to earth be changèd,
A cloak which is but lent.

Er könnte ja das beste Teil erwählen,
So seine Hoffnung nie betrügt:
Das Heil der Seelen,
So in Jesu liegt.
O selig! wer ihn in der Schrift erblickt,
Wie er durch seine Lehren
Auf alle, die ihn hören,
Ein geistlich Manna schickt!
Drum, wenn der Kummer gleich das Herze nagt
und frißt,
So schmeckt und sehet doch, wie freundlich
Jesus ist.

Tenor, Bc.
28 Takte, g-Moll – B-Dur, 4/4 Takt

He could, indeed, the finest share have chosen,
Which would his hope not e'er betray:
The soul's salvation
Which in Jesus lies.
O blessèd he who him in Scripture sees,
How he through all this teaching
On all those who shall hear him
The spirit's manna sends!
Thus, when your sorrow doth your heart both
gnaw and eat,
Then taste and witness yet, how kind your
Jesus is.

5. Aria
(Equiluz)

Mein Heiland läßt sich merken
In seinen Gnadenwerken.
Da er sich kräftig weist,
Den schwachen Geist zu lehren,
Den matten Leib zu nähren,
Dies sättigt Leib und Geist.

Tenor, Oboe da caccia, Bc.
42 Takte, d-Moll, 4/4 Takt

5. Aria (T)

My Savior now appeareth
In all his works of blessing.
Since he with strength appears
To give weak souls instruction,
The weary bodies nurture,
This sates both flesh and soul.

6. Choral
(Gächinger Kantorei Stuttgart)

**Ob sich's anließ, als wollt er nicht,
Laß dich es nicht erschrecken;
Denn wo er ist am besten mit,
Da will er's nicht entdecken.
Sein Wort laß dir gewisser sein,
Und ob dein Herz spräch lauter Nein,
So laß dir doch nicht grauen!**

Chor, 2 Oboen, Streicher, Bc.
40 Takte, F-Dur, 4/4 Takt

6. Chorale (S, A, T, B)

**Though it should seem he were opposed,
Be thou by this not frightened;
For where he is at best with thee,
His wont is not to show it.
His word take thou more certain still,
And though thy heart say only "No,"
Yet let thyself not shudder.**

II. Teil

7. Recitativo
(Huttenlocher)

Es ist die Welt die große Wüstenei;
Der Himmel wird zu Erz, die Erde wird zu Eisen,
Wenn Christen durch den Glauben weisen,
Daß Christi Wort ihr größter Reichtum sei;
Der Nahrungssegen scheint
Von ihnen fast zu fliehen,
Ein steter Mangel wird beweint,
Damit sie nur der Welt sich desto mehr
entziehen;

Second Part

7. Recitative (B)

The world is but a mighty wilderness,
The heavens will be stone, the earth will change
to iron,
When Christians through their faith give witness
That Christ's own word is their most precious
wealth;
The gift of sustenance
Almost appears to flee them,
A constant dearth gives rise to tears,
So that they but the world may all the more
forsake now;

Da findet erst des Heilands Wort,
Der höchste Schatz,
In ihren Herzen Platz:
Ja, jammert ihn des Volkes dort,
So muß auch hier sein Herze brechen
Und über sie den Segen sprechen.

Baß, Streicher, Bc.
19 Takte, Es-Dur – B-Dur, 4/4 Takt

Then shall at last the Savior's word,
That greatest wealth,
Find in their hearts its place:
Yea, if he mourned his people there,
So must e'en here his heart be breaking
And over them his blessing telling.

8. Aria
(Augér)

Die Armen will der Herr umarmen
Mit Gnaden hier und dort;
Er schenket ihnen aus Erbarmen
Den höchsten Schatz, das Lebenswort.

Sopran, Violinen, Bc.
47 Takte, g-Moll, 4/4 Takt

8. Aria (S)

God's outstretched arms would clasp the
                                    wretched
With mercy here and there;
He gives to them of his great mercy
The greatest wealth, the word of life.

9. Recitativo
(Watts)

Nun mag die Welt mit ihrer Lust vergehen;
Bricht gleich der Mangel ein,
Doch kann die Seele freudig sein.
Wird durch dies Jammertal der Gang
Zu schwer, zu lang,
In Jesu Wort liegt Heil und Segen.
Es ist ihres Fußes Leuchte und ein Licht auf
                                    ihren Wegen.
Wer gläubig durch die Wüste reist,
Wird durch dies Wort getränkt, gespeist;
Der Heiland öffnet selbst, nach diesem Worte,
Ihm einst des Paradieses Pforte,
Und nach vollbrachtem Lauf
Setzt er den Gläubigen die Krone auf.

Alt, Bc.
18 Takte, c-Moll – Es-Dur, 4/4 Takt

9. Recitative (A)

Now may the world with all its pleasure vanish,
And dearth straightway begin,
Yet shall the soul with joy be full.
If through this vale of tears the path's
Too hard, too long,
In Jesus' word lies health and blessing.
It is for its feet a lantern and a light upon its
                                    pathways.
Who faithfully through desert rides
Shall in this word find drink and food;
The Savior shall one day, the word assureth,
Him open paradise's portals,
And when their course is run,
He shall upon the faithful set their crown.

10. Aria (Duetto)
(Augér, Watts)

Laß, Seele, kein Leiden
Von Jesu dich scheiden,
Sei, Seele, getreu!
Dir bleibet die Krone
Aus Gnaden zu Lohne,
Wenn du von Banden des Leibes nun frei.

Sopran, Alt, 2 Oboen, Oboe da caccia, Streicher, Bc.
212 Takte, c-Moll, 3/8 Takt

10. Aria (S, A)

O soul, let no sadness
From Jesus divide thee,
O soul, be thou true!
The crown doth await thee,
Reward of his mercy,
When thou the bonds of the body art free.

11. Choral
(Gächinger Kantorei Stuttgart)

Die Hoffnung wart' der rechten Zeit,
Was Gottes Wort zusaget.
Wenn das geschehen soll zur Freud,
Setzt Gott kein g'wisse Tage.
Er weiß wohl, wenn's am besten ist,
Und braucht an uns kein arge List,
Des solln wir ihm vertrauen.

Chor, 2 Oboen, Streicher, Bc.
40 Takte, F-Dur, 4/4 Takt

Ausführende:
Arleen Augér, Sopran
Helen Watts, Alt
Kurt Equiluz, Tenor
Philippe Huttenlocher, Baß
Hansjörg Schellenberger, Oboe
Günther Passin, Oboe
Hedda Rothweiler, Oboe
Dietmar Keller, Oboe da caccia
Günther Pfitzenmaier, Fagott
Jürgen Wolf, Continuocello
Manfred Gräser, Kontrabaß
Martha Schuster, Cembalo
Montserrat Torrent, Orgelpositiv
Gächinger Kantorei Stuttgart
Bach-Collegium Stuttgart
Leitung: Helmuth Rilling

Aufnahme: Südwest-Tonstudio, Stuttgart
Aufnahmeleitung: Richard Hauck
Toningenieur: Henno Quasthoff
Aufnahmeort: Gedächtniskirche Stuttgart
Aufnahmezeit: Januar/April 1977
Spieldauer: 33'45"

11. Chorale (S, A, T, B)

Our hope awaits the fitting time
Which God's own word hath promised.
When that shall be to give us joy
Hath God no day appointed.
He knows well when the day is best
And treats us not with cruel guile,
For this we ought to trust him.

BWV 187

Es wartet alles auf dich
Kantate zum 7. Sonntag nach Trinitatis
für Sopran, Alt, Baß, vierstimmigen Chor,
2 Oboen, Streicher und Generalbaß

I. Teil

1. Coro
(Gächinger Kantorei Stuttgart)

*Es wartet alles auf dich, daß du ihnen Speise gebest
zu seiner Zeit. Wenn du ihnen gibest, so sammlen sie,
wenn du deine Hand auftust, so werden sie mit Güte
gesättiget.*

Chor, Gesamtinstrumentarium
125 Takte, g-Moll, 4/4 Takt

Serie **I**, Nr. 98.659

First Part

1. Chorus [Dictum] (S, A, T, B)

*Here look now all men to thee, that thou givest to
them food at the proper time. When thou to them
givest, they gather it; when thou openest thine hand,
then are they with thy kindness well satisfied.*

2. Recitativo
(Schöne)

Was Kreaturen hält
Das große Rund der Welt!
Schau doch die Berge an, da sie bei tausend
gehen;
Was zeuget nicht die Flut? Es wimmeln Ström
und Seen.
Der Vögel großes Heer
Zieht durch die Luft zu Feld.
Wer nähret solche Zahl,
Und wer
Vermag ihr wohl die Notdurft abzugeben?
Kann irgendein Monarch nach solcher Ehre
streben?
Zahlt aller Erden Gold
Ihr wohl ein einig Mal?

Baß, Bc.
15 Takte, B-Dur – g-Moll, 4/4 Takt

3. Aria
(Laurich)

Du Herr, du krönst allein das Jahr mit deinem
Gut.

Es träufet Fett und Segen
Auf deines Fußes Wegen,
Und deine Gnade ist's, die alles Gutes tut.

Alt, Oboe, Streicher, Bc.
171 Takte, B-Dur, 3/8 Takt

II. Teil

4. Aria
(Schöne)

*Darum sollt ihr nicht sorgen noch sagen: Was werden
wir essen, was werden wir trinken, womit werden wir
uns kleiden? Nach solchem allen trachten die Heiden.
Denn euer himmlischer Vater weiß, daß ihr dies alles
bedürfet.*

Baß, Violinen, Bc.
103 Takte, g-Moll, ¢ Takt

5. Aria
(Friesenhausen)

Gott versorget alles Leben,
Was hienieden Odem hegt.
Sollt er mir allein nicht geben,
Was er allen zugesagt?
Weicht, ihr Sorgen, seine Treue
Ist auch meiner eingedenk

2. Recitative (B)

What creatures are contained
By this world's orb so vast!
Regard the mountains, then, how they are
ranged in thousands;
What doth the sea not bear? The streams and
seas are teeming.
The birds' expansive host
Glides through the air to plain.
Who feedeth such a toll,
And who
can then supply them with the needs of nature?
Can any monarch set his sights upon such
honor?
Could all the gold of earth
Buy them a single meal?

3. Aria (A)

Thou Lord, thou dost alone the year crown
with thy wealth.

Distilled are oil and blessing
Upon thy foot's own traces,
And it is thine own grace, which ev'ry good
thing doth.

Second Part

4. Aria [Dictum] (B)

*Therefore do not be anxious and saying: "What will,
then, our food be, what will,then, our drink be, what
will we have, then, for clothing?" For after such things
hanker the gentiles. For your own heavenly Father
knows that by you all these are needed.*

5. Aria (S)

God supplieth ev'ry being
Which here below breath doth keep.
Would he me alone not furnish
What to all he hath assured?
Yield, ye sorrows, his allegiance
Doth for me as well provide

Und wird ob mir täglich neue
Durch manch Vaterliebs Geschenk.

Sopran, Oboe, Bc.
62 Takte, Es-Dur, 4/4 – 3/8 – 4/4 Takt

And is for me daily proven
Through that Father's loving gifts.

6. Recitativo
(Friesenhausen)

Halt ich nur fest an ihm mit kindlichem
                      Vertrauen
Und nehm mit Dankbarkeit, was er mir
                      zugedacht,
So werd ich mich nie ohne Hülfe schauen,
Und wie er auch vor mich die Rechnung hab
                      gemacht.
Das Grämen nützet nicht, die Mühe ist verloren,
Die das verzagte Herz um seine Notdurft nimmt;
Der ewig reiche Gott hat sich die Sorge
                      auserkoren,
So weiß ich, daß er mir auch meinen Teil
                      bestimmt.

Sopran, Streicher, Bc.
15 Takte, c-Moll – B-Dur, 4/4 Takt

6. Recitative (S)

If I can only cleave to him with childlike trusting
And take with gratitude what he for me hath
                      planned,
Then I shall see myself unaided never
And how he e'en for me the debt hath paid
                      in full.
All fretting is in vain, and wasted is the trouble
Which the despondent heart for its
                      requirements makes;
Since God, forever rich, upon himself these
                      cares hath taken,
I know that he for me as well my share hath
                      fixed.

7. Choral
(Gächinger Kantorei Stuttgart)

Gott hat die Erde zugericht',
Läßt's an Nahrung mangeln nicht;
Berg und Tal, die macht er naß,
Daß dem Vieh auch wächst sein Gras;
Aus der Erden Wein und Brot
Schaffet Gott und gibt's uns satt,
Daß der Mensch sein Leben hat.

Wir danken sehr und bitten ihn,
Daß er uns geb des Geistes Sinn,
Daß wir solches recht verstehn,
Stets in sein' Geboten gehn,
Seinen Namen machen groß
In Christo ohne Unterlaß:
So sing'n wir recht das Gratias.

Chor, Gesamtinstrumentarium
56 Takte, g-Moll, 3/4 Takt

7. Chorale (S, A, T, B)

God hath the earth in fullness set,
And for its food lets it not lack;
Hill and vale he moisture gives
That the kine the grass may grow;
From the earth both wine and bread
God creates and gives our fill,
So that man his life may have.

We give great thanks and pray of him
That he give us the Spirit's will,
That we it well understand,
E'er in his commandments walk,
His name's honor magnify
In Christ and may never cease:
And we'll sing rightly "Gratias!"

Ausführende:
Maria Friesenhausen, Sopran
Hildegard Laurich, Alt
Wolfgang Schöne, Baß
Helmut Koch, Oboe
Hanspeter Weber, Oboe
Hans Mantels, Fagott
Hannelore Michel, Continuocello
Manfred Gräser, Kontrabaß
Martha Schuster, Cembalo/Orgelpositiv

Gächinger Kantorei Stuttgart
Bach-Collegium Stuttgart
Leitung: Helmuth Rilling

Aufnahme: Sonopress Tontechnik, Gütersloh
Aufnahmeleitung: Richard Hauck/
Wolfram Wehnert
Aufnahmeort: Gedächtniskirche Stuttgart
Aufnahmezeit: Februar 1971
Spieldauer: 24'15"

BWV 188

Ich habe meine Zuversicht
Kantate zum 21. Sonntag nach Trinitatis
(Text: Picander)
- Sinfonia für Orgel und Orchester in der Bearbeitung
von Martha Schuster –
für Sopran, Alt, Tenor, Baß, vierstimmigen Chor,
konzertierende Orgel, 2 Oboen, Oboe da caccia,
Streicher und Generalbaß

1. Sinfonia
(Schuster, Württembergisches Kammerorchester
Heilbronn)

Orgel, 2 Oboen, Oboe da caccia, Streicher, Bc.
293 Takte, d-Moll, 3/4 Takt

2. Aria
(Baldin)

Ich habe meine Zuversicht
Auf den getreuen Gott gericht',
Da ruhet meine Hoffnung feste.
   Wenn alles bricht, wenn alles fällt,
   Wenn niemand Treu und Glauben hält,
   So ist doch Gott der allerbeste.

Tenor, Oboe, Streicher, Bc.
183 Takte, F-Dur, 3/4 Takt

3. Recitativo
(Heldwein)

Gott meint es gut mit jedermann,
Auch in den allergrößten Nöten.
Verbirget er gleich seine Liebe,
So denkt sein Herz doch heimlich dran,
Das kann er niemals nicht entziehn;
Und wollte mich der Herr auch töten,
So hoff ich doch auf ihn.
Denn sein erzürntes Angesicht
Ist anders nicht

1. Sinfonia

2. Aria (T)

I have now all my confidence
To the faithful God assigned
Where rests my expectation firmly.
   When all shall break, when all shall fail,
   When no one faith and word shall keep,
   E'en so is God surpassing gracious.

3. Recitative (B)

God meaneth well for ev'ryone,
E'en midst the very worst of trouble.
Though he awhile his love concealeth,
His heart for us in secret cares,
This can he nevermore withdraw;
And even if the Lord would slay me,
My hope shall rest in him,
Because his angered countenance
Is nothing but

Als eine Wolke trübe,
Sie hindert nur den Sonnenschein,
Damit durch einen sanften Regen
Der Himmelssegen
Um so viel reicher möge sein.
Der Herr verwandelt sich in einen grausamen,
Um desto tröstlicher zu scheinen;
Er will, er kann's nicht böse meinen.
Drum laß ich ihn nicht, er segne mich denn.

Baß, Bc.
31 Takte, C-Dur, 4/4 – 6/8 Takt

A cloud which casts a shadow;
It only holds the sunlight back,
So that with help of gentle showers
The heav'nly blessing
Then that much richer might become.
The Lord transforms himself into a wrathful God
To make his comfort seem that stronger;
He would, he could not wish us evil.
I'll not let him go, until he me bless.

4. Aria
(Hamari, Erhard)

Unerforschlich ist die Weise,
Wie der Herr die Seinen führt.
  Selber unser Kreuz und Pein
  Muß zu unserm Besten sein
  Und zu seines Namens Preise.

Alt, Orgel, Bc.
76 Takte, e-Moll, 4/4 Takt

4. Aria (A)

Not to fathom is the manner
In which God his people leads.
  Even our own cross and pain
  Must to our advantage be
  And to bring his name great honor.

5. Recitativo
(Augér)

Die Macht der Welt verlieret sich.
Wer kann auf Stand und Hoheit bauen?
Gott aber bleibet ewiglich;
Wohl allen, die auf ihn vertrauen!

Sopran, Streicher, Bc.
7 Takte, C-Dur – a-Moll, 4/4 Takt

5. Recitative (S)

The world's great might shall disappear.
Who can depend on rank and honor?
But God abideth evermore;
Blest all those who in him are trusting!

6. Choral
(Gächinger Kantorei Stuttgart)

Auf meinen lieben Gott
Trau ich in Angst und Not;
Er kann mich allzeit retten
Aus Trübsal, Angst und Nöten;
Mein Unglück kann er wenden,
Steht alls in seinen Händen.

Chor, Oboe, Streicher, Bc.
12 Takte, a-Moll, 4/4 Takt

6. Chorale (S, A, T, B)

In my belovèd God
I trust in fear and need;
He can me e'er deliver
From sadness, fear and trouble.
My sorrow can he alter,
For all rests in his hands now.

Ausführende:
Arleen Augér, Sopran
Julia Hamari, Alt
Aldo Baldin, Tenor
Walter Heldwein, Baß
Martha Schuster, Orgel (Satz 1)
Hans-Joachim Erhard, Orgel (Satz 4)

Günther Passin, Oboe
Hedda Rothweiler, Oboe
Dietmar Keller, Oboe da caccia
Günther Pfitzenmaier, Fagott
Stefan Trauer, Violoncello
Claus Zimmermann, Kontrabaß
Michael Behringer, Cembalo
Gächinger Kantorei Stuttgart
Württembergisches Kammerorchester Heilbronn
Leitung: Helmuth Rilling

Aufnahme: Tonstudio Teije van Geest, Heidelberg
Aufnahmeleitung: Richard Hauck
Aufnahmeort: Gedächtniskirche Stuttgart
Aufnahmezeit: Juni/September 1983
Spieldauer: 23'45"

BWV 190

Serie V, Nr. 98.699

Singet dem Herrn ein neues Lied
Kantate zu Neujahr
–Rekonstruktion der Sätze 1 und 2 von Olivier Alain –
für Alt, Tenor, Baß, vierstimmigen Chor,
3 Trompeten, Pauken, 3 Oboen, Oboe d'amore, Fagott,
Streicher und Generalbaß

1. Coro
(Gächinger Kantorei Stuttgart)

Singet dem Herrn ein neues Lied! Die Gemeine der
Heiligen soll ihn loben!
Lobet ihn mit Pauken und Reigen, lobet ihn mit
Saiten und Pfeifen!
Herr Gott, dich loben wir!
Alles, was Odem hat, lobe den Herrn!
Herr Gott, wir danken dir!
Alleluja!

Chor, 3 Trompeten, Pauken, 3 Oboen, Fagott,
Streicher, Bc.
152 Takte, D-Dur, 3/4 Takt

2. Choral e Recitativo
(Watts, Equiluz, Tüller,
Gächinger Kantorei Stuttgart)

Herr Gott, dich loben wir,
Baß
Daß du mit diesem neuen Jahr
Uns neues Glück und neuen Segen schenkest
Und noch in Gnaden an uns denkest.
Herr Gott, wir danken dir,
Tenor
Daß deine Gütigkeit
In der vergangnen Zeit

1. Chorus [Dictum] (S, A, T, B)

Sing ye the Lord a new refrain! The assembly of saints
should sing to him praises!
Honor him with timbrels and dancing, honor him
with strings and with piping!
Lord God, we give thee praise!
All that which breath doth own, honor the Lord!
Lord God, we give thee thanks!
Alleluia!

2. Chorale (S, A, T, B) and Recitative (A, T, B)

Lord God, we give thee praise,
(B)
That thou with this the newborn year
Us newfound joy and newborn blessing grantest
And still with favor on us thinkest.
Lord God, we give thee thanks,
(T)
That thy great kindness
Throughout the time now past

Das ganze Land und unsre werte Stadt
Vor Teurung, Pestilenz und Krieg behütet hat.
  Herr Gott, dich loben wir,
Alt
Denn deine Vatertreu
Hat noch kein Ende,
Sie wird bei uns noch alle Morgen neu.
Drum falten wir,
Barmherzger Gott, dafür
In Demut unsre Hände
Und sagen lebenslang
Mit Mund und Herzen Lob und Dank.
  Herr Gott, wir danken dir!

Alt, Tenor, Baß, Chor, 3 Trompeten,
Pauken, 3 Oboen, Fagott, Streicher, Bc.
22 Takte, h-Moll – A-Dur, 4/4 Takt

Both all our land and our own city fair
From famine, pestilence and war protected hath.
  Lord God, we give thee praise,
(A)
For thy paternal faith
Hath yet no limits,
Amidst us is it ev'ry morn renewed.
Thus do we fold,
O merciful God, for this
In humbleness our hands now
And say throughout our lives
With mouth and heart our praise and thanks.
  Lord God, we give thee thanks!

3. Aria
(Watts)

Lobe, Zion, deinen Gott,
Lobe deinen Gott mit Freuden,
Auf! erzähle dessen Ruhm,
Der in seinem Heiligtum
Fernerhin dich als dein Hirt
Will auf grüner Auen weiden.

Alt, Streicher, Bc.
76 Takte, A-Dur, 3/4 Takt

3. Aria (A)

Honor, Zion, this thy God,
Honor this thy God with gladness,
Rise! And speak now of his fame,
Who within his holy shrine
As thy shepherd evermore
Shall to verdant pastures lead thee.

4. Recitativo
(Tüller)

Es wünsche sich die Welt,
Was Fleisch und Blute wohlgefällt;
Nur eins, eins bitt ich von dem Herrn,
Dies eine hätt ich gern,
Daß Jesus, meine Freude,
Mein treuer Hirt, mein Trost und Heil
Und meiner Seelen bestes Teil,
Mich als ein Schäflein seiner Weide
Auch dieses Jahr mit seinem Schutz umfasse
Und nimmermehr aus seinen Armen lasse.
Sein guter Geist,
Der mir den Weg zum Leben weist,
Regier und führe mich auf ebner Bahn,
So fang ich dieses Jahr in Jesu Namen an.

Baß, Bc.
18 Takte, fis-Moll – A-Dur, 4/4 Takt

4. Recitative (B)

Now let the world desire
What flesh and blood with pleasure fills;
Just this, this ask I of the Lord,
Just this one thing I seek,
That Jesus, my true pleasure,
My shepherd true, my strength and health
And of my soul the fairest part,
Me as a lamb of his own pasture
Again this year within his care embrace now
And nevermore from his own arms release me.
His kindly will,
Which me the way to life doth show,
Now rule and lead me on an even course,
And I shall this new year in Jesus' name begin.

5. Aria (Duetto)
(Equiluz, Tüller)

Jesus soll mein alles sein,
Jesus soll mein Anfang bleiben,
Jesus ist mein Freudenschein,
Jesu will ich mich verschreiben.

5. Aria (T, B)

Jesus shall my all now be,
Jesus shall be my beginning,
Jesus is my sign of joy.
Jesus' care I would commit me.

Jesus hilft mir durch sein Blut,
Jesus macht mein Ende gut.

Tenor, Baß, Oboe d'amore, Bc.
53 Takte, D-Dur, 6/8 Takt

6. Recitativo
(Equiluz)

Nun, Jesus gebe,
Daß mit dem neuen Jahr auch sein Gesalbter
lebe;
Er segne beides, Stamm und Zweige,
Auf daß ihr Glück bis an die Wolken steige.
Es segne Jesus Kirch und Schul,
Er segne alle treue Lehrer,
Er segne seines Wortes Hörer;
Er segne Rat und Richterstuhl;
Er gieß auch über jedes Haus
In unsrer Stadt die Segensquellen aus;
Er gebe, daß aufs neu
Sich Fried und Treu
In unsern Grenzen küssen mögen.
So leben wir dies ganze Jahr im Segen.

Tenor, Streicher, Bc.
18 Takte, h-Moll – A-Dur, 4/4 Takt

7. Choral
(Gächinger Kantorei Stuttgart)

Laß uns das Jahr vollbringen
Zu Lob dem Namen dein,
Daß wir demselben singen
In der Christen Gemein;
Wollst uns das Leben fristen
Durch dein allmächtig Hand,
Erhalt deine lieben Christen
Und unser Vaterland.
Dein Segen zu uns wende,
Gib Fried an allem Ende;
Gib unverfälscht im Lande
Dein seligmachend Wort.
Die Heuchler mach zuschanden
Hier und an allem Ort!

Chor, 3 Trompeten, Pauken, 3 Oboen, Fagott,
Streicher, Bc.
32 Takte, D-Dur, 4/4 Takt

Ausführende:
Helen Watts, Alt
Kurt Equiluz, Tenor
Niklaus Tüller, Baß
Hans Wolf, Trompete
Walter Schetsche, Trompete
Rainer Kuch, Trompete
Karl Schad, Pauken

6. Recitative (T)

Now, Jesus grant me
That with the newborn year, e'en his anointed
flourish;
May he bless both the trunk and branches,
So that their fortune to the clouds be rising.
May Jesus bless both church and school,
May he bless ev'ry faithful teacher,
May he bless those who hear their teaching;
May he bless council and the court;
May he pour, too, o'er ev'ry house
Within our town the springs of blessing forth;
May he grant that again
Both peace and trust
Within our borders kiss each other.
Thus live we shall throughout the year in
blessing.

7. Chorale (S, A, T, B)

Let us the year accomplish
For glory to thy name,
That we to it be singing
In Christian company;
Wouldst thou our life be sparing
Through thine almighty hand,
Keep, then, thy belovèd Christians
And our own fatherland.
Thy blessing to us send now,
Give peace in ev'ry quarter;
Give unalloyed this country
Thy grace-inspiring word.
To hypocrites bring ruin
Both here and ev'rywhere!

Allan Vogel, Oboe
Hedda Rothweiler, Oboe
Dietmar Keller, Oboe
Günther Passin, Oboe d'amore
Paul Gerhard Leihenseder, Fagott
Hans Häublein, Continuocello
Manfred Gräser, Kontrabaß
Hans-Joachim Erhard, Cembalo/Orgelpositiv
Gächinger Kantorei Stuttgart
Bach-Collegium Stuttgart
Leitung: Helmuth Rilling

Aufnahme: Südwest-Tonstudio, Stuttgart
Aufnahmeleitung: Richard Hauck
Toningenieur: Henno Quasthoff
Aufnahmeort: Gedächtniskirche Stuttgart
Aufnahmezeit: Dezember 1977, Januar 1978
Spieldauer: 17'55"

BWV 191

Serie I, Nr. 98.657

Gloria in excelsis Deo
Kantate zum Weihnachtsfest
für Sopran, Tenor, fünfstimmigen Chor,
3 Trompeten, Pauken, 2 Flöten, 2 Oboen,
Streicher und Generalbaß

I. Teil

1. Coro
(Gächinger Kantorei Stuttgart)

Gloria in excelsis Deo. Et in terra pax hominibus
bonae voluntatis.

Chor, Gesamtinstrumentarium
176 Takte, D-Dur, 3/8 – 4/4 Takt

II. Teil

2. Aria (Duetto)
(Yamamoto, Kraus)

Gloria Patri et Filio et Spiritui sancto.

Sopran, Tenor, Flöte, Streicher, Bc.
74 Takte, G-Dur, 4/4 Takt

3. Coro
(Gächinger Kantorei Stuttgart)

Sicut erat in principio et nunc et semper et in
saecula saeculorum, amen.

Chor, Gesamtinstrumentarium
134 Takte, D-Dur, 3/4 Takt

First Part

1. Chorus (S, A, T, B)

Glory be to God on high, and on earth peace, good
will towards men.

Second Part

2. Aria (S, T)

Glory be to the Father, and to the Son, and to the
Holy Ghost.

3. Chorus (S, A, T, B)

As it was in the beginning, is now, and ever shall
be, world without end. Amen.

Ausführende:
Nobuko Gamo-Yamamoto, Sopran
Adalbert Kraus, Tenor
Hermann Sauter, Trompete
Eugen Mayer, Trompete
Heiner Schatz, Trompete
Karl Schad, Pauken
Peter-Lukas Graf, Flöte
Heidi Indermühle, Flöte
Otto Winter, Oboe
Adolf Meidhof, Oboe
Jürgen Wolf, Continuocello
Manfred Gräser, Kontrabaß
Martha Schuster, Cembalo/Orgelpositiv
Gächinger Kantorei Stuttgart
Bach-Collegium Stuttgart
Leitung: Helmuth Rilling

Aufnahme: Sonopress Tontechnik, Gütersloh
Aufnahmeleitung: Richard Hauck/
Wolfram Wehnert
Aufnahmeort: Gedächtniskirche Stuttgart
Aufnahmezeit: Februar/Mai 1971
Spieldauer: 16'35"

BWV 192

Serie **III**, Nr. 98.672

Nun danket alle Gott
Kantate
für Sopran, Baß, vierstimmigen Chor,
2 Flöten, 2 Oboen, Streicher und Generalbaß

1. Coro [Versus I]
(Frankfurter Kantorei)

Nun danket alle Gott
Mit Herzen, Mund und Händen,
Der große Dinge tut
An uns und allen Enden,
Der uns von Mutterleib
Und Kindesbeinen an
Unzählig viel zugut
Und noch jetzund getan.

Chor, Gesamtinstrumentarium
169 Takte, G-Dur, 3/4 Takt

2. Duetto [Versus II]
(Donath, Tüller)

Der ewig reiche Gott
Woll uns bei unserm Leben
Ein immer fröhlich Herz
Und edlen Frieden geben

1. Chorus [Verse 1] (S, A, T, B)

Now thank ye all our God
With heart and voice and labor,
Who mighty things doth work
For us in ev'ry quarter,
Who us from mother's womb
And toddler's paces on
A countless toll of good
And still e'en now hath done.

2. Duet [Verse 2] (S, B)

The ever bounteous God
Through all our life be willing
An always joyful heart
And noble peace to give us,

Und uns in seiner Gnad
Erhalten fort und fort
Und uns aus aller Not
Erlösen hier und dort.

Sopran, Baß, Flöte, Oboe, Streicher, Bc.
112 Takte, D-Dur, 2/4 Takt

3. Coro [Versus III]
(Frankfurter Kantorei)

Lob, Ehr und Preis sei Gott,
Dem Vater und dem Sohne
Und dem, der beiden gleich
Im hohen Himmelsthrone,
Dem dreieinigen Gott,
Als der ursprünglich war
Und ist und bleiben wird
Jetzund und immerdar.

Chor, Gesamtinstrumentarium
134 Takte, D-Dur, 3/4 Takt

Ausführende:
Helen Donath, Sopran
Niklaus Tüller, Baß
Martin Wendel, Flöte
Sibylle Keller-Sanwald, Flöte
Günther Passin, Oboe
Thomas Schwarz, Oboe
Klaus Thunemann, Fagott
Hermann Herder, Fagott
Jürgen Wolf, Continuocello
Thomas Lom, Kontrabaß
Martha Schuster, Cembalo/Orgelpositiv
Frankfurter Kantorei
Bach-Collegium Stuttgart
Leitung: Helmuth Rilling

Aufnahme: Südwest-Tonstudio, Stuttgart
Aufnahmeleitung: Richard Hauck,
Friedrich Mauermann
Aufnahmeort: Gedächtniskirche Stuttgart
Aufnahmezeit: Januar/Februar 1974
Spieldauer: 14'45"

And us within his grace
Maintain for evermore,
And us from ev'ry want
Deliver here and there.

3. Chorus [Verse 3] (S, A, T, B)

Laud, honor, praise to God,
The Father and the Son now
And him alike to both
On the high throne of heaven,
To God the Three-in-One,
As he was at the first
And is and e'er shall be,
Both now and evermore.

BWV 193

Serie **X**, Nr. 98.741

Ihr Tore zu Zion
Kantate zum Ratswechsel
– Rekonstruktion von Reinhold Kubik –
für Sopran, Alt, vierstimmigen Chor,
3 Trompeten, Pauken, 2 Oboen, Oboe d'amore,
Streicher und Generalbaß

1. Coro
(Gächinger Kantorei Stuttgart)

Ihr Tore zu Zion, ihr Wohnungen Jakobs,
freuet euch!

  Gott ist unsers Herzens Freude,
  Wir sind Völker seiner Weide,
  Ewig ist sein Königreich.

Chor, Gesamtinstrumentarium
96 Takte, D-Dur, 4/4 Takt

1. Chorus (S, A, T, B)

Ye gateways to Zion, ye dwellings of Jacob,
be ye glad!

  God is now our hearts' true pleasure,
  We're the people of his pasture,
  Ever shall his kingdom be.

2. Recitativo
(Augér)

Der Hüter Israels entschläft noch schlummert
nicht;

Es ist annoch sein Angesicht
Der Schatten unsrer rechten Hand;
Und das gesamte Land
Hat sein Gewächs im Überfluß gegeben.
Wer kann dich, Herr, genug davor erheben?

Sopran, Bc.
8 Takte, h-Moll – e-Moll, 4/4 Takt

2. Recitative (S)

The guard of Israel doth sleep and slumber not;
For thus far is his countenance
The shadow over our right hand;
And therefore all the land
Hath given forth its harvest with abundance.
Who can, O Lord, enough for this exalt thee?

3. Aria
(Augér)

Gott, wir danken deiner Güte,
Denn dein väterlich Gemüte
Währet ewig für und für.
  Du vergibst das Übertreten,
  Du erhörest, wenn wir beten,
  Drum kömmt alles Fleisch zu dir.

Sopran, Oboe, Streicher, Bc.
252 Takte, e-Moll, 3/8 Takt

3. Aria (S)

God, we thank thee for thy kindness,
For thy fatherly devotion
Shall endure for evermore.
  Thou forgivest our transgressions,
  Thou attendest our petitions,
  Thus shall come all flesh to thee.

4. Recitativo
(Hamari)

O Leipziger Jerusalem, vergnüge dich an deinem
Feste!
Der Feind ist noch in deinen Mauern,
Es stehn annoch die Stühle zum Gericht,
Und die Gerechtigkeit bewohnet die Paläste.
Ach bitte, daß dein Ruhm und Licht
Also beständig möge dauern!

Alt, Bc.
10 Takte, h-Moll – G-Dur, 4/4 Takt

4. Recitative (A)

O Leipzig, New Jerusalem, content be thou
in this thy feastday!
For peace is still within thy towers,
Secure stand yet for judgment here the seats,
And in the palaces hath justice found a dwelling.
Ah, grant that thy great fame and light
Be thus steadfast and last forever!

5. Aria
(Hamari)

Sende, Herr, den Segen ein,
Laß die wachsen und erhalten,

5. Aria (A)

Send down, Lord, thy blessing here,
Let them increase and find favor

Die vor dich das Recht verwalten
Und ein Schutz der Armen sein!
Sende, Herr, den Segen ein!

Alt, Oboe d'amore, Bc.
49 Takte, G-Dur, 4/4 Takt

Who for thee now justice steward
And who guard thy humble folk!
Send down, Lord, thy blessing here!

6. Coro
(Gächinger Kantorei Stuttgart)

6. Chorus (S, A, T, B)

Ihr Tore zu Zion, ihr Wohnungen Jakobs,
freuet euch!
    Gott ist unsers Herzens Freude,
    Wir sind Völker seiner Weide,
    Ewig ist sein Königreich.

Chor, Gesamtinstrumentarium
96 Takte, D-Dur, 4/4 Takt

Ye gateways to Zion, ye dwellings of Jacob,
be glad!
    God is now our hearts' true pleasure,
    we're the people of his pasture,
    Ever shall his kingdom be.

Ausführende:
Arleen Augér, Sopran
Julia Hamari, Alt
Hannes Läubin, Trompete
Bernhard Läubin, Trompete
Wolfgang Läubin, Trompete
Norbert Schmitt, Pauken
Günther Passin, Oboe/Oboe d'amore
Diethelm Jonas, Oboe
Hedda Rothweiler, Oboe
Rainer Schottstädt, Fagott
Susanne Müller-Hornbach, Violoncello
Harro Bertz, Kontrabaß
Michael Behringer, Cembalo
Hans-Joachim Erhard, Orgelpositiv
Gächinger Kantorei Stuttgart
Bach-Collegium Stuttgart
Leitung: Helmuth Rilling

Aufnahme: Tonstudio Teije van Geest, Heidelberg
Aufnahmeleitung: Richard Hauck
Aufnahmeort: Gedächtniskirche Stuttgart
Aufnahmezeit: Juli 1983
Spieldauer: 20'45"

BWV 194

Serie IV, Nr. 98.689

Höchsterwünschtes Freudenfest
Kantate zur Kirch- und Orgelweihe in Störmthal
für Sopran, Tenor, Baß, vierstimmigen Chor,
3 Oboen, Fagott, Streicher mit Solo-Violine
und Generalbaß

I. Teil

1. Coro
(Gächinger Kantorei Stuttgart)

Höchsterwünschtes Freudenfest,
Das der Herr zu seinem Ruhme
Im erbauten Heiligtume
Uns vergnügt begehen läßt.
Höchsterwünschtes Freudenfest!

Chor, Gesamtinstrumentarium
178 Takte, B-Dur, ¢ – 3/4 – ¢ Takt

2. Recitativo
(Heldwein)

Unendlich großer Gott, ach wende dich
Zu uns, zu dem erwählten Geschlechte,
Und zum Gebete deiner Knechte!
Ach, laß vor dich
Durch ein inbrünstig Singen
Der Lippen Opfer bringen!
Wir weihen unsre Brust dir offenbar
Zum Dankaltar.
Du, den kein Haus, kein Tempel faßt,
Da du kein Ziel noch Grenzen hast,
Laß dir dies Haus gefällig sein, es sei dein
                                    Angesicht
Ein wahrer Gnadenstuhl, ein Freudenlicht.

Baß, Bc.
16 Takte, B-Dur, 4/4 Takt

3. Aria
(Heldwein)

Was des Höchsten Glanz erfüllt,
Wird in keine Nacht verhüllt,
Was des Höchsten heilges Wesen
Sich zur Wohnung auserlesen,
Wird in keine Nacht verhüllt,
Was des Höchsten Glanz erfüllt.

Baß, Oboe, Streicher, Bc.
52 Takte, B-Dur, 12/8 Takt

4. Recitativo
(Beckmann)

Wie könnte dir, du höchstes Angesicht,
Da dein unendlich helles Licht
Bis in verborgne Gründe siehet,
Ein Haus gefällig sein?
Es schleicht sich Eitelkeit allhie an allen Enden
                                    ein.
Wo deine Herrlichkeit einziehet,
Da muß die Wohnung rein
Und dieses Gastes würdig sein.

First Part

1. Chorus (S, A, T, B)

O most lovely feast of joy,
Which the Lord for his great glory
In constructed sanctuaries
Lets us gladly celebrate.
O most lovely feast of joy!

2. Recitative (B)

Unending mighty God, ah, turn thyself
To us, to thine elected, to thy people,
And to the prayers of thy servants!
Ah, let us thee
Through our most fervent singing
Our lips' oblation offer!
We dedicate our sincere hearts to thee,
Our altar's thanks.
Thou, whom no house, no temple keeps,
For thou no end or limit hast,
May thou this house thy favor give, and make
                                    thy countenance
A faithful throne of grace, a light of joy.

3. Aria (B)

What the Highest's light hath filled
Never shall in night be veiled,
What the Highest's holy nature
For his dwelling shall have chosen
Never shall in night be veiled,
What the Highest's light hath filled.

4. Recitative (S)

How could from thee, thou highest countenance,
When thine unending brilliant light
Into the dark foundations seeth,
A house thy favor find?
For creeping vanity doth here from ev'ry side
                                    come in.
Where'er thy majesty doth enter,
There must the house be pure
And of this guest be worthy found.

Hier wirkt nichts Menschenkraft,
Drum laß dein Auge offenstehen
Und gnädig auf uns gehen;
So legen wir in heilger Freude dir
Die Farren und die Opfer unsrer Lieder
Vor deinem Throne nieder
Und tragen dir den Wunsch in Andacht für.

Sopran, Bc.
20 Takte, g-Moll – Es-Dur, 4/4 Takt

Here human skill is vain,
So let thine eye stand ever open
And fall with grace upon us;
And we will then with holy joy to thee
Our bullocks and our sacrifice of singing,
Before thy throne be laying
And lift to thee our hopes devotedly.

5. Aria
(Beckmann)

Hilf, Gott, daß es uns gelingt,
Und dein Feuer in uns dringt,
Daß es auch in dieser Stunde
Wie in Esaiae Munde
Seiner Wirkung Kraft erhält
Und uns heilig vor dich stellt.

Sopran, Violine, Streicher, Bc.
192 Takte, Es-Dur, ₵ Takt

5. Aria (S)

Help, God, that we this achieve,
And thy fire into us come,
That it also at this moment,
As in Isaiah's mouth then,
Its effective pow'r receive
And us hallowed to thee bring.

6. Choral
(Gächinger Kantorei Stuttgart)

Heilger Geist ins Himmels Throne,
Gleicher Gott von Ewigkeit
Mit dem Vater und dem Sohne,
Der Betrübten Trost und Freud!
Allen Glauben, den ich find,
Hast du in mir angezündt,
Über mir in Gnaden walte,
Ferner deine Gnad erhalte.

Deine Hilfe zu mir sende,
O du edler Herzensgast!
Und das gute Werk vollende,
Das du angefangen hast.
Blas in mir das Fünklein auf,
Bis daß nach vollbrachtem Lauf
Ich den Auserwählten gleiche
Und des Glaubens Ziel erreiche.

Chor, Gesamtinstrumentarium
34 Takte, B-Dur, 4/4 Takt

6. Chorale (S, A, T, B)

Holy Ghost enthroned in heaven,
Equal God eternally
With the Father and the Son both,
Of the troubled hope and joy!
All the faith which I possess
Hast thou in me set aflame;
Over me with mercy govern,
Never let thy mercy falter.

Send thy help now down upon me,
O thou noble bosom guest!
And the good work bring completion
Where thou its beginning hast.
Blow in me the spark alive
Till, when once my course is run,
I the chosen may resemble
And the goal of faith accomplish.

II. Teil

7. Recitativo
(Kraus)

Ihr Heiligen, erfreuet euch,
Eilt, eilet, euren Gott zu loben:
Das Herze sei erhoben
Zu Gottes Ehrenreich,
Von dannen er auf dich,

Second Part

7. Recitative (T)

Ye holy ones, be joyful now,
Haste, hasten, this your God to honor:
Your hearts be now exalted
To God's own glorious realm,
From where he now o'er thee,

Du heilge Wohnung, siehet
Und ein gereinigt Herz zu sich
Von dieser eitlen Erde ziehet.
Ein Stand, so billig selig heißt,
Man schaut hier Vater, Sohn und Geist.
Wohlan, ihr gotterfüllte Seelen!
Ihr werdet nun das beste Teil erwählen;
Die Welt kann euch kein Labsal geben,
Ihr könnt in Gott allein vergnügt und selig leben.

Tenor, Bc.
19 Takte, F-Dur – c-Moll, 4/4 Takt

8. Aria
(Kraus)

Des Höchsten Gegenwart allein
Kann unsrer Freuden Ursprung sein.
  Vergehe, Welt, mit deiner Pracht,
  In Gott ist, was uns glücklich macht!

Tenor, Bc.
89 Takte, g-Moll, 4/4 Takt

9. Recitativo (Duetto)
(Beckmann, Heldwein)

Baß
Kann wohl ein Mensch zu Gott im Himmel
      steigen?
Sopran
Der Glaube kann den Schöpfer zu ihm neigen.
Baß
Er ist oft ein zu schwaches Band.
Sopran
Gott führet selbst und stärkt des Glaubens Hand,
Den Fürsatz zu erreichen.
Baß
Wie aber, wenn des Fleisches Schwachheit
      wollte weichen?
Sopran
Des Höchsten Kraft wird mächtig in den
      Schwachen.
Baß
Die Welt wird sie verlachen.
Sopran
Wer Gottes Huld besitzt, verachtet solchen Spott.
Baß
Was wird ihr außer diesen fehlen!
Sopran
Ihr einzger Wunsch, ihr alles ist in Gott.
Baß
Gott ist unsichtbar und entfernet:
Sopran
Wohl uns, daß unser Glaube lernet,
Im Geiste seinen Gott zu schauen.
Baß
Ihr Leib hält sie gefangen.
Sopran
Des Höchsten Huld befördert ihr Verlangen,
Denn er erbaut den Ort, da man ihn herrlich
      schaut.

Thou holy dwelling, watcheth
And to himself the heart made pure
From this earth's vanity he draweth.
A rank which truly blest is named
Beholds here Father, Son, and Ghost.
Come forth, ye souls which God inspireth!
Ye will now choose the finest portion;
The world can give you no refreshment,
Ye can in God alone live blest and in
      contentment.

8. Aria (T)

The Highest's presence here alone
Can of our joy the fountain be.
  Now vanish, world and all thy pomp,
  In God is our contentment found!

9. Recitative (S, B)

(B)
In truth can man to God ascend in heaven?
(S)
One's faith can the creator's ear draw to him.
(B)
It often is too weak a bond.
(S)
God leads himself and firms the hand of faith,
Its purpose to accomplish.
(B)
But how, then, when the flesh's weakness would
      lose courage?
(S)
The Highest's pow'r proves mighty in the feeble.
(B)
The world will surely scorn them.
(S)
Who doth God's grace possess despiseth all such
      scorn.
(B)
Besides this what could they be lacking!
(S)
Their only wish, their all is found in God.
(B)
God is invisible and distant:
(S)
'Tis good that this our faith doth teach us
To see one's God within the spirit.
(B)
Their flesh doth hold them captive.
(S)
The Highest's grace increaseth all their longing,
For he doth build the place where they his glory
      see.

beide
Da er den Glauben nun belohnt
Und bei uns wohnt,
Bei uns als seinen Kindern,
So kann die Welt und Sterblichkeit die Freude
                                nicht vermindern.

(Both)
Because he faith doth now reward
And with us dwell,
With us his very children,
Thus shall the world and mortal state our
                                gladness not diminish.

Sopran, Baß, Bc.
31 Takte, B-Dur – F-Dur, 4/4 Takt

10. Aria (Duetto)
(Beckmann, Heldwein)

O wie wohl ist uns geschehn,
Daß sich Gott ein Haus ersehn!
  Schmeckt und sehet doch zugleich,
  Gott sei freundlich gegen euch.
  Schüttet eure Herzen aus
  Hier vor Gottes Thron und Haus!

10. Aria (S, B)

Oh, how good for us it is
That now God a house hath chos'n!
  Taste and witness now as well,
  God is gracious unto you.
  Pour out all your hearts to him,
  Here before God's throne and house!

Sopran, Baß, 2 Oboen, Bc.
344 Takte, F-Dur, 3/4 Takt

11. Recitativo
(Heldwein)

Wohlan demnach, du heilige Gemeine,
Bereite dich zur heilgen Lust!
Gott wohnt nicht nur in einer jeden Brust,
Er baut sich hier ein Haus.
Wohlan, so rüstet euch mit Geist und Gaben aus,
Daß ihm sowohl dein Herz als auch dies Haus
                                gefalle!
Baß, Bc.
11 Takte, B-Dur, 4/4 Takt

11. Recitative (B)

And so come forth, thou holy congregation,
Prepare thyself for holy joy!
God dwells not only in each human breast,
He buildeth here his house.
Come forth and arm yourselves with spirit
                                and with gifts,
That he in both thine heart and in this house
                                take pleasure!

12. Choral
(Gächinger Kantorei Stuttgart)

Sprich Ja zu meinen Taten,
Hilf selbst das Beste raten;
Den Anfang, Mittl und Ende,
Ach, Herr, zum besten wende!

Mit Segen mich beschütte,
Mein Herz sei deine Hütte,
Dein Wort sei meine Speise,
Bis ich gen Himmel reise!

12. Chorale (S, A, T, B)

Say "yes" to my endeavors,
And help me best to counsel;
To outset, midst and finish,
Ah Lord, dispense thy favor!

Thy blessing pour upon me,
My heart be now thy shelter,
Thy word be now my portion,
Till I to heaven journey!

Chor, Gesamtinstrumentarium
32 Takte, B-Dur, 3/4 Takt

Ausführende:
Judith Beckmann, Sopran
Adalbert Kraus, Tenor
Walter Heldwein, Baß

Hansjörg Schellenberger, Oboe
Hedda Rothweiler, Oboe
Dietmar Keller, Oboe
Günther Pfitzenmaier, Fagott
Albert Boesen, Violine
Jürgen Wolf, Continuocello
Harro Bertz, Kontrabaß
Martha Schuster, Cembalo
Montserrat Torrent, Orgelpositiv
Gächinger Kantorei Stuttgart
Bach-Collegium Stuttgart
Leitung: Helmuth Rilling

Aufnahme: Südwest-Tonstudio, Stuttgart
Aufnahmeleitung: Richard Hauck
Toningenieur: Henno Quasthoff
Aufnahmeort: Gedächtniskirche Stuttgart
Aufnahmezeit: September 1976/Januar 1977
Spieldauer: 47'05"

BWV 195

Serie **X**, Nr. 98.749

Dem Gerechten muß das Licht immer wieder aufgehen
Kantate zu einer Trauung
für Sopran, Alt, Tenor, Baß, vierstimmigen Chor,
2 Hörner, 3 Trompeten, Pauken, 2 Flöten,
2 Oboen, 2 Oboi d'amore, Streicher und Generalbaß

I. Teil

1. Coro
(Inoue-Heller, Graf, Pfaff, Schmidt,
Gächinger Kantorei Stuttgart)

Dem Gerechten muß das Licht immer wieder aufgehen und Freude den frommen Herzen.
Ihr Gerechten, freuet euch des Herrn und danket ihm und preiset seine Heiligkeit.

Sopran, Alt, Tenor, Baß, Chor, 3 Trompeten,
Pauken, 2 Flöten, 2 Oboen, Streicher, Bc.
120 Takte, D-Dur, 4/4 – 6/8 Takt

2. Recitativo
(Schmidt)

Dem Freudenlicht gerechter Frommen
Muß stets ein neuer Zuwachs kommen,
Der Wohl und Glück bei ihnen mehrt.
Auch diesem neuen Paar,
An dem man so Gerechtigkeit
Als Tugend ehrt,
Ist heut ein Freudenlicht bereit,
Das stellet neues Wohlsein dar.

First Part

1. Chorus [Dictum] (S, A, T, B)

For the righteous must the light ever new be arising,
and gladness for upright spirits.
O ye righteous, glad be in the Lord, and thanks give him and praise him for his holiness.

2. Recitative (B)

This joyous light's upright admirers
Must ever constant increase follow,
Which their good fortune shall make grow.
And for these newly weds,
In whom we so much righteousness
And virtue praise,
Today a joyous light doth wait,
Which offers them new blessing still.

457

O! ein erwünscht Verbinden!
So können zwei ihr Glück eins an dem andern
finden.

Baß, Bc.
15 Takte, h-Moll – G-Dur, 4/4 Takt

Oh, what a happy union!
Thus shall this pair good luck, each in the other
find now.

3. Aria
(Schmidt)

Rühmet Gottes Güt und Treu,
Rühmet ihn mit reger Freude,
Preiset Gott, Verlobten beide!
  Denn eu'r heutiges Verbinden
  Läßt euch lauter Segen finden,
  Licht und Freude werden neu.

Baß, 2 Flöten, 2 Oboi d'amore, Streicher, Bc.
155 Takte, G-Dur, 2/4 Takt

3. Aria (B)

Praise ye God's good will and trust,
Praise ye him with lively gladness,
Praise ye God, soon-wedded couple!
  For your present marriage union
  Lets you nought but bliss discover,
  Light and gladness ever new.

4. Recitativo
(Inoue-Heller)

Wohlan, so knüpfet denn ein Band,
Das so viel Wohlsein prophezeihet.
Des Priesters Hand
Wird jetzt den Segen
Auf euren Ehestand,
Auf eure Scheitel legen.
Und wenn des Segens Kraft hinfort an euch
gedeihet,
So rühmt des Höchsten Vaterhand.
Er knüpfte selbst eu'r Liebesband
Und ließ das, was er angefangen,
Auch ein erwünschtes End erlangen.

Sopran, 2 Flöten, 2 Oboi d'amore, Bc.
14 Takte, e-Moll – D-Dur, 4/4 Takt

4. Recitative (S)

Rejoice, for joined is here a bond
Which so much blessing prophesieth.
The priest's own hand
Will now his blessing
Upon your married state,
Upon your heads be laying.
And when this blessing's pow'r henceforth in
you hath flourished,
Then praise your God's paternal hand.
He joined himself your bond of love
And granted that his new beginning
As well a happy end accomplish.

5. Coro
(Inoue-Heller, Graf, Pfaff, Schmidt,
Gächinger Kantorei Stuttgart)

Wir kommen, deine Heiligkeit,
Unendlich großer Gott, zu preisen.
  Der Anfang rührt von deinen Händen,
  Durch Allmacht kannst du es vollenden
  Und deinen Segen kräftig weisen.

Sopran, Alt, Tenor, Baß, Chor, 3 Trompeten,
Pauken, 2 Flöten, 2 Oboen, Streicher, Bc.
233 Takte, D-Dur, 3/4 Takt

5. Chorus (S, A, T, B)

We come here, thy great holiness,
O God of endless might, to honor.
  What thine own hands are here beginning
  Thy mighty pow'r can bring fulfilment
  And to thy blessing clearly witness.

II. Teil

6. Choral
(Gächinger Kantorei Stuttgart)

Nun danket all und bringet Ehr,
Ihr Menschen in der Welt,
Dem, dessen Lob der Engel Heer
Im Himmel stets vermeldt.

Chor, 2 Hörner, Pauken, 2 Flöten, 2 Oboen,
Streicher, Bc.
10 Takte, G-Dur, 4/4 Takt

Ausführende:
Shihomi Inoue-Heller, Sopran
Elisabeth Graf, Alt
Oly Pfaff, Tenor
Andreas Schmidt, Baß
Johannes Ritzkowsky, Horn
Bruno Schneider, Horn
Bernhard Schmid, Trompete
Josef Hausberger, Trompete
Roland Gurkhardt, Trompete
Peter Wirweitzki, Pauken
Sibylle Keller-Sanwald, Flöte
Peter Schlenker, Flöte
Wiltrud Böckheler, Flöte
Günther Passin, Oboe/Oboe d'amore
Hedda Rothweiler, Oboe/Oboe d'amore
Kurt Etzold, Fagott
Georg Egger, Konzertmeister
Stefan Trauer, Violoncello
Claus Zimmermann, Kontrabaß
Hans-Joachim Erhard, Cembalo/Orgelpositiv
Gächinger Kantorei Stuttgart
Württembergisches Kammerorchester Heilbronn
Leitung: Helmuth Rilling

Aufnahme: Tonstudio Teije van Geest, Heidelberg
Aufnahmeleitung: Richard Hauck
Aufnahmeort: Gedächtniskirche Stuttgart
Aufnahmezeit: Februar 1984
Spieldauer: 19'25"

Second Part

6. Chorale (S, A, T, B)

Now thank ye all and bring your praise,
Ye mortals in the world,
To him whose praise the angel hosts
In heaven always tell.

BWV 196

Der Herr denket an uns
Kantate zu einer Trauung
für Sopran, Tenor, Baß, vierstimmigen Chor,
Streicher mit Solo-Violine und Generalbaß

Serie **III**, Nr. 98.677

1. Sinfonia
(Bach-Collegium Stuttgart)

Streicher, Bc.
21 Takte, C-Dur, 4/4 Takt

2. Coro
(Gächinger Kantorei Stuttgart)

Der Herr denket an uns und segnet uns. Er segnet das Haus Israel, er segnet das Haus Aaron.

Chor, Streicher, Bc.
42 Takte, C-Dur, 4/4 Takt

3. Aria
(Soffel)

Er segnet, die den Herrn fürchten, beide, Kleine und Große.

Sopran, Violine, Bc.
31 Takte, a-Moll, 4/4 Takt

4. Aria (Duetto)
(Baldin, Tüller)

Der Herr segne euch je mehr und mehr, euch und eure Kinder.

Tenor, Baß, Streicher, Bc.
72 Takte, C-Dur, 3/2 Takt

5. Coro
(Gächinger Kantorei Stuttgart)

Ihr seid die Gesegneten des Herrn, der Himmel und Erde gemacht hat. Amen.

Chor, Streicher, Bc.
59 Takte, F-Dur – C-Dur, 4/4 Takt

Ausführende:
Doris Soffel, Sopran
Aldo Baldin, Tenor
Niklaus Tüller, Baß
Albert Boesen, Violine
Jürgen Wolf, Continuocello
Manfred Gräser, Kontrabaß
Martha Schuster, Cembalo
Joachim Eichhorn, Orgelpositiv
Gächinger Kantorei Stuttgart
Bach-Collegium Stuttgart
Leitung: Helmuth Rilling

1. Sinfonia

2. Chorus [Dictum] (S, A, T, B)

The Lord careth for us and blesseth us. He blesseth the house Israel, he blesseth the house Aaron.

3. Aria [Dictum] (S)

He blesseth those the Lord fearing, both the humble and mighty.

4. Aria [Dictum] (T, B)

The Lord bless you all now more and more, you and all your children.

5. Chorus [Dictum] (S, A, T, B)

Ye are the anointed ones of God, who heaven and earth hath created. Amen.

Aufnahme: Südwest-Tonstudio, Stuttgart
Aufnahmeleitung: Richard Hauck, Heinz Jansen
Toningenieur: Henno Quasthoff
Aufnahmeort: Gedächtniskirche Stuttgart
Aufnahmezeit: Januar 1975
Spieldauer: 12'40"

BWV 197

Serie **X**, Nr. 98.749

Gott ist unsre Zuversicht
Kantate zu einer Trauung
für Sopran, Alt, Baß, vierstimmigen Chor,
3 Trompeten, Pauken, 2 Oboen, 2 Oboi d'amore, Fagott,
Streicher mit 2 Solo-Violinen und Generalbaß

I. Teil

1. Coro
(Gächinger Kantorei Stuttgart)

Gott ist unsre Zuversicht,
Wir vertrauen seinen Händen.
  Wie er unsre Wege führt,
  Wie er unser Herz regiert,
  Da ist Segen allerenden.

Chor, 3 Trompeten, Pauken, 2 Oboen,
Streicher, Bc.
251 Takte, D-Dur, ¢ Takt

2. Recitativo
(Huttenlocher)

Gott ist und bleibt der beste Sorger,
Er hält am besten haus.
Er führet unser Tun zuweilen wunderlich,
Jedennoch fröhlich aus,
Wohin der Vorsatz nicht gedacht.
Was die Vernunft unmöglich macht,
Das füget sich.
Er hat das Glück der Kinder, die ihn lieben,
Von Jugend an in seine Hand geschrieben.

Baß, Bc.
16 Takte, A-Dur, 4/4 Takt

3. Aria
(Georg)

Schläfert allen Sorgenkummer
In den Schlummer
Kindlichen Vertrauens ein.

First Part

1. Chorus (S, A, T, B)

God is our true confidence,
We rely upon his hands now.
  When he doth our pathways lead,
  When he doth our heart command,
  There is blessing never ceasing.

2. Recitative (B)

God is and bides the best provider,
He orders best the house.
He guideth all our deeds, sometimes with
                wonders rare,
Each to a happy end,
To where our purpose had not thought.
What reason thinks impossible,
That comes to pass.
He hath his children's fortune, those who
                love him,
From infancy upon his hand long written.

3. Aria (A)

Lull to sleep all care and sorrow,
To the slumber
Which a child's deep trust doth bring.

461

Gottes Augen, welche wachen
Und die unser Leitstern sein,
Werden alles selber machen.

Alt, Oboe d'amore, Streicher, Bc.
154 Takte, A-Dur, 3/4 – 4/4 – 3/4 Takt

God's own eyes, forever waking,
Serving as our guiding star,
Will then all, themselves, provide us.

4. Recitativo
(Huttenlocher)

Drum folget Gott und seinem Triebe.
Das ist die rechte Bahn.
Die führet durch Gefahr
Auch endlich in das Kanaan
Und durch von ihm geprüfte Liebe
Auch an sein heiliges Altar
Und bindet Herz und Herz zusammen,
Herr! sei du selbst mit diesen Flammen!

Baß, Streicher, Bc.
10 Takte, fis-Moll – A-Dur, 4/4 Takt

4. Recitative (B)

So follow God and his persuasion.
That is the proper course.
It leads through danger's path
E'en finally to Canaan
And through the love which he hath tested
E'en to his holy altar, too,
And bindeth heart and heart together;
Lord, be thyself in these flames present!

5. Choral
(Gächinger Kantorei Stuttgart)

Du süße Lieb, schenk uns deine Gunst,
Laß uns empfinden der Liebe Brunst,
Daß wir uns von Herzen einander lieben
Und in Fried auf einem Sinne bleiben.
Kyrie eleis!

Chor, 2 Oboi d'amore, Streicher, Bc.
14 Takte, A-Dur, 4/4 Takt

5. Chorale (S, A, T, B)

Thou love so sweet, give us now thy grace,
Let us feel deeply the fire of love,
So that we sincerely may love each other
And in peace be of one mind forever.
Kyrie eleis!

II. Teil

Second Part

6. Aria
(Huttenlocher)

O du angenehmes Paar,
Dir wird eitel Heil begegnen,
Gott wird dich aus Zion segnen
Und dich leiten immerdar,
O du angenehmes Paar!

Baß, Oboe, Fagott, 2 Violinen, Bc.
71 Takte, G-Dur, 4/4 Takt

6. Aria (B)

O thou charming bridal pair,
Thee shalt only health encounter,
For God shall from Zion bless thee
And shall guide thee evermore,
O thou charming bridal pair!

7. Recitativo
(Cuccaro)

So wie es Gott mit dir
Getreu und väterlich von Kindesbeinen an
                                    gemeint,
So will er für und für
Dein allerbester Freund
Bis an das Ende bleiben.
Und also kannst du sicher gläuben,

7. Recitative (S)

Just as God hath towards thee
With faith and father's love from thy first steps
                                    intended well,
So would he evermore
Thy first and truest friend
Until the end continue.
And therefore canst thou trust securely,

Er wird dir nie
Bei deiner Hände Schweiß und Müh
Kein Gutes lassen fehlen.
Wohl dir, dein Glück ist nicht zu zählen.

Sopran, Bc.
25 Takte, C-Dur, 4/4 Takt

He shall thee ne'er
Amidst thy hands' great sweat and toil
Let no good thing be lacking.
Rejoice, thy joys cannot be numbered.

8. Aria
(Cuccaro)

8. Aria (S)

Vergnügen und Lust,
Gedeihen und Heil
Wird wachsen und stärken und laben.
  Das Auge, die Brust
  Wird ewig sein Teil
  An süßer Zufriedenheit haben.

Sopran, Violine, 2 Oboi d'amore, Bc.
78 Takte, G-Dur, 6/8 Takt

Amusement and mirth,
Success and good health
Shall increase and strengthen and comfort.
  The vision, the breast
  Shall ever its share
  Of sweet satisfaction be given.

9. Recitativo
(Huttenlocher)

9. Recitative (B)

Und dieser frohe Lebenslauf
Wird bis in späte Jahre währen.
Denn Gottes Güte hat kein Ziel,
Die schenkt dir viel,
Ja mehr, als selbst das Herze kann begehren.
Verlasse dich gewiß darauf.

Baß, 2 Oboen, Streicher, Bc.
10 Takte, D-Dur – fis-Moll, 4/4 Takt

And this thy happy course of life
Shall till thy latter years continue.
For God's great kindness hath no end;
It gives thee much,
Yea, more than e'en the heart itself could
                       hope for.
Thou ought on this now rest assured.

10. Choral
(Gächinger Kantorei Stuttgart)

10. Chorale (S, A, T, B)

So wandelt froh auf Gottes Wegen,
Und was ihr tut, das tut getreu!
Verdienet eures Gottes Segen,
Denn der ist alle Morgen neu:
Denn welcher seine Zuversicht
Auf Gott setzt, den verläßt er nicht.

Chor, 2 Oboi d'amore, Streicher, Bc.
14 Takte, h-Moll, 4/4 Takt

So journey glad on God's true pathways,
And what ye do, that do in faith!
Now earn ye well your God's great blessing,
For it is ev'ry morning new:
For he who doth his confidence
In God place, him he'll not forsake.

Ausführende:
Costanza Cuccaro, Sopran
Mechthild Georg, Alt
Philippe Huttenlocher, Baß
Hannes Läubin, Trompete
Wolfgang Läubin, Trompete
Hans Läubin, Trompete
Norbert Schmitt, Pauken
Günther Passin, Oboe/Oboe d'amore
Hedda Rothweiler, Oboe/Oboe d'amore

Christoph Carl, Fagott
Klaus Thunemann, Fagott
Georg Egger, Violine
Radboud Oomens, Violine
Stefan Trauer, Violoncello
Claus Zimmermann, Kontrabaß
Hans-Joachim Erhard, Cembalo
Martha Schuster, Orgel
Gächinger Kantorei Stuttgart
Württembergisches Kammerorchester Heilbronn
Leitung: Helmuth Rilling

Aufnahme: Tonstudio Teije van Geest, Heidelberg
Aufnahmeleitung: Richard Hauck
Aufnahmeort: Gedächtniskirche Stuttgart
Aufnahmezeit: Februar 1984
Spieldauer: 26'35"

BWV 198

Serie IX, Nr. 98.740

Laß, Fürstin, laß noch einen Strahl
Trauerode
(Text: J. Chr. Gottsched)
für Sopran, Alt, Tenor, Baß, vierstimmigen Chor,
2 Flöten, 2 Oboi d'amore, 2 Viole da gamba,
Streicher mit 2 Solo-Violinen, Laute
und Generalbaß

I. Teil

1. Coro
(Gächinger Kantorei Stuttgart)

Laß, Fürstin, laß noch einen Strahl
Aus Salems Sterngewölben schießen.
Und sieh, mit wieviel Tränengüssen
Umringen wir dein Ehrenmal.

Chor, Gesamtinstrumentarium
69 Takte, h-Moll, 4/4 Takt

2. Recitativo
(Augér)

Dein Sachsen, dein bestürztes Meißen
Erstarrt bei deiner Königsgruft;
Das Auge tränt, die Zunge ruft:
Mein Schmerz kann unbeschreiblich heißen!
Hier klagt August und Prinz und Land,
Der Adel ächzt, der Bürger trauert,
Wie hat dich nicht das Volk bedauert,
Sobald es deinen Fall empfand!

Sopran, Streicher, Bc.
14 Takte, fis-Moll, 4/4 Takt

First Part

1. Chorus (S, A, T, B)

Let, Princess, let still one more glance
Shoot forth from Salem's starry heavens.
And see how many tearful off'rings
We pour around thy monument.

2. Recitative (S)

Thy Saxons, like thy saddened Meissen,
Stand numb beside thy royal tomb;
The eye doth weep, the tongue cries out:
My pain must be without description!
Here mourn August and Prince and land,
The nobles moan, the commons sorrow,
How much for thee thy folk lamented
As soon as it thy fall perceived!

3. Aria
(Augér)

Verstummt, verstummt, ihr holden Saiten!
  Kein Ton vermag der Länder Not
  Bei ihrer teuren Mutter Tod,
  O Schmerzenswort! recht anzudeuten.

Sopran, Streicher, Bc.
55 Takte, h-Moll, 4/4 Takt

3. Aria (S)

Be still, be still, ye lovely lyres!
  No sound could to the nations' woe
  At their dear cherished mother's death,
  O painful word!, give meet expression.

4. Recitativo
(Schreckenbach)

Der Glocken bebendes Getön
Soll unsrer trüben Seelen Schrecken
Durch ihr geschwungnes Erze wecken
Und uns durch Mark und Adern gehn.
O, könnte nur dies bange Klingen,
Davon das Ohr uns täglich gellt,
Der ganzen Europäerwelt
Ein Zeugnis unsres Jammers bringen!

Alt, Gesamtinstrumentarium
11 Takte, G-Dur – fis-Moll, 4/4 Takt

4. Recitative (A)

The tolling of the trembling bells
Shall our lamenting souls' great terror
Through their rebounding bronze awaken
And pierce us to the very core.
Oh, would that now this anxious peeling,
Which on our ears each day doth shrill,
To all the European world
A witness of our grief might render!

5. Aria
(Schreckenbach)

Wie starb die Heldin so vergnügt!
  Wie mutig hat ihr Geist gerungen,
  Da sie des Todes Arm bezwungen,
  Noch eh er ihre Brust besiegt.

Alt, 2 Viole da gamba, Laute, Bc.
80 Takte, D-Dur, 12/8 Takt

5. Aria (A)

How died our Lady so content!
  How valiantly her spirit struggled,
  For her the arm of death did vanquish
  Before it did her breast subdue.

6. Recitativo
(Baldin)

Ihr Leben ließ die Kunst zu sterben
In unverrückter Übung sehn;
Unmöglich konnt es denn geschehn,
Sich vor dem Tode zu entfärben.
Ach selig! wessen großer Geist
Sich über die Natur erhebet,
Vor Gruft und Särgen nicht erbebet,
Wenn ihn sein Schöpfer scheiden heißt.

Tenor, 2 Oboi d'amore, Bc.
11 Takte, G-Dur – fis-Moll, 4/4 Takt

6. Recitative (T)

Her living let the art of dying
With ever steadfast skill be seen;
It would have been impossible
Before her death that she grow pallid.
Ah, blessèd he whose noble soul
Doth raise itself above our nature,
At crypt and coffin doth not tremble,
When him his maker calls to part.

7. Coro
(Gächinger Kantorei Stuttgart)

An dir, du Fürbild großer Frauen,
An dir, erhabne Königin,

7. Chorus (S, A, T, B)

In thee, thou model of great women,
In thee, illustrious royal queen,

465

An dir, du Glaubenspflegerin,
War dieser Großmut Bild zu schauen.

Chor, Gesamtinstrumentarium
73 Takte, h-Moll, 2/2 Takt

II. Teil

8. Aria
(Baldin)

Der Ewigkeit saphirnes Haus
Zieht, Fürstin, deine heitern Blicke
Von unsrer Niedrigkeit zurücke
Und tilgt der Erden Dreckbild aus.
Ein starker Glanz von hundert Sonnen,
Der unsern Tag zur Mitternacht
Und unsre Sonne finster macht,
Hat dein verklärtes Haupt umsponnen.

Tenor, Flöte, Oboe d'amore, 2 Violinen,
Viola da gamba, Laute, Bc.
95 Takte, e-Moll, 3/4 Takt

9. Recitativo, Arioso e Recitativo
(Huttenlocher)

Was Wunder ist's? Du bist es wert,
Du Fürbild aller Königinnen!
Du mußtest allen Schmuck gewinnen,
Der deine Scheitel itzt verklärt.
Nun trägst du vor des Lammes Throne
Anstatt des Purpurs Eitelkeit
Ein perlenreines Unschuldskleid
Und spottest der verlaßnen Krone.

Soweit der volle Weichselstrand,
Der Niester und die Warthe fließet,
Soweit sich Elb' und Muld' ergießet,
Erhebt dich / beides / Stadt und Land.

Dein Torgau geht im Trauerkleide,
Dein Pretzsch wird kraftlos, starr und matt;
Denn da es dich verloren hat,
Verliert es seiner Augen Weide.

Baß, 2 Flöten, 2 Oboi d'amore, Bc.
37 Takte, G-Dur – h-Moll, 4/4 – 3/4 – 4/4 Takt

10. Coro
(Gächinger Kantorei Stuttgart)

Doch, Königin! du stirbest nicht,
Man weiß, was man an dir besessen;
Die Nachwelt wird dich nicht vergessen,
Bis dieser Weltbau einst zerbricht.
Ihr Dichter, schreibt! wir wollen's lesen:
Sie ist der Tugend Eigentum,

In thee, thou keeper of the faith,
The form of kindness was to witness.

Second Part

8. Aria (T)

Eternity's sapphiric house,
O Princess, these thy cheerful glances
From our own low estate now draweth
And blots out earth's corrupted form.
A brilliant light a hundred suns make,
Which doth our day to mid of night
And doth our sun to darkness turn,
Hath thy transfigured head surrounded.

9. Recitative – Arioso – Recitative (B)

What wonder this? This thou hast earned,
Thou model of all queens forever!
For thou wast meant to win the glory
Which hath transfigured now thy head.
Before the lamb's own throne thou wearest
Instead of purple's vanity
A pearl-white robe of purity
And scornest now the crown forsaken.

As far the brimming Vistula,
The Dniester and the Warth are flowing,
As far the Elb' and Muld' are streaming,
Extol thee / both the / town and land.

Thy Torgau walketh now in mourning,
Thy Pretzsch is weary, pale and weak;
For with the loss it hath in thee,
It loseth all its vision's rapture.

10. Chorus (S, A, T, B)

No, royal queen! Thou shalt not die;
We see in thee our great possession;
Posterity shall not forget thee,
Till all this universe shall fall.
Ye poets, write! For we would read it:
She hath been virtue's property,

Der Untertanen Lust und Ruhm,
Der Königinnen Preis gewesen.

Her loyal subjects joy and fame
Of royal queens the crown and glory.

Chor, Gesamtinstrumentarium
78 Takte, h-Moll, 12/8 Takt

Ausführende:
Arleen Augér, Sopran
Gabriele Schreckenbach, Alt
Aldo Baldin, Tenor
Philippe Huttenlocher, Baß
Sibylle Keller-Sanwald, Flöte
Wiltrud Böckheler, Flöte
Günther Passin, Oboe d'amore
Hedda Rothweiler, Oboe d'amore
Günther Pfitzenmaier, Fagott
Georg Egger, Violine
Radboud Oomens, Violine
Siegfried Pank, Viola da gamba
Ulrich Walter, Viola da gamba
Stefan Trauer, Violoncello
Claus Zimmermann, Kontrabaß
Konrad Junghaenel, Laute
Hans-Joachim Erhard, Orgelpositiv
Gächinger Kantorei Stuttgart
Württembergisches Kammerorchester Heilbronn
Leitung: Helmuth Rilling

Aufnahme: Tonstudio Teije van Geest, Heidelberg
Aufnahmeleitung: Richard Hauck
Aufnahmeort: Gedächtniskirche Stuttgart
Aufnahmezeit: September 1983
Spieldauer: 35'20"

BWV 199

Serie IV, Nr. 98.681

Mein Herze schwimmt im Blut
Kantate zum 11. Sonntag nach Trinitatis
(Text: G. Chr. Lehms)
für Sopran, Oboe, Fagott,
Streicher mit Solo-Viola und Generalbaß

1. Recitativo
(Augér)

Mein Herze schwimmt im Blut,
Weil mich der Sünden Brut
In Gottes heilgen Augen
Zum Ungeheuer macht.
Und mein Gewissen fühlet Pein,
Weil mir die Sünden nichts
Als Höllenhenker sein.
Verhaßte Lasternacht!
Du, du allein
Hast mich in solche Not gebracht;

1. Recitative (S)

My heart is bathed in blood,
For now my sins' great brood
Within God's holy vision
A monster makes of me.
And now my conscience feels the pain:
For me my sins can nought
But hell's own hangmen be.
O hated night of sin!
Thou, thou alone
Hast brought me into such distress;

467

Und du, du böser Adamssamen,
Raubst meiner Seele alle Ruh
Und schließest ihr den Himmel zu!
Ach! unerhörter Schmerz!
Mein ausgedorrtes Herz
Will ferner mehr kein Trost befeuchten,
Und ich muß mich vor dem verstecken,
Vor dem die Engel selbst ihr Angesicht
                                    verdecken.

And thou, thou wicked seed of Adam,
Dost rob my soul of all its peace
And shuts to it the heavn'ly gate!
Ah! What unheard-of pain!
My dried and wasted heart
Will after this no comfort moisten,
And I must hide myself before him
Before whom very angels must conceal their
                                    faces.

Sopran, Streicher, Bc.
22 Takte, c-Moll, 4/4 Takt

2. Aria
(Augér)

2. Aria (S)

Stumme Seufzer, stille Klagen,
Ihr mögt meine Schmerzen sagen,
Weil der Mund geschlossen ist.
   Und ihr nassen Tränenquellen
   Könnt ein sichres Zeugnis stellen,
   Wie mein sündlich Herz gebüßt.

Mein Herz ist itzt ein Tränenbrunn,
Die Augen heiße Quellen.
Ach Gott! wer wird dich doch zufriedenstellen?

Silent sighing, quiet mourning,
Ye may all my pains be telling,
For my mouth is tightly closed.
   And ye humid springs of weeping
   Could a certain witness offer
   To my sinful heart's remorse.

My heart is now a well of tears,
My eyes are heated sources.
Ah God! Who will give thee then satisfaction?

Sopran, Oboe, Bc.
73 Takte, c-Moll, 4/4 Takt

3. Recitativo
(Augér)

3. Recitative (S)

Doch Gott muß mir genädig sein,
Weil ich das Haupt mit Asche,
Das Angesicht mit Tränen wasche,
Mein Herz in Reu und Leid zerschlage
Und voller Wehmut sage:
Gott sei mir Sünder gnädig!
Ach ja! sein Herze bricht,
Und meine Seele spricht:

But God to me shall gracious be,
For I my head with ashes,
My countenance with tears am bathing,
My heart in grief and pain am beating
And filled with sadness say now:
God be this sinner gracious!
Ah yes! His heart shall break
And my own soul shall say:

Sopran, Streicher, Bc.
12 Takte, B-Dur, 4/4 Takt

4. Aria
(Augér)

4. Aria (S)

Tief gebückt und voller Reue
Lieg ich, liebster Gott, vor dir.
   Ich bekenne meine Schuld,
   Aber habe doch Geduld,
   Habe doch Geduld mit mir!

Deeply bowed and filled with sorrow
I lie, dearest God, 'fore thee.
   I acknowledge all my guilt,
   But have patience still with me,
   Have thou patience still with me!

Sopran, Streicher, Bc.
235 Takte, Es-Dur, 3/4 Takt

5. Recitativo
(Augér)

Auf diese Schmerzensreu
Fällt mir alsdenn dies Trostwort bei:

Sopran, Bc.
3 Takte, c-Moll – g-Moll, 4/4 Takt

5. Recitative (S)

Amidst these pains of grief
To me comes now this hopeful word:

6. Choral
(Augér)

Ich, dein betrübtes Kind,
Werf alle meine Sünd,
So viel ihr in mir stecken
Und mich so heftig schrecken,
In deine tiefen Wunden,
Da ich stets Heil gefunden.

Sopran, Viola, Bc.
25 Takte, F-Dur, 4/4 Takt

6. Chorale (S)

I, thy sore-troubled child,
Cast ev'ry sin of mine,
All ye which hide within me
And me so fiercely frighten,
Into thine own deep wounds now,
Where I've e'er found salvation.

7. Recitativo
(Augér)

Ich lege mich in diese Wunden
Als in den rechten Felsenstein;
Die sollen meine Ruhstatt sein.
In diese will ich mich im Glauben schwingen
Und drauf vergnügt und fröhlich singen:

Sopran, Streicher, Bc.
11 Takte, Es-Dur – B-Dur, 4/4 Takt

7. Recitative (S)

I lay myself into these wounds now
As though upon a very crag;
They shall be now my resting place.
Upon them will I firm in faith be soaring,
In them content and happy singing:

8. Aria
(Augér)

Wie freudig ist mein Herz,
Da Gott versöhnet ist
  Und mir auf Reu und Leid
  Nicht mehr die Seligkeit
  Noch auch sein Herz verschließt.

Sopran, Gesamtinstrumentarium
47 Takte, B-Dur, 12/8 Takt

8. Aria (S)

How joyful is my heart,
For God is reconciled
  And for my grief and pain
  No more shall me from bliss
  Nor from his heart exclude.

Ausführende:
Arleen Augér, Sopran
Ingo Goritzki, Oboe
Günther Pfitzenmaier, Fagott
Hans Eurich, Viola
Hans Häublein, Continuocello
Manfred Gräser, Kontrabaß
Hans-Joachim Erhard, Cembalo
Bach-Collegium Stuttgart
Leitung: Helmuth Rilling

Aufnahme: Südwest-Tonstudio, Stuttgart
Aufnahmeleitung: Richard Hauck
Toningenieur: Henno Quasthoff
Aufnahmeort: Südwest-Tonstudio Stuttgart/
Gedächtniskirche Stuttgart
Aufnahmezeit: März/April 1976
Spieldauer: 25'50"

BWV 200

Serie X, Nr. 98.749

Bekennen will ich seinen Namen
Kantate (Fragment) zu Mariae Reinigung
für Alt, 2 Violinen und Generalbaß

Aria
(Georg)

| Aria (A) |

Bekennen will ich seinen Namen,
Er ist der Herr, er ist der Christ,
In welchem aller Völker Samen
Gesegnet und erlöset ist.
Kein Tod raubt mir die Zuversicht:
Der Herr ist meines Lebens Licht.

Acknowledge will I his name's honor,
He is the Lord, he is the Christ,
In whom the seed of ev'ry nation
Salvation and redemption hath.
No death robs me of confidence:
The Lord is of my life the light.

Alt, Gesamtinstrumentarium
48 Takte, E-Dur, 4/4 Takt

Ausführende:
Mechthild Georg, Alt
Georg Egger, Violine
Radboud Oomens, Violine
Stefan Trauer, Violoncello
Claus Zimmermann, Kontrabaß
Hans-Joachim Erhard, Cembalo
Leitung: Helmuth Rilling

Aufnahme: Tonstudio Teije van Geest, Heidelberg
Aufnahmeleitung: Richard Hauck
Aufnahmeort: Gedächtniskirche Stuttgart
Aufnahmezeit: Februar 1984
Spieldauer: 3'05"

BWV 249

Serie VII, Nr. 98.720

Kommet, eilet und laufet
(Osteroratorium)
Kantate zum Osterfest
für Sopran, Alt, Tenor, Baß, vierstimmigen Chor,
3 Trompeten, Pauken, 2 Blockflöten, Flöte,
2 Oboen, Oboe d'amore, Fagott, Streicher
und Generalbaß

1. Sinfonia
(Bach-Collegium Stuttgart)

3 Trompeten, Pauken, 2 Oboen, Fagott, Streicher, Bc.
231 Takte, D-Dur, 3/8 Takt

2. Adagio
(Bach-Collegium Stuttgart)

Oboe, Streicher, Bc.
56 Takte, h-Moll, 3/4 Takt

3. Duetto e Coro
(Kraus, Huttenlocher,
Gächinger Kantorei Stuttgart)

Kommt, eilet und laufet, ihr flüchtigen Füße,
Erreichet die Höhle, die Jesum bedeckt!
   Lachen und Scherzen
   Begleitet die Herzen,
   Denn unser Heil ist auferweckt.

Tenor, Baß, Chor, 3 Trompeten, Pauken, 2 Oboen,
Streicher, Bc.
280 Takte, D-Dur, 3/8 Takt

4. Recitativo
(Augér, Hamari, Kraus, Huttenlocher)

Alt
O kalter Männer Sinn!
Wo ist die Liebe hin,
Die ihr dem Heiland schuldig seid?
Sopran
Ein schwaches Weib muß euch beschämen!
Tenor
Ach, ein betrübtes Grämen
Baß
Und banges Herzeleid
Tenor, Baß
Hat mit gesalznen Tränen
Und wehmutsvollem Sehnen
Ihm eine Salbung zugedacht,
Sopran, Alt
Die ihr, wie wir, umsonst gemacht.

Sopran, Alt, Tenor, Baß, Bc.
12 Takte, h-Moll, 4/4 Takt

5. Aria
(Augér)

Seele, deine Spezereien
Sollen nicht mehr Myrrhen sein.
   Denn allein
   Mit dem Lorbeerkranze prangen,
   Stillt dein ängstliches Verlangen.

Sopran, Flöte, Bc.
193 Takte, h-Moll, 3/4 Takt

1. Sinfonia

2. Adagio

3. Duet (T, B) and Chorus (S, A, T, B)

Come, hasten and hurry, ye fleet-footed paces,
Make haste for the grotto which Jesus doth veil!
   Laughter and pleasure,
   Attend ye our hearts now,
   For he who saves us is raised up.

4. Recitative (S, A, T, B)

(A)
O men so cold of heart!
Where is that love then gone
Which to the Savior ye now owe?
(S)
A helpless woman must upbraid you!
(T)
Ah, our sore-troubled grieving
(B)
And anxious, heartfelt woe
(T, B)
Here, joined with salty weeping
And melancholy yearning,
For him an unction did intend,
(S, A)
Which ye, as we, in vain have brought.

5. Aria (S)

Spirit, these thy costly spices
Should consist no more of myrrh.
   For alone,
   Crowned with laurel wreaths resplendent,
   Wilt thou still thy anxious longing.

6. Recitativo
(Hamari, Kraus, Huttenlocher)

Tenor
Hier ist die Gruft
Baß
Und hier der Stein,
Der solche zugedeckt.
Wo aber wird mein Heiland sein?
Alt
Er ist vom Tode auferweckt!
Wir trafen einen Engel an,
Der hat uns solches kundgetan.
Tenor
Hier seh ich mit Vergnügen
Das Schweißtuch abgewickelt liegen.

Alt, Tenor, Baß, Bc.
9 Takte, D-Dur – h-Moll, 4/4 Takt

7. Aria
(Kraus)

Sanfte soll mein Todeskummer,
Nur ein Schlummer,
Jesu, durch dein Schweißtuch sein.
  Ja, das wird mich dort erfrischen
  Und die Zähren meiner Pein
  Von den Wangen tröstlich wischen.

Tenor, 2 Blockflöten, Streicher ohne Violen, Bc.
97 Takte, G-Dur, 4/4 Takt

8. Recitativo
(Augér, Hamari)

Indessen seufzen wir
Mit brennender Begier:
Ach, könnt es doch nur bald geschehen,
Den Heiland selbst zu sehen!

Sopran, Alt, Bc.
13 Takte, h-Moll – A-Dur, 4/4 Takt

9. Aria
(Hamari)

Saget, saget mir geschwinde,
Saget, wo ich Jesum finde,
Welchen meine Seele liebt!
  Komm doch, komm, umfasse mich;
  Denn mein Herz ist ohne dich
  Ganz verwaiset und betrübt.

Alt, Oboe d'amore, Violine, Streicher, Bc.
120 Takte, A-Dur, 4/4 Takt

6. Recitative (A, T, B)

(T)
Here is the crypt
(B)
And here the stone
Which kept it tightly closed.
But where, then, is my Savior gone?
(A)
He is from death now risen up!
We met, before, an angel here
Who brought to us report of this.
(T)
I see now with great rapture
The napkin all unwound here lying.

7. Aria (T)

Gentle shall my dying labor,
Nought but slumber,
Jesus, through thy napkin be.
  Yes, for it will there refresh me
  And the tears of all my pain
  From my cheeks wipe dry with comfort.

8. Recitative (S, A)

And meanwhile, sighing, we
Here burn with deep desire:
Ah, if it only soon might happen,
To see himself the Savior!

9. Aria (A)

Tell me, tell me, tell me quickly,
Tell me where I may find Jesus,
Him whom all my soul doth love!
  Come now, come, and hold me close,
  For my heart is lacking thee,
  Left an orphan and distressed.

10. Recitativo
(Huttenlocher)

Wir sind erfreut,
Daß unser Jesus wieder lebt,
Und unser Herz,
So erst in Traurigkeit zerflossen und geschwebt,
Vergißt den Schmerz
Und sinnt auf Freudenlieder;
Denn unser Heiland lebet wieder.

Baß, Bc.
8 Takte, G-Dur – A-Dur, 4/4 Takt

11. Coro
(Gächinger Kantorei Stuttgart)

Preis und Dank
Bleibe, Herr, dein Lobgesang.
Höll und Teufel sind bezwungen,
Ihre Pforten sind zerstört.
Jauchzet, ihr erlösten Zungen,
Daß man es im Himmel hört.
Eröffnet, ihr Himmel, die prächtigen Bogen,
Der Löwe von Juda kommt siegend gezogen!

Chor, 3 Trompeten, Pauken, 2 Oboen, Streicher, Bc.
83 Takte, D-Dur, 4/4 – 3/8 Takt

Ausführende:
Arleen Augér, Sopran
Julia Hamari, Alt
Adalbert Kraus, Tenor
Philippe Huttenlocher, Baß
Bernhard Schmid, Trompete
Josef Hausberger, Trompete
Roland Burkhardt, Trompete
Hans-Joachim Schacht, Pauken
Hartmut Strebel, Blockflöte
Barbara Schlenker, Blockflöte
Peter-Lukas Graf, Flöte
Günther Passin, Oboe
Hedda Rothweiler, Oboe
Ingo Goritzki, Oboe d'amore
Christoph Carl, Fagott
Kurt Etzold, Fagott
Walter Forchert, Violine
Jakoba Hanke, Continuocello
Martin Ostertag, Continuocello
Thomas Lom, Kontrabaß
Harro Bertz, Kontrabaß
Hans-Joachim Erhard, Cembalo
Gächinger Kantorei Stuttgart
Bach-Collegium Stuttgart
Leitung: Helmuth Rilling

Aufnahme: Tonstudio Teije van Geest, Heidelberg
Aufnahmeleitung: Richard Hauck
Aufnahmeort: Gedächtniskirche Stuttgart
Aufnahmezeit: Dezember 1980, März/Mai 1981
Spieldauer: 40'35"

10. Recitative (B)

We now rejoice
That this our Jesus lives again,
And these our hearts,
Which once in sadness were dissolved and in
suspense,
Forget their pain
And turn to joyful anthems,
For this our Savior once more liveth.

11. Chorus (S, A, T, B)

Laud and thanks
Bide, O Lord, thy song of praise.
Hell and devil are now vanquished,
And their portals are destroyed.
Triumph, O ye ransomed voices,
Till ye be in heaven heard.
Spread open, ye heavens, your glorious arches,
The Lion of Judah with triumph shall enter!

MIT BACH DURCHS JAHR / THROUGH THE YEAR WITH BACH

Bestimmung	Occasion	Fürs Jahr 1985 / For the Year 1985	BWV-Nr. (in chronolog. Folge) / BWV-Nr. (in chronolog. order)	Epistel / Evangelium / Epistle / Gospel
Neujahr	New Year	01. 01.	143, 190, 41, 16, 171	Gal 3, 23-29/Lk 2,21
S(onntag) n. Neujahr	Sunday after New Year	–	153, 58	1. Petr 4, 12-19/Mt 2, 13-23
Ep(iphanias)	Epiphany	06. 01.	65, 123	Jes 60, 1-6/Mt 2, 1-12
1. S. n. Ep.	1st Sunday after Epiphany	13. 01.	154, 124, 32	Röm 12, 1-6/Lk 2, 41-52
2. S. n. Ep.	2nd Sunday after Epiphany	20. 01.	155, 3, 13	Röm 12, 6-16/Joh 2, 1-11
3. S. n. Ep.	3rd Sunday after Epiphany	27. 01.	73, 111, 72, 156	Röm 12, 17-21/Mt 8, 1-13
Mariae Reinigung	Candlemas	02. 02.	83, 125, 82, 200, 157	Mal 3, 1-4/Lk 2, 22-32
4. S. n. Ep.	4th Sunday after Epiphany	–	81, 14	Röm 13, 8-10/Mt 8, 23-27
Septuagesimae	Septuagesima	03. 02.	144, 92, 84	1. Kor 9, 24-10,5/Mt 20, 1-16
Sexagesimae	Sexagesima	10. 02.	18, 181, 126	2. Kor 11, 19-12,9/Lk 8, 4-15
Estomihi	Quinquagesima	17. 02.	23, 22, 127, 159	1. Kor 13, 1-13/Lk 18, 31-43
Mariae Verkündigung	Lady Day	25. 03.	1	Jes 7, 10-16/Lk 1, 26-38
Palmarum	Palm Sunday	31. 03.	182	Phil 2, 5-11/Mt 21, 1-9
1. Osterfesttag	Easter Sunday	07. 04.	4, 31, 249	1. Kor 5, 6-8/Mk 16, 1-8
2. Osterfesttag	2nd Easter Day	08. 04.	66, 6	Apg 10, 34-43/Lk 24, 13-35
3. Osterfesttag	3rd Easter Day	09. 04.	134, 145, 158	Apg 13, 26-33/Lk 24, 36-47
Quasimodogeniti	Low Sunday	14. 04.	67, 42	1. Joh 5, 4-10/Joh 20, 19-31
Misericordias Domini	2nd Sunday after Easter	21. 04.	104, 85, 112	1. Petr 2, 21-25/Joh 10, 12-16
Jubilate	3rd Sunday after Easter	28. 04.	12, 103, 146	1. Petr 2, 11-20/Joh 16, 16-23
Cantate	4th Sunday after Easter	05. 05.	166, 108	Jak 1, 17-21/Joh 16, 5-15
Rogate	Rogation	12. 05.	86, 87	Jak 1, 22-27/Joh 16, 23-30

Himmelfahrt	*Ascension Day*	16. 05.	37, 128, 43, 11	Apg 1, 1-11/Mk 16, 14-20
Exaudi	*Sunday after Ascension*	19. 05.	44, 183	1. Petr 4, 8-11/Joh 15, 26-16,4
1. Pfingsttag	*Pentecost*	26. 05.	172, 59, 74, 34	Apg 2, 1-13/Joh 14, 23-31
2. Pfingsttag	*2nd Day of Pentecost*	27. 05.	173, 68, 174	Apg 10, 42-48/Joh 3, 16-21
3. Pfingsttag	*3rd Day of Pentecost*	28. 05.	184, 175	Apg 8, 14-17/Joh 10, 1-11
Tr(initatis)	*Trinity Sunday*	02. 06.	165, 176, 129	Röm 11, 33-36/Joh 3, 1-15
1. n. Tr.	*1st Sunday after Trinity*	09. 06.	75, 20, 39	1. Joh 4, 16-21/Lk 16, 19-31
2. n. Tr.	*2nd Sunday after Trinity*	16. 06.	76, 2	1. Joh 3, 13-18/Lk 14, 16-24
3. n. Tr.	*3rd Sunday after Trinity*	23. 06.	21, 135	1. Petr 5, 6-11/Lk 15, 1-10
Johannistag	*Midsummer Day*	**24. 06.**	167, 7, 30	Jes 40, 1-5/Lk 1, 57-80
4. n. Tr.	*4th Sunday after Trinity*	30. 06.	185, 24, 177	Röm 8, 18-23/Lk 6, 36-42
Mariae Heimsuchung	*Visitation of our Lady*	**02. 07.**	147, 10	Jes 11, 1-5/Lk 1, 39-56
5. n. Tr.	*5th Sunday after Trinit;*	07. 07.	93, 88	1. Petr 3, 8-15/Lk 5, 1-11
6. n. Tr.	*6th Sunday after Trinity*	14. 07.	170, 9	Röm 6, 3-11/Mt 5, 20-26
7. n. Tr.	*7th Sunday after Trinity*	21. 07.	54, 186, 107, 187	Röm 6, 19-23/Mk 8, 1-9
8. n. Tr.	*8th Sunday after Trinity*	28. 07.	136, 178, 45	Röm 8, 12-17/Mt 7, 15-23
9. n. Tr.	*9th Sunday after Trinity*	04. 08.	105, 94, 168	1. Kor 10, 6-13/Lk 16, 1-9
10. n. Tr.	*10th Sunday after Trinity*	11. 08.	46, 101, 102	1. Kor 12, 1-11/Lk 19, 41-48
11. n. Tr.	*11th Sunday after Trinity*	18. 08.	199, 179, 113	1. Kor 15, 1-10/Lk 18, 9-14
12. n. Tr.	*12th Sunday after Trinity*	25. 08.	137, 35	2. Kor 3, 4-11/Mk 7, 31-37
13. n. Tr.	*13th Sunday after Trinity*	01. 09.	77, 33, 164	Gal 3, 15-22/Lk 10, 23-37
14. n. Tr.	*14th Sunday after Trinity*	08. 09.	25, 78, 17	Gal 5, 16-24/Lk 17, 11-19
15. n. Tr.	*15th Sunday after Trinity*	15. 09.	138, 99, 51	Gal 5, 25-6,10/Mt 6, 24-34
16. n. Tr.	*16th Sunday after Trinity*	22. 09.	161, 95, 8, 27	Eph 3, 13-21/Lk 7, 11-17

German	English	Date	Numbers	Scripture
17. n. Tr.	17th Sunday after Trinity	29. 09.	148, 114, 47	Eph 4, 1-6/Lk 14, 1-11
Michaelistag	Michaelmas Day	29. 09.	130, 19, 149, 50	Offb 12, 7-12/Mt 18, 1-11
18. n. Tr.	18th Sunday after Trinity	06. 10.	96, 169	1. Kor 1, 4-9/Mt 22, 34-46
19. n. Tr.	19th Sunday after Trinity	13. 10.	48, 5, 56	Eph 4, 22-28/Mt 9, 1-8
20. n. Tr.	20th Sunday after Trinity	20. 10.	162, 180, 49	Eph 5, 15-21/Mt 22, 1-14
21. n. Tr.	21st Sunday after Trinity	27. 10.	109, 38, 98, 188	Eph 6, 10-17/Joh 4, 47-54
Reformation	Reformation Day	31. 10.	80, 79	2. Ths 2, 3-8/Offb 14, 6-8
22. n. Tr.	22nd Sunday after Trinity	03. 11.	89, 115, 55	Phil 1, 3-11/Mt 18, 23-35
23. n. Tr.	23rd Sunday after Trinity	10. 11.	163, 139, 52	Phil 3, 17-21/Mt 22, 15-22
24. n. Tr.	24th Sunday after Trinity	17. 11.	60, 26	Kol 1, 9-14/Mt 9, 18-26
25. n. Tr.	25th Sunday after Trinity	24. 11.	90, 116	1. Ths 4, 13-18/Mt 24, 15-28
26. n. Tr.	26th Sunday after Trinity	-	70	2. Petr 3, 3-13/Mt 25, 31-46
27. n. Tr.	27th Sunday after Trinity	-	140	1. Ths 5, 1-11/Mt 25, 1-13
1. Advent	Advent Sunday	01. 12.	61, 62, 36	Röm 13, 11-14/Mt 21, 1-9
4. Advent	4th Sunday in Advent	22. 12.	132	Phil 4, 4-7/Joh 1, 19-28
1. Weihnachtstag	Christmas Day	25. 12.	63, 91, 110, 191	Tit 2, 11-14/Lk 2, 1-14
2. Weihnachtstag	2nd Day of Christmas	26. 12.	40, 121, 57	Tit 3, 4-7/Lk 2, 15-20
3. Weihnachtstag	3rd Day of Christmas	27. 12.	64, 133, 151	Hebr 1, 1-14/Joh 1, 1-14
Sonntag n. Weihnachten	Sunday after Christmas	29. 12.	152, 122, 28	Gal 4, 1-7/Lk 2, 33-40
Kirch- und Orgelweihe	Church and organ consecration		194	Offb 21, 2-8/Lk 19, 1-10
Ratswechsel	Change of Town council		71, 119, 193, 120, 29, 69	
Trauungen	Marriage ceremony		196, 195, 197	
Trauerfeier	Funeral service		106, 157, 198	
Verschiedene kirchliche Bestimmung	Different church occasions		131, 150, 192, 117, 97, 100	

Ordnung der Kirchenkantaten Johann Sebastian Bachs nach Chronologie-Nummern (CKN)*
List of Johann Sebastian Bach's church cantatas numbered in chronological order (CKN)*

CKN	Titel / Title	BWV-Nummer / BWV-Number	Belegtes Erstaufführungs-Datum der Kantate / Proven Date of the cantatas' first performance	Seite / Page
1	Aus der Tiefen rufe ich, Herr, zu dir	131	V/VI 1707	319
2	Gottes Zeit ist die allerbeste Zeit	106	Herbst 1707	266
3	Gott ist mein König	71	04. 02. 1708	181
4	Christ lag in Todesbanden	4	IV 1707/1708	29
5	Der Herr denket an uns	196	VI 1708	459
6	Nach dir, Herr, verlanget mich	150	1708	358
7	Lobe den Herrn, meine Seele II	143	01. 01. 1708/1712?	342
8	Gleichwie der Regen und Schnee vom Himmel fällt	18	II 1712/1714	60
9	Christen, ätzet diesen Tag	63	25. 12. 1713	161
10	Himmelskönig, sei willkommen	182	25. 03. 1714	428
11	Weinen, Klagen, Sorgen, Zagen	12	22. 04. 1714	48
12	Erschallet, ihr Lieder, erklinget, ihr Saiten	172	20. 05. 1714	405
13	Ich hatte viel Bekümmernis	21	17. 06. 1714	68
14	Widerstehe doch der Sünde	54	15. 07. 1714	143
15	Mein Herze schwimmt im Blut	199	12. 08. 1714	467
16	Nun komm, der Heiden Heiland I	61	02. 12. 1714	157
17	Tritt auf die Glaubensbahn	152	30. 12. 1714	362
18	Der Himmel lacht! die Erde jubilieret	31	21. 04. 1715	94
19	O heiliges Geist- und Wasserbad	165	16. 06. 1715	390
20	Barmherziges Herze der ewigen Liebe	185	14. 07. 1715	434

*In diese chronologische Ordnung (nach Artur Hirsch) wurden nur die in der Schallplattenserie DIE BACH KANTATE eingespielten Kantaten einschließlich der sechs Kantaten des Weihnachtsoratoriums aufgenommen. Die chronologische Einspielung (von LP 98.675 an) begenommen. Die chronologische Einspielung (von LP 98.675 an) berücksichtigte bei denjenigen Kantaten das Entstehungsdatum der Frühfassung, die bereits wesentliche Kompositionsteile der eingespielten Fassung enthalten. Es handelt sich hierbei um BWV 80, 70, 186, 147, 173, 184, 66, 134, 194,69 und 177.

*Only those cantatas recorded in DIE BACH KANTATE record series, including the six cantatas constituting the Christmas Oratorio, appear in the chronological list (comprised by Artur Hirsch).
In recording the cantatas chronologically, (from LP 98.675 on), the order takes into account the date of origin of earlier cantata versions, where they already contained a substantial part of the cantatas in the form in which they have been recorded. The cantatas in question are BWV 80, 70, 186, 147, 173, 184, 66, 134, 194, 69 and 177.

21	Komm, du süße Todesstunde	161	06. 10. 1715	381
22	Ach, ich sehe, itzt, da ich zur Hochzeit gehe	162	03. 11. 1715	383
23	Nur jedem das Seine	163	24. 11. 1715	385
24	Bereitet die Wege, bereitet die Bahn	132	22. 12. 1715	320
25	Mein Gott, wie lang, ach lange	155	19. 01. 1716	370
26	Du wahrer Gott und Davids Sohn	23	07. 02. 1723	74
27	Jesus nahm zu sich die Zwölfe	22	07. 02. 1723	72
28	Wer mich liebet, der wird mein Wort halten I	59	16. 05. 1723?	153
29	Die Elenden sollen essen	75	30. 05. 1723	191
30	Die Himmel erzählen die Ehre Gottes	76	06. 06. 1723	194
31	Ein ungefärbt Gemüte	24	20. 06. 1723	76
32	Ihr Menschen, rühmet Gottes Liebe	167	24. 06. 1723	394
33	Herz und Mund und Tat und Leben	147	02. 07. 1723	350
34	Ärgre dich, o Seele, nicht	186	11. 07. 1723	436
35	Erforsche mich, Gott, und erfahre mein Herz	136	18. 07. 1723	330
36	Herr, gehe nicht ins Gericht mit deinem Knecht	105	25. 07. 1723	263
37	Schauet doch und sehet, ob irgendein Schmerz sei	46	01. 08. 1723	130
38	Siehe zu, daß deine Gottesfurcht nicht Heuchelei sei	179	08. 08. 1723	421
39	Du sollt Gott, deinen Herren, lieben	77	22. 08. 1723	198
40	Es ist nichts Gesundes an meinem Leibe	25	29. 08. 1723	78
41	Preise, Jerusalem, den Herrn	119	30. 08. 1723	293
42	Warum betrübst du dich, mein Herz	138	05. 09. 1723	334
43	Christus, der ist mein Leben	95	12. 09. 1723	240
44	Bringet dem Herrn Ehre seines Namens	148	19. 09. 1723	354
45	Ich elender Mensch, wer wird mich erlösen	48	03. 10. 1723	134
46	Ich glaube, lieber Herr, hilf meinem Unglauben	109	17. 10. 1723	272
47	Was soll ich aus dir machen, Ephraim	89	24. 10. 1723	224
48	O Ewigkeit, du Donnerwort II	60	07. 11. 1723	155
49	Es reißet euch ein schrecklich Ende	90	14. 11. 1723	226
50	Wachet! betet! betet! wachet!	70	21. 11. 1723	178
51	Dazu ist erschienen der Sohn Gottes	40	26. 12. 1723	115
52	Sehet, welch eine Liebe hat uns der Vater erzeiget	64	27. 12. 1723	164

No.	Title		Date	
53	Singet dem Herrn ein neues Lied	190	01. 01. 1724	445
54	Schau, lieber Gott, wie meine Feind	153	02. 01. 1724	365
55	Sie werden aus Saba alle kommen	65	06. 01. 1724	166
56	Mein liebster Jesus ist verloren	154	09. 01. 1724	368
57	Herr, wie du willt, so schick's mit mir	73	23. 01. 1724	186
58	Jesus schläft, was soll ich hoffen	81	30. 01. 1724	208
59	Erfreute Zeit im neuen Bunde	83	02. 02. 1724	212
60	Nimm, was dein ist, und gehe hin	144	06. 02. 1724	344
61	Leichtgesinnte Flattergeister	181	13. 02. 1724	426
62	Erfreut euch, ihr Herzen	66	10. 04. 1724	169
63	Ein Herz, das seinen Jesum lebend weiß	134	11. 04. 1724	325
64	Halt im Gedächtnis Jesum Christ	67	16. 04. 1724	171
65	Du Hirte Israel, höre	104	23. 04. 1724	262
66	Wo gehest du hin	166	07. 05. 1724	392
67	Wahrlich, wahrlich, ich sage euch	86	14. 05. 1724	218
68	Wer da gläubet und getauft wird	37	18. 05. 1724	108
69	Sie werden euch in den Bann tun I	44	21. 05. 1724	125
70	Erhöhtes Fleisch und Blut	173	29. 05. 1724	407
71	Erwünschtes Freudenlicht	184	30. 05. 1724	432
72	Höchsterwünschtes Freudenfest	194	04. 06. 1724	452
73	O Ewigkeit, du Donnerwort I	20	11. 06. 1724	65
74	Ach Gott, vom Himmel sieh darein	2	18. 06. 1724	24
75	Christ unser Herr zum Jordan kam	7	24. 06. 1724	36
76	Ach Herr, mich armen Sünder	135	25. 06. 1724	328
77	Meine Seel erhebt den Herren	10	02. 07. 1724	43
78	Wer nur den lieben Gott läßt walten	93	09. 07. 1724	234
79	Was willst du dich betrüben	107	23. 07. 1724	268
80	Wo Gott der Herr nicht bei uns hält	178	30. 07. 1724	418
81	Was frag ich nach der Welt	94	06. 08. 1724	237
82	Nimm von uns, Herr, du treuer Gott	101	13. 08. 1724	254
83	Herr Jesu Christ, du höchstes Gut	113	20. 08. 1724	280
84	Allein zu dir, Herr Jesu Christ	33	03. 09. 1724	99

85	Jesu, der du meine Seele	78	10. 09. 1724	200
86	Was Gott tut, das ist wohlgetan II	99	17. 09. 1724	250
87	Liebster Gott, wann werd ich sterben	8	24. 09. 1724	38
88	Herr Gott, dich loben alle wir	130	29. 09. 1724	317
89	Ach, lieben Christen, seid getrost	114	01. 10. 1724	283
90	Herr Christ, der einge Gottessohn	96	08. 10. 1724	243
91	Wo soll ich fliehen hin	5	15. 10. 1724	31
92	Schmücke dich, o liebe Seele	180	22. 10. 1724	423
93	Aus tiefer Not schrei ich zu dir	38	29. 10. 1724	110
94	Mache dich, mein Geist, bereit	115	05. 11. 1724	286
95	Wohl dem, der sich auf seinen Gott	139	12. 11. 1724	337
96	Ach wie flüchtig, ach wie nichtig	26	19. 11. 1724	81
97	Du Friedefürst, Herr Jesu Christ	116	26. 11. 1724	288
98	Nun komm, der Heiden Heiland II	62	03. 12. 1724	159
99	Gelobet seist du, Jesu Christ	91	25. 12. 1724	228
100	Christum wir sollen loben schon	121	26. 12. 1724	298
101	Ich freue mich in dir	133	27. 12. 1724	323
102	Das neugeborne Kindelein	122	31. 12. 1724	300
103	Jesu, nun sei gepreiset	41	01. 01. 1725	117
104	Liebster Immanuel, Herzog der Frommen	123	06. 01. 1725	302
105	Meinen Jesum laß ich nicht	124	07. 01. 1725	304
106	Ach Gott, wie manches Herzeleid I	3	14. 01. 1725	26
107	Was mein Gott will, das g'scheh allzeit	111	21. 01. 1725	276
108	Ich hab in Gottes Herz und Sinn	92	28. 01. 1725	230
109	Mit Fried und Freud ich fahr dahin	125	02. 02. 1725	306
110	Erhalt uns, Herr, bei deinem Wort	126	04. 02. 1725	308
111	Herr Jesu Christ, wahr' Mensch und Gott	127	11. 02. 1725	311
112	Wie schön leuchtet der Morgenstern	1	25. 03. 1725	22
113	Kommt, eilet und laufet (Osteroratorium)	249	01. 04. 1725	470
114	Bleib bei uns, denn es will Abend werden	6	02. 04. 1725	34
115	Am Abend aber desselbigen Sabbats	42	08. 04. 1725	120
116	Ich bin ein guter Hirt	85	15. 04. 1725	216
117	Ihr werdet weinen und heulen	103	22. 04. 1725	260

118	Es ist euch gut, daß ich hingehe	108	29. 04. 1725	270
119	Bisher habt ihr nichts gebeten in meinem Namen	87	06. 05. 1725	220
120	Auf Christi Himmelfahrt allein	128	10. 05. 1725	313
121	Sie werden euch in den Bann tun II	183	13. 05. 1725	430
122	Wer mich liebet, der wird mein Wort halten II	74	20. 05. 1725	188
123	Also hat Gott die Welt geliebt	68	21. 05. 1725	174
124	Er rufet seinen Schafen mit Namen	175	22. 05. 1725	411
125	Es ist ein trotzig und verzagt Ding	176	27. 05. 1725	414
126	Tue Rechnung! Donnerwort	168	29. 07. 1725	396
127	Lobe den Herren, den mächtigen König der Ehren	137	19. 08. 1725	332
128	Ihr, die ihr euch von Christo nennet	164	26. 08. 1725	388
129	Gott der Herr ist Sonn und Schild	79	31. 10. 1725	203
130	Unser Mund sei voll Lachens	110	25. 12. 1725	274
131	Selig ist der Mann	57	26. 12. 1725	148
132	Süßer Trost, mein Jesu kömmt	151	27. 12. 1725	360
133	Gottlob! nun geht das Jahr zu Ende	28	30. 12. 1725	85
134	Herr Gott, dich loben wir	16	01. 01. 1726	54
135	Liebster Jesu, mein Verlangen	32	13. 01. 1726	97
136	Meine Seufzer, meine Tränen	13	20. 01. 1726	51
137	Alles nur nach Gottes Willen	72	27. 01. 1726	184
138	Wir müssen durch viel Trübsal in das Reich Gottes [eingehen]	146	12. 05. 1726	348
139	Gott fähret auf mit Jauchzen	43	30. 05. 1726	122
140	Gelobet sei der Herr, mein Gott	129	16. 06. 1726	315
141	Brich dem Hungrigen dein Brot	39	23. 06. 1726	112
142	Siehe, ich will viel Fischer aussenden	88	21. 07. 1726	222
143	Vergnügte Ruh, beliebte Seelenlust	170	28. 07. 1726	401
144	Es wartet alles auf dich	187	04. 08. 1726	440
145	Es ist dir gesagt, Mensch, was gut ist	45	11. 08. 1726	127
146	Herr, deine Augen sehen nach dem Glauben	102	25. 08. 1726	257
147	Geist und Seele wird verwirret	35	08. 09. 1726	103
148	Wer Dank opfert, der preiset mich	17	22. 09. 1726	57
149	Es erhub sich ein Streit	19	29. 09. 1726	62
150	Wer weiß, wie nahe mir mein Ende	27	06. 10. 1726	83

Nr.	Titel			
151	Wer sich selbst erhöhet, der soll erniedriget werden	47	13. 10. 1726	132
152	Gott soll allein mein Herze haben	169	20. 10. 1726	399
153	Ich will den Kreuzstab gerne tragen	56	27. 10. 1726	146
154	Ich geh und suche mit Verlangen	49	03. 11. 1726	136
155	Was Gott tut, das ist wohlgetan I	98	10. 11. 1726	248
156	Ich armer Mensch, ich Sündenknecht	55	17. 11. 1726	144
157	Falsche Welt, dir trau ich nicht	52	24. 11. 1726	141
158	Ach Gott, wie manches Herzeleid II	58	05. 01. 1727	151
159	Ich habe genug	82	02. 02. 1727	210
160	Ich lasse dich nicht, du segnest mich denn	157	06. 02. 1727?	375
161	Ich bin vergnügt mit meinem Glücke	84	09. 02. 1727	214
162	Ihr Tore zu Zion	193	25. 08. 1727	450
163	Laß, Fürstin, laß noch einen Strahl	198	17. 10. 1727	464
164	Der Friede sei mit dir	158	02. 02. 1728/1731	377
165	Gott, man lobet dich in der Stille	120	30. 08. 1728	296
166	Man singet mit Freuden vom Sieg	149	29. 09. 1728	356
167	Ich habe meine Zuversicht	188	17. 10. 1728	443
168	Gott, wie dein Name, so ist auch dein Ruhm	171	01. 01. 1729	403
169	Ich steh mit einem Fuß im Grabe	156	23. 01. 1729	372
170	Sehet! Wir gehn hinauf gen Jerusalem	159	27. 02. 1729	378
171	Ich lebe, mein Herze, zu deinem Ergötzen	145	19. 04. 1729	346
172	Ich liebe den Höchsten von ganzem Gemüte	174	06. 06. 1729	409
173	Jauchzet Gott in allen Landen	51	17. 09. 1730	139
174	Nun danket alle Gott	192	31. 10. 1730	449
175	Der Herr ist mein getreuer Hirt	112	08. 04. 1731	278
176	Sei Lob und Ehr dem höchsten Gut	117	1731	290
177	Wir danken dir, Gott, wir danken dir	29	27. 08. 1731	87
178	Wachet auf, ruft uns die Stimme	140	25. 11. 1731	339
179	Schwingt freudig euch empor	36	02. 12. 1731	105
180	Ich ruf zu dir, Herr Jesu Christ	177	06. 07. 1732	416
181	Ein feste Burg ist unser Gott	80	1732/1735?	205
182	Was Gott tut, das ist wohlgetan III	100	1734/1735	252
183	In allen meinen Taten	97	1734/1735	245

184	Es ist das Heil uns kommen her	9	1734/1735	40
185	Jauchzet, frohlocket, auf, preiset die Tage (Weihnachtsoratorium I)	248 I	25. 12. 1734	
186	Und es waren Hirten in derselben Gegend (Weihnachtsoratorium II)	248 II	26. 12. 1734	
187	Herrscher des Himmels, erhöre das Lallen (Weihnachtsoratorium III)	248 III	27. 12. 1734	
188	Fallt mit Danken, fallt mit Loben (Weihnachtsoratorium IV)	248 IV	01. 01. 1735	
189	Ehre sei dir, Gott, gesungen (Weihnachtsoratorium V)	248 V	02. 01. 1735	
190	Herr, wenn die stolzen Feinde schnauben (Weihnachtsoratorium VI)	248 VI	06. 01. 1735	
191	Wär Gott nicht mit uns diese Zeit	14	30. 01. 1735	53
192	Lobet Gott in seinen Reichen (Himmelfahrtsoratorium)	11	19. 05. 1735	45
193	Freue dich, erlöste Schar	30	24. 06. 1738	90
194	Dem Gerechten muß das Licht immer wieder aufgehen	195	1738/1742	457
195	Gott ist unsre Zuversicht	197	1738/1742	461
196	O ewiges Feuer, o Ursprung der Liebe	34	1740/1745	101
197	Gloria in excelsis Deo	191	1740/1745	448
198	Bekennen will ich seinen Namen (Fragment)	200	1740/1745	470
199	Lobe den Herrn, meine Seele I	69	1748/1749	175
200	Nun ist das Heil und die Kraft (Fragment)	50	?	138

ALPHABETISCHES VERZEICHNIS DER KANTATENTITEL
ALPHABETICAL LIST OF THE CANTATA TITLES

BWV-Nummer *BWV Number*	Kantatentitel *Cantata title*	Serien-Nr. *Series No.*	LP-Nr. *LP No.*
BWV 2	Ach Gott, vom Himmel sieh darein	VI	98.705
BWV 3	Ach Gott, wie manches Herzeleid I	VII	98.718
BWV 58	Ach Gott, wie manches Herzeleid II	I	98.658
BWV 135	Ach Herr, mich armen Sünder	VI	98.706
BWV 162	Ach, ich sehe, itzt, da ich zur Hochzeit gehe	IV	98.684
BWV 114	Ach, lieben Christen, seid getrost	III	98.674
BWV 26	Ach wie flüchtig, ach wie nichtig	VII	98.713
BWV 186	Ärgre dich, o Seele, nicht	IV	98.686
BWV 33	Allein zu dir, Herr Jesu Christ	VI	98.709
BWV 72	Alles nur nach Gottes Willen	I	98.658
BWV 68	Also hat Gott die Welt geliebt	VIII	98.725
BWV 42	Am Abend aber desselbigen Sabbats	VIII	98.722
BWV 128	Auf Christi Himmelfahrt allein	VIII	98.724
BWV 131	Aus der Tiefen rufe ich, Herr, zu dir	III	98.675
BWV 38	Aus tiefer Not schrei ich zu dir	VII	98.712
BWV 185	Barmherziges Herze der ewigen Liebe	IV	98.683
BWV 200	Bekennen will ich seinen Namen	X	98.749
BWV 132	Bereitet die Wege, bereitet die Bahn	IV	98.685
BWV 87	Bisher habt ihr nichts gebeten in meinem Namen	VIII	98.723
BWV 6	Bleib bei uns, denn es will Abend werden	VIII	98.721
BWV 39	Brich dem Hungrigen dein Brot	IX	98.732
BWV 148	Bringet dem Herrn Ehre seines Namens	V	98.697
BWV 4	Christ lag in Todesbanden	III	98.676
BWV 7	Christ unser Herr zum Jordan kam	VI	98.706
BWV 63	Christen, ätzet diesen Tag	I	98.655
BWV 121	Christum wir sollen loben schon	VII	98.715
BWV 95	Christus, der ist mein Leben	V	98.696
BWV 122	Das neugeborne Kindlein	II	98.663
BWV 40	Dazu ist erschienen der Sohn Gottes	I	98.653
BWV 195	Dem Gerechten muß das Licht immer wieder aufgehen	X	98.749
BWV 158	Der Friede sei mit dir	IX	98.740
BWV 196	Der Herr denket an uns	III	98.677
BWV 112	Der Herr ist mein getreuer Hirt	X	98.744
BWV 331	Der Himmel lacht! die Erde jubilieret	IV	98.683
BWV 75	Die Elenden sollen essen	I	98.651
BWV 76	Die Himmel erzählen die Ehre Gottes	V	98.692
BWV 116	Du Friedefürst, Herr Jesu Christ	VII	98.714
BWV 104	Du Hirte Israel, höre	VI	98.703
BWV 77	Du sollt Gott, deinen Herren, lieben	II	98.662
BWV 23	Du wahrer Gott und Davids Sohn	V	98.691

BWV 80	Ein feste Burg ist unser Gott	IV	98.682
BWV 134	Ein Herz, das seinen Jesum lebend weiß	IV	98.690
BWV 24	Ein ungefärbt Gemüte	V	98.693
BWV 175	Er rufet seinen Schafen mit Namen	VIII	98.725
BWV 136	Erforsche mich, Gott, und erfahre mein Herz	V	98.693
BWV 66	Erfreut euch, ihr Herzen	II	98.662
BWV 83	Erfreute Zeit im neuen Bunde	VI	98.701
BWV 126	Erhalt uns, Herr, bei deinem Wort	VII	98.718
BWV 173	Erhöhtes Fleisch und Blut	IV	98.688
BWV 172	Erschallet, ihr Lieder, erklinget, ihr Saiten	III	98.679
BWV 184	Erwünschtes Freudenlicht	IV	98.688
BWV 19	Es erhub sich ein Streit	I	98.657
BWV 9	Es ist das Heil uns kommen her	X	98.747
BWV 45	Es ist dir gesagt, Mensch, was gut ist	IX	98.734
BWV 176	Es ist ein trotzig und verzagt Ding	VIII	98.726
BWV 108	Es ist euch gut, daß ich hingehe	VIII	98.723
BWV 25	Es ist nichts Gesundes an meinem Leibe	V	98.695
BWV 90	Es reißet euch ein schrecklich Ende	V	98.698
BWV 187	Es wartet alles auf dich	I	98.659
BWV 52	Falsche Welt, dir trau ich nicht	IX	98.738
BWV 30	Freue dich, erlöste Schar	X	98.750
BWV 35	Geist und Seele wird verwirret	IX	98.733
BWV 129	Gelobet sei der Herr, mein Gott	IX	98.732
BWV 91	Gelobest seist du, Jesu Christ	II	98.663
BWV 18	Gleichwie der Regen und Schnee vom Himmel fällt	III	98.677
BWV 191	Gloria in excelsis Deo	I	98.657
BWV 79	Gott der Herr ist Sonn und Schild	VIII	98.728
BWV 43	Gott fähret auf mit Jauchzen	IX	98.731
BWV 71	Gott ist mein König	III	98.676
BWV 197	Gott ist unsre Zuversicht	X	98.749
BWV 120	Gott, man lobet dich in der Stille	II	98.665
BWV 169	Gott soll allein mein Herze haben	IX	98.736
BWV 171	Gott, wie dein Name, so ist auch dein Ruhm	X	98.743
BWV 106	Gottes Zeit ist die allerbeste Zeit	III	98.675
BWV 28	Gottlob, nun geht das Jahr zu Ende	VIII	98.729
BWV 67	Halt im Gedächtnis Jesum Christ	VI	98.702
BWV 96	Herr Christ, der einge Gottessohn	II	98.666
BWV 102	Herr, deine Augen sehen nach dem Glauben	II	98.661
BWV 105	Herr, gehe nicht ins Gericht mit deinem Knecht	V	98.694
BWV 130	Herr Gott, dich loben alle wir	III	98.671
BWV 16	Herr Gott, dich loben wir	VIII	98.730
BWV 113	Herr Jesu Christ, du höchstes Gut	II	98.669
BWV 127	Herr Jesu Christ, wahr' Mensch und Gott	VII	98.719
BWV 73	Herr, wie du willt, so schick's mit mir	II	98.664
BWV 147	Herz und Mund und Tat und Leben	IV	98.687

BWV 182	Himmelskönig, sei willkommen	III	98.678
BWV 194	Höchsterwünschtes Freudenfest	IV	98.689
BWV 55	Ich armer Mensch, ich Sündenknecht	IX	98.738
BWV 85	Ich bin ein guter Hirt	VIII	98.721
BWV 84	Ich bin vergnügt mit meinem Glücke	X	98.741
BWV 48	Ich elender Mensch, wer wird mich erlösen	II	98.669
BWV 133	Ich freue mich in dir	VII	98.715
BWV 49	Ich geh und suche mit Verlangen	IX	98.737
BWV 109	Ich glaube, lieber Herr, hilf meinem Unglauben	I	98.656
BWV 92	Ich hab in Gottes Herz und Sinn	VII	98.717
BWV 82	Ich habe genug	IX	98.739
BWV 188	Ich habe meine Zuversicht	X	98.742
BWV 21	Ich hatte viel Bekümmernis	III	98.680
BWV 157	Ich lasse dich nicht, du segnest mich denn	IX	98.739
BWV 145	Ich lebe, mein Herze, zu deinem Ergötzen	X	98.744
BWV 174	Ich liebe den Höchsten von ganzem Gemüte	X	98.745
BWV 177	Ich ruf zu dir, Herr Jesu Christ	VIII	98.727
BWV 156	Ich steh mit einem Fuß im Grabe	II	98.668
BWV 56	Ich will den Kreuzstab gerne tragen	IX	98.736
BWV 164	Ihr, die ihr euch von Christo nennet	VIII	98.728
BWV 167	Ihr Menschen, rühmet Gottes Liebe	III	98.671
BWV 193	Ihr Tore zu Zion	X	98.741
BWV 103	Ihr werdet weinen und heulen	VIII	98.722
BWV 97	In allen meinen Taten	III	98.672
BWV 51	Jauchzet Gott in allen Landen	X	98.744
BWV 78	Jesu, der du meine Seele	VI	98.709
BWV 41	Jesu, nun sei gepreiset	II	98.666
BWV 22	Jesus nahm zu sich die Zwölfe	V	98.691
BWV 81	Jesus schläft, was soll ich hoffen	I	98.659
BWV 161	Komm, du süße Todesstunde	IV	98.684
BWV 249	Kommt, eilet und laufet (Osteroratorium)	VII	98.720
BWV 198	Laß, Fürstin, laß noch einen Strahl	IX	98.740
BWV 181	Leichtgesinnte Flattergeister	III	98.673
BWV 8	Liebster Gott, wann werd ich sterben	VI	98.710
BWV 123	Liebster Immanuel, Herzog der Frommen	VII	98.716
BWV 32	Liebster Jesu, mein Verlangen	VIII	98.730
BWV 137	Lobe den Herren, den mächtigen König der Ehren	VIII	98.727
BWV 69	Lobe den Herrn, meine Seele I	II	98.665
BWV 143	Lobe den Herrn, meine Seele II	III	98.678
BWV 11	Lobet Gott in seinen Reichen (Himmelfahrtsoratorium)	X	98.748
BWV 115	Mache dich, mein Geist, bereit	VII	98.712
BWV 149	Man singet mit Freuden vom Sieg	X	98.742
BWV 155	Mein Gott, wie lang, ach lange	I	98.656
BWV 199	Mein Herze schwimmt im Blut	IV	98.681
BWV 154	Mein liebster Jesus ist verloren	VI	98.701

BWV 10	Meine Seel erhebt den Herren	VI	98.707
BWV 13	Meine Seufzer, meine Tränen	IX	98.731
BWV 124	Meinen Jesum laß ich nicht	VII	98.716
BWV 125	Mit Fried und Freud ich fahr dahin	II	98.668
BWV 150	Nach dir, Herr, verlanget mich	I	98.654
BWV 101	Nimm von uns, Herr, du treuer Gott	VI	98.708
BWV 144	Nimm, was dein ist, und gehe hin	VI	98.702
BWV 192	Nun danket alle Gott	III	98.672
BWV 50	Nun ist das Heil und die Kraft	X	98.749
BWV 61	Nun komm, der Heiden Heiland I	II	98.670
BWV 62	Nun komm, der Heiden Heiland II	VII	98.714
BWV 163	Nur jedem das Seine	IV	98.685
BWV 34	O ewiges Feuer, o Ursprung der Liebe	I	98.660
BWV 20	O Ewigkeit, du Donnerwort I	I	98.652
BWV 60	O Ewigkeit, du Donnerwort II	V	98.698
BWV 165	O heilges Geist- und Wasserbad	IV	98.682
BWV 119	Preise, Jerusalem, den Herrn	V	98.695
BWV 153	Schau, lieber Gott, wie meine Feind	V	98.700
BWV 46	Schauet doch und sehet, ob irgend ein Schmerz sei	V	98.694
BWV 180	Schmücke dich, o liebe Seele	VII	98.711
BWV 36	Schwingt freudig euch empor	VIII	98.726
BWV 64	Sehet, welch eine Liebe hat uns der Vater erzeiget	V	98.699
BWV 159	Sehet! Wir gehn hinauf gen Jerusalem	X	98.743
BWV 117	Sei Lob und Ehr dem höchsten Gut	X	98.745
BWV 57	Selig ist der Mann	VIII	98.729
BWV 65	Sie werden aus Saba alle kommen	V	98.700
BWV 44	Sie werden euch in den Bann tun I	VI	98.705
BWV 183	Sie werden euch in den Bann tun II	VIII	98.724
BWV 88	Siehe, ich will viel Fischer aussenden	I	98.654
BWV 179	Siehe zu, daß deine Gottesfurcht nicht Heuchelei sei	III	98.674
BWV 190	Singet dem Herrn ein neues Lied	V	98.699
BWV 151	Süßer Trost, mein Jesus kömmt	I	98.655
BWV 152	Tritt auf die Glaubensbahn	IV	98.681
BWV 168	Tue Rechnung! Donnerwort	I	98.652
BWV 110	Unser Mund sei voll Lachens	II	98.670
BWV 170	Vergnügte Ruh, beliebte Seelenlust	IX	98.733
BWV 140	Wachet auf, ruft uns die Stimme	X	98.746
BWV 70	Wachet! betet! betet! wachet!	I	98.653
BWV 14	Wär Gott nicht mit uns diese Zeit	X	98.748
BWV 86	Wahrlich, wahrlich, ich sage euch	VI	98.704
BWV 138	Warum betrübst du dich, mein Herz	V	98.696
BWV 94	Was frag ich nach der Welt	III	98.673
BWV 98	Was Gott tut, das ist wohlgetan I	IX	98.737
BWV 99	Was Gott tut, das ist wohlgetan II	VI	98.710
BWV 100	Was Gott tut, das ist wohlgetan III	X	98.747

BWV 111	Was mein Gott will, das g'scheh allzeit	VII	98.717
BWV 89	Was soll ich aus dir machen, Ephraim	V	98.697
BWV 107	Was willst du dich betrüben	VI	98.708
BWV 12	Weinen, Klagen, Sorgen, Zagen	II	98.661
BWV 37	Wer da gläubet und getauft wird	VI	98.704
BWV 17	Wer Dank opfert, der preiset mich	IX	98.734
BWV 59	Wer mich liebet, der wird mein Wort halten I	IV	98.690
BWV 74	Wer mich liebet, der wird mein Wort halten II	I	98.660
BWV 93	Wer nur den lieben Gott läßt walten	VI	98.707
BWV 47	Wer sich selbst erhöhet, der soll erniedriget werden	IX	98.735
BWV 27	Wer weiß, wie nahe mir mein Ende	IX	98.735
BWV 54	Widerstehe doch der Sünde	III	98.679
BWV 1	Wie schön leuchtet der Morgenstern	VII	98.719
BWV 29	Wir danken dir, Gott, wir danken dir	X	98.746
BWV 146	Wir müssen durch viel Trübsal	II	98.667
BWV 166	Wo gehest du hin	VI	98.703
BWV 178	Wo Gott der Herr nicht bei uns hält	II	98.664
BWV 5	Wo soll ich fliehen hin	VII	98.711
BWV 139	Wohl dem, der sich auf seinen Gott	VII	98.713

DIE BACH KANTATE

Alle Bach-Kantaten im Hänssler-Verlag auf einen Blick

Die nachfolgend aufgeführten Kantaten sind jeweils mit Dirigierpartitur, Chorpartitur und Instrumentalstimmen erschienen.

Alle mit * gekennzeichneten Kantaten sind Neueditionen innerhalb der Reihe „Die Bach-Kantate" und im Typus der wissenschaftlich-praktischen Ausgabe zusätzlich inclusive Klavierauszug und Taschenpartitur erschienen. Die Kantatentexte sind jeweils deutsch/englisch unterlegt. Wenn Sie hierzu ausführliche Informationen wünschen, fordern Sie bitte das „Bach-Magazin" an.

* BWV 1 Wie schön leuchtet der Morgenstern. 31.001
* BWV 2 Ach Gott, vom Himmel sieh darein. 31.002
* BWV 3 Ach Gott, wie manches Herzeleid I. 31.003
* BWV 4 Christ lag in Todesbanden. 31.004
* BWV 5 Wo soll ich fliehen hin? 31.005
* BWV 6 Bleib bei uns, denn es will Abend werden. 31.006
* BWV 7 Christ, unser Herr, zum Jordan kam. 31.007
* BWV 8 Liebster Gott, wenn werd ich sterben. 31.008
BWV 11 Lobet Gott in seinen Reichen (Himmelfahrtsoratorium). 10.118
BWV 17 Wer Dank opfert, der preiset mich. 10.143
BWV 23 Du wahrer Gott und Davids Sohn. 10.026
BWV 27 Wer weiß, wie nahe mir mein Ende. 10.027
BWV 29 Wir danken dir, Gott. 10.085
BWV 32 Liebster Jesu, mein Verlangen. 10.215
BWV 34 O ewiges Feuer, o Ursprung der Liebe. 10.120
BWV 37 Wer da gläubet und getauft wird. 10.218
BWV 38 Aus tiefer Not schrei ich zu dir. 31.038
BWV 40 Dazu ist erschienen der Sohn Gottes. 31.040
BWV 46 Schauet doch und sehet. 10.122
BWV 50 Nun ist das Heil und die Kraft. 10.123
BWV 51 Jauchzet Gott in allen Landen. 10.129
* BWV 58 Ach Gott, wie manches Herzeleid II. 31.058
* BWV 59 Wer mich liebet, der wird mein Wort halten I. 31.059

* BWV 60 O Ewigkeit, du Donnerwort II. 31.060
* BWV 61 Nun komm, der Heiden Heiland I. 31.061
* BWV 62 Nun komm, der Heiden Heiland II. 31.062
* BWV 63 Christen ätzet diesen Tag. . 31.063
* BWV 64 Sehet, welch eine Liebe hat uns der Vater. 31.064
* BWV 65 Sie werden aus Saba alle kommen. 31.065
* BWV 66 Erfreut euch, ihr Herzen. 31.066
* BWV 67 Halt im Gedächtnis Jesum Christ. 31.067
* BWV 68 Also hat Gott die Welt geliebt. 31.068
* BWV 69 Lobe den Herrn, meine Seele I. 31.069
* BWV 70 Wachet! betet! betet! wachet! 31.070
* BWV 71 Gott ist mein König. 31.071
* BWV 72 Alles nur nach Gottes Willen. 31.072
* BWV 73 Herr, wie du willt, so schicks mit mir. 31.073
* BWV 74 Wer mich liebet, der wird mein Wort halten II. 31.074
* BWV 75 Die Elenden sollen essen i. Vorb. 31.075
* BWV 76 Die Himmel erzählen die Ehre Gottes i. Vorb. 31.076
* BWV 77 Du sollst Gott, deinen Herrn lieben i. Vorb. 31.077
BWV 78 Jesu, der du meine Seele. 10.125
BWV 79 Gott der Herr ist Sonn' und Schild. 10.115
BWV 80 Ein feste Burg ist unser Gott (Friedemann Bach-Fassung). 10.126
* BWV 80 Ein feste Burg ist unser Gott i. Vorb. 31.080

DIE BACH KANTATE